상상 그 이상

모두의 새롭고 유익한 즐거움이
비상의 즐거움이기에

아무도 해보지 못한 콘텐츠를 만들어
학교에 새로운 활기를 불어넣고

전에 없던 플랫폼을 창조하여
배움이 더 즐거워지는 자기주도학습 환경을
실현해왔습니다

이제, 비상은
더 많은 이들의 행복한 경험과
성장에 기여하기 위해

글로벌 교육 문화 환경의
상상 그 이상을 실현해 나갑니다

상상을 실현하는 교육 문화 기업 비상

수학의 신

"
최상위 1등급 필수·심화 문제해결서
"

고등수학 (상)

1 / 모든 고난도 문제를 한 권에 담았다!

유형서		내신 기출		교육청, 평가원 기출
고난도 문제	**+**	변별력 문제	**+**	킬러 / 준킬러 문제

» 공부 효율 UP

2 / 내신 출제 비중이 높아진 수능형 문제와 그 변형 문제까지 담았다!

교육청 학력평가, 평가원 모의평가 및
수능에 출제된 문제와 그 변형 문제를
25% 이상 수록

» 수능형 문제 UP

3 / 교육 특구뿐만 아니라 전국적으로 더 까다로워지고 어려워진 내신 대비를 위해 문제의 수준을 엄선하였다!

최상 난도 문제 25%,
상 난도 문제 55% 수록

» 심화 문제 UP

/ 구성 *

개념 핵심 개념과 문제 풀이에 필요한 실전 개념만 권두에 수록

문제 적중률이 높은 STEP별 문제로 최상위 1등급 실력을 쌓고,
틀리기 쉬운 수능형 문제는 변형 문제까지 한 번 더 풀어 완벽 마스터!

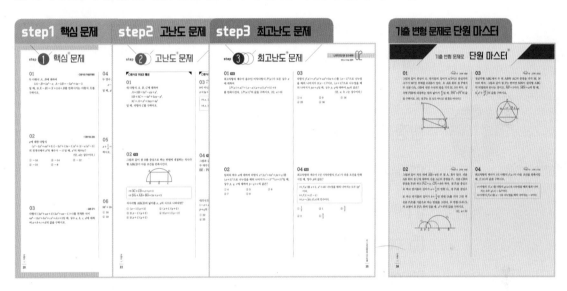

정답 고난도 문제 해결을 위한 다양한 풀이와 전략 제시!

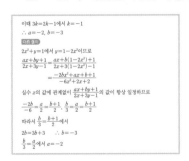

다른 풀이
다양한 방법으로 제공된 풀이를 통해
문제에 접근하는 사고력 향상

비법 노트
고난도 문제 해결에 꼭 필요한 풀이
비법 제시

개념 노트
문제 풀이에 필요한 하위 개념 제시

차례 *

실전 개념 ·· 6

I 다항식

01 다항식의 연산 ····························· 20

02 나머지정리와 인수분해 ··············· 28

기출 변형 문제로 단원 마스터 ··········· 38

II 방정식과 부등식

03 복소수 ··· 42

04 이차방정식 ··································· 50

05 이차방정식과 이차함수 ··············· 60

06 여러 가지 방정식 ························· 70

07 여러 가지 부등식 ························· 80

기출 변형 문제로 단원 마스터 ··········· 88

III 도형의 방정식

08 평면좌표와 직선의 방정식 ··········· 94

09 원의 방정식 ······························· 104

10 도형의 이동 ······························· 114

기출 변형 문제로 단원 마스터 ··········· 122

실전 개념

01

다항식의 연산

1. 다항식의 덧셈과 뺄셈

다항식의 덧셈과 뺄셈은 괄호가 있는 경우 괄호를 푼 후 동류항끼리 모아서 계산한다.
이때 뺄셈은 빼는 식의 각 항의 부호를 바꾸어 더하는 것과 같다.

2. 다항식의 곱셈

(1) 다항식의 곱셈

분배법칙과 지수법칙을 이용하여 식을 전개한 후 동류항끼리 모아서 계산한다.

(2) 곱셈 공식

a, b가 실수이고 m, n이 자연수일 때

• $a^m \times a^n = a^{m+n}$, $(a^m)^n = a^{mn}$

① $(a+b+c)^2 = a^2+b^2+c^2+2ab+2bc+2ca$

• $(ab)^m = a^m b^m$, $\left(\dfrac{b}{a}\right)^m = \dfrac{b^m}{a^m}$ (단, $a \neq 0$)

② $(a+b)^3 = a^3+3a^2b+3ab^2+b^3$

$(a-b)^3 = a^3-3a^2b+3ab^2-b^3$

• $a^m \div a^n = \begin{cases} a^{m-n} & (m>n일 \ 때) \\ 1 & (m=n일 \ 때) \\ \dfrac{1}{a^{n-m}} & (m<n일 \ 때) \end{cases}$ (단, $a \neq 0$)

③ $(a+b)(a^2-ab+b^2) = a^3+b^3$

$(a-b)(a^2+ab+b^2) = a^3-b^3$

④ $(x+a)(x+b)(x+c) = x^3+(a+b+c)x^2+(ab+bc+ca)x+abc$

⑤ $(a+b+c)(a^2+b^2+c^2-ab-bc-ca) = a^3+b^3+c^3-3abc$

⑥ $(a^2+ab+b^2)(a^2-ab+b^2) = a^4+a^2b^2+b^4$

(3) 곱셈 공식의 변형

① $a^2+b^2 = (a+b)^2-2ab = (a-b)^2+2ab$

$x^2+\dfrac{1}{x^2} = \left(x+\dfrac{1}{x}\right)^2-2 = \left(x-\dfrac{1}{x}\right)^2+2$

② $a^3+b^3 = (a+b)^3-3ab(a+b)$, $a^3-b^3 = (a-b)^3+3ab(a-b)$

$x^3+\dfrac{1}{x^3} = \left(x+\dfrac{1}{x}\right)^3-3\left(x+\dfrac{1}{x}\right)$, $x^3-\dfrac{1}{x^3} = \left(x-\dfrac{1}{x}\right)^3+3\left(x-\dfrac{1}{x}\right)$

③ $a^2+b^2+c^2 = (a+b+c)^2-2(ab+bc+ca)$

④ $a^2+b^2+c^2-ab-bc-ca = \dfrac{1}{2}\{(a-b)^2+(b-c)^2+(c-a)^2\}$

⑤ $a^3+b^3+c^3 = (a+b+c)(a^2+b^2+c^2-ab-bc-ca)+3abc$

3. 다항식의 나눗셈

(1) 다항식의 나눗셈

두 다항식을 각각 내림차순으로 정리한 후 자연수의 나눗셈과 같은 방법으로 계산한다.

(2) 다항식의 나눗셈에 대한 등식

다항식 A를 다항식 $B(B \neq 0)$로 나누었을 때의 몫을 Q, 나머지를 R라 하면

$$A = BQ+R \ (단, R는 상수 \ 또는 \ (R의 \ 차수) < (B의 \ 차수))$$

→ $A=BQ+R$에서

• B가 일차식이면 $R=a$

• B가 이차식이면 $R=ax+b$

• B가 삼차식이면 $R=ax^2+bx+c$

(단, a, b, c는 상수)

특히 $R=0$이면 A는 B로 나누어떨어진다고 한다.

4. 조립제법

다항식을 일차식으로 나눌 때, 직접 나눗셈을 하지 않고 계수와 상수항을 이용하여 몫과 나머지를 구하는 방법을 조립제법이라 한다.

예 조립제법을 이용하여 다항식 x^3-x-5를 $x-2$로 나누었을 때의 몫과 나머지를 구해 보자.

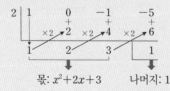

몫: x^2+2x+3 나머지: 1

➡ $x^3-x-5 = (x-2)\underline{(x^2+2x+3)}+\underline{1}$
　　　　　　　　　　　　　　몫　　　　　나머지

02 나머지정리와 인수분해

1. 항등식과 미정계수법

(1) **항등식**: 등식의 문자에 어떤 값을 대입하여도 항상 성립하는 등식 → 'x에 대한 항등식'을 나타내는 표현

        ① 모든(임의의) x에 대하여 성립하는 등식
        ② x의 값에 관계없이 항상 성립하는 등식
        ③ 어떤 x의 값에 대하여도 항상 성립하는 등식

(2) **항등식의 성질**

    ① $ax^2+bx+c=0$이 x에 대한 항등식이면 $a=0$, $b=0$, $c=0$

    ② $ax^2+bx+c=a'x^2+b'x+c'$이 x에 대한 항등식이면 $a=a'$, $b=b'$, $c=c'$

(3) **미정계수법**

    ① 계수비교법: 항등식의 양변의 동류항의 계수를 비교하여 미정계수를 정하는 방법

    ② 수치대입법: 항등식의 문자에 적당한 수를 대입하여 미정계수를 정하는 방법

2. 나머지정리와 인수정리

(1) **나머지정리**

    다항식 $f(x)$를 일차식 $x-a$로 나누었을 때의 나머지를 R라 하면 $R=f(a)$이다.

(2) **인수정리**

    ① 다항식 $f(x)$가 일차식 $x-a$로 나누어떨어지면 $f(a)=0$이다.

    ② $f(a)=0$이면 다항식 $f(x)$는 일차식 $x-a$로 나누어떨어진다.

3. 인수분해

(1) **인수분해**: 하나의 다항식을 두 개 이상의 다항식의 곱으로 나타내는 것

(2) **인수분해 공식**

    ① $a^2+b^2+c^2+2ab+2bc+2ca=(a+b+c)^2$

    ② $a^3+3a^2b+3ab^2+b^3=(a+b)^3$, $a^3-3a^2b+3ab^2-b^3=(a-b)^3$

    ③ $a^3+b^3=(a+b)(a^2-ab+b^2)$, $a^3-b^3=(a-b)(a^2+ab+b^2)$

    ④ $a^3+b^3+c^3-3abc=(a+b+c)(a^2+b^2+c^2-ab-bc-ca)$

                  $=\dfrac{1}{2}(a+b+c)\{(a-b)^2+(b-c)^2+(c-a)^2\}$

    ⑤ $a^4+a^2b^2+b^4=(a^2+ab+b^2)(a^2-ab+b^2)$

4. 복잡한 식의 인수분해

(1) **공통부분이 있는 식의 인수분해**

    공통부분을 한 문자로 치환하여 인수분해한다.

(2) **$x^4+ax^2+b(a, b$는 상수$)$ 꼴의 식의 인수분해**

    $x^2=X$로 치환하여 인수분해한다. 이때 인수분해되지 않으면 적당한 이차식을 더하거나 빼서 A^2-B^2 꼴로 변형한 후 인수분해한다.

(3) **여러 개의 문자를 포함한 식의 인수분해**

    차수가 가장 낮은 문자에 대하여 내림차순으로 정리한 후 공통인수로 묶거나 인수분해 공식을 이용한다. 이때 차수가 모두 같으면 어느 한 문자에 대하여 내림차순으로 정리한다.

(4) **인수정리를 이용한 삼차 이상의 다항식 $f(x)$의 인수분해**

    ① $f(a)=0$을 만족시키는 상수 a의 값을 구한다.

    ➡ $a=\pm\dfrac{(f(x)의 \ 상수항의 \ 양의 \ 약수)}{(f(x)의 \ 최고차항의 \ 계수의 \ 양의 \ 약수)}$

    ② 조립제법을 이용하여 $f(x)$를 $x-a$로 나누었을 때의 몫 $Q(x)$를 구하여

        $f(x)=(x-a)Q(x)$로 나타낸다.

    ③ $Q(x)$가 더 이상 인수분해되지 않을 때까지 인수분해한다.

(5) **$x^4+ax^3+bx^2+ax+1(a, b$는 상수$)$ 꼴의 인수분해** → 계수가 대칭인 사차식의 인수분해

    각 항을 x^2으로 묶은 후 $x^2+\dfrac{1}{x^2}=\left(x+\dfrac{1}{x}\right)^2-2$임을 이용하여 $x+\dfrac{1}{x}$에 대한 식을 인수분해한다.

03

복소수

1. 복소수의 뜻

(1) 제곱하여 -1이 되는 수를 기호 i로 나타내고, 이 i를 허수단위라 한다. 즉,
$$i^2=-1,\ i=\sqrt{-1}$$

(2) 실수 a, b에 대하여 $a+bi$ 꼴로 나타내어지는 수를 복소수
라 하고, a를 실수부분, b를 허수부분이라 한다.
이때 실수가 아닌 복소수 $a+bi\ (b\neq0)$를 허수라 하고, 실
수부분이 0인 허수 $bi\ (b\neq0)$를 순허수라 한다.

$$복소수\ a+bi \begin{cases} 실수\ a & (b=0) \\ 허수\ a+bi & (b\neq0) \end{cases}$$

[참고] 복소수 z에 대하여
   • z^2이 양의 실수 또는 0이면 z는 실수이다.   • z^2이 음의 실수이면 z는 순허수이다.

2. 복소수가 서로 같을 조건

a, b, c, d가 실수일 때

(1) $a+bi=c+di$이면 $a=c$, $b=d$ → $a+bi=0$이면 $a=0$, $b=0$

(2) $a=c$, $b=d$이면 $a+bi=c+di$ → $a=0$, $b=0$이면 $a+bi=0$

3. 복소수의 사칙연산

a, b, c, d가 실수일 때

(1) $(a+bi)+(c+di)=(a+c)+(b+d)i$

(2) $(a+bi)-(c+di)=(a-c)+(b-d)i$

(3) $(a+bi)(c+di)=(ac-bd)+(ad+bc)i$

(4) $\dfrac{a+bi}{c+di}=\dfrac{(a+bi)(c-di)}{(c+di)(c-di)}=\dfrac{ac+bd}{c^2+d^2}+\dfrac{bc-ad}{c^2+d^2}i$ (단, $c+di\neq0$)

4. 켤레복소수

복소수 $a+bi\,(a,\ b$는 실수)에서 허수부분의 부호를 바꾼 복소수 $a-bi$를 $a+bi$의 켤레복소수라 하
고, 기호 $\overline{a+bi}$로 나타낸다. 즉,
$$\overline{a+bi}=a-bi$$

[참고] 복소수 z, z_1, z_2에 대하여

(1) $\overline{(\bar{z})}=z$ (2) $z+\bar{z}$, $z\bar{z}$는 실수이다.

(3) $\bar{z}=z$이면 z는 실수이다.   (4) $\bar{z}=-z$이면 z는 순허수 또는 0이다.

(5) $\overline{z_1+z_2}=\overline{z_1}+\overline{z_2}$, $\overline{z_1-z_2}=\overline{z_1}-\overline{z_2}$, $\overline{z_1z_2}=\overline{z_1}\times\overline{z_2}$, $\overline{\left(\dfrac{z_1}{z_2}\right)}=\dfrac{\overline{z_1}}{\overline{z_2}}$ (단, $z_2\neq0$)

5. 복소수의 거듭제곱

복소수 i의 거듭제곱은 다음과 같은 규칙을 갖는다.
$$i^{4k+1}=i,\ i^{4k+2}=-1,\ i^{4k+3}=-i,\ i^{4k+4}=1\ (단,\ k는\ 음이\ 아닌\ 정수)$$

[참고] $i+i^2+i^3+i^4=0$, $\dfrac{1}{i}+\dfrac{1}{i^2}+\dfrac{1}{i^3}+\dfrac{1}{i^4}=0$

6. 음수의 제곱근

(1) $a>0$일 때 $\sqrt{-a}=\sqrt{a}\,i$이고, $-a$의 제곱근은 $\pm\sqrt{a}\,i$이다.

(2) $a<0$, $b<0$이면 $\sqrt{a}\sqrt{b}=-\sqrt{ab}$

   $\sqrt{a}\sqrt{b}=-\sqrt{ab}$이면 $a<0$, $b<0$ 또는 $a=0$ 또는 $b=0$

(3) $a>0$, $b<0$이면 $\dfrac{\sqrt{a}}{\sqrt{b}}=-\sqrt{\dfrac{a}{b}}$

   $\dfrac{\sqrt{a}}{\sqrt{b}}=-\sqrt{\dfrac{a}{b}}$이면 $a>0$, $b<0$ 또는 $a=0$, $b\neq0$

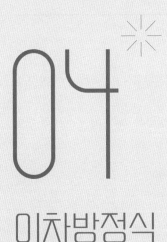

04 이차방정식

1. 이차방정식의 풀이

(1) 인수분해를 이용한 풀이

x에 대한 이차방정식 $(ax-b)(cx-d)=0$의 근은 $x=\dfrac{b}{a}$ 또는 $x=\dfrac{d}{c}$

(2) 근의 공식을 이용한 풀이

계수가 실수인 이차방정식 $ax^2+bx+c=0$의 근은 $x=\dfrac{-b\pm\sqrt{b^2-4ac}}{2a}$

[참고] • 이차방정식 $ax^2+2b'x+c=0$의 근은 $x=\dfrac{-b'\pm\sqrt{b'^2-ac}}{a}$

• 실수인 근을 실근, 허수인 근을 허근이라 한다.

(3) 절댓값 기호를 포함한 방정식의 풀이

$|A|=\begin{cases}-A\ (A<0)\\ A\ \ (A\geq0)\end{cases}$ 임을 이용하여 절댓값 기호 안의 식의 값이 0이 되는 x의 값을 기준으로 x의

값의 범위를 나누어 절댓값 기호를 없앤 후 푼다.

(4) 가우스 기호를 포함한 방정식의 풀이

실수 x에 대하여 x보다 크지 않은 최대의 정수를 $[x]$로 나타내고, $[\ ]$를 가우스 기호라 한다.

가우스 기호를 포함한 방정식은 정수 단위로 x의 값의 범위를 나누어 풀거나 $[x]$를 하나의 문자

로 생각하여 인수분해한 후 푼다. └─ 정수 n에 대하여 $n\leq x<n+1$이면 $[x]=n$이다.

2. 이차방정식의 판별식

계수가 실수인 이차방정식 $ax^2+bx+c=0$의 판별식을 $D=b^2-4ac$라 할 때

(1) $D>0$이면 서로 다른 두 실근을 갖는다. ┐
(2) $D=0$이면 중근(서로 같은 두 실근)을 갖는다. ├─ 실근을 가질 조건: $D\geq0$
(3) $D<0$이면 서로 다른 두 허근을 갖는다. ┘

[참고] • 이차방정식 $ax^2+2b'x+c=0$의 판별식은 $\dfrac{D}{4}=b'^2-ac$

• 이차식 ax^2+bx+c가 완전제곱식이면 $b^2-4ac=0$이다.

3. 이차방정식의 근과 계수의 관계

(1) 이차방정식의 근과 계수의 관계

이차방정식 $ax^2+bx+c=0$의 두 근을 α, β라 하면

$$\alpha+\beta=-\frac{b}{a},\ \alpha\beta=\frac{c}{a}$$

[참고] 계수가 실수인 이차방정식 $ax^2+bx+c=0$의 두 실근을 α, β, 판별식을 D라 하면

① 두 근이 모두 양수 ➡ $D\geq0$, $\alpha+\beta>0$, $\alpha\beta>0$

② 두 근이 모두 음수 ➡ $D\geq0$, $\alpha+\beta<0$, $\alpha\beta>0$

③ 두 근이 서로 다른 부호 ➡ $\alpha\beta<0$

(2) 두 수를 근으로 하는 이차방정식

두 수 α, β를 근으로 하고 이차항의 계수가 1인 이차방정식은

$$(x-\alpha)(x-\beta)=0 \Rightarrow x^2-(\alpha+\beta)x+\alpha\beta=0$$

4. 이차방정식의 켤레근의 성질

이차방정식 $ax^2+bx+c=0$에서

(1) a, b, c가 유리수일 때, 한 근이 $p+q\sqrt{m}$이면 다른 한 근은 $p-q\sqrt{m}$이다.

(단, p, q는 유리수, $q\neq0$, $\sqrt{m}$은 무리수)

(2) a, b, c가 실수일 때, 한 근이 $p+qi$이면 다른 한 근은 $p-qi$이다.

(단, p, q는 실수, $q\neq0$, $i=\sqrt{-1}$)

이차방정식과 이차함수

1. 이차함수의 그래프와 x축의 위치 관계

(1) 이차함수 $y=ax^2+bx+c$의 그래프와 x축의 교점의 x좌표는 이차방정식 $ax^2+bx+c=0$의 실근과 같다.

(2) 이차함수 $y=ax^2+bx+c$의 그래프와 x축의 위치 관계는 이차방정식 $ax^2+bx+c=0$의 판별식 D의 부호에 따라 다음과 같다.

$ax^2+bx+c=0$의 근		$D>0$	$D=0$	$D<0$
		서로 다른 두 실근	중근	서로 다른 두 허근
$y=ax^2+bx+c$의 그래프	$a>0$			
	$a<0$			
$y=ax^2+bx+c$의 그래프와 x축의 위치 관계		서로 다른 두 점에서 만난다.	한 점에서 만난다. (접한다.)	만나지 않는다.

> [참고] • 이차함수 $y=ax^2+bx+c$의 그래프와 x축이 두 점 $(\alpha,\,0)$, $(\beta,\,0)$에서 만나면 이차방정식 $ax^2+bx+c=0$의 두 실근이 α, β이므로 근과 계수의 관계에 의하여
> $$\alpha+\beta=-\frac{b}{a},\ \alpha\beta=\frac{c}{a}$$
> • 이차함수 $y=a(x-p)^2+q$의 그래프는 $a>0$이면 아래로 볼록, $a<0$이면 위로 볼록하다. 또 꼭짓점의 좌표는 $(p,\,q)$, 축은 직선 $x=p$이므로 $f(p+x)=f(p-x)$가 성립한다.

2. 이차함수의 그래프와 직선의 위치 관계

(1) 이차함수 $y=ax^2+bx+c$의 그래프와 직선 $y=mx+n$의 교점의 x좌표는 이차방정식
$ax^2+bx+c=mx+n$, 즉 $ax^2+(b-m)x+c-n=0$의 실근과 같다.

(2) 이차함수 $y=ax^2+bx+c$의 그래프와 직선 $y=mx+n$의 위치 관계는 이차방정식
$ax^2+(b-m)x+c-n=0$의 판별식 D의 부호에 따라 다음과 같다.

$ax^2+(b-m)x+c-n=0$의 근	$D>0$	$D=0$	$D<0$
	서로 다른 두 실근	중근	서로 다른 두 허근
$y=ax^2+bx+c$의 그래프와 직선 $y=mx+n$의 위치 관계			
	서로 다른 두 점에서 만난다.	한 점에서 만난다. (접한다.)	만나지 않는다.

> [참고] 이차함수 $y=ax^2+bx+c$의 그래프와 직선 $y=mx+n$이 두 점 $(\alpha,\,m\alpha+n)$, $(\beta,\,m\beta+n)$에서 만나면 이차방정식 $ax^2+(b-m)x+c-n=0$의 두 실근이 α, β이므로 근과 계수의 관계에 의하여
> $$\alpha+\beta=-\frac{b-m}{a},\ \alpha\beta=\frac{c-n}{a}$$

3. 실수 전체의 범위에서의 이차함수의 최대, 최소

이차함수 $y=ax^2+bx+c$의 최댓값과 최솟값은 함수의 식을 $y=a(x-p)^2+q$ 꼴로 변형하여 다음과 같이 구한다.

(1) $a>0$일 때,

$x=p$에서 최솟값 q를 갖고, 최댓값은 없다.

(2) $a<0$일 때,

$x=p$에서 최댓값 q를 갖고, 최솟값은 없다.

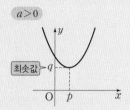
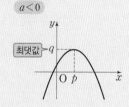

4. 제한된 범위에서의 이차함수의 최대, 최소

$\alpha \le x \le \beta$에서 이차함수 $f(x)=a(x-p)^2+q$의 최댓값과 최솟값은 다음과 같다.

(1) 꼭짓점의 x좌표가 $\alpha \le x \le \beta$에 포함될 때,

$f(\alpha)$, $f(p)$, $f(\beta)$ 중 가장 큰 값이 최댓값이고 가장 작은 값이 최솟값이다.

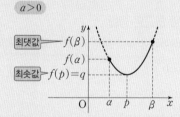
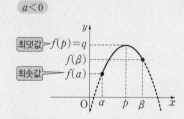

(2) 꼭짓점의 x좌표가 $\alpha \le x \le \beta$에 포함되지 않을 때,

$f(\alpha)$, $f(\beta)$ 중 큰 값이 최댓값이고 작은 값이 최솟값이다.

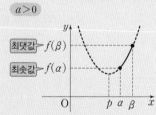
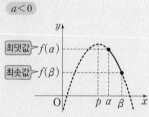

[참고] 공통부분이 있는 함수의 최댓값과 최솟값은 공통부분을 t로 놓고 t의 값의 범위를 구한 후 이 범위에서 t에 대한 함수의 최댓값과 최솟값을 구한다.

5. 이차함수의 최대, 최소의 활용

이차함수의 최대, 최소의 활용 문제는 다음과 같은 순서로 푼다.

(1) 문제의 상황에 맞게 변수 x를 정하고, x에 대한 이차함수의 식을 세운다.

(2) 조건을 만족시키는 x의 값의 범위를 구한다. 이때 길이, 넓이, 시간, 금액 등에 해당하는 값은 양수임에 유의한다.

(3) (2)에서 구한 범위에서 이차함수의 최댓값 또는 최솟값을 구한다.

06

여러 가지 방정식

---

1. 삼차방정식과 사차방정식의 풀이

삼차방정식 또는 사차방정식 $f(x)=0$은 $f(x)$를 인수분해 공식을 이용하거나 인수정리와 조립제법을 이용하여 인수분해한 후 해를 구한다. 이때 공통부분이 있으면 공통부분을 치환하여 푼다.

참고 삼차방정식 $(x-\alpha)(ax^2+bx+c)=0$ (a, a, b, c는 실수)에서 이차방정식 $ax^2+bx+c=0$의 판별식을 D라 할 때, 이 삼차방정식이 실근만을 가지면 $D \geq 0$, 중근을 가지면 이차방정식 $ax^2+bx+c=0$의 한 근이 α이거나 $D=0$, 허근을 가지면 $D<0$이다.

2. 삼차방정식의 근과 계수의 관계

(1) 삼차방정식 $ax^3+bx^2+cx+d=0$의 세 근을 α, β, γ라 하면

$$\alpha+\beta+\gamma=-\frac{b}{a},\ \alpha\beta+\beta\gamma+\gamma\alpha=\frac{c}{a},\ \alpha\beta\gamma=-\frac{d}{a}$$

(2) 세 수 α, β, γ를 근으로 하고 삼차항의 계수가 1인 삼차방정식은

$$x^3-(\alpha+\beta+\gamma)x^2+(\alpha\beta+\beta\gamma+\gamma\alpha)x-\alpha\beta\gamma=0$$

3. 삼차방정식과 사차방정식의 켤레근의 성질

삼차방정식 또는 사차방정식에서

(1) 계수가 유리수일 때, 한 근이 $p+q\sqrt{m}$이면 $p-q\sqrt{m}$도 근이다.

(단, p, q는 유리수, $q \neq 0$, $\sqrt{m}$은 무리수)

(2) 계수가 실수일 때, 한 근이 $p+qi$이면 $p-qi$도 근이다. (단, p, q는 실수, $q \neq 0$, $i=\sqrt{-1}$)

4. 삼차방정식 $x^3=1$의 허근의 성질

삼차방정식 $x^3=1$의 한 허근을 ω라 하면 다음이 성립한다. (단, $\overline{\omega}$는 ω의 켤레복소수)

(1) $\omega^3=1$, $\omega^2+\omega+1=0$　　(2) $\omega+\overline{\omega}=-1$, $\omega\overline{\omega}=1$　　(3) $\omega^2=\overline{\omega}=\dfrac{1}{\omega}$

참고 삼차방정식 $x^3=-1$의 한 허근을 ω라 하면

(1) $\omega^3=-1$, $\omega^2-\omega+1=0$　　(2) $\omega+\overline{\omega}=1$, $\omega\overline{\omega}=1$　　(3) $\omega^2=-\overline{\omega}=-\dfrac{1}{\omega}$

5. 미지수가 2개인 연립이차방정식의 풀이

(1) 일차방정식과 이차방정식으로 이루어진 연립이차방정식의 풀이

일차방정식을 한 미지수에 대하여 정리한 후 이차방정식에 대입하여 미지수가 1개인 방정식으로 바꾸어 푼다.

(2) 두 이차방정식으로 이루어진 연립이차방정식의 풀이

두 이차방정식 중 인수분해 되는 것을 두 일차방정식의 곱으로 인수분해한 후 일차방정식과 이차방정식으로 이루어진 연립이차방정식을 만들어 푼다.

참고 두 이차방정식이 모두 인수분해 되지 않으면 두 이차방정식에서 이차항 또는 상수항을 소거하여 푼다.

(3) 대칭식으로 이루어진 연립이차방정식의 풀이

$x+y=u$, $xy=v$로 놓고 주어진 연립방정식을 u, v에 대한 연립방정식으로 변형하여 푼 후 x, y는 t에 대한 이차방정식 $t^2-ut+v=0$의 두 근임을 이용한다.

6. 부정방정식의 풀이

(1) 정수 조건이 있는 부정방정식의 풀이

(일차식)×(일차식)=(정수) 꼴로 변형한 후 약수와 배수의 성질을 이용한다.

(2) 실수 조건이 있는 부정방정식의 풀이

[방법 1] $A^2+B^2=0$ 꼴로 변형한 후 A, B가 실수이면 $A=0$, $B=0$임을 이용한다.

[방법 2] 한 문자에 대하여 내림차순으로 정리한 후 이차방정식의 판별식 D가 $D \geq 0$임을 이용한다.

07

여러 가지 부등식

1. 부등식 $ax>b$의 해

x에 대한 부등식 $ax>b$의 해는 다음과 같다.

(1) $a>0$일 때, $x>\dfrac{b}{a}$

(2) $a<0$일 때, $x<\dfrac{b}{a}$ → 음수로 나눌 때 부등호의 방향이 바뀜에 유의한다.

(3) $a=0$일 때, $\begin{cases} b\geq0\text{이면 해는 없다.} & \rightarrow 0\times x>(0\text{ 또는 양수}) \\ b<0\text{이면 해는 모든 실수이다.} & \rightarrow 0\times x>(\text{음수}) \end{cases}$

2. 연립일차부등식

(1) 연립일차부등식의 풀이: 연립일차부등식의 각 부등식을 풀고 그 해의 공통부분을 구한다.

[참고] • $a<b$일 때

① $\begin{cases} x>a \\ x>b \end{cases}$의 해는 $x>b$

② $\begin{cases} x<a \\ x<b \end{cases}$의 해는 $x<a$

③ $\begin{cases} x>a \\ x<b \end{cases}$의 해는 $a<x<b$

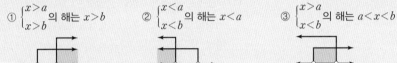

• 연립부등식을 이루는 각 부등식의 해의 공통부분이 없으면 연립부등식의 해는 없다.

(2) $A<B<C$ 꼴의 부등식은 연립부등식 $\begin{cases} A<B \\ B<C \end{cases}$ 꼴로 고쳐서 푼다.

[주의] $\begin{cases} A<B \\ A<C \end{cases}$ 또는 $\begin{cases} A<C \\ B<C \end{cases}$ 꼴로 고쳐서 풀지 않도록 주의한다.

3. 절댓값 기호를 포함한 일차부등식의 풀이

(1) $a>0$, $b>0$일 때

① $|x|<a$이면 $-a<x<a$

② $|x|>a$이면 $x<-a$ 또는 $x>a$

③ $a<|x|<b$이면 $-b<x<-a$ 또는 $a<x<b$ (단, $a<b$)

(2) $|x-a|+|x-b|<c\,(a<b,\,c>0)$ 꼴의 부등식은 x의 값의 범위를 $x<a,\,a\leq x<b,\,x\geq b$로 나누어 절댓값 기호를 없앤 후 푼다. → 절댓값 기호를 풀 때는 $|x|=\begin{cases} -x & (x<0) \\ x & (x\geq0) \end{cases}$임을 이용한다.

4. 이차부등식의 해

이차방정식 $ax^2+bx+c=0\,(a>0)$의 판별식을 D라 할 때, 이차함수 $y=ax^2+bx+c$의 그래프를 이용하여 이차부등식의 해를 구하면 다음과 같다.

	$D>0$	$D=0$	$D<0$
$ax^2+bx+c=0$의 해	서로 다른 두 실근 $\alpha,\,\beta$	중근 α	서로 다른 두 허근
$y=ax^2+bx+c$의 그래프			
$ax^2+bx+c>0$의 해	$x<\alpha$ 또는 $x>\beta$	$x\neq\alpha$인 모든 실수	모든 실수
$ax^2+bx+c\geq0$의 해	$x\leq\alpha$ 또는 $x\geq\beta$	모든 실수	모든 실수
$ax^2+bx+c<0$의 해	$\alpha<x<\beta$	없다.	없다.
$ax^2+bx+c\leq0$의 해	$\alpha\leq x\leq\beta$	$x=\alpha$	없다.

[참고] 이차함수 $f(x)$에 대하여

(1) 이차부등식 $f(x)>0$의 해는 이차함수 $y=f(x)$의 그래프가 x축보다 위쪽에 있는 부분의 x의 값의 범위와 같다.

(2) 이차부등식 $f(x)<0$의 해는 이차함수 $y=f(x)$의 그래프가 x축보다 아래쪽에 있는 부분의 x의 값의 범위와 같다.

5. 이차부등식의 작성

(1) 해가 $\alpha < x < \beta$이고 이차항의 계수가 1인 이차부등식은

$$(x-\alpha)(x-\beta) < 0 \Rightarrow x^2 - (\alpha+\beta)x + \alpha\beta < 0$$

(2) 해가 $x < \alpha$ 또는 $x > \beta$ $(\alpha < \beta)$이고 이차항의 계수가 1인 이차부등식은

$$(x-\alpha)(x-\beta) > 0 \Rightarrow x^2 - (\alpha+\beta)x + \alpha\beta > 0$$

[참고] 이차부등식 $f(x) < 0$의 해가 $\alpha < x < \beta$이면 $f(x) = p(x-\alpha)(x-\beta)\,(p>0)$에 대하여
$f(ax+b) = p(ax+b-\alpha)(ax+b-\beta)$이므로 부등식 $f(ax+b) < 0$의 해를 구할 수 있다.

6. 이차부등식이 항상 성립할 조건

(1) 모든 실수에 대하여 항상 성립하는 이차부등식

이차방정식 $ax^2+bx+c=0$의 판별식을 D라 할 때, 모든 실수 x에 대하여 주어진 이차부등식이
항상 성립할 조건은 다음과 같다.

① $ax^2+bx+c > 0 \Rightarrow a > 0,\ D < 0$

② $ax^2+bx+c \geq 0 \Rightarrow a > 0,\ D \leq 0$

③ $ax^2+bx+c < 0 \Rightarrow a < 0,\ D < 0$

④ $ax^2+bx+c \leq 0 \Rightarrow a < 0,\ D \leq 0$

[참고] 이차부등식의 해가 없을 조건은 다음과 같이 이차부등식이 항상 성립할 조건으로 바꾸어 생각한다.
- 이차부등식 $ax^2+bx+c > 0$의 해가 없다. $\Rightarrow$ 이차부등식 $ax^2+bx+c \leq 0$이 항상 성립한다.
- 이차부등식 $ax^2+bx+c \geq 0$의 해가 없다. $\Rightarrow$ 이차부등식 $ax^2+bx+c < 0$이 항상 성립한다.

(2) 제한된 범위에서 항상 성립하는 이차부등식

① $\alpha \leq x \leq \beta$에서 이차부등식 $f(x) > 0$이 항상 성립하면

$\Rightarrow \alpha \leq x \leq \beta$에서 $(f(x)$의 최솟값$) > 0$이다.

② $\alpha \leq x \leq \beta$에서 이차부등식 $f(x) < 0$이 항상 성립하면

$\Rightarrow \alpha \leq x \leq \beta$에서 $(f(x)$의 최댓값$) < 0$이다.

7. 연립이차부등식의 풀이

연립일차부등식의 풀이와 같은 방법으로 연립부등식을 풀고 그 해의 공통부분을 구한다.

8. 이차방정식의 실근의 위치

이차방정식 $ax^2+bx+c=0\,(a>0)$의 두 실근의 위치는 이차방정식의 판별식을 D라 하고
$f(x) = ax^2+bx+c$라 할 때,

　　(ⅰ) 판별식 D의 부호　　(ⅱ) 경계에서의 함숫값의 부호　　(ⅲ) 축의 위치

를 조사하여 판별할 수 있다.
└─ $y=f(x)$의 그래프의 축은 직선 $x=-\dfrac{b}{2a}$

두 근이 모두 p보다 크다.	두 근이 모두 p보다 작다.	두 근 사이에 p가 있다.	두 근이 모두 $p,\ q$ 사이에 있다.
$y=f(x)$ $x=-\dfrac{b}{2a}$	$y=f(x)$ $x=-\dfrac{b}{2a}$	$y=f(x)$	$y=f(x)$ $x=-\dfrac{b}{2a}$
(ⅰ) $D \geq 0$ (ⅱ) $f(p) > 0$ (ⅲ) $-\dfrac{b}{2a} > p$	(ⅰ) $D \geq 0$ (ⅱ) $f(p) > 0$ (ⅲ) $-\dfrac{b}{2a} < p$	$f(p) < 0$	(ⅰ) $D \geq 0$ (ⅱ) $f(p) > 0,\ f(q) > 0$ (ⅲ) $p < -\dfrac{b}{2a} < q$

08

평면좌표와 직선의 방정식

1. 두 점 사이의 거리

(1) 수직선 위의 두 점 $A(x_1)$, $B(x_2)$ 사이의 거리 $\overline{AB}$는
$$\overline{AB}=|x_2-x_1|$$

(2) 좌표평면 위의 두 점 $A(x_1, y_1)$, $B(x_2, y_2)$ 사이의 거리 $\overline{AB}$는
$$\overline{AB}=\sqrt{(x_2-x_1)^2+(y_2-y_1)^2}$$

2. 선분의 내분점과 외분점

좌표평면 위의 두 점 $A(x_1, y_1)$, $B(x_2, y_2)$에 대하여 선분 AB를 $m:n\,(m>0,\ n>0,\ m\neq n)$으로 내분하는 점을 P, 외분하는 점을 Q라 하면

$$P\left(\frac{mx_2+nx_1}{m+n},\ \frac{my_2+ny_1}{m+n}\right),\ Q\left(\frac{mx_2-nx_1}{m-n},\ \frac{my_2-ny_1}{m-n}\right)$$ ⟶ 선분 AB의 중점을 M이라 하면 $M\left(\frac{x_1+x_2}{2},\ \frac{y_1+y_2}{2}\right)$

3. 삼각형의 무게중심 ⟶ 삼각형의 세 중선의 교점을 무게중심이라 하고, 삼각형의 무게중심은 세 중선을 각 꼭짓점으로부터 각각 2:1로 내분한다.

좌표평면 위의 세 점 $A(x_1, y_1)$, $B(x_2, y_2)$, $C(x_3, y_3)$을 꼭짓점으로 하는 삼각형 ABC의 무게중심을 G라 하면

$$G\left(\frac{x_1+x_2+x_3}{3},\ \frac{y_1+y_2+y_3}{3}\right)$$

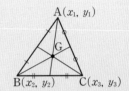

4. 직선의 방정식

(1) 한 점과 기울기가 주어진 직선의 방정식

점 (x_1, y_1)을 지나고 기울기가 m인 직선의 방정식은 $y-y_1=m(x-x_1)$

(2) 서로 다른 두 점을 지나는 직선의 방정식

서로 다른 두 점 $A(x_1, y_1)$, $B(x_2, y_2)$를 지나는 직선의 방정식은

① $x_1\neq x_2$일 때, $y-y_1=\dfrac{y_2-y_1}{x_2-x_1}(x-x_1)$ ② $x_1=x_2$일 때, $x=x_1$
                                                                      ⟶ y축에 평행한(x축에 수직인) 직선

(3) x절편이 a이고 y절편이 b인 직선의 방정식

$$\frac{x}{a}+\frac{y}{b}=1 \text{ (단, } a\neq0,\ b\neq0)$$

(4) 좌표축에 평행 또는 수직인 직선의 방정식

① x절편이 a이고 y축에 평행한(x축에 수직인) 직선의 방정식은 $x=a$

② y절편이 b이고 x축에 평행한(y축에 수직인) 직선의 방정식은 $y=b$

5. 두 직선의 교점을 지나는 직선의 방정식

두 직선 $ax+by+c=0$, $a'x+b'y+c'=0$의 교점을 지나는 직선 중 $a'x+b'y+c'=0$을 제외한 직선의 방정식은

$$ax+by+c+k(a'x+b'y+c')=0 \text{ (단, } k\text{는 실수)}$$

6. 두 직선의 위치 관계

두 직선	한 점에서 만난다.	평행하다.	일치한다.	수직이다.
$y=mx+n,$ $y=m'x+n'$	$m\neq m'$	$m=m',\ n\neq n'$	$m=m',\ n=n'$	$mm'=-1$
$ax+by+c=0,$ $a'x+b'y+c'=0$	$\dfrac{a}{a'}\neq\dfrac{b}{b'}$	$\dfrac{a}{a'}=\dfrac{b}{b'}\neq\dfrac{c}{c'}$	$\dfrac{a}{a'}=\dfrac{b}{b'}=\dfrac{c}{c'}$	$aa'+bb'=0$

7. 점과 직선 사이의 거리

점 $P(x_1, y_1)$과 직선 $ax+by+c=0$ 사이의 거리 d는 $d=\dfrac{|ax_1+by_1+c|}{\sqrt{a^2+b^2}}$ ⟶ 원점과 직선 $ax+by+c=0$ 사이의 거리 d는 $d=\dfrac{|c|}{\sqrt{a^2+b^2}}$

참고 평행한 두 직선 l, l' 사이의 거리는 직선 l 위의 임의의 한 점과 직선 l' 사이의 거리와 같다.

09

원의 방정식

1. 원의 방정식

(1) **원의 방정식의 표준형**

중심이 점 (a, b)이고 반지름의 길이가 r인 원의 방정식은

$$(x-a)^2+(y-b)^2=r^2$$

(2) **원의 방정식의 일반형** $\quad\left(x+\frac{A}{2}\right)^2+\left(y+\frac{B}{2}\right)^2=\frac{A^2+B^2-4C}{4}$

x, y에 대한 이차방정식 $x^2+y^2+Ax+By+C=0\,(A^2+B^2-4C>0)$은 중심이

점 $\left(-\dfrac{A}{2},\ -\dfrac{B}{2}\right)$, 반지름의 길이가 $\dfrac{\sqrt{A^2+B^2-4C}}{2}$인 원을 나타낸다. → $A^2+B^2-4C<0$이면 이 이차방 정식을 만족시키는 실수 $x,\ y$가 존재하지 않는다.

[참고] 좌표축에 접하는 원의 방정식

① x축에 접하는 원의 방정식: $(x-a)^2+(y\pm b)^2=b^2$

② y축에 접하는 원의 방정식: $(x\pm a)^2+(y-b)^2=a^2$

③ x축과 y축에 동시에 접하는 원의 방정식: $(x\pm a)^2+(y\pm a)^2=a^2$

2. 두 원의 교점을 지나는 도형의 방정식

서로 다른 두 점에서 만나는 두 원 $x^2+y^2+Ax+By+C=0,\ x^2+y^2+A'x+B'y+C'=0$에 대하여

(1) 두 원의 교점을 지나는 원의 방정식은

$$x^2+y^2+Ax+By+C+k(x^2+y^2+A'x+B'y+C')=0\ (단,\ k\neq-1인\ 실수)$$

(2) 두 원의 교점을 지나는 직선의 방정식은

$$(A-A')x+(B-B')y+C-C'=0 \longrightarrow \text{(1)의 식에 } k=-1을 \text{ 대입한 식이다.}$$

[참고] 두 원 $O,\ O'$이 서로 다른 두 점 A, B에서 만날 때, 두 원의 중심을 이은 선분 OO'은 두 원의 공통인 현 AB를 수직이등분한다.

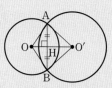

3. 원과 직선의 위치 관계

(1) 원의 방정식과 직선의 방정식을 연립하여 얻은 이차방정식의 판별식을 D라 할 때, 원과 직선의 위치 관계는

① $D>0$이면 서로 다른 두 점에서 만난다.

② $D=0$이면 한 점에서 만난다.(접한다.)

③ $D<0$이면 만나지 않는다.

(2) 반지름의 길이가 r인 원의 중심과 직선 사이의 거리를 d라 할 때, 원과 직선의 위치 관계는

① $d<r$이면 서로 다른 두 점에서 만난다.

② $d=r$이면 한 점에서 만난다.(접한다.)

③ $d>r$이면 만나지 않는다.

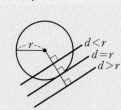

4. 원의 접선의 방정식

(1) **기울기가 주어진 원의 접선의 방정식**

원 $x^2+y^2=r^2$에 접하고 기울기가 m인 직선의 방정식은

$$y=mx\pm r\sqrt{m^2+1}$$

(2) **원 위의 점에서의 접선의 방정식**

원 $x^2+y^2=r^2$ 위의 점 (x_1, y_1)에서의 접선의 방정식은

$$x_1x+y_1y=r^2$$

[참고] 원 밖의 한 점 P에서 원에 그은 접선의 방정식은 접점의 좌표를 (x_1, y_1)로 놓고, 이 점에서의 접선이 점 P를 지남을 이용하여 구한다.

도형의 이동

1. 평행이동 ── 어떤 도형을 모양과 크기를 바꾸지 않고 일정한 방향으로 일정한 거리만큼 옮기는 것

(1) 점의 평행이동

점 $P(x, y)$를 x축의 방향으로 a만큼, y축의 방향으로 b만큼 평행이동한 점을 P'이라 하면

$$P'(x+a, y+b)$$

(2) 도형의 평행이동

방정식 $f(x, y)=0$이 나타내는 도형을 x축의 방향으로 a만큼, y축의 방향으로 b만큼 평행이동한 도형의 방정식은

$$f(x-a, y-b)=0$$

참고 직선은 평행이동하여도 기울기가 변하지 않고, 원은 평행이동하여도 반지름의 길이가 변하지 않는다.

2. 대칭이동 ── 어떤 도형을 한 직선 또는 한 점에 대하여 대칭인 도형으로 이동하는 것

(1) 점의 대칭이동

점 (x, y)를 x축, y축, 원점, 직선 $y=x$에 대하여 대칭이동한 점의 좌표는 다음과 같다.

① x축: $(x, -y)$ ── y좌표의 부호가 바뀐다.

② y축: $(-x, y)$ ── x좌표의 부호가 바뀐다.

③ 원점: $(-x, -y)$ ── x좌표, y좌표의 부호가 바뀐다.

④ 직선 $y=x$: (y, x) ── x좌표와 y좌표가 서로 바뀐다.

(2) 도형의 대칭이동

방정식 $f(x, y)=0$이 나타내는 도형을 x축, y축, 원점, 직선 $y=x$에 대하여 대칭이동한 도형의 방정식은 다음과 같다.

① x축: $f(x, -y)=0$ ── y 대신 $-y$를 대입한다.

② y축: $f(-x, y)=0$ ── x 대신 $-x$를 대입한다.

③ 원점: $f(-x, -y)=0$ ── x 대신 $-x$, y 대신 $-y$를 대입한다.

④ 직선 $y=x$: $f(y, x)=0$ ── x 대신 y, y 대신 x를 대입한다.

3. 점과 직선에 대한 대칭이동

(1) 점에 대한 대칭이동

① 점 $P(x, y)$를 점 (a, b)에 대하여 대칭이동한 점을 $P'(x', y')$이라 하면

$$\frac{x+x'}{2}=a, \ \frac{y+y'}{2}=b$$이므로

$$x'=2a-x, \ y'=2b-y$$

$$\therefore P'(2a-x, 2b-y)$$ ── 점 (a, b)는 선분 PP'의 중점이다.

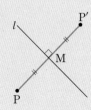

② 방정식 $f(x, y)=0$이 나타내는 도형을 점 (a, b)에 대하여 대칭이동한 도형의 방정식은

$$f(2a-x, 2b-y)=0$$

(2) 직선에 대한 대칭이동

점 $P(x, y)$를 직선 $l: ax+by+c=0$에 대하여 대칭이동한 점을 $P'(x', y')$이라 할 때, 점 P'의 좌표는 다음 두 조건을 이용하여 구한다.

① 중점 조건: 선분 PP'의 중점 $M\left(\dfrac{x+x'}{2}, \dfrac{y+y'}{2}\right)$이 직선 l 위의 점이므로

$$a \times \frac{x+x'}{2}+b \times \frac{y+y'}{2}+c=0$$

② 수직 조건: 직선 PP'은 직선 l과 수직이므로

$$\frac{y'-y}{x'-x} \times \left(-\frac{a}{b}\right)=-1$$

I

다항식

01 다항식의 연산

02 나머지정리와 인수분해

01
> 다항식의 덧셈과 뺄셈

두 다항식 A, B에 대하여
$$2A-B=2x^2-x, \quad A-2B=-5x^2+4x-3$$
일 때, $3(X-B)=X+2A+B$를 만족시키는 다항식 X를 구하시오.

02
> 다항식의 곱셈

x에 대한 다항식
$$(x^4-2x^3+ax^2+5)\{-2x^4+(2a-1)x^3+(2-a)x^2-3\}$$
의 전개식에서 x^6의 계수가 -17일 때, x^4의 계수는?

(단, a는 상수이다.)

① -16 ② -14 ③ -12
④ -10 ⑤ -8

03
> 곱셈 공식

다항식 $(2x^3+ax+3)(2x^3+ax-1)+5$를 전개한 식이 $4x^6-12x^4+bx^3+cx^2+dx+2$일 때, 상수 a, b, c, d에 대하여 $a+b+c+d$의 값을 구하시오.

04
> 곱셈 공식의 변형

두 양수 x, y에 대하여
$$x-y=1, \quad x^2+y^2=\frac{5}{2}$$
일 때, x^3+x+y^3+y의 값을 구하시오.

05
> 곱셈 공식의 변형

$x+\dfrac{1}{x}=-3$일 때, $x^4-2x^3+3x^2+\dfrac{3}{x^2}-\dfrac{2}{x^3}+\dfrac{1}{x^4}$의 값을 구하시오.

06
> 곱셈 공식의 활용

96^3+104^3의 각 자리 숫자의 합은?

① 16   ② 17   ③ 18
④ 19   ⑤ 20

07 서술형

> 곱셈 공식의 활용

그림과 같이 서로 외접하는 두 구 S_1, S_2의 중심 사이의 거리가 $2\sqrt{3}$이고, 겉넓이의 합이 40π일 때, 두 구 S_1, S_2의 부피의 차를 구하시오.

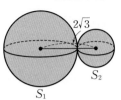

08 학평

> 곱셈 공식의 활용

그림과 같이 겉넓이가 148이고, 모든 모서리의 길이의 합이 60인 직육면체 $\mathrm{ABCD-EFGH}$가 있다. $\overline{\mathrm{BG}}^2 + \overline{\mathrm{GD}}^2 + \overline{\mathrm{DB}}^2$의 값은?

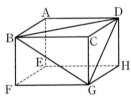

① 136   ② 142   ③ 148
④ 154   ⑤ 160

09

> 다항식의 나눗셈

x에 대한 삼차식 $4x^3 + ax^2 + bx + a$를 $x^2 - x + 1$로 나누었을 때의 나머지가 ab일 때, 상수 a, b에 대하여 $a^2 + b^2$의 값은?

① 2   ② 4   ③ 6
④ 8   ⑤ 10

10

> 다항식의 나눗셈

다항식 $f(x)$를 $x^2 + x + 1$로 나누었을 때의 몫이 $Q_1(x)$, 나머지가 $3x + 2$이고, $Q_1(x)$를 $x^2 - x + 1$로 나누었을 때의 몫이 $(x-1)Q_2(x)$, 나머지가 $2x - 3$이다. $f(x)$를 $x^3 - 1$로 나누었을 때의 나머지를 $R(x)$라 할 때, $R(-1)$의 값을 구하시오.

11 학평

> 조립제법

다음은 다항식 $3x^3 - 7x^2 + 5x + 1$을 $3x - 1$로 나누었을 때의 몫과 나머지를 구하기 위하여 조립제법을 이용하는 과정이다.

조립제법을 이용하면

$$\dfrac{1}{3} \begin{array}{|rrrr} 3 & -7 & 5 & 1 \\ & \square & \square & 1 \\ \hline 3 & \square & \square & 2 \end{array}$$

이므로
$$3x^3 - 7x^2 + 5x + 1 = \left(x - \frac{1}{3}\right)\left(\boxed{\ (가)\ }\right) + 2$$
$$= (3x - 1)\left(\boxed{\ (나)\ }\right) + 2$$
이다.
따라서 몫은 $\left(\boxed{\ (나)\ }\right)$이고, 나머지는 2이다.

위의 (가), (나)에 들어갈 식을 각각 $f(x)$, $g(x)$라 할 때, $f(2) + g(2)$의 값은?

① 1   ② 2   ③ 3
④ 4   ⑤ 5

다항식의 덧셈과 뺄셈

01

세 다항식 A, B, C에 대하여
$$A+2B=3x^2-xy+y^2,$$
$$2B+3C=-4x^2+2xy-y^2,$$
$$3C+A=x^2+3xy+4y^2$$
일 때, 다항식 C를 구하시오.

02 학평

그림과 같이 점 O를 중심으로 하는 반원에 내접하는 직사각형 ABCD가 다음 조건을 만족시킨다.

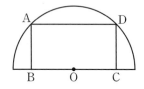

(가) $\overline{OC}+\overline{CD}=x+y+3$
(나) $\overline{DA}+\overline{AB}+\overline{BO}=3x+y+5$

직사각형 ABCD의 넓이를 x, y의 식으로 나타내면?

① $(x-1)(y+2)$ ② $(x+1)(y+2)$
③ $2(x-1)(y+2)$ ④ $2(x+1)(y-2)$
⑤ $2(x+1)(y+2)$

다항식의 곱셈과 곱셈 공식

03 idea ✦

0이 아닌 세 실수 x, y, z가 다음 조건을 만족시킬 때, $x+2y+3z$의 값을 구하시오.

(가) x, $2y$, $3z$ 중에서 적어도 하나는 4이다.

(나) x, $2y$, $3z$ 각각의 역수의 합은 $\frac{1}{4}$이다.

04 학평

그림과 같이 한 변의 길이가 1인 정오각형 ABCDE가 있다. 두 대각선 AC와 BE가 만나는 점을 P라 하면
$\overline{BE}:\overline{PE}=\overline{PE}:\overline{BP}$가 성립한다.

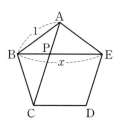

대각선 BE의 길이를 x라 할 때,
$1-x+x^2-x^3+x^4-x^5+x^6-x^7+x^8=p+q\sqrt{5}$이다.
$p+q$의 값은? (단, p, q는 유리수이다.)

① 22 ② 23 ③ 24
④ 25 ⑤ 26

05

두 실수 a, b에 대하여 $a+b=1$, $a^3+b^3=4$일 때, $5a^6+8b^5$의 값은?

① 79 ② 84 ③ 89

④ 94 ⑤ 99

곱셈 공식의 변형

06

두 실수 x, y에 대하여 $x+\sqrt{2}y=2\sqrt{2}$, $x^2+2y^2=10$일 때, $x^5+4\sqrt{2}y^5$의 값을 구하시오.

07 서술형

양수 x에 대하여 $x^4+\sqrt{5}x^2-1=0$일 때, $\dfrac{2x^6+x^4+x^2+2}{x^3}$의 값을 구하시오.

08

세 실수 a, b, c에 대하여

$$\frac{1}{a}+\frac{1}{b}+\frac{1}{c}=2,\ abc=\frac{9}{2},\ (a+b)(b+c)(c+a)=45$$

일 때, $a^2+b^2+c^2$의 값을 구하시오.

09

0이 아닌 세 실수 a, b, c에 대하여

$$ab+bc+ca=-5,$$
$$a^2+b^2+c^2=10,$$
$$a^3+b^3+c^3=6$$

일 때, $\dfrac{a^2b^2c^2}{(a+b)(b+c)(c+a)}$의 값은?

① -4 ② -2 ③ -1

④ 1 ⑤ 2

10

다음 조건을 만족시키는 세 정수 x, y, z의 순서쌍 (x, y, z)의 개수를 구하시오.

㈎ x, y, z의 제곱의 합은 $-2(xy+yz+zx)$와 같다.
㈏ x, y, z의 세제곱의 합은 -18이다.

11 ^{idea} ✦

세 실수 a, b, c에 대하여
$$(a-b)^2+(b-c)^2+(c-a)^2=12$$
일 때, $(a-b)^2(b-c)^2+(b-c)^2(c-a)^2+(c-a)^2(a-b)^2$
의 값은?

① 24   ② 28   ③ 32

④ 36   ⑤ 40

12

세 실수 x, y, z에 대하여
$$x+y+z-(xy+yz+zx)=3,$$
$$xy+yz+zx+xyz=-2,$$
$$x+y+z-xyz=1$$
일 때, $|(x-y)(y-z)(z-x)|$의 값을 구하시오.

▸ **곱셈 공식의 활용**

13 ^{idea} ✦

$(100.03)^3-(99.97)^3$의 소수점 아래 다섯째 자리의 숫자를
a, 소수점 아래 여섯째 자리의 숫자를 b라 할 때, $a+b$의 값
을 구하시오.

14 서술형

그림과 같이 서로 외접하고 있는
세 원 C_1, C_2, C_3의 중심을 각각
A, B, C라 할 때, 삼각형 ABC
는 $\angle A=90°$이고 넓이가 24이
다. 두 원 C_2, C_3의 둘레의 길이
의 합이 20π일 때, 두 원 C_2, C_3
의 넓이의 합을 구하시오.

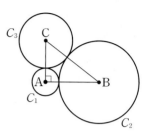

15 학평

그림과 같이 중심이 O, 반지름의 길이가 4이고 중심각의 크
기가 90°인 부채꼴 OAB가 있다. 호 AB 위의 점 P에서 두
선분 OA, OB에 내린 수선의 발을 각각 H, I라 하자. 삼각
형 PIH에 내접하는 원의 넓이가 $\dfrac{\pi}{4}$일 때, $\overline{PH}^3+\overline{PI}^3$의 값
은? (단, 점 P는 점 A도 아니고 점 B도 아니다.)

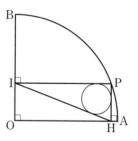

① 56   ② $\dfrac{115}{2}$ ③ 59

④ $\dfrac{121}{2}$ ⑤ 62

16 학평

그림과 같이 직선 위에 $\overline{AB}=6$인 두 점 A, B가 있다. 선분 AB 위의 점 C에 대하여 선분 AC의 중점을 P_1, 선분 CB의 중점을 P_2라 하고 $\overline{P_1C}=a$, $\overline{CP_2}=b$라 하자. 점 P_1을 중심으로 하고 반지름의 길이가 $a+\dfrac{1}{2}$인 반원 O_1, 점 P_2를 중심으로 하고 반지름의 길이가 $b+\dfrac{1}{2}$인 반원 O_2를 각각 그린 후, 선분 P_1P_2를 지름으로 하는 반원을 그린다. 두 반원 O_1과 O_2의 교점이 호 P_1P_2 위에 있을 때, ab의 값은? (단, $a<b$)

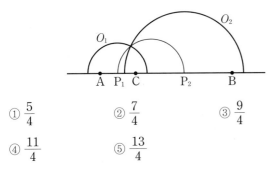

① $\dfrac{5}{4}$ ② $\dfrac{7}{4}$ ③ $\dfrac{9}{4}$

④ $\dfrac{11}{4}$ ⑤ $\dfrac{13}{4}$

▶ 다항식의 나눗셈과 조립제법

17

그림과 같이 $\angle ABC=30°$인 평행사변형 ABCD가 있다. 변 BC의 길이가 $2x^2+x+2$이고, 평행사변형 ABCD의 내부의 점 P에 대하여 두 삼각형 PAB와 PCD의 넓이의 합이 $\dfrac{1}{8}\{(2x+1)(2x^3+4x-1)+5\}$일 때, 변 AB의 길이를 구하시오.

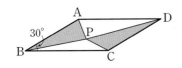

18 학평

삼차다항식 $f(x)$가 다음 조건을 만족시킨다.

> (가) $f(1)=2$
> (나) $f(x)$를 $(x-1)^2$으로 나누었을 때의 몫과 나머지가 같다.

$f(x)$를 $(x-1)^3$으로 나누었을 때의 나머지를 $R(x)$라 하자. $R(0)=R(3)$일 때, $R(5)$의 값을 구하시오.

19

다항식 $P(x)$를 $3x+2$로 나누었을 때의 몫을 $Q(x)$, 나머지를 R라 할 때, 보기에서 옳은 것만을 있는 대로 고르시오.

> **보기**
> ㄱ. $P(x+1)$을 $x+\dfrac{5}{3}$로 나누었을 때의 몫은 $3Q(x)$이다.
> ㄴ. $xP(x)$를 $x+\dfrac{2}{3}$로 나누었을 때의 몫은 $3xQ(x)+R$이다.
> ㄷ. $x^2P(x)$를 $x+\dfrac{2}{3}$로 나누었을 때의 나머지는 $\dfrac{2}{9}R$이다.

20 ✦ idea

최고차항의 계수가 2인 다항식 $f(x)$를 다항식 $g(x)$로 나누었을 때의 몫과 나머지가 모두 $g(x)-2x$일 때, $\{f(x)\}^3+\{g(x)\}^3$을 $2x+1$로 나누었을 때의 몫과 나머지를 구하시오.

01

다항식 $(1+2x+3x^2+\cdots+nx^{n-1})^2$의 전개식에서 x^n의 계수를 $f(n)$이라 할 때, $f(10)-f(9)$의 값은?

① 56   ② 58   ③ 60

④ 62   ⑤ 64

02 idea ✦

$A(x)=9x^2+3x+1$, $B(x)=9x^2-3x+1$일 때,

$$\dfrac{A\left(\dfrac{1}{3}\right)\times A\left(\dfrac{2}{3}\right)\times A\left(\dfrac{3}{3}\right)\times\cdots\times A\left(\dfrac{13}{3}\right)}{B\left(\dfrac{1}{3}\right)\times B\left(\dfrac{2}{3}\right)\times B\left(\dfrac{3}{3}\right)\times\cdots\times B\left(\dfrac{13}{3}\right)}$$

의 값을 구하시오.

03

1보다 큰 두 실수 x, y에 대하여

$$x^2+\frac{1}{x^2}=6,\ y^2+\frac{1}{y^2}=10$$

일 때, $xy+\dfrac{1}{xy}$의 값을 구하시오.

04

세 실수 a, b, c가 다음 조건을 만족시킬 때, $a^2+b^2+c^2-ab-bc-ca$의 값을 모두 구하시오.

> ㈎ $a-b$와 $b-c$는 모두 자연수이다.
> ㈏ $a-b<b-c$
> ㈐ $(a-b)(b-c)=12$

05

그림과 같은 직육면체 모양의 옷장의 겉넓이는 $12\,\mathrm{m}^2$, 모든 모서리의 길이의 합은 $20\,\mathrm{m}$이다. 이 옷장의 밑면의 가로, 세로의 길이를 각각 $a\,\mathrm{m}$, $b\,\mathrm{m}$, 높이를 $c\,\mathrm{m}$라 하면 $\dfrac{a^4+b^4+c^4+7}{a^2b^2+b^2c^2+c^2a^2}=9$일 때, 이 옷장의 부피를 구하시오.

06 학평

정삼각형 ABC에서 두 변 AB와 AC의 중점을 각각 M, N이라 하자. 그림과 같이 점 P는 반직선 MN이 삼각형 ABC의 외접원과 만나는 점이고, $\overline{\mathrm{NP}}=1$이다. $\overline{\mathrm{MN}}=x$라 할 때, $10\left(x^2+\dfrac{1}{x^2}\right)$의 값을 구하시오.

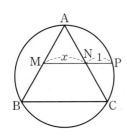

07

그림과 같이 $\overline{\mathrm{AB}}=\overline{\mathrm{AC}}=12$인 삼각형 ABC에서 변 AB 위에 점 P_1, P_2를 잡고, 두 점 P_1, P_2에서 변 AC와 평행한 직선을 그어 변 BC와 만나는 점을 각각 Q_1, Q_2라 하고 두 점 Q_1, Q_2에서 변 AB와 평행한 직선을 그어 변 AC와 만나는 점을 각각 R_1, R_2라 하자. $\overline{\mathrm{AP_1}}\times\overline{\mathrm{P_2B}}=1$이고, 색칠한 부분의 넓이가 삼각형 ABC의 넓이의 $\dfrac{1}{2}$일 때, $2\overline{\mathrm{P_1P_2}}$의 값을 구하시오.

(단, $\overline{\mathrm{AP_1}}+\overline{\mathrm{P_2B}}\leq6$)

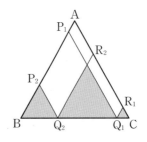

08

x에 대한 이차식 $f(x)$와 다항식 $g(x)$가 다음 조건을 만족시킬 때, $f(x)+g(x)$를 $x+\dfrac{1}{2}$로 나누었을 때의 나머지를 구하시오.

(가) 다항식 $4x^3+2x^2+2x-1$을 $f(x)$로 나누었을 때의 나머지는 $g(x)$이다.

(나) 다항식 $4x^3+2x^2+2x-1$을 $g(x)$로 나누었을 때의 나머지는 $-2x^2+x+1+f(x)$이다.

01 > 항등식

모든 실수 x에 대하여 등식

$$(x^2+x-2)^{50}=a_0+a_1x+a_2x^2+\cdots+a_{100}x^{100}$$

이 성립할 때, $a_1+4a_3+4^2a_5+\cdots+4^{49}a_{99}$의 값은?

(단, $a_0, a_1, \cdots, a_{100}$은 상수이다.)

① 2^{96} ② 2^{97} ③ 2^{98}

④ 2^{99} ⑤ 2^{100}

02 > 미정계수법 - 계수비교법

x에 대한 일차식 $f(x)$에 대하여

$$f(4x^2+x)=\{f(2x-1)\}^2+k$$

가 x에 대한 항등식일 때, 상수 k의 값을 구하시오.

03 > 미정계수법 - 수치대입법

등식

$$2x^3-6x^2-8x+3$$
$$=a+b(x+1)+c(x+1)(x-2)+d(x+1)^2(x-2)$$

가 x에 대한 항등식일 때, 상수 a, b, c, d에 대하여
$a+b+c+d$의 값을 구하시오.

04 서술형 > 나머지정리

다항식 $f(x)$를 x^2+1로 나누었을 때의 나머지가 $x+3$이고,
$x-1$로 나누었을 때의 나머지가 2이다. 이때 $f(x)$를
$(x^2+1)(x-1)$로 나누었을 때의 나머지를 구하시오.

05 > 나머지정리

다항식 $f(x)$를 x^2-3x로 나누었을 때의 나머지가
$(a-2)x+a$이고, 다항식 $f(x+4)$를 $x+1$로 나누었을 때의
나머지가 $2a-1$일 때, 상수 a의 값을 구하시오.

06 > 나머지정리

다항식 $x^{10}-1$을 $(x-1)^2$으로 나누었을 때의 나머지를
$R(x)$라 할 때, $R(3)$의 값은?

① 18 ② 20 ③ 22

④ 24 ⑤ 26

07 › 인수정리

다항식 $f(x)=x^3+2(x+1)^2+a(x+1)+b$가 x^2+x로 나누어떨어질 때, $f(x)$를 x^2+2x-3으로 나누었을 때의 나머지를 구하시오. (단, a, b는 상수이다.)

08 › 인수분해

다음 중 다항식 $a^2(b-c)+b^2(a-c)+c^2(a+b)-2abc$의 인수인 것은?

① $a+b$　　　② $b+c$　　　③ $a+c$
④ $a+b+c$　　　⑤ abc

09 › 인수분해

다항식 $x^2+2y^2-3xy+ax-6y-8$이 두 일차식의 곱 $(x+py+q)(x+ry+s)$로 인수분해될 때, 모든 상수 a의 값의 합을 구하시오. (단, p, q, r, s는 상수이다.)

10 학평 › 인수분해

모든 실수 x에 대하여 다항식 $f(x)$가 다음 조건을 만족시킨다.

> (가) $f(x)<0$
> (나) $\{f(x+1)\}^2-9=(x-1)(x+1)(x^2+5)$

다항식 $f(x+a)$를 $x-2$로 나누었을 때의 나머지가 -6이 되도록 하는 모든 상수 a의 값의 곱은?

① -9　　　② -7　　　③ -5
④ -3　　　⑤ -1

11 › 인수분해

n^4-35n^2+25의 값이 소수가 되도록 하는 자연수 n의 값을 a, 그때의 소수를 p라 할 때, $a+p$의 값은?

① 55　　　② 61　　　③ 66
④ 67　　　⑤ 71

12 › 인수분해의 활용

두 자리의 세 자연수 a, b, c에 대하여
$$60\times57\times54-7\times60+21=a\times b\times c$$
일 때, $a+b+c$의 값을 구하시오.

항등식과 미정계수법

01 학평

두 자연수 a, $b\,(a<b)$와 모든 실수 x에 대하여 등식
$$(x^2-x)(x^2-x+3)+k(x^2-x)+8$$
$$=(x^2-x+a)(x^2-x+b)$$
를 만족시키는 모든 상수 k의 값의 합은?

① 8   ② 9   ③ 10

④ 11   ⑤ 12

02

$2x^2+y=1$을 만족시키는 모든 실수 x, y에 대하여
$\dfrac{ax+by+1}{2x+3y-1}$의 값이 항상 일정할 때, 상수 a, b의 값을 구하시오. (단, $2x+3y-1\neq0$)

03

다항식 $f(x)$가 0이 아닌 모든 실수 x에 대하여
$f\left(x-2+\dfrac{1}{x}\right)=x^4+\dfrac{1}{x^4}-7$을 만족시킬 때, 다항식 $f(x)$의 모든 계수와 상수항의 합을 구하시오.

04

모든 실수 x에 대하여 등식
$$x^{2n}+8$$
$$=a_{2n}(x-2)^{2n}+a_{2n-1}(x-2)^{2n-1}+\cdots+a_1(x-2)+a_0$$
이 성립할 때, $a_1+2^2a_3+2^4a_5+\cdots+2^{2n-2}a_{2n-1}=2^{86}$을 만족시키는 자연수 n의 값을 구하시오.

(단, a_0, a_1, a_2, $\cdots$, a_{2n}은 상수이다.)

05

모든 실수 x에 대하여 등식
$$(x^2+2x)^4-6=a_0+a_1x+a_2x^2+\cdots+a_8x^8$$
이 성립할 때,
$$\frac{1}{2}a_0+\frac{1}{3}(a_1+a_2+a_3)+\frac{1}{4}a_4+\frac{1}{5}(a_5+a_6+a_7+a_8)$$
의 값을 구하시오. (단, a_0, a_1, a_2, $\cdots$, a_8은 상수이다.)

06

모든 실수 x에 대하여 등식
$$16x^4-8x^3+8x^2+kx-4$$
$$=a(2x-1)^4+b(2x-1)^3+c(2x-1)^2+14(2x-1)+d$$
가 성립할 때, $k+a+b+c+d$의 값을 구하시오.

(단, k, a, b, c, d는 상수이다.)

나머지정리

07 [학평]

최고차항의 계수가 1인 다항식 $f(x)$가 다음 조건을 만족시킨다.

> ㈎ 다항식 $f(x)$를 다항식 $g(x)$로 나누었을 때의 몫과 나머지는 모두 $g(x)-2x^2$이다.
>
> ㈏ 다항식 $f(x)$를 $x-1$로 나누었을 때의 나머지는 $-\dfrac{9}{4}$이다.

$f(6)$의 값을 구하시오.

08

최고차항의 계수가 1인 이차식 $f(x)$를 $x-2$, $x-3$으로 나누었을 때의 몫을 각각 $Q_1(x)$, $Q_2(x)$라 하면 $Q_2(2)=f(3)$, $Q_1(2)+Q_2(2)=3$일 때, $f(5)$의 값을 구하시오.

09 [서술형]

다항식 $f(x)$가 다음 조건을 만족시킬 때, 다항식 $(x+2)f(x)$를 $x(x-2)(x-3)$으로 나누었을 때의 몫을 $Q(x)$라 하자. 이때 $Q(4)$의 값을 구하시오.

> ㈎ $f(x)$를 $x-4$로 나누었을 때의 나머지는 20이다.
>
> ㈏ $f(x)$를 $x(x-2)(x-3)$으로 나누었을 때의 나머지는 x^2+3x+4이다.

10

다항식 $f(x)$를 $(x+1)^2$으로 나누었을 때의 나머지는 $3x+1$이고, $x+3$으로 나누었을 때의 나머지는 -4일 때, $f(x-1)$을 $x^2(x+2)$로 나누었을 때의 나머지를 구하시오.

11 [서술형]

삼차다항식 $P(x)$에 대하여 $P(x)-x^2$은 $(x+1)^2$으로 나누어떨어지고, $4x-P(x)$를 $(x-1)^2$으로 나누었을 때의 나머지가 $x+2$일 때, $P(x)$를 $x+3$으로 나누었을 때의 나머지를 구하시오.

12 $\overset{\text{idea}}{\bigstar}$

$7^{2021}+7^{2022}+7^{2023}+7^{2024}$을 96으로 나누었을 때의 나머지는?

① 14 ② 15 ③ 16

④ 17 ⑤ 18

인수정리

13 학평

두 이차다항식 $P(x)$, $Q(x)$가 다음 조건을 만족시킨다.

> (개) 모든 실수 x에 대하여 $2P(x)+Q(x)=0$이다.
> (내) $P(x)Q(x)$는 x^2-3x+2로 나누어떨어진다.

$P(0)=-4$일 때, $Q(4)$의 값을 구하시오.

14 학평

이차항의 계수가 1인 이차다항식 $P(x)$와 일차항의 계수가 1인 일차다항식 $Q(x)$가 다음 조건을 만족시킨다.

> (개) 다항식 $P(x+1)-Q(x+1)$은 $x+1$로 나누어떨어진다.
> (내) 방정식 $P(x)-Q(x)=0$은 중근을 갖는다.

다항식 $P(x)+Q(x)$를 $x-2$로 나누었을 때의 나머지가 12일 때, $P(2)$의 값은?

① 7　　　　② 8　　　　③ 9
④ 10　　　　⑤ 11

15 학평

다항식 $P(x)$와 최고차항의 계수가 1인 삼차다항식 $Q(x)$가 모든 실수 x에 대하여
$$\{Q(x+1)\}^2+\{Q(x)\}^2=(x^2-x)P(x)$$
를 만족시킨다. $P(x)$를 $Q(x)$로 나누었을 때의 나머지를 $R(x)$라 할 때, $R(3)$의 값을 구하시오.
(단, 다항식 $Q(x)$의 계수는 실수이다.)

16

최고차항의 계수가 2인 삼차다항식 $f(x)$에 대하여 $f(x)-16$을 $x-1$, $x-2$, $x-3$으로 나누었을 때의 나머지가 각각 -1, -4, -9일 때, $f(x)$를 $x(x-1)$로 나누었을 때의 나머지를 구하시오.

17

다항식 $f(x)$가 모든 실수 x에 대하여
$$f(x^2)+x^4f(x)=2x^4(2x^4-x^2-1)$$
을 만족시킬 때, $f(x)$를 $x-2$로 나누었을 때의 나머지는?

① 24　　　　② 30　　　　③ 36
④ 42　　　　⑤ 48

인수분해

18 학평

모든 실수 x에 대하여 두 이차다항식 $P(x)$, $Q(x)$가 다음 조건을 만족시킨다.

> (가) $P(x)+Q(x)=4$
> (나) $\{P(x)\}^3+\{Q(x)\}^3=12x^4+24x^3+12x^2+16$

$P(x)$의 최고차항의 계수가 음수일 때, $P(2)+Q(3)$의 값은?

① 6   ② 7   ③ 8

④ 9   ⑤ 10

19

두 다항식
$$P(x)=x^3+(a-1)x^2+(a^2-a)x-a^2,$$
$$Q(x)=x^3+bx^2-bx+2a^2$$
이 이차식인 공통 인수를 가질 때, 다음 중 $Q(x)$의 인수인 것은? (단, a, b는 0이 아닌 상수이다.)

① $x-2$ ② $x-1$ ③ $x+1$

④ $x+2$ ⑤ $x+3$

20

100 이하의 자연수 n에 대하여 다항식 $x^3+(pq-4)x+n$이 $(x-2)(x+p)(x+q)$로 인수분해될 때, 모든 다항식의 개수를 구하시오. (단, p, q는 정수이다.)

21

서로 다른 세 실수 x, y, z에 대하여
$x^3-5yz=y^3-5zx=z^3-5xy$일 때, $x+y+z$의 값은?

① 3   ② 4   ③ 5

④ 6   ⑤ 7

22 서술형

0이 아닌 세 실수 a, b, c에 대하여 $a^3+b^3+c^3=3abc$일 때,
$$\dfrac{4a^2}{a^2-b^2-c^2}+\dfrac{4b^2}{b^2-c^2-a^2}+\dfrac{4c^2}{c^2-a^2-b^2}$$의 모든 값의 합을 구하시오.

23 학평

자연수 n^4+n^2-2가 $(n-1)(n-2)$의 배수가 되도록 하는 자연수 n의 최댓값을 구하시오.

24

다음 조건을 만족시키는 x, y, z에 대하여 $x+2y+3z$의 값을 구하시오.

> ㈎ x, y, z는 $x>y>z$인 한 자리의 자연수이다.
> ㈏ $(x+y-z)^3-x^3-y^3+z^3=462$

인수분해의 활용

25

삼각형의 세 변의 길이 a, b, c에 대하여
$$a^3+b^3+c^3+(a+b)(ab-c^2)-(a^2+b^2)c=0$$
이 성립할 때, 이 삼각형은 어떤 삼각형인가?

① 정삼각형
② $a=b$인 이등변삼각형
③ $b=c$인 이등변삼각형
④ 빗변의 길이가 a인 직각삼각형
⑤ 빗변의 길이가 c인 직각삼각형

26

네 소수 p, q, r, s $(p<q<r<s)$와 자연수 m, n에 대하여
$$16^3+32^3+72^3-3^3\times2^{12}=p^m\times q^n\times r\times s$$
가 성립할 때, $p+q+r+s+m+n$의 값을 구하시오.

27 서술형

정삼각형이 아닌 삼각형 ABC가 다음 조건을 만족시킨다. 삼각형 ABC의 가장 긴 변의 길이가 가장 짧은 변의 길이의 $\dfrac{q}{p}$일 때, $p+q$의 값을 구하시오.

(단, p, q는 서로소인 자연수이다.)

> ㈎ 삼각형 ABC의 세 변의 길이를 a, b, c라 하면
> $a^2-16b^2+3c^2+6ab+2bc+4ca=0$이 성립한다.
> ㈏ 삼각형 ABC의 가장 긴 변의 길이는 나머지 두 변의 길이의 합의 $\dfrac{2}{3}$이다.

28 ✦ idea

그림과 같이 찰흙으로 만든 직육면체 A와 직육면체 B를 합하여 새로운 직육면체 C를 만들었다. 직육면체 A의 밑면의 가로, 세로의 길이는 각각 a, b, 높이는 c이고, 직육면체 B의 밑면의 가로, 세로의 길이는 각각 $a+b$, $b+c$, 높이는 $c+a$이다. 직육면체 C의 밑면의 가로의 길이는 $a+b+c$, 높이는 1일 때, 직육면체 C의 밑면의 세로의 길이를 구하시오.

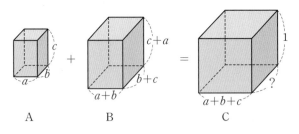

01 학평

최고차항의 계수가 음수인 이차다항식 $P(x)$가 모든 실수 x에 대하여

$$\{P(x)+x\}^2=(x-a)(x+a)(x^2+5)+9$$

를 만족시킨다. $\{P(a)\}^2$의 값을 구하시오. (단, $a>0$)

02

임의의 짝수 n에 대하여 다항식 $x^n(2x^3+8x^2+px+q)$를 $(x+2)^3$으로 나누었을 때의 나머지가 $r\times2^{n+2}(x+2)^2$일 때, 상수 p, q, r에 대하여 $p-q+r$의 값은?

① 4   ② 5   ③ 6
④ 7   ⑤ 8

03

다항식 $f(x)=x^2(x^3+ax^2+bx+c)$를 $(x-1)^3$으로 나누었을 때의 나머지가 $2(x-1)^2$이고, $(x+1)^2$으로 나누었을 때의 나머지가 $px+q$일 때, 상수 p, q에 대하여 pq의 값은?
(단, a, b, c는 상수이다.)

① 4   ② 9   ③ 16
④ 25   ⑤ 36

04 학평

최고차항의 계수가 1인 사차다항식 $f(x)$가 다음 조건을 만족시킬 때, 양수 p의 값은?

> ㈎ $f(x)$를 $x+2$, x^2+4로 나누었을 때의 나머지는 모두 $3p^2$이다.
> ㈏ $f(1)=f(-1)$
> ㈐ $x-\sqrt{p}$는 $f(x)$의 인수이다.

① $\dfrac{1}{2}$ ② 1   ③ $\dfrac{3}{2}$
④ 2   ⑤ $\dfrac{5}{2}$

05 idea ✦

삼차다항식 $f(x)$에 대하여

$$f\left(\frac{1}{2}\right)=-\frac{f(2)}{8}, \; f\left(\frac{1}{3}\right)=-\frac{f(3)}{27}$$

이 성립할 때, $f(x)$를 $x-1$로 나누었을 때의 나머지를 구하시오.

06

다음 조건을 만족시키는 모든 이차다항식 $A(x)$의 합을 $B(x)$라 할 때, $B(x)$를 $x-6$으로 나누었을 때의 나머지는?

> (가) $A(1)=0$
> (나) 사차다항식 $A(x)\{A(x)-4\}$는 x^2-4x로 나누어떨어진다.

① 25   ② 30   ③ 35

④ 40   ⑤ 45

07

모든 실수 x에 대하여 다항식 $f(x)$가

$$f(x^2-x-2)=(x^2-x+1)f(x)+6$$

을 만족시킨다. $\dfrac{f(m+2)-f(m-1)}{f(6)-f(4)}=2$일 때, 실수 m의 값을 구하시오.

08

자연수 n에 대하여 다항식 $x^{2n+2}+x^{2n}+4x+3$을 x^2-1로 나누었을 때의 몫을 $Q(x)$라 하자. $Q(x)$를 $x-1$로 나누었을 때의 나머지가 37일 때, n의 값을 구하시오.
(단, $x^n-1=(x-1)(x^{n-1}+x^{n-2}+\cdots+x+1)$임을 이용한다.)

09

세 변의 길이가 a, b, c인 삼각형 ABC가 다음 조건을 만족시킬 때, 삼각형 ABC의 넓이를 구하시오.

> (개) $a+3b=3c$
> (내) 삼각형 ABC의 둘레의 길이는 20이다.
> (대) $a^3+2ca^2+(c^2-bc-b^2)a-bc(b+c)=0$

10

세 수 a, b, c에 대하여 $N(a, b, c)=a^3(b-c)$라 정의할 때, $N(335, 333, 332)+N(333, 332, 335)+N(332, 335, 333)$ 의 값을 구하시오.

11 ^{idea} ✦

자연수 n에 대하여 다항식 $x^5+4x^4+nx^3+nx^2+4x+1$의 인수가 될 수 있는 것을 보기에서 있는 대로 고르시오.

> ┌ 보기 ┐
> ㄱ. x^2-3x-1 ㄴ. x^2-3x+1 ㄷ. x^2-x-1
> ㄹ. x^2-x+1 ㅁ. x^2+4x-1 ㅂ. x^2+4x+1

12 학평

두 자연수 a, b에 대하여 일차식 $x-a$를 인수로 가지는 다항식 $P(x)=x^4-290x^2+b$가 다음 조건을 만족시킨다.

> 계수와 상수항이 모두 정수인 서로 다른 세 개의 다항식의 곱으로 인수분해된다.

모든 다항식 $P(x)$의 개수를 p라 하고, b의 최댓값을 q라 할 때, $\dfrac{q}{(p-1)^2}$의 값을 구하시오.

01

학평 → 24쪽 15번

그림과 같이 중심이 O, 반지름의 길이가 $4\sqrt{2}$이고 중심각의 크기가 $90°$인 부채꼴 OAB가 있다. 호 AB 위의 점 P에서 두 선분 OA, OB에 내린 수선의 발을 각각 H, I라 하자. 삼각형 PIH에 내접하는 원의 넓이가 $\dfrac{\pi}{2}$일 때, $\overline{PH}^4 + \overline{PI}^4$의 값을 구하시오. (단, 점 P는 점 A도 아니고 점 B도 아니다.)

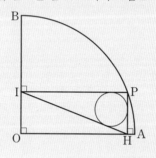

02

학평 → 25쪽 16번

그림과 같이 직선 위에 $\overline{AB}=4$인 두 점 A, B가 있다. 선분 AB 위의 점 C에 대하여 선분 AC의 중점을 P_1, 선분 CB의 중점을 P_2라 하고 $\overline{P_1C}=a$, $\overline{CP_2}=b$라 하자. 점 P_1을 중심으로 하고 반지름의 길이가 $a+\dfrac{1}{4}$인 반원 O_1, 점 P_2를 중심으로 하고 반지름의 길이가 $b+\dfrac{1}{4}$인 반원 O_2를 각각 그린 후 선분 P_1P_2를 지름으로 하는 반원을 그린다. 두 반원 O_1과 O_2의 교점이 호 P_1P_2 위에 있을 때, a^3+b^3의 값을 구하시오. (단, $a<b$)

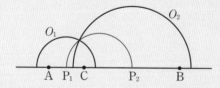

03

학평 → 27쪽 06번

정삼각형 ABC에서 두 변 AB와 AC의 중점을 각각 M, N이라 하자. 그림과 같이 점 P는 반직선 MN이 삼각형 ABC의 외접원과 만나는 점이고, $\overline{NP}=2$이다. $\overline{MN}=x$라 할 때, $5\left(x^2+\dfrac{16}{x^2}\right)$의 값을 구하시오.

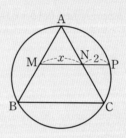

04

학평 → 31쪽 07번

최고차항의 계수가 1인 다항식 $f(x)$가 다음 조건을 만족시킬 때, $f(10)$의 값을 구하시오.

> (가) 다항식 $f(x)$를 다항식 $g(x)$로 나누었을 때의 몫과 나머지는 모두 $g(x)-3x^2$이다.
>
> (나) 다항식 $f(x)$를 $x-1$로 나누었을 때의 나머지는 -4이다.

05

학평→ 33쪽 23번

자연수 n^4+2n^2-3이 $(n+1)(n-3)$의 배수가 되도록 하는 자연수 n의 최댓값을 구하시오.

07

학평→ 35쪽 04번

최고차항의 계수가 1인 사차다항식 $f(x)$가 다음 조건을 만족시킬 때, 양수 p의 값은?

> (가) $f(x)$를 $x+3$, x^2+9로 나누었을 때의 나머지는 모두 $5p^2$ 이다.
> (나) $f(2)=f(-2)$
> (다) $x-\sqrt{2p}$는 $f(x)$의 인수이다.

① $\dfrac{5}{3}$　　　② 2　　　③ $\dfrac{7}{3}$

④ $\dfrac{8}{3}$　　　⑤ 3

06

학평→ 35쪽 01번

최고차항의 계수가 음수인 이차다항식 $P(x)$가 모든 실수 x에 대하여
$$\{P(x)+2x\}^2=(x-a)(x+a)(x^2-3)+4$$
를 만족시킬 때, $P(a^2)$의 값을 구하시오. (단, a는 상수이다.)

08

학평→ 37쪽 12번

두 자연수 a, b에 대하여 일차식 $x-a$를 인수로 가지는 다항식 $P(x)=x^4-260x^2+b$가 다음 조건을 만족시킨다.

> 계수와 상수항이 모두 정수인 서로 다른 세 개의 다항식의 곱으로 인수분해된다.

모든 다항식 $P(x)$의 개수를 p라 하고, b의 최댓값을 q라 할 때, $\dfrac{q}{(p-1)^2}$의 값을 구하시오.

II

방정식과 부등식

03 복소수

04 이차방정식

05 이차방정식과 이차함수

06 여러 가지 방정식

07 여러 가지 부등식

01 학평
>복소수가 실수가 될 조건

복소수 $a=(2-n-5i)^2$에 대하여 a^2이 음의 실수가 되도록 하는 자연수 n의 값을 구하시오.

02
>복소수가 서로 같을 조건

계수가 실수인 이차식 $f(x)$가 $f(0)=1$, $f(1+i)=4-i$를 만족시킬 때, $f(1+2i)$의 값은?

① $8-2i$ ② $9-2i$ ③ $9+2i$

④ $10-2i$ ⑤ $10+2i$

03 학평
>복소수가 주어질 때의 식의 값

두 복소수 $a=\dfrac{1+i}{2i}$, $\beta=\dfrac{1-i}{2i}$에 대하여 $(2a^2+3)(2\beta^2+3)$의 값은?

① 6   ② 10   ③ 14

④ 18   ⑤ 22

04 서술형
>복소수가 주어질 때의 식의 값

복소수 $x=\dfrac{4-i}{1+i}+\dfrac{2+i}{1-i}$에 대하여

$x^5-4x^4+6x^3-4x^2+7x+3$의 값을 구하시오.

05
>켤레복소수

두 복소수 $z_1=a+2i$, $z_2=3+bi$가 다음 조건을 만족시킬 때, 실수 a, b에 대하여 a^2+b^2의 값을 구하시오.

(단, $\overline{z_1}$, $\overline{z_2}$는 각각 z_1, z_2의 켤레복소수이다.)

(가) $\overline{z_1}=\dfrac{z_1^{\,2}}{4i}$ (나) $z_1\overline{z_2}$는 실수이다.

06 학평
>켤레복소수

복소수 $z=a+bi$ (a, b는 0이 아닌 실수)에 대하여
$$iz=\overline{z}$$
일 때, 보기에서 옳은 것만을 있는 대로 고른 것은?

(단, $\overline{z}$는 z의 켤레복소수이다.)

┌─ 보기 ─
ㄱ. $z+\overline{z}=-2b$
ㄴ. $i\overline{z}=-z$
ㄷ. $\dfrac{\overline{z}}{z}+\dfrac{z}{\overline{z}}=0$
└─

① ㄱ   ② ㄷ   ③ ㄱ, ㄴ

④ ㄴ, ㄷ   ⑤ ㄱ, ㄴ, ㄷ

07
> 켤레복소수의 성질

두 복소수 z_1, z_2에 대하여 보기에서 옳은 것만을 있는 대로 고르시오. (단, $\overline{z_1}$, $\overline{z_2}$는 각각 z_1, z_2의 켤레복소수이다.)

●보기●
ㄱ. $\overline{z_1}=z_2$이면 $z_1 z_2$는 실수이다.
ㄴ. $z_1{}^2+z_2{}^2=0$이면 $z_1=0$이고 $z_2=0$이다.
ㄷ. $\overline{z_1}z_2=1$이면 $z_1+\dfrac{1}{z_1}=z_2+\dfrac{1}{z_2}$이다.

08
> 켤레복소수의 성질을 이용한 식의 값

두 복소수 $\alpha=3+\sqrt{2}i$, $\beta=1+2\sqrt{2}i$에 대하여
$\dfrac{\alpha\overline{\alpha}+\overline{\alpha}\beta+\alpha\overline{\beta}+\beta\overline{\beta}}{\alpha\overline{\alpha}-\overline{\alpha}\beta-\alpha\overline{\beta}+\beta\overline{\beta}}$의 값은?

(단, $\overline{\alpha}$, $\overline{\beta}$는 각각 α, β의 켤레복소수이다.)

① $\dfrac{13}{3}$ ② $\dfrac{14}{3}$ ③ 5

④ $\dfrac{16}{3}$ ⑤ $\dfrac{17}{3}$

09 학평
> 복소수의 거듭제곱

등식
$$\dfrac{1}{i}-\dfrac{1}{i^2}+\dfrac{1}{i^3}-\dfrac{1}{i^4}+\cdots+\dfrac{(-1)^{n+1}}{i^n}=1-i$$
가 성립하도록 하는 100 이하의 자연수 n의 개수를 구하시오.

10
> 복소수의 거듭제곱

$\left(\dfrac{1+i}{\sqrt{2}i}\right)^{2022}-\left(\dfrac{1+i}{\sqrt{2}i}\right)^{2024}\left(\dfrac{1-i}{\sqrt{2}i}\right)^{2026}+\left(\dfrac{1-i}{\sqrt{2}i}\right)^{2028}$을 간단히 하면?

① $-i$ ② -1 ③ 0

④ 1   ⑤ i

11
> 음수의 제곱근

$a>0$, $b<0$인 실수 a, b에 대하여
$$\sqrt{-a^2}\sqrt{-\dfrac{1}{b^2}}+\left(\sqrt{\dfrac{a}{b}}\right)^2+\dfrac{\sqrt{a}}{\sqrt{b}}\sqrt{\dfrac{a}{b}}$$
를 간단히 하면?

① $-a$ ② $-\dfrac{a}{b}$ ③ $\dfrac{a}{b}$

④ $\dfrac{a}{b}i$ ⑤ ai

12
> 음수의 제곱근

정수 m, n에 대하여
$$\sqrt{-(m+1)}\sqrt{m-3}=-\sqrt{-(m+1)(m-3)},$$
$$\dfrac{\sqrt{n+3}}{\sqrt{n-2}}=-\sqrt{\dfrac{n+3}{n-2}}$$
일 때, $|m-2|+|n+4|$의 최댓값을 구하시오.

복소수의 뜻과 연산

01 학평

복소수 α, β가 $\alpha^2=2i$, $\beta^2=-2i$를 만족시킬 때, 보기에서 옳은 것만을 있는 대로 고른 것은?

──• 보기 •──
ㄱ. $\alpha\beta=2$
ㄴ. $(\alpha+\beta)^4=16$
ㄷ. $\dfrac{\alpha-\beta}{\alpha+\beta}$는 실수이다.

① ㄴ   ② ㄷ   ③ ㄱ, ㄴ
④ ㄱ, ㄷ   ⑤ ㄴ, ㄷ

02 서술형

두 복소수 z_1, z_2에 대하여

$$z_1-z_2=-1+i, \quad z_1^2+z_2^2=8i, \quad z_1^3+z_2^3=-9+9i$$

일 때, $az_1^4+bz_2^4=42$를 만족시키는 실수 a, b에 대하여 ab의 값을 구하시오.

03

복소수 x에 대하여 $x+\dfrac{1}{x}=i$일 때,

$$(ax^2+bx+b)x^4+2x^3+bx^2+bx+a=0$$

을 만족시키는 실수 a, b에 대하여 $a+b$의 값은?

① $\dfrac{7}{12}$ ② $\dfrac{2}{3}$ ③ $\dfrac{3}{4}$

④ $\dfrac{5}{6}$ ⑤ $\dfrac{11}{12}$

04 idea ✦

복소수 z에 대하여 $z^3=2-3i$일 때,

$$2z^5-2z^4+5z^3-8z^2+8z+\frac{26}{z}-\frac{26}{z^2}+\frac{13}{z^3}=a+bi$$

를 만족시키는 실수 a, b에 대하여 $a-b$의 값을 구하시오.

켤레복소수

05

실수가 아닌 복소수 z에 대하여 다음 중 실수가 아닌 것은?
(단, $\bar{z}$는 z의 켤레복소수이다.)

① $\dfrac{1}{z}+\dfrac{1}{\bar{z}}$ ② $z^2+z+\bar{z}^2+\bar{z}+1$

③ $(2z+1)(2\bar{z}+1)$ ④ $(z+\bar{z})(z^2-z\bar{z}+\bar{z}^2)$

⑤ $\dfrac{z}{1-z}-\dfrac{\bar{z}}{1-\bar{z}}$

06

복소수 $\alpha=16-16i$에 대하여

$$z_1=(1-i)\bar{\alpha}, \quad z_2=(1-i)\bar{z_1}, \quad z_3=(1-i)\bar{z_2}, \cdots$$

라 할 때, $z_{50}=a+bi$를 만족시키는 실수 a, b에 대하여 $a-b$의 값은?
(단, $\bar{\alpha}$, $\bar{z_1}$, $\bar{z_2}$, $\cdots$는 각각 α, z_1, z_2, $\cdots$의 켤레복소수이다.)

① 2^{28} ② 2^{29} ③ 2^{30}
④ 2^{31} ⑤ 2^{32}

07

실수가 아닌 복소수 z가 다음 조건을 만족시킬 때, $z^3 - \bar{z}^3$의 값은? (단, $\bar{z}$는 z의 켤레복소수이다.)

(가) $\left(\dfrac{\bar{z}}{z}\right)^2 > 0$ (나) $\bar{z} + \bar{z}^2 + \bar{z}^3 = -4 + 6i$

① $-16i$ ② $-8i$ ③ 0
④ $8i$ ⑤ $16i$

08

두 복소수 α, β에 대하여 $\alpha\bar{\alpha} = 4$, $\beta\bar{\beta} = 4$, $\alpha + \beta = 2\sqrt{3}i$일 때, $\dfrac{1}{\alpha^3} + \dfrac{1}{\beta^3}$의 값을 구하시오.

(단, $\bar{\alpha}$, $\bar{\beta}$는 각각 α, β의 켤레복소수이다.)

09

서로 다른 두 복소수 α, β에 대하여 $\alpha^2 - \beta = i$, $\bar{\beta}^2 - \bar{\alpha} = -i$일 때, $\bar{\alpha}^3 + \bar{\beta}^3 = x + yi$를 만족시키는 실수 x, y에 대하여 xy의 값은? (단, $\bar{\alpha}$, $\bar{\beta}$는 각각 α, β의 켤레복소수이다.)

① 0 ② 2 ③ 4
④ 6 ⑤ 8

10

실수부분과 허수부분이 모두 자연수인 두 복소수 z, w에 대하여
$$z\bar{z} = 10, \quad z\bar{z} + w\bar{w} + z\bar{w} + \bar{z}w = 41$$
일 때, $w\bar{w}$의 최댓값을 구하시오.
(단, $\bar{z}$, $\bar{w}$는 각각 z, w의 켤레복소수이다.)

11

0이 아닌 복소수 z에 대하여 $f(z) = z + \bar{z} - z\bar{z} - 1$이라 할 때, 보기에서 옳은 것만을 있는 대로 고르시오.
(단, $\bar{z}$는 z의 켤레복소수이다.)

보기
ㄱ. $f(\bar{z}) > 0$
ㄴ. $f(z + \bar{z}) = f(z) + f(\bar{z}) + 2$이면 z는 허수이다.
ㄷ. $f(z\bar{z}) = -f(z)f(\bar{z})$이면 z는 순허수이다.

12

자연수 n에 대하여 $a_n = \left(\dfrac{\sqrt{3} + i}{2}\right)^n$이라 할 때, 보기에서 옳은 것만을 있는 대로 고르시오. (단, $\overline{a_n}$는 a_n의 켤레복소수이다.)

보기
ㄱ. $a_3 + \overline{a_3} = \sqrt{3}$
ㄴ. $1 + \overline{a_2} + \overline{a_4} + \overline{a_6} + \overline{a_8} + \overline{a_{10}} = 0$
ㄷ. $\dfrac{1}{a_2 - 2} - \dfrac{1}{\overline{a_8} + 2} = -1$

복소수의 거듭제곱

13

자연수 n에 대하여 $z_n = \dfrac{i^n}{1+i}$이라 할 때,

$z_1 z_2 i^2 + z_2 z_3 i^3 + z_3 z_4 i^4 + \cdots + z_{49} z_{50} i^{50}$의 값을 구하시오.

14

자연수 n에 대하여 $z_n = \left(\dfrac{1+i}{1-i}\right)^n + \left(\dfrac{1-i}{1+i}\right)^n$이라 할 때, 보기에서 옳은 것만을 있는 대로 고르시오.

┌─ **보기** ──────────────────────────
ㄱ. $z_{4n} = z_n$

ㄴ. $z_1 - z_2 + z_3 - z_4 + z_5 - z_6 + \cdots + z_{99} - z_{100} = 0$

ㄷ. $z_1 + 2z_2 + 3z_3 + 4z_4 + 5z_5 + \cdots + 14z_{14} = -28$
└──────────────────────────────────

15

복소수 $\alpha = 1 - i$와 자연수 n에 대하여 $f(n) = (-1)^n \alpha^n$이라 할 때, $f(1) + f(2) + f(3) + \cdots + f(10) = a\alpha + b$를 만족시키는 실수 a, b에 대하여 $a - b$의 값은?

① 41   ② 43   ③ 45

④ 47   ⑤ 49

16 서술형

복소수 $z = a - \sqrt{2}i$에 대하여 $\dfrac{\bar{z}}{z}$가 실수일 때,

$$z + z^2 + z^3 + z^4 + \cdots + z^{16} = p + q\sqrt{2}i$$

를 만족시키는 유리수 p, q에 대하여 $p - q$의 값을 구하시오.

(단, a는 실수, $\bar{z}$는 z의 켤레복소수이다.)

17

자연수 n에 대하여

$$f(n) = i - i^2 + i^3 - i^4 + i^5 - \cdots + (-1)^{n+1} i^n$$

이라 할 때, $f(n^2) = f(n)$을 만족시키는 두 자리의 자연수 n의 개수를 구하시오.

18

자연수 n에 대하여

$$f(n) = n \times (i + i^2 + i^3 + \cdots + i^n)\left(\dfrac{1}{i} + \dfrac{1}{i^2} + \dfrac{1}{i^3} + \cdots + \dfrac{1}{i^n}\right)$$

이라 할 때, $f(k) + f(k+1) = 233$을 만족시키는 모든 자연수 k의 값의 합은?

① 303   ② 305   ③ 307

④ 309   ⑤ 311

19 [학평]

두 복소수 $z_1=\dfrac{\sqrt{2}}{1+i}$, $z_2=\dfrac{-1+\sqrt{3}i}{2}$에 대하여 $z_1{}^n=z_2{}^n$을 만족시키는 자연수 n의 최솟값을 구하시오.

20 [학평]

두 복소수 α, β를 $\alpha=\dfrac{\sqrt{3}+i}{2}$, $\beta=\dfrac{1+\sqrt{3}i}{2}$라 할 때,

$$\alpha^m\beta^n=i$$

를 만족시키는 10 이하의 자연수 m, n에 대하여 $m+2n$의 최댓값을 구하시오.

▶ 음수의 제곱근

21

실수 a, b, c가 다음 조건을 만족시킬 때, a, b, c의 대소 관계로 옳은 것은? (단, $a\neq2$, $b\neq-2$)

> (가) $a+c<b$
> (나) $\sqrt{a}\sqrt{b}\sqrt{c}<0$
> (다) $\dfrac{\sqrt{a-2}}{\sqrt{b+2}}+\sqrt{\dfrac{a-2}{b+2}}=0$

① $a<b<c$ ② $b<a<c$ ③ $b<c<a$
④ $c<a<b$ ⑤ $c<b<a$

22

실수 x, y에 대하여 $x+y=-6$, $xy=4$일 때, $\sqrt{\dfrac{x}{y}}+\sqrt{\dfrac{y}{x}}$의 값은?

① -3 ② $-\dfrac{3}{2}$ ③ $\dfrac{3}{2}$
④ 3 ⑤ 7

23

0이 아닌 실수 a에 대하여 $\dfrac{\sqrt{2a}-\sqrt{|a|}}{\sqrt{2a}+\sqrt{|a|}}$가 될 수 있는 모든 값의 합이 $p+qi$일 때, 실수 p, q에 대하여 $3p+9q$의 값을 구하시오.

24

음수 a, b에 대하여 $z=\dfrac{\sqrt{a}-\sqrt{a}\sqrt{b}i}{\sqrt{ab}-\sqrt{a}i}$라 할 때, $\left(\dfrac{z-z\bar{z}}{\sqrt{2}}\right)^n=1$을 만족시키는 100 이하의 자연수 n의 개수는?

(단, $\bar{z}$는 z의 켤레복소수이다.)

① 10   ② 11   ③ 12
④ 13   ⑤ 14

01 학평

그림과 같이 6개의 면에 각각 0, 2, 3, 5, $2i$, $1+i$가 적힌 정육면체 모양의 주사위가 있다. 이 주사위를 n번 던져서 나온 수들을 모두 곱하였더니 -32가 되었다. 가능한 모든 n의 값의 합을 구하시오.

02

두 복소수 α, β에 대하여 $\bar{\alpha}\beta=2$, $\alpha-\beta=\sqrt{5}i$일 때, $\alpha^3+7\beta=p+qi$를 만족시키는 실수 p, q에 대하여 p^2+q^2의 값은? (단, $\bar{\alpha}$는 α의 켤레복소수이다.)

① 400 ② 405 ③ 410
④ 415 ⑤ 420

03 idea ✦

두 복소수 α, β에 대하여 $\alpha\beta=3$이고, 임의의 복소수 z에 대하여 $\alpha z+\beta\bar{z}$가 실수일 때, $(\alpha+\bar{\beta})^2(\bar{\alpha}+\beta)^2+(\alpha-\bar{\beta})^2(\bar{\alpha}-\beta)^2$의 값을 구하시오.
(단, $\bar{\alpha}$, $\bar{\beta}$, $\bar{z}$는 각각 α, β, z의 켤레복소수이다.)

04 idea ✦

실수가 아닌 복소수 z에 대하여 $z+\dfrac{1}{z}$과 $\dfrac{1}{z}+\dfrac{1}{z^2}$이 모두 실수일 때, $(z^2-1)(\bar{z}^2-1)$의 값은?
(단, $\bar{z}$는 z의 켤레복소수이다.)

① 0 ② 1 ③ 2
④ 3 ⑤ 4

05 학평

50 이하의 두 자연수 m, n에 대하여 $\left\{i^n+\left(\dfrac{1}{i}\right)^{2n}\right\}^m$의 값이 음의 실수가 되도록 하는 순서쌍 (m, n)의 개수를 구하시오.

06

자연수 n의 모든 양의 약수를 p_1, p_2, $\cdots$, p_k라 할 때, $f(n)=i^{p_1}+i^{p_2}+\cdots+i^{p_k}$이라 하자. 예를 들어 6의 양의 약수는 1, 2, 3, 6이므로 $f(6)=i^1+i^2+i^3+i^6$이다. 보기에서 옳은 것만을 있는 대로 고르시오. (단, k, m은 자연수이다.)

◦보기◦
ㄱ. $f(24)=2$
ㄴ. $f(2^{4m})=4m+i$
ㄷ. $f(10^m)=(m+1)(m-2)+(m+1)i$

07

복소수 $z=\dfrac{-1+i}{\sqrt{2}}$에 대하여

$$z^n+\bar{z}^n+(z+\sqrt{2})^n+(\bar{z}+\sqrt{2})^n\ne0$$

을 만족시키는 50 이하의 자연수 n의 개수는?

(단, $\bar{z}$는 z의 켤레복소수이다.)

① 6   ② 8   ③ 10
④ 12   ⑤ 14

08

a_1, a_2, a_3, $\cdots$, a_{200}은 각각 1 또는 -1의 값을 갖는다. $a_1a_3a_5\cdots a_{199}=-1$, $a_2a_4a_6\cdots a_{200}=1$일 때,

$\dfrac{\sqrt{a_2}\sqrt{a_4}\sqrt{a_6}\cdots\sqrt{a_{200}}}{\sqrt{a_1}\sqrt{a_3}\sqrt{a_5}\cdots\sqrt{a_{199}}}$의 값을 모두 구하시오.

01
> 이차방정식의 풀이

방정식 $x^2 - |2x| = \sqrt{(2x-2)^2} + 2$의 모든 근의 합은?

① $2 - 2\sqrt{2}$ ② $-2 + \sqrt{2}$ ③ 0

④ $2 - \sqrt{2}$ ⑤ $-2 + 2\sqrt{2}$

02 학평
> 이차방정식의 판별식

x에 대한 이차방정식 $x^2 - 2(m+a)x + m^2 + m + b = 0$이 실수 m의 값에 관계없이 항상 중근을 가질 때, $12(a+b)$의 값은? (단, a, b는 상수이다.)

① 9 ② 10 ③ 11

④ 12 ⑤ 13

03
> 이차방정식의 판별식

이차식 $(a+2)x^2 - 4(a-1)x + ka$가 완전제곱식이 되도록 하는 실수 a의 값이 오직 하나뿐일 때, 실수 k의 개수는?

① 1 ② 2 ③ 3

④ 4 ⑤ 5

04
> 이차방정식의 판별식

한 개의 주사위를 두 번 던져서 나오는 눈의 수를 차례대로 a, b라 할 때, 이차방정식 $3x^2 - 4ax + 4b = 0$이 서로 다른 두 허근을 갖도록 하는 순서쌍 (a, b)의 개수를 구하시오.

05
> 이차방정식의 근과 계수의 관계

자연수 n에 대하여 x에 대한 이차방정식
$x^2 - (n^2 + 5n + 6)x + n + 2 = 0$의 두 근을 α_n, β_n이라 할 때,
$\left(\dfrac{1}{\alpha_1} + \dfrac{1}{\alpha_2} + \dfrac{1}{\alpha_3} + \cdots + \dfrac{1}{\alpha_{10}} \right) + \left(\dfrac{1}{\beta_1} + \dfrac{1}{\beta_2} + \dfrac{1}{\beta_3} + \cdots + \dfrac{1}{\beta_{10}} \right)$의
값은?

① 70 ② 85 ③ 100

④ 115 ⑤ 130

06
> 이차방정식의 근과 계수의 관계

이차방정식 $x^2 + 5x + 2 = 0$의 두 근을 α, β라 할 때,
$\dfrac{6\beta}{3\alpha^2 + 16\alpha + 6} + \dfrac{6\alpha}{3\beta^2 + 16\beta + 6}$의 값을 구하시오.

07
> 두 근의 조건이 주어진 이차방정식

x에 대한 이차방정식 $x^2-(8k+4)x+5k^2+7=0$의 한 근이 다른 한 근의 3배일 때, 정수 k의 값을 구하시오.

08 [학평]
> 이차방정식 $f(ax+b)=0$의 근

이차방정식 $f(x)=0$의 두 근 α, β에 대하여 $\alpha+\beta=1$, $\alpha\beta=6$일 때, 이차방정식 $f(2x-1)=0$의 두 근의 곱은?

① 1   ② 2   ③ 4
④ 6   ⑤ 8

09
> 이차방정식의 실근의 부호

이차방정식 $x^2+(2m-10)x+m^2+1=0$의 두 근이 모두 양수일 때, 자연수 m의 개수는?

① 1   ② 2   ③ 3
④ 4   ⑤ 5

10 [서술형]
> 두 수를 근으로 하는 이차방정식

이차방정식 $x^2-3x-5=0$의 두 근을 α, β라 할 때, $\alpha+\dfrac{1}{\alpha}$, $\beta+\dfrac{1}{\beta}$을 두 근으로 하는 이차방정식은 $5x^2+ax+b=0$이다. 이때 실수 a, b에 대하여 $a-b$의 값을 구하시오.

11
> 이차방정식의 켤레근의 성질

계수가 실수인 이차방정식을 푸는데 x의 계수를 잘못 보고 풀었을 때 한 근이 $1+\sqrt{2}i$였고, 상수항을 잘못 보고 풀었을 때 한 근이 $\sqrt{2}+i$였다. 원래의 이차방정식의 올바른 두 근을 α, β라 할 때, $\alpha^2+\beta^2$의 값을 구하시오.

12 [학평]
> 이차방정식의 활용

한 변의 길이가 10인 정사각형 ABCD가 있다. 그림과 같이 정사각형 ABCD의 내부에 한 점 P를 잡고, 점 P를 지나고 정사각형의 각 변에 평행한 두 직선이 정사각형의 네 변과 만나는 점을 각각 E, F, G, H라 하자. 직사각형 PFCG의 둘레의 길이가 28이고 넓이가 46일 때, 두 선분 AE와 AH의 길이를 두 근으로 하는 이차방정식은? (단, 이차방정식의 이차항의 계수는 1이다.)

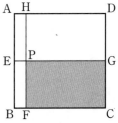

① $x^2-6x+4=0$ ② $x^2-6x+6=0$
③ $x^2-6x+8=0$ ④ $x^2-8x+6=0$
⑤ $x^2-8x+8=0$

이차방정식의 풀이

01 _서술형_

x에 대한 방정식 $(a^2+2a)x=a(4x-3)+3x+9$의 해가 무수히 많도록 하는 실수 a에 대하여 x에 대한 방정식 $x^2-a|x-1|-7=0$의 모든 근의 합을 구하시오.

02 _학평_

세 유리수 a, b, c에 대하여 x에 대한 이차방정식
$$ax^2+\sqrt{3}bx+c=0$$
의 한 근이 $\alpha=2+\sqrt{3}$이다. 다른 한 근을 β라 할 때, $\alpha+\dfrac{1}{\beta}$의 값은?

① -4 ② $-2\sqrt{3}$ ③ 0
④ $2\sqrt{3}$ ⑤ 4

03

$1<x<3$일 때, 방정식 $|4x-8|x=2[x]+1$의 모든 근의 곱은? (단, $[x]$는 x보다 크지 않은 최대의 정수이다.)

① $-\dfrac{15}{8}$ ② $-\dfrac{5}{4}$ ③ $\dfrac{1}{4}$
④ $\dfrac{15}{4}$ ⑤ 4

04

$0\le x<3$일 때, 방정식 $[x+1]x^2-2[x]x-4=0$의 근의 개수를 구하시오. (단, $[x]$는 x보다 크지 않은 최대의 정수이다.)

05 idea ✦

x에 대한 이차방정식 $px^2-(p^2+1)x+3=0$이 유리수인 근을 갖도록 하는 모든 p의 값의 합은? (단, p는 소수이다.)

① 2 ② 3 ③ 5
④ 8 ⑤ 10

이차방정식의 판별식

06

두 이차식 $f(x)=ax^2+bx+c$, $g(x)=ax^2+2bx+c$에 대하여 보기에서 옳은 것만을 있는 대로 고르시오.
(단, a, b, c는 실수이다.)

─ 보기 ─
ㄱ. 두 이차방정식 $f(x)=0$, $g(x)=0$이 모두 중근을 가지면 $b^2+c^2=0$이다.
ㄴ. 이차방정식 $g(x)=0$이 실근을 가지면 이차방정식 $f(x)=0$도 실근을 갖는다.
ㄷ. 이차방정식 $g(x)=0$이 허근을 가지면 이차방정식 $f(x)=0$도 허근을 갖는다.

07

a, b가 0이 아닌 실수일 때, 두 이차식

$$f(x)=x^2+2(a+b)x+a^2,$$
$$g(x)=(b-a)x^2+bx-b$$

에 대하여 보기에서 옳은 것만을 있는 대로 고른 것은?

┌•보기•┐

ㄱ. $\sqrt{a}\sqrt{b}=-\sqrt{ab}$이면 이차방정식 $f(x)=0$은 서로 다른 두 실근을 갖는다.

ㄴ. $\dfrac{\sqrt{a}}{\sqrt{b}}=-\sqrt{\dfrac{a}{b}}$이면 이차방정식 $g(x)=0$은 서로 다른 두 실근을 갖는다.

ㄷ. $a>b$이면 두 이차방정식 $f(x)=0$, $g(x)=0$ 중 적어도 하나는 실근을 갖는다.

① ㄱ   ② ㄱ, ㄴ   ③ ㄱ, ㄷ

④ ㄴ, ㄷ   ⑤ ㄱ, ㄴ, ㄷ

08

방정식 $|x^2-4x+2k-2|=k+5$가 실근을 갖도록 하는 정수 k의 최댓값을 M, 최솟값을 m이라 할 때, $M-m$의 값은?

① 5   ② 7   ③ 10

④ 13   ⑤ 16

09

x에 대한 이차방정식 $x^2-2(k+3)x+k^2-12=0$이 실근을 가질 때, 이 실근의 최솟값은? (단, k는 실수이다.)

① -3 ② -2 ③ -1

④ 0   ⑤ 1

10

실수 x, y에 대하여 $x=\dfrac{y^2-4y-2}{y^2+4y+4}$를 만족시키는 x의 최솟값을 m이라 할 때, $10m$의 값을 구하시오.

11 학평

x에 대한 이차방정식 $x^2+(m+1)x+2m-1=0$의 두 근이 모두 정수가 되도록 하는 모든 정수 m의 값의 합은?

① 6   ② 7   ③ 8

④ 9   ⑤ 10

이차방정식의 근과 계수의 관계

12 학평

이차항의 계수가 1인 이차함수 $f(x)$는 다음 조건을 만족시킨다.

> (개) 이차방정식 $f(x)=0$의 두 근의 곱은 7이다.
> (내) 이차방정식 $x^2-3x+1=0$의 두 근 α, β에 대하여
> $f(\alpha)+f(\beta)=3$이다.

$f(7)$의 값은?

① 10   ② 11   ③ 12

④ 13   ⑤ 14

13

이차방정식 $x^2+ax+1=0$의 서로 다른 두 실근을 α, β라 할 때, 보기에서 옳은 것만을 있는 대로 고르시오.

(단, a는 실수이다.)

> **보기**
> ㄱ. $|\alpha+\beta|>|\alpha|+|\beta|$
> ㄴ. $\alpha^2+\beta^2>2$
> ㄷ. $\dfrac{\beta^3}{\alpha}+\dfrac{\alpha^3}{\beta}>2$

14

$a<1$인 실수 a에 대하여 이차방정식
$x^2+(a-1)x+2a-2=0$의 서로 다른 두 실근을 α, β라 하면 $|\alpha|+|\beta|=4\sqrt{3}$일 때, $|\alpha-1||\beta-1|$의 값을 구하시오.

15 서술형

이차방정식 $ax^2-(5a-4)x-20=0$의 두 근의 절댓값의 비가 $2:5$가 되도록 하는 모든 양수 a의 값의 합이 $\dfrac{q}{p}$일 때, $p+q$의 값을 구하시오. (단, p, q는 서로소인 자연수이다.)

16 학평

이차방정식 $x^2-ax+b=0$의 두 근이 c와 d일 때, 다음 조건을 만족시키는 순서쌍 (a, b)의 개수는?

(단, a, b는 상수이다.)

> (개) a, b, c, d는 100 이하의 서로 다른 자연수이다.
> (내) c와 d는 각각 3개의 양의 약수를 가진다.

① 1   ② 2   ③ 3

④ 4   ⑤ 5

이차방정식의 근과 계수의 관계 – 두 이차방정식이 주어진 경우

17 학평

이차방정식
$$(x-a)(x-b)+(x-b)(x-c)+(x-c)(x-a)=0$$
의 두 근의 합과 곱이 각각 4, -3일 때, 이차방정식
$$(x-a)^2+(x-b)^2+(x-c)^2=0$$
의 두 근의 곱은? (단, a, b, c는 상수이다.)

① 15   ② 16   ③ 17

④ 18   ⑤ 19

18

이차방정식 $x^2+ax+b=0$의 두 근을 α, $\beta\,(\alpha<\beta)$라 하면 이차방정식 $3x^2+ax-1=0$의 두 근은 $\alpha+2$, $-\dfrac{1}{\beta}$일 때, 실수 a, b에 대하여 $|a|+|b|$의 값은?

① 2   ② 3   ③ 4

④ 5   ⑤ 6

19

이차방정식 $x^2-mx+n=0$의 두 근을 α, β라 하면 이차방정식 $x^2-2mx+3n=0$의 두 근은 $\alpha^2+\beta^2$, $\alpha\beta$일 때, 실수 m, n의 순서쌍 $(m,\,n)$의 개수를 구하시오.

▲두 수를 근으로 하는 이차방정식

20

다항식 $f(x)$가 실수 a, $b\,(a>b)$에 대하여
$$f(a)f(b)=-12(a-b)^2,\quad f(a)-f(b)=7(a-b)$$
를 만족시키고 $f(a)+f(b)>0$이다. $\dfrac{f(a)}{a-b}$, $\dfrac{f(b)}{b-a}$를 두 근으로 하는 이차방정식을 $x^2+mx+n=0$이라 할 때, $\dfrac{nf(a)-mf(b)}{a-b}$의 값을 구하시오. (단, m, n은 실수이다.)

21

이차방정식 $x^2+2x+2=0$의 두 근을 α, β라 하면 이차식 $f(x)$가 다음 조건을 만족시킬 때, $f(-2)+f(2)$의 값은?

> (가) $f(\alpha)=2\beta+3$ (나) $f(\beta)=2\alpha+3$ (다) $f(0)=0$

① 0   ② 2   ③ 4

④ 6   ⑤ 8

22 ✦ idea

이차방정식 $x^2-x-k=0$의 두 근을 α, β라 하고, 이차방정식 $x^2-kx-1=0$의 두 근을 γ, δ라 할 때,
$$(\alpha-\gamma)(\beta-\gamma)(\alpha-\delta)(\beta-\delta)=4k^2$$
을 만족시키는 실수 k의 값을 구하시오. (단, $k\neq0$)

▲이차방정식의 켤레근의 성질

23

이차식 $f(x)=x^2+ax+b$에 대하여 이차방정식 $f(x)=0$의 한 근이 $\alpha=\dfrac{1-i}{\sqrt{2}}$일 때, $f(\alpha^5+2\alpha+\sqrt{2})$의 값은?

(단, a, b는 실수이다.)

① $2-2i$ ② $1-i$ ③ 0

④ $1+i$ ⑤ $2+2i$

24

유리수 a에 대하여 $f(x)=x^2+ax-4$이고, $g(x)$는 계수가 유리수인 이차 이상의 다항식일 때, 소수인 자연수 b에 대하여 $f(\sqrt{b}-1)=0$, $g(-\sqrt{b}-1)=1+\sqrt{5}$이다. $g(x)$를 $f(x)$로 나누었을 때의 나머지를 $R(x)$라 할 때, $R(a)$의 값은?

① -4 ② -2 ③ 0

④ 2 ⑤ 4

26

그림과 같이 한 변의 길이가 3인 정사각형 ABCD와 점 B를 중심으로 하는 사분원 ABC가 있다. 호 AC 위의 점 P에서 변 AD와 변 CD에 내린 수선의 발을 각각 Q, R라 하면 직사각형 QPRD의 둘레의 길이가 4일 때, $\overline{PR}-\overline{PQ}$의 값은? (단, $\overline{PR} \geq \overline{PQ}$)

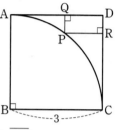

① $1-\dfrac{\sqrt{2}}{2}$ ② $\dfrac{\sqrt{2}}{2}$ ③ $\sqrt{2}$

④ $1+\dfrac{\sqrt{2}}{2}$ ⑤ 2

이차방정식의 활용

25 학평

이차방정식 $x^2-4x+2=0$의 두 실근을 α, β $(\alpha<\beta)$라 하자. 그림과 같이 $\overline{AB}=\alpha$, $\overline{BC}=\beta$인 직각삼각형 ABC에 내접하는 정사각형의 넓이와 둘레의 길이를 두 근으로 하는 x에 대한 이차방정식이 $4x^2+mx+n=0$일 때, 두 상수 m, n에 대하여 $m+n$의 값은?

(단, 정사각형의 두 변은 선분 AB와 선분 BC 위에 있다.)

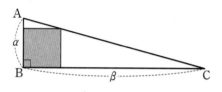

① -11 ② -10 ③ -9

④ -8 ⑤ -7

27 서술형

그림과 같이 $\overline{AB}=\overline{AC}=25$, $\overline{BC}=30$인 이등변삼각형 ABC가 있다. 점 B에서 변 AC에 내린 수선의 발을 H라 하고, 변 AB 위의 점 P를 지나고 선분 BH에 수직인 직선이 변 BC와 만나는 점을 Q라 하자. 두 점 P, Q에서 변 AC에 내린 수선의 발을 각각 S, R라 할 때, 직사각형 PQRS의 넓이가 100이 되도록 하는 선분 PS의 길이는 α 또는 β이다. 이때 $|\alpha-\beta|$의 값을 구하시오.

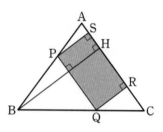

01

$x=[x]+\dfrac{1}{3}$일 때, 방정식 $[3x][x]+3[x]=\dfrac{7}{3}+|x|$의 근을 구하시오. (단, $[x]$는 x보다 크지 않은 최대의 정수이다.)

03 학평

이차방정식 $x^2+x+1=0$의 두 근 α, β에 대하여 이차식 $f(x)=x^2+px+q$가 $f(\alpha^2)=-4\alpha$와 $f(\beta^2)=-4\beta$를 만족시킬 때, 두 상수 p, q에 대하여 $p+q$의 값을 구하시오.

02

x에 대한 방정식 $x^2+a|x|+b=0$의 서로 다른 실근 중에서 정수인 근의 곱이 256일 때, 실수 a, b에 대하여 모든 $a+b$의 값의 합은?

① 2   ② 5   ③ 8

④ 11   ⑤ 14

04

이차방정식 $x^2-x+1=0$의 한 근을 α라 하자. 이차항의 계수가 1인 이차식 $f(x)$가 $f(\alpha)=\dfrac{m}{\alpha}+5$, $f\left(\dfrac{1}{\alpha}\right)=m\alpha+5$를 만족시킬 때, $f(1)$의 값은? (단, m은 상수이다.)

① 4   ② 5   ③ 6

④ 7   ⑤ 8

05

이차방정식 $x^2+(a+1)x+b=0$의 두 근을 α, β라 하고, 이차방정식 $x^2+ax+c=0$의 두 근을 $\alpha-i$, γ라 하면 $\alpha+\beta-\gamma=1$일 때, 실수 a, b, c에 대하여 abc의 값은?

① -150 ② -75 ③ 15
④ 75 ⑤ 150

07

이차방정식 $x^2+\sqrt{3}x+1=0$의 한 근이 α일 때, 보기에서 옳은 것만을 있는 대로 고르시오. (단, $\overline{\alpha}$는 α의 켤레복소수이다.)

┌─ 보기 ─────────────────────────┐

ㄱ. $\alpha^2+\overline{\alpha}^2=1$

ㄴ. $\dfrac{1}{1+\alpha^8}+\dfrac{1}{1+\overline{\alpha}^8}=1$

ㄷ. $(\alpha^2+\overline{\alpha}^2)+(\alpha^4+\overline{\alpha}^4)+(\alpha^6+\overline{\alpha}^6)+\cdots+(\alpha^{20}+\overline{\alpha}^{20})=1$

└──────────────────────────────┘

06 학평

x에 대한 이차방정식 $x^2-px+p+3=0$이 허근 α를 가질 때, α^3이 실수가 되도록 하는 모든 실수 p의 값의 곱은?

① -2 ② -3 ③ -4
④ -5 ⑤ -6

08

0이 아닌 실수 a, b, c, d에 대하여 이차방정식 $x^2+ax+b=0$의 한 근을 α, 이차방정식 $x^2+cx+d=0$의 한 근을 β라 하면 $\alpha+\beta$는 순허수, $\alpha\beta$는 실수이다. 이차방정식 $x^2+(a-c)x+b+d=0$의 한 근이 $2+i$일 때, $abcd$의 값은?

① -25 ② -16 ③ -9
④ -4 ⑤ -1

09

이차방정식 $x^2+ax+b=0$의 두 근을 α, β라 하면 다음 조건을 만족시킬 때, $\alpha^3+\beta^3$의 값을 모두 구하시오.

(단, a, b는 실수이다.)

(가) $\dfrac{\alpha^2}{\beta}$은 실수이다.　　　　(나) $\alpha^4+\beta^4=-9$

10

그림과 같이 한 변의 길이가 2인 정사각형 ABCD가 있다. 변 AB 위의 점 E와 변 CD 위의 점 F에 대하여 선분 EF를 접는 선으로 하여 점 B가 변 AD 위의 점 H와 겹쳐지도록 접을 때, $\overline{BE}=a$,

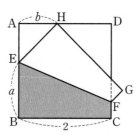

$\overline{AH}=b$라 하자. 사각형 EBCF의 넓이가 $\dfrac{13}{8}$일 때, 모든 $a-b$의 값의 합을 구하시오. (단, $0<a<2$, $0<b<2$)

11 학평

$\dfrac{\sqrt{2}}{2}<k<\sqrt{2}$인 실수 k에 대하여 그림과 같이 한 변의 길이가 각각 2, $2k$인 두 정사각형 ABCD, EFGH가 있다. 두 정사각형의 대각선이 모두 한 점 O에서 만나고, 대각선 FH가 변 AB를 이등분한다. 변 AD와 EH의 교점을 I, 변 AD와 EF의 교점을 J, 변 AB와 EF의 교점을 K라 하자. 삼각형 AKJ의 넓이가 삼각형 EJI의 넓이의 $\dfrac{3}{2}$배가 되도록 하는 k의 값이 $p\sqrt{2}+q\sqrt{6}$일 때, $100(p+q)$의 값을 구하시오.

(단, p, q는 유리수이다.)

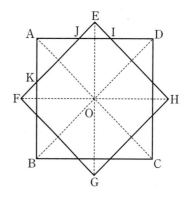

01
> 이차함수의 그래프와 x축의 교점

이차함수 $y=x^2+2(2m-3)x-m-2$의 그래프가 x축과 서로 다른 두 점에서 만난다. 이 두 점 사이의 거리가 4일 때, 상수 m의 값을 모두 구하시오.

02
> 이차함수의 그래프와 x축의 위치 관계

이차함수 $y=x^2-2(a-1)x-b^2+25$의 그래프는 x축과 한 점에서 만나고, 이차함수 $y=-x^2+2bx+c^2-25$의 그래프는 x축과 만나지 않을 때, 자연수 a, b, c에 대하여 순서쌍 (a, b, c)의 개수는?

① 2 　　　　② 3 　　　　③ 4
④ 5 　　　　⑤ 6

03
> 이차함수의 그래프와 x축의 위치 관계

이차방정식 $5x^2-(a+1)x-a=0$의 두 근을 α, β라 하면 $-1<\alpha<0$, $1<\beta<2$일 때, 정수 a의 개수는?

① 1 　　　　② 2 　　　　③ 3
④ 4 　　　　⑤ 5

04 학평
> 이차함수의 그래프와 직선의 교점

원점을 지나고 기울기가 양수 m인 직선이 이차함수 $y=x^2-2$의 그래프와 서로 다른 두 점 A, B에서 만난다. 두 점 A, B에서 x축에 내린 수선의 발을 각각 A′, B′이라 하자. 선분 AA′과 선분 BB′의 길이의 차가 16일 때, m의 값을 구하시오.

05 학평
> 이차함수의 그래프와 직선의 위치 관계

x에 대한 이차함수 $y=x^2-4kx+4k^2+k$의 그래프와 직선 $y=2ax+b$가 실수 k의 값에 관계없이 항상 접할 때, $a+b$의 값은? (단, a, b는 상수이다.)

① $\dfrac{1}{8}$ 　　　　② $\dfrac{3}{16}$ 　　　　③ $\dfrac{1}{4}$

④ $\dfrac{5}{16}$ 　　　　⑤ $\dfrac{3}{8}$

06
> 이차함수의 그래프와 직선의 위치 관계

x에 대한 방정식 $|x^2-2x-3|=k+2$가 서로 다른 네 개의 실근을 가질 때, 실수 k의 값의 범위를 구하시오.

07 서술형　　　　　　　　　＞이차함수의 최대, 최소 – 실수 전체의 범위

그림과 같이 이차함수 $y=f(x)$의
그래프와 직선 $y=g(x)$가 만나는
두 점의 x좌표가 2, 6이다.
$h(x)=f(x)-g(x)$라 하면 함수
$h(x)$의 최댓값이 8일 때, $h(5)$의
값을 구하시오.

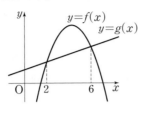

08 학평　　　　　　　　　　＞이차함수의 최대, 최소 – 제한된 범위

두 양수 p, q에 대하여 이차함수 $f(x)=-x^2+px-q$가 다음 조건을 만족시킬 때, p^2+q^2의 값을 구하시오.

(가) $y=f(x)$의 그래프는 x축에 접한다.
(나) $-p \leq x \leq p$에서 $f(x)$의 최솟값은 -54이다.

09 　　　　　　　　　　　　＞공통부분이 있는 함수의 최대, 최소

$1 \leq x \leq 4$에서 함수 $y=-(x^2-4x+1)^2-4(x^2-4x)-2$의
최댓값을 M, 최솟값을 m이라 할 때, $M-m$의 값은?

① 3　　　　　　　　② 5　　　　　　　　③ 7
④ 9　　　　　　　　⑤ 11

10 학평　　　　　　　　　　＞조건을 만족시키는 이차식의 최대, 최소

두 실수 a, b에 대하여 복소수 $z=a+2bi$가 $z^2+(\bar{z})^2=0$을
만족시킬 때, $6a+12b^2+11$의 최솟값은?

(단, $\bar{z}$는 z의 켤레복소수이다.)

① 6　　　　　　　　② 7　　　　　　　　③ 8
④ 9　　　　　　　　⑤ 10

11 　　　　　　　　　　　　＞이차함수의 최대, 최소의 활용

그림과 같이 이차함수 $y=x^2-5x+6$
의 그래프가 y축과 만나는 점을 A,
x축과 만나는 두 점을 각각 B, C라
하자. 점 $P(a, b)$가 점 A에서 이차
함수 $y=x^2-5x+6$의 그래프를 따
라 점 B를 지나 점 C까지 움직일 때,
$a+b$의 최댓값과 최솟값의 합을 구하시오.

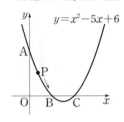

12 　　　　　　　　　　　　＞이차함수의 최대, 최소의 활용

어떤 상품 한 개의 가격을 작년보다 $x\%$만큼 내리면 이 상품
의 판매량은 작년보다 $2.5x\%$만큼 증가한다고 할 때, 올해
총 판매 금액의 최댓값은 작년 총 판매 금액보다 $p\%$ 증가한
것이다. 이때 양수 p의 값은? (단, $0 \leq x \leq 50$)

① 20　　　　　　　② 22.5　　　　　　③ 25
④ 27.5　　　　　　⑤ 30

01

이차함수 $f(x)=x^2+ax+a$의 그래프는 x축과 서로 다른 두 점 A, B에서 만나고, 이차함수 $y=f(ax-1)$의 그래프는 x축과 서로 다른 두 점 C, D에서 만난다. $\overline{AB}^2=18\overline{CD}^2$일 때, 양수 a의 값을 구하시오.

02

이차방정식 $2x^2-(2k+3)x+k+1=0$의 서로 다른 두 근이 이차방정식 $x^2-kx+2k-8=0$의 서로 다른 두 근 사이에 있도록 하는 정수 k의 최댓값을 구하시오.

03 학평

이차함수 $y=f(x)$의 그래프가 x축과 만나는 서로 다른 두 점 A, B에 대하여 $\overline{AB}=l$이라 하자. $y=f(x)$의 그래프가 직선 $y=1$과 만나는 서로 다른 두 점 C, D에 대하여 $\overline{CD}=l+1$, $y=f(x)$의 그래프가 직선 $y=4$와 만나는 서로 다른 두 점 E, F에 대하여 $\overline{EF}=l+3$이다. l의 값은?

① 1 　　　　② $\frac{3}{2}$ 　　　　③ 2

④ $\frac{5}{2}$ 　　　　⑤ 3

04 학평

이차항의 계수가 1인 이차함수 $y=f(x)$의 그래프의 꼭짓점이 직선 $y=kx$ 위에 있다. 이차함수 $y=f(x)$의 그래프가 직선 $y=kx+5$와 만나는 서로 다른 두 점의 x좌표를 α, β라 하자. 이차함수 $y=f(x)$의 그래프의 축이 직선 $x=\frac{\alpha+\beta}{2}-\frac{1}{4}$일 때, $|\alpha-\beta|$의 값은? (단, k는 상수이다.)

① $\frac{7}{2}$ 　　　　② $\frac{23}{6}$ 　　　　③ $\frac{25}{6}$

④ $\frac{9}{2}$ 　　　　⑤ $\frac{29}{6}$

05

이차함수 $f(x)$에 대하여 $f(-1)=0$이고, 모든 실수 x에 대하여 $f(x)\geq f(2)$가 성립할 때, 보기에서 옳은 것만을 있는 대로 고른 것은?

┌ 보기 ┐

ㄱ. $f(5)=0$

ㄴ. $f(0)<f\left(-\frac{3}{2}\right)<f(6)$

ㄷ. $f(0)=k$라 할 때, 이차함수 $y=f(x)$의 그래프와 직선 $y=2kx$의 두 교점의 x좌표의 합은 6이다.

① ㄱ 　　　　② ㄴ 　　　　③ ㄱ, ㄴ

④ ㄱ, ㄷ 　　　　⑤ ㄴ, ㄷ

06 학평

그림과 같이 $-2<k<2$인 실수 k에 대하여 이차함수 $y=-x^2+1$의 그래프와 직선 $y=2x+k$가 만나는 두 점을 각각 A, B라 할 때, A, B에서 x축에 내린 수선의 발을 각각 A_1, B_1이라 하고, 직선 $y=2x+k$와 x축이 만나는 점을 C라 하자. 두 삼각형 ACA_1과 BCB_1의 넓이의 합이 $\dfrac{3}{2}$일 때, 상수 k의 값이 $p+q\sqrt{7}$이다. $10p+q$의 값을 구하시오.

(단, p, q는 유리수이다.)

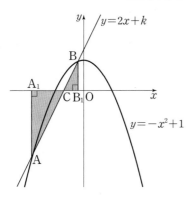

이차함수의 그래프와 직선의 위치 관계

08

이차함수 $f(x)=x^2+ax+b$에 대하여 보기에서 옳은 것만을 있는 대로 고른 것은? (단, a, b는 상수이다.)

• 보기 •

ㄱ. $a^2<4b$이면 $b>-2a-4$이다.

ㄴ. 모든 실수 x에 대하여 $f(x+2)=f(-x+2)$를 만족시키고 $b<-4$이면 이차함수 $y=f(x)$의 그래프와 직선 $y=bx+a$는 서로 다른 두 점에서 만난다.

ㄷ. $2a+b<2$이면 이차함수 $y=f(x)$의 그래프와 직선 $y=-ax+3$은 만나지 않는다.

① ㄱ   ② ㄴ   ③ ㄱ, ㄴ

④ ㄱ, ㄷ   ⑤ ㄴ, ㄷ

07 idea ✦

그림과 같이 두 이차함수 $y=x^2-3x$, $y=-x^2+4x$의 그래프로 둘러싸인 부분에 두 변 AB, CD가 x축과 평행한 평행사변형 ABCD가 내접하고 있다. 두 점 B, C에서 x축에 내린 수선의 길이를 각각 p, q라 할 때, $q-p$의 값을 구하시오.

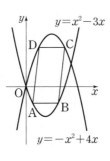

09 서술형

함수 $f(x)=\begin{cases} -x^2+2x & (x\leq 2) \\ 2x^2-4x & (x>2) \end{cases}$의 그래프와 직선 $y=mx-4m-1$이 서로 다른 세 점에서 만나도록 하는 상수 m의 값의 범위가 $\alpha<m<\beta$일 때, $\alpha\beta$의 값을 구하시오.

10

두 함수 $f(x)=|x^2-5x+4|$, $g(x)=-x+k$에 대하여 방정식 $f(x)=g(x)$의 서로 다른 실근의 개수를 $h(k)$라 할 때, $h\left(\dfrac{1}{2}\right)+h(1)+h\left(\dfrac{7}{2}\right)+h\left(\dfrac{9}{2}\right)+h\left(\dfrac{11}{2}\right)$의 값을 구하시오.

▌이차함수의 그래프와 접하는 직선

11 [학평]

두 이차함수 $y=f(x)$, $y=g(x)$와 일차함수 $y=h(x)$에 대하여 두 함수 $y=f(x)$, $y=h(x)$의 그래프가 접하는 점의 x좌표를 α, 두 함수 $y=g(x)$, $y=h(x)$의 그래프가 접하는 점의 x좌표를 β라 할 때, 다음 조건을 만족시킨다.

> (개) 두 함수 $y=f(x)$와 $y=g(x)$의 최고차항의 계수는 각각 1과 4이다.
> (내) 두 양수 α, β에 대하여 $\alpha:\beta=1:2$

두 이차함수 $y=f(x)$와 $y=g(x)$의 그래프가 만나는 점 중에서 x좌표가 α와 β 사이에 있는 점의 x좌표를 t라 할 때, $\dfrac{t}{\alpha}$의 값은?

① $\dfrac{7}{6}$ ② $\dfrac{4}{3}$ ③ $\dfrac{3}{2}$

④ $\dfrac{5}{3}$ ⑤ $\dfrac{11}{6}$

12

그림과 같이 이차함수 $y=x^2-4mx$의 그래프와 직선 $y=mx$가 두 점 O, A에서 만난다. 기울기가 $-\dfrac{1}{m}$인 직선 l이 이차함수 $y=x^2-4mx$의 그래프와 접하는 점을 B라 하고, 두 점 A, B에서 x축에 내린 수선의 발을 각각 A′, B′이라 하면 $\overline{A'B'}=6$일 때, $6m$의 값은? (단, $m>1$이고, O는 원점이다.)

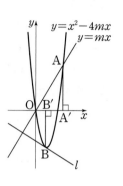

① $6+\sqrt{30}$ ② 12 ③ $12+\sqrt{30}$

④ 18 ⑤ $12+2\sqrt{30}$

13

그림과 같이 어느 직선 형태의 다리와 포물선 모양의 아치가 맞닿는 두 지점 사이의 거리는 300 m이고, 다리에서 아치까지의 최대 높이는 50 m이다. 다리의 안정성을 위해 다리와 아치가 만나는 지점으로부터 100 m 떨어진 곳에서 아치에 접하도록 직선으로 철끈을 매달아 놓았을 때, 철끈과 아치가 만나는 지점은 다리로부터 높이가 몇 m인지 구하시오.

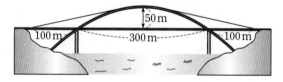

이차함수의 최대, 최소

14

양수 x, y에 대하여 $2x+3y=8$일 때, $(\sqrt{2x+1}+\sqrt{3y+5})^2$의 최댓값을 구하시오.

15

이차함수 $f(x)=x^2-3|x|-2$에 대하여 $-2\leq x\leq 1$에서 함수 $y=\{f(x)\}^2+5f(x)+5$의 최댓값을 M, 최솟값을 m이라 할 때, $M-m$의 값은?

① $\dfrac{9}{16}$ ② $\dfrac{19}{16}$ ③ $\dfrac{29}{16}$

④ $\dfrac{39}{16}$ ⑤ $\dfrac{49}{16}$

16

실수 t에 대하여 $t\leq x\leq t+1$에서 이차함수 $f(x)=x^2-6x+11$의 최댓값을 $g(t)$라 할 때, 방정식 $g(t)=3$의 모든 실근의 합은?

① 3   ② 4   ③ 5

④ 6   ⑤ 7

17 학평

$2\leq x\leq 4$에서 이차함수 $y=x^2-4ax+4a^2+b$의 최솟값이 4가 되도록 하는 두 실수 a, b에 대하여 $2a+b$의 최댓값을 M이라 하자. $4M$의 값을 구하시오.

18 서술형

이차함수 $f(x)$는 모든 실수 x에 대하여 $f\left(\dfrac{3}{2}+x\right)=f\left(\dfrac{5}{2}-x\right)$를 만족시킨다. $-1\leq x\leq 1$에서 함수 $f(x)$의 최댓값과 최솟값의 합은 14이고, $1\leq x\leq 4$에서 함수 $f(x)$의 최댓값과 최솟값의 합은 26일 때, $f(-2)+f(3)$의 값을 구하시오.

19 학평

$-2\leq x\leq 5$에서 정의된 이차함수 $f(x)$가
$$f(0)=f(4),\ f(-1)+|f(4)|=0$$
을 만족시킨다. 함수 $f(x)$의 최솟값이 -19일 때, $f(3)$의 값을 구하시오.

이차함수의 최대, 최소의 활용

20 학평

그림과 같이 한 변의 길이가 20인 정삼각형 ABC에 대하여 변 AB 위의 점 D, 변 AC 위의 점 G, 변 BC 위의 두 점 E, F를 꼭짓점으로 하는 직사각형 DEFG가 있다. 직사각형 DEFG의 넓이가 최대일 때, 삼각형 DBE에 내접하는 원의 둘레의 길이는 $(p\sqrt{3}+q)\pi$이다. p^2+q^2의 값은?

(단, p, q는 유리수이다.)

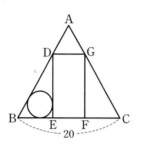

① 10   ② 20   ③ 30

④ 40   ⑤ 50

21 서술형

그림과 같이 가로의 길이가 4, 세로의 길이가 $4\sqrt{3}$이고, $\overline{AB}/\!/\overline{EF}$인 두 직사각형 ABCD, EFGH가 있다. 변 AB의 중점을 P라 하고, 변 BC의 4등분점 중 꼭짓점 C에 가장 가까운 점을 Q라 할 때, 직사각형 EFGH의 꼭짓점 F가 선분 PQ 위를 움직인다. 두 직사각형의 공통부분의 넓이의 최댓값을 M, 최솟값을 m이라 할 때, Mm의 값을 구하시오.

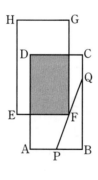

22 학평

그림은 이차함수 $f(x)=-x^2+11x-10$의 그래프와 직선 $y=-x+10$을 나타낸 것이다. 직선 $y=-x+10$ 위의 한 점 A$(t, -t+10)$에 대하여 점 A를 지나고 y축에 평행한 직선이 이차함수 $y=f(x)$의 그래프와 만나는 점을 B, 점 B를 지나고 x축과 평행한 직선이 이차함수 $y=f(x)$의 그래프와 만나는 점 중 B가 아닌 점을 C, 점 A를 지나고 x축에 평행한 직선과 점 C를 지나고 y축에 평행한 직선이 만나는 점을 D라 하자. 네 점 A, B, C, D를 꼭짓점으로 하는 직사각형의 둘레의 길이의 최댓값은?

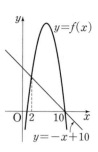

$\left(\text{단, } 2<t<10,\ t\neq\dfrac{11}{2}\right)$

① 30   ② 33   ③ 36

④ 39   ⑤ 42

23

그림과 같이 $\overline{AB}=\overline{AC}=8$, $\overline{BC}=8\sqrt{3}$인 이등변삼각형 ABC에서 두 점 P, R는 각각 점 A, 점 C를 출발하여 각각 점 B, 점 A를 향해 매초 1의 속력으로 움직이고, 점 Q는 점 B를 출발하여 점 C를 향해 매초 2의 속력으로 움직일 때, 사각형 APQR의 넓이의 최솟값을 구하시오. (단, 점 Q가 점 C에 도착하면 두 점 P, R는 더 이상 움직이지 않는다.)

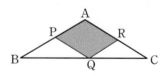

01

이차함수 $f(x)=ax^2+bx+c$의 그래프가 아래로 볼록하고 $f(0)<0$일 때, 함수 $y=c|x-3|^2-b|x-3|+a$의 그래프와 x축의 교점의 x좌표의 합은? (단, a, b, c는 상수이다.)

① 2   ② 3   ③ 4

④ 5   ⑤ 6

02 ^{idea} ✦

이차함수 $f(x)=ax^2+bx+c$에 대하여 함수 $y=f(x)$의 그래프가 x축과 만나면 함수의 식을
$y=a(x+1)^2+bx(x+1)+cx^2$으로 변환하고, 함수 $y=f(x)$의 그래프가 x축과 만나지 않으면 함수의 식을
$y=a+b(x+1)+c(x+1)^2$으로 변환한다. 함수 $f(x)$를 한 번 변환한 함수를 $f_1(x)$, 두 번 변환한 함수를 $f_2(x)$, ⋯, n번 변환한 함수를 $f_n(x)$라 하자. 두 이차함수
$g(x)=x^2+3x+1$, $h(x)=x^2-3x+5$에 대하여 두 함수 $y=g_{10}(x)$, $y=h_{10}(x)$의 그래프가 x축과 만나는 서로 다른 점의 개수를 각각 p, q라 할 때, $p+q$의 값을 구하시오.
(단, $f(0)\neq0$, $f(1)\neq0$이고, a, b, c는 상수이다.)

03 학평

그림과 같이 최고차항의 계수가 1인 이차함수 $y=f(x)$의 그래프가 두 점 $A(1, 0)$, $B(a, 0)$을 지난다. 이차함수 $y=f(x)$의 그래프의 꼭짓점을 P, 점 A를 지나고 직선 PB에 평행한 직선이 이차함수 $y=f(x)$의 그래프와 만나는 점 중 A가 아닌 점을 Q, 점 Q에서 x축에 내린 수선의 발을 R라 하자. 직선 PB의 기울기를 m이라 할 때, 보기에서 옳은 것만을 있는 대로 고른 것은? (단, $a>1$)

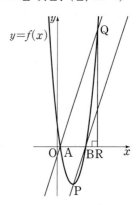

┌ 보기 ┐

ㄱ. $f(2)=2-a$

ㄴ. $\overline{AR}=3m$

ㄷ. 삼각형 BRQ의 넓이가 $\dfrac{81}{2}$일 때, $a+m=10$이다.

└─────┘

① ㄱ   ② ㄷ   ③ ㄱ, ㄴ

④ ㄴ, ㄷ   ⑤ ㄱ, ㄴ, ㄷ

04 ✦ idea

최고차항의 계수가 1이고 $0 \le x \le 3$에서 정의된 이차함수 $f(x)$가 있다. $-3 \le x \le 0$에서 정의된 함수 $g(x)$에 대하여 $g(x) = -f(-x)$이고, $3 \le x \le 6$에서 정의된 함수 $h(x)$에 대하여 $h(x) = 6 - f(6-x)$일 때, 두 함수 $y = g(x)$, $y = h(x)$의 그래프는 함수 $y = f(x)$의 그래프와 각각 한 점에서 만난다. 직선 $y = mx$가 세 함수 $y = f(x)$, $y = g(x)$, $y = h(x)$의 그래프와 서로 다른 두 점에서 만날 때, 상수 m의 값을 구하시오. (단, $m > 1$)

05 ✦ idea

자연수 n에 대하여 x에 대한 함수 $y = -2[x]^2 + n[x] + 3$의 최댓값을 $M(n)$이라 할 때, $M(12) + M(13) + M(15) + M(16)$의 값은?

(단, $[x]$는 x보다 크지 않은 최대의 정수이다.)

① 109   ② 111   ③ 113
④ 115   ⑤ 117

06 학평

두 이차함수
$$f(x) = (x-a)^2 - a^2,$$
$$g(x) = -(x-2a)^2 + 4a^2 + b$$
가 다음 조건을 만족시킨다.

> ㈎ 방정식 $f(x) = g(x)$는 서로 다른 두 실근 α, β를 갖는다.
> ㈏ $\beta - \alpha = 2$

보기에서 옳은 것만을 있는 대로 고른 것은?

(단, a, b는 상수이다.)

┌─ **보기** ─────────────────
ㄱ. $a = 1$일 때, $b = -\dfrac{5}{2}$
ㄴ. $f(\beta) - g(\alpha) \le g(2a) - f(a)$
ㄷ. $g(\beta) = f(\alpha) + 5a^2 + b$이면 $b = -16$
└────────────────────────

① ㄱ   ② ㄱ, ㄴ   ③ ㄱ, ㄷ
④ ㄴ, ㄷ   ⑤ ㄱ, ㄴ, ㄷ

07

최고차항의 계수가 2보다 큰 이차함수 $f(x)$가 다음 조건을 만족시킨다.

> (가) $f(1)=-1$
> (나) 모든 실수 x에 대하여 $f(x)=f(-x)$이다.

이차함수 $g(x)=f(x-p)$의 그래프의 꼭짓점을 P라 하고, 점 P가 아닌 함수 $y=g(x)$의 그래프 위의 한 점을 Q라 하면 직선 PQ의 기울기는 2이다. 두 점 P, Q에서 x축에 내린 수선의 발을 각각 H, T라 할 때, $\overline{HT}\times\overline{QT}$의 최댓값을 구하시오. (단, p는 상수이다.)

08 학평

그림과 같이 $\overline{AB}=6$, $\overline{BC}=8$, $\overline{CA}=10$인 직각삼각형 ABC의 두 꼭짓점 A, B를 각각 중심으로 하는 두 원 O_1, O_2가 서로 외접하고 있다. 변 AC와 원 O_1과의 교점을 P, 변 BC와 원 O_2와의 교점을 Q라 할 때, $\overline{PQ}^2$의 최솟값은 $\dfrac{b}{a}$이다. ab의 값을 구하시오. (단, a와 b는 서로소인 자연수이다.)

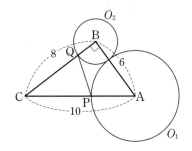

09

그림과 같이 한 변의 길이가 8인 정삼각형 ABC에 대하여 세 변 AB, BC, CA 위의 점을 각각 D, E, F라 할 때, 삼각형 DEF는 한 변의 길이가 a인 정삼각형이다. 네 삼각형 DEF, ADF, BED, CFE의 내접원을 각각 O_1, O_2, O_3, O_4라 할 때, 네 원 O_1, O_2, O_3, O_4의 넓이의 합이 최소가 되도록 하는 a의 값은?

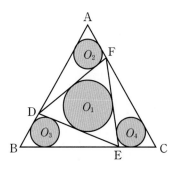

① 5   ② $\dfrac{16}{3}$ ③ $\dfrac{17}{3}$

④ 6   ⑤ $\dfrac{19}{3}$

01 [학평]
> 삼차방정식의 풀이

x에 대한 방정식

$$(1+x)(1+x^2)(1+x^4)=x^7+x^6+x^5+x^4$$

의 세 근을 각각 α, β, γ라 할 때, $\alpha^4+\beta^4+\gamma^4$의 값은?

① 3 　　　　② 7 　　　　③ 11

④ 15 　　　　⑤ 19

02 [학평]
> 삼차방정식의 풀이

복소수 $z=a+bi$(a, b는 실수)가 다음 조건을 만족시킬 때, $a+b$의 값은? (단, $\overline{z}$는 z의 켤레복소수이다.)

> (가) z는 방정식 $x^3-3x^2+9x+13=0$의 근이다.
>
> (나) $\dfrac{z-\overline{z}}{i}$는 음의 실수이다.

① -3 　　　　② -1 　　　　③ 1

④ 3 　　　　⑤ 5

03
> 사차방정식의 풀이

사차식 $f(x)=(x^2+8x+k)(x^2+8x+15)+15$가 $x+2$로 나누어떨어진다. 사차방정식 $f(x)=0$의 네 근을 α, β, γ, δ라 할 때, $\alpha^2+\beta^2+\gamma^2+\delta^2$의 값을 구하시오.

(단, k는 상수이다.)

04
> 사차방정식의 풀이

사차방정식 $2x^4+3x^3-x^2+3x+2=0$의 모든 허근의 곱은?

① -3 　　　　② -2 　　　　③ -1

④ 1 　　　　⑤ 2

05 [서술형]
> 삼차방정식의 해의 조건

삼차방정식 $2x^3+(a-11)x^2+(a^2-2a+14)x-2a^2=0$이 중근을 가질 때, 모든 실수 a의 값의 합을 구하시오.

06
> 삼차방정식의 근과 계수의 관계

삼차방정식 $x^3-2x^2+3x-4=0$의 세 근을 α, β, γ라 할 때, $(\alpha+\beta+1)(\beta+\gamma+1)(\gamma+\alpha+1)$의 값은?

① 12 　　　　② 14 　　　　③ 16

④ 18 　　　　⑤ 20

07 학평
> 삼차방정식의 켤레근의 성질

계수가 실수인 x에 대한 삼차방정식 $x^3+ax^2+bx-8=0$의 한 근이 $1-\sqrt{3}i$일 때, $a+b$의 값은?

① 4   ② 5   ③ 6

④ 7   ⑤ 8

08
> 삼차방정식 $x^3=1$의 허근의 성질

삼차방정식 $x^3=1$의 한 허근을 ω라 할 때, 보기에서 옳은 것만을 있는 대로 고르시오. (단, $\overline{\omega}$는 ω의 켤레복소수이다.)

┌─ 보기 ─
ㄱ. $\omega^{16}=\omega$
ㄴ. $\omega^2+\overline{\omega}^2=1$
ㄷ. $\dfrac{1}{1+\omega^2}+\dfrac{1}{1+\omega^4}+\dfrac{1}{1+\omega^6}=\dfrac{3}{2}$
└─

09 학평
> 연립이차방정식의 풀이

$x,\ y$에 대한 두 연립방정식

$\begin{cases} 3x+y=a \\ 2x+2y=1 \end{cases}, \begin{cases} x^2-y^2=-1 \\ x-y=b \end{cases}$

의 해가 일치할 때, 두 상수 $a,\ b$에 대하여 ab의 값은?

① 1   ② 2   ③ 3

④ 4   ⑤ 5

10
> 대칭식으로 이루어진 연립이차방정식의 풀이

연립방정식 $\begin{cases} (x+1)(y+1)=-4 \\ (x+y)^2-xy=7 \end{cases}$ 을 만족시키는 실수 $x,\ y$에 대하여 $x+2y$의 최댓값을 구하시오.

11 학평
> 연립이차방정식의 해의 조건

$x,\ y$에 대한 연립방정식 $\begin{cases} 2x-y=5 \\ x^2-2y=k \end{cases}$ 가 오직 한 쌍의 해

$x=\alpha,\ y=\beta$를 가질 때, $\alpha+\beta+k$의 값을 구하시오.

(단, k는 상수이다.)

12
> 부정방정식

방정식 $2x^2+6xy+9y^2-2x+1=0$을 만족시키는 실수 $x,\ y$에 대하여 $x-3y$의 값은?

① 1   ② 2   ③ 3

④ 4   ⑤ 5

삼차방정식과 사차방정식의 풀이

01

자연수 n에 대하여 삼차방정식
$2x^3-nx^2+(n-n^2)x-n^2=0$의 서로 다른 실근의 개수를
$f(n)$이라 할 때, $f(7)+f(8)+f(9)$의 값은?

① 4   ② 5   ③ 6

④ 7   ⑤ 8

02 학평

x에 대한 삼차식
$$f(x)=x^3+(2a-1)x^2+(b^2-2a)x-b^2$$
에 대하여 보기에서 옳은 것만을 있는 대로 고른 것은?

─• 보기 •─

ㄱ. $f(x)$는 $x-1$을 인수로 갖는다.

ㄴ. $a<b<0$인 어떤 두 실수 a, b에 대하여 방정식 $f(x)=0$의 서로 다른 실근의 개수는 2이다.

ㄷ. 방정식 $f(x)=0$이 서로 다른 세 실근을 갖고 세 근의 합이 7이 되도록 하는 두 정수 a, b의 모든 순서쌍 (a, b)의 개수는 5이다.

① ㄱ   ② ㄱ, ㄴ   ③ ㄱ, ㄷ

④ ㄴ, ㄷ   ⑤ ㄱ, ㄴ, ㄷ

03 idea ✦

사차방정식 $2x^4-3x^3+4x^2-3x+2=0$의 네 근을 α, β, γ, δ라 하자. 사차식 $f(x)$에 대하여 $f(0)=2$이고, 사차방정식 $f(x)=0$의 네 근이 α^2, β^2, γ^2, δ^2일 때, $f(1)$의 값은?

① 10   ② 11   ③ 12

④ 13   ⑤ 14

04 학평

x에 대한 사차방정식 $x^4-9x^2+k-10=0$의 모든 근이 실수가 되도록 하는 자연수 k의 개수를 구하시오.

삼차방정식의 근과 계수의 관계

05

삼차방정식 $x^3-ax^2+26x+b=0$의 근이 연속인 세 정수일 때, 실수 a, b에 대하여 $|a|+|b|$의 값은?

① 30   ② 31   ③ 32

④ 33   ⑤ 34

06 [학평]

삼차방정식 $x^3+ax^2+bx+c=0$의 세 근을 α, β, γ라 하자. $\dfrac{1}{\alpha\beta}$, $\dfrac{1}{\beta\gamma}$, $\dfrac{1}{\gamma\alpha}$을 세 근으로 하는 삼차방정식을 $x^3-2x^2+3x-1=0$이라 할 때, $a^2+b^2+c^2$의 값은?

(단, a, b, c는 상수이다.)

① 14　　　　② 15　　　　③ 16

④ 17　　　　⑤ 18

07

x에 대한 삼차방정식 $2x^3-mx^2+(m^3-10m)x+n=0$의 세 근을 α, β, γ $(\alpha<\beta<\gamma)$라 하면 $\dfrac{1}{\alpha}$, $\dfrac{1}{\beta}$, $\dfrac{1}{\gamma}$도 이 삼차방정식의 세 근일 때, $\beta\gamma-3\alpha$의 값을 구하시오.

(단, m, n은 자연수이다.)

08

삼차방정식 $f(x-3)=0$의 세 근을 α, β, γ라 하면 $\alpha+\beta+\gamma=12$, $\alpha\beta+\beta\gamma+\gamma\alpha=50$이다. 삼차방정식 $f(2x+1)=0$의 세 근을 p, q, r라 할 때, $pq+qr+rp$의 값을 구하시오.

삼차방정식과 사차방정식의 켤레근의 성질

09 [서술형]

사차항의 계수가 1이고 계수가 유리수인 사차식 $f(x)$가 다음 조건을 만족시킬 때, 사차방정식 $f(x)=0$의 모든 근의 합을 구하시오.

> (가) $f(x)$를 x^2-1로 나누었을 때의 나머지는 $x-1$이다.
> (나) $-1-\sqrt{2}$는 사차방정식 $f(x)=0$의 한 근이다.

10

삼차방정식 $x^3+ax^2+bx-3=0$이 한 실근과 두 허근 α, $-\alpha^2$을 가질 때, 실수 a, b에 대하여 $b-a$의 값은?

① 5　　　　② 6　　　　③ 7

④ 8　　　　⑤ 9

11

삼차방정식 $x^3-2x^2-x-6=0$의 한 허근을 α라 하자. 삼차항의 계수가 1인 삼차식 $f(x)$에 대하여

$$f(\alpha)=\frac{1}{\overline{\alpha}^2+2}, \ f(\overline{\alpha})=\frac{1}{\alpha^3-2}, \ f(0)=4$$

일 때, $f(2)$의 값을 구하시오. (단, $\overline{\alpha}$는 α의 켤레복소수이다.)

삼차방정식 $x^3=1$의 허근의 성질

12

삼차방정식 $x^3=1$의 한 허근을 ω라 하고 자연수 n에 대하여

$f(n)=\dfrac{\overline{\omega}^{-2n}}{\omega^{2n}+1}+\dfrac{\omega^{2n}}{\overline{\omega}^{-2n}+1}$이라 할 때,

$f(1)+f(2)+f(3)+\cdots+f(k)=-101$을 만족시키는 자연수 k의 값은? (단, $\overline{\omega}$는 ω의 켤레복소수이다.)

① 50   ② 51   ③ 100

④ 101   ⑤ 200

13

삼차방정식 $x^3-1=0$의 한 허근을 α, 삼차방정식 $x^3+1=0$의 한 허근을 β라 하고 자연수 n에 대하여

$$f(n)=(\alpha+1)^n+(\alpha^2+1)^n+(\alpha^2+\alpha)^n,$$
$$g(n)=(1-\beta)^n+(1+\beta^2)^n+(\beta^2-\beta)^n$$

이라 할 때, 보기에서 옳은 것만을 있는 대로 고른 것은?

┌ **보기** ────────────────
│ ㄱ. $f(1)=g(1)$
│ ㄴ. $f(101)=g(101)$
│ ㄷ. $f(1)+f(2)+f(3)+\cdots+f(1000)$
│ $=g(1)+g(2)+g(3)+\cdots+g(1000)$
└──────────────────────

① ㄱ   ② ㄱ, ㄴ   ③ ㄱ, ㄷ

④ ㄴ, ㄷ   ⑤ ㄱ, ㄴ, ㄷ

14

삼차방정식 $x^3=1$의 한 허근을 ω라 할 때, 다음 조건을 만족시키는 100 이하의 자연수 n의 개수를 구하시오.

(단, $\overline{\omega}$는 ω의 켤레복소수이다.)

┌──────────────────────────────
│ (가) $\left(\dfrac{1}{\omega}-\omega+\dfrac{1}{\omega^2}\right)^n=1$ (나) $(-\omega-1)^n=\left(\dfrac{\overline{\omega}}{\omega+\overline{\omega}}\right)^n$
└──────────────────────────────

삼차방정식과 사차방정식의 활용

15

모든 모서리의 길이의 합이 $30\,\mathrm{cm}$, 겉넓이가 $34\,\mathrm{cm}^2$, 부피가 $12\,\mathrm{cm}^3$인 직육면체 모양의 상자가 있다. 이 상자 안에 구 모양의 물건을 1개 넣을 때, 물건의 반지름의 길이의 최댓값을 구하시오.

16

그림과 같이 정삼각기둥을 어떤 단면으로 비스듬히 잘라서 만든 입체도형의 밑면의 한 변의 길이는 a이고, 밑면의 꼭짓점에서의 높이는 각각 $a-1$, $a+2$, $a+5$이다. 이 도형의 부피가 $\dfrac{45\sqrt{3}}{4}$일 때, a의 값을 구하시오. (단, $a>1$)

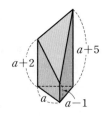

연립이차방정식의 풀이

17

연립방정식 $\begin{cases} |x^2-4y^2|=48 \\ |x+2y|=6 \end{cases}$ 을 만족시키는 실수 x, y에 대하여 xy의 값은?

① $-\dfrac{7}{2}$ ② -2 ③ $-\dfrac{1}{2}$

④ 2 ⑤ $\dfrac{7}{2}$

18 서술형

실수 x, y에 대하여 $<x,\ y>=\begin{cases} -x & (x\geq y) \\ y & (x<y) \end{cases}$ 라 정의하자.

연립방정식 $\begin{cases} xy-2x+2=<x,\ y> \\ 2xy-3x+3y-5=<x,\ y> \end{cases}$ 를 만족시키는 실수 x, y에 대하여 x^2+y^2의 값을 구하시오.

19

연립방정식 $\begin{cases} x^2+y^2-(x+y)=8 \\ x^2+y^2+xy=k \end{cases}$ 를 만족시키는 실수 x, y가 존재할 때, $x+y$의 값이 항상 음수가 되도록 하는 실수 k의 최솟값을 구하시오.

두 방정식의 공통인 근

20

서로 다른 두 이차방정식 $x^2-px-q=0$, $x^2-qx-p=0$이 1개의 공통인 근을 갖는다. 이차방정식 $x^2-px-q=0$의 두 근의 차가 3일 때, 이차방정식 $x^2-qx-p=0$의 두 근의 차의 최댓값을 구하시오. (단, p, q는 실수이다.)

21 학평

세 실수 a, b, c에 대하여 한 근이 $1+\sqrt{3}i$인 방정식 $x^3+ax^2+bx+c=0$과 이차방정식 $x^2+ax+2=0$이 공통인 근 m을 가질 때, m의 값은?

① 2 ② 1 ③ 0

④ -1 ⑤ -2

22

사차방정식 $(x^2+2x)^2-6x(x^2+2x+m)-m^2=0$이 서로 다른 네 실근을 가질 때, 정수 m의 개수는?

① 1 ② 2 ③ 3

④ 4 ⑤ 5

step 2 고난도*문제

연립이차방정식의 활용

23 학평

그림과 같이 삼각형 ABC의 변 BC 위의 점 D에 대하여 $\overline{AD}=6$, $\overline{BD}=8$이고, $\angle BAD=\angle BCA$이다. $\overline{AC}=\overline{CD}-1$일 때, 삼각형 ABC의 둘레의 길이를 구하시오.

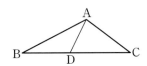

24

그림과 같이 서로 외접하는 두 원 O_1, O_2와 $\overline{AB}=18$, $\overline{AD}=16$인 직사각형 ABCD가 있다. 원 O_1은 두 변 AB, BC에 접하고 원 O_2는 두 변 AD, CD에 접하며 두 원의 넓이의 합이 58π일 때, 두 원 중 작은 원의 반지름의 길이를 구하시오.

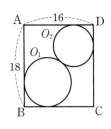

25

그림과 같이 $\overline{BC}=8$인 직사각형 ABCD를 꼭짓점 C가 점 A에 오도록 접었다. 접힌 선이 변 BC, 변 AD와 만나는 점을 각각 E, F라 하면 $\overline{EF}=\sqrt{20}$일 때, $\overline{AB}\times\overline{BE}$의 값을 구하시오. (단, $\overline{AB}<\overline{BC}$)

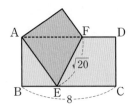

부정방정식

26

방정식 $(2x^2-5xy+y^2-26)^2+(xy+2x-3y-8)^2=0$을 만족시키는 정수 x, y에 대하여 $x-y$의 값은?

① 3   ② 4   ③ 5
④ 6   ⑤ 7

27

사차방정식 $x^4-kx^3+2(3k-2)x^2+4kx-24k=0$의 네 근 중 두 근이 $3m$, $4n$일 때, 자연수 m, n에 대하여 $m+n$의 최댓값을 구하시오. (단, k는 실수이다.)

28 서술형

x에 대한 이차방정식
$$x^2-2(a+2b)x+a^2+4b^2+10ab-10a-10b=0$$
이 중근을 가질 때, 정수 a, b에 대하여 $|a-b|$의 최댓값을 구하시오.

step 3 최고난도 문제

01

삼차방정식 $x^3+mx^2+nx-6=0$은 한 실근과 서로 다른 두 허근을 갖는다. 두 허근의 합이 2일 때, 정수 m, n에 대하여 모든 $m+2n$의 값의 합을 구하시오.

02 [학평]

두 정수 m, n에 대하여 이차함수 $f(x)$와 일차함수 $g(x)$가 다음 조건을 만족시킨다.

> (가) 함수 $f(x)$의 최댓값은 0이다.
> (나) 함수 $y=f(x)$의 그래프와 함수 $y=g(x)$의 그래프는 두 점 $(m, 0)$, $(m+4, 32n)$에서 만난다.
> (다) $0 \le a \le 4$인 정수 a에 대하여 정수 b가 부등식 $g(m+a) \le b \le f(m+a)$를 만족시킬 때, a, b의 모든 순서쌍 (a, b)의 개수는 45이다.

방정식 $\{f(x)\}^2-\{g(x)\}^2=0$을 만족시키는 실근 중 최댓값과 최솟값의 합이 8일 때, $f(5) \times g(5)$의 값을 구하시오.

03 [학평]

x에 대한 삼차방정식 $ax^3+2bx^2+4bx+8a=0$이 서로 다른 세 정수를 근으로 갖는다. 두 정수 a, b가 $|a| \le 50$, $|b| \le 50$일 때, 순서쌍 (a, b)의 개수를 구하시오.

04 idea ✦

사차방정식 $x^4-2ax^2+a+1=0$의 서로 다른 네 실근을 α, β, γ, δ $(\alpha<\beta<\gamma<\delta)$라 하면 $\beta\gamma-\alpha\delta=2$가 성립할 때, $\alpha^4+\beta^4+\gamma^4+\delta^4$의 값을 구하시오. (단, a는 실수이다.)

05 학평

x에 대한 사차방정식
$$x^4+(3-2a)x^2+a^2-3a-10=0$$
이 실근과 허근을 모두 가질 때, 이 사차방정식에 대하여 보기에서 옳은 것만을 있는 대로 고른 것은? (단, a는 실수이다.)

─● 보기 ●─
ㄱ. $a=1$이면 모든 실근의 곱은 -3이다.
ㄴ. 모든 실근의 곱이 -4이면 모든 허근의 곱은 3이다.
ㄷ. 정수인 근을 갖도록 하는 모든 실수 a의 값의 합은 -1이다.

① ㄱ ② ㄱ, ㄴ ③ ㄱ, ㄷ
④ ㄴ, ㄷ ⑤ ㄱ, ㄴ, ㄷ

06

양수 p에 대하여 사차방정식 $\left(x^2-\dfrac{p}{3}x+1\right)\left(x^2+\dfrac{20}{p}x+1\right)=0$은 네 실근을 갖는다. 이 사차방정식의 두 근 α, β $(\alpha>0,\ \beta<0)$에 대하여 $3\alpha+\beta=0$일 때, 네 실근 중 가장 큰 근과 가장 작은 근의 차를 구하시오.

07

삼차방정식 $x^3-x^2-6x+2=0$의 세 근을 α, β, γ라 하면 삼차식 $f(x)=(x+2)^3+a(x+2)^2+b(x+2)+c$에 대하여 $f\left(\dfrac{2\beta+2\gamma}{\alpha}\right)=f\left(\dfrac{2\gamma+2\alpha}{\beta}\right)=f\left(\dfrac{2\alpha+2\beta}{\gamma}\right)=1$이 성립할 때, 실수 a, b, c에 대하여 $a+b+c$의 값은?

① -5 ② -3 ③ -1
④ 1 ⑤ 3

08

삼차방정식 $x^3-1=0$의 한 허근 α에 대하여 $\alpha^3+3\alpha^2+a\alpha+b+\dfrac{1}{\alpha^3+3\alpha^2+a\alpha+b}$의 값이 정수일 때, 정수 a, b에 대하여 $a+b$의 최댓값은?

① 3 ② 4 ③ 5
④ 6 ⑤ 7

09 ^{idea} ✦

연립방정식 $\begin{cases} 3x^2+kxy-3y^2=-2 \\ 6x^2-5xy+2y^2=1 \end{cases}$ 의 해를 $x=m$, $y=n$이라

할 때, $\dfrac{n}{m}$이 정수가 되도록 하는 모든 정수 k의 값의 합은?

① 32   ② 36   ③ 40

④ 44   ⑤ 48

10

삼차방정식 $x^3+4x^2+ax+b=0$은 삼차방정식 $x^3+2x^2+(p^2+1)x+2p^2+2=0$과 실근 α를 공통인 근으로 갖고 삼차방정식 $x^3+6x^2+cx+a-6=0$과 α가 아닌 서로 다른 두 근을 공통인 근으로 가질 때, 실수 a, b, c에 대하여 $a-b+c$의 값을 구하시오. (단, p는 실수이다.)

11 ^{idea} ✦

두 이차방정식 $x^2+x+a=0$, $x^2+bx+c=0$이 1개의 공통인 실근을 갖고, 두 이차방정식 $x^2+ax+1=0$, $x^2+cx+b=0$도 1개의 공통인 실근을 가질 때, 실수 a, b, c에 대하여 $b+c-2a$의 값은? (단, $a\neq c$, $b\neq 1$)

① 1   ② 2   ③ 3

④ 4   ⑤ 5

12

이차식 $f(x)=x^2+mx+n$에 대하여 이차방정식 $f(x)=0$의 한 근은 $a+bi$이고, 이차방정식 $f(x)-4=0$의 한 근은 1이다. 이때 정수 a, b의 순서쌍 (a, b)의 개수를 구하시오. (단, m, n은 정수이다.)

01
> 부등식 $ax > b$의 풀이

부등식 $(a+b)x + 3a - b \geq 0$의 해가 없을 때, 부등식 $(2a-b)x + 5a - b < 0$의 해를 구하시오.

(단, a, b는 상수이다.)

02 서술형
> $A < B < C$ 꼴의 부등식의 풀이

실수 x, y에 대하여 $3x - 2y = 1$일 때, 부등식 $\dfrac{5x-1}{3} \leq y + 2 \leq \dfrac{5x+7}{2}$을 만족시키는 x의 최댓값을 M, 최솟값을 m이라 하자. 이때 $M+m$의 값을 구하시오.

03
> 해가 주어진 연립일차부등식

부등식 $3x - a \leq -x + 4 \leq b(x-2)$의 해가 $3 \leq x \leq 5$일 때, 상수 a, b에 대하여 ab의 값을 구하시오.

04 학평
> 해의 조건이 주어진 연립일차부등식

x에 대한 연립부등식 $\begin{cases} x + 2 > 3 \\ 3x < a + 1 \end{cases}$을 만족시키는 모든 정수 x의 값의 합이 9가 되도록 하는 자연수 a의 최댓값은?

① 10 ② 11 ③ 12
④ 13 ⑤ 14

05 학평
> 절댓값 기호를 포함한 일차부등식의 풀이

x에 대한 부등식 $|3x - 1| < x + a$의 해가 $-1 < x < 3$일 때, 양수 a의 값은?

① 4 ② $\dfrac{17}{4}$ ③ $\dfrac{9}{2}$
④ $\dfrac{19}{4}$ ⑤ 5

06
> 절댓값 기호를 포함한 일차부등식의 풀이

부등식 $|x - 2| + \sqrt{x^2 - 2x + 1} < 4$를 만족시키는 모든 정수 x에 대하여 부등식 $|x - a| \leq 3$이 성립할 때, 상수 a의 값의 범위를 구하시오.

07
> 해가 주어진 이차부등식

이차부등식 $ax^2 + bx + c > 0$의 해가 $-1 < x < 5$이고, 부등식 $a(x-12)^2 - bx(x-12) + cx^2 > 0$의 해가 $x > \alpha$일 때, α의 값을 구하시오. (단, a, b, c는 상수이다.)

08 학평
> 해의 조건이 주어진 이차부등식

x에 대한 이차부등식 $x^2 - (n+5)x + 5n \leq 0$을 만족시키는 정수 x의 개수가 3이 되도록 하는 모든 자연수 n의 값의 합은?

① 8 ② 9 ③ 10
④ 11 ⑤ 12

09 › 이차부등식이 항상 성립할 조건

이차부등식 $x^2-4ax+(a-1)^2<0$이 해를 갖지 않도록 하는 상수 a의 최댓값을 M이라 하고, $3\leq x\leq5$에서 이차부등식 $x^2-4x-4b+3\leq0$이 항상 성립하도록 하는 상수 b의 최솟값을 m이라 할 때, $3(M+m)$의 값을 구하시오.

10 서술형 › 해가 주어진 연립이차부등식

연립부등식 $\begin{cases} x^2+x-6\geq0 \\ x^2-ax+b\leq0 \end{cases}$의 해가 $2\leq x\leq3$이고, 연립부등식 $\begin{cases} x^2-ax+b>0 \\ x^2+x-2<0 \end{cases}$의 해가 $-2<x<-1$일 때, 상수 a, b에 대하여 $a-b$의 값을 구하시오.

11 › 해의 조건이 주어진 연립이차부등식

연립부등식 $\begin{cases} x^2+2x-8>0 \\ |x-a|\leq1 \end{cases}$ 이 항상 해를 갖도록 하는 상수 a의 값의 범위는?

① $-3<a<1$
② $-1\leq a\leq3$
③ $a<-3$ 또는 $a>1$
④ $a\leq-3$ 또는 $a\geq0$
⑤ $a<-1$ 또는 $a>0$

12 › 이차방정식의 실근의 위치

이차방정식 $x^2+2ax+4a+5=0$의 두 근이 모두 -1보다 크도록 하는 실수 a의 값의 범위는?

① $a\leq-3$
② $-3<a\leq-1$
③ $-1<a\leq1$
④ $1\leq a<3$
⑤ $a\geq3$

13 › 연립부등식의 활용

여러 개의 상자에 사과를 나누어 담으려고 한다. 한 상자에 4개씩 담으면 사과가 15개 남고, 5개씩 담으면 상자가 4개 남는다고 할 때, 다음 중 상자의 개수가 될 수 없는 것은?

① 34
② 35
③ 36
④ 37
⑤ 38

14 학평 › 연립부등식의 활용

그림과 같이 $\overline{AC}=\overline{BC}=12$인 직각이등변삼각형 ABC가 있다. 빗변 AB 위의 점 P에서 변 BC와 변 AC에 내린 수선의 발을 각각 Q, R라 할 때, 직사각형 PQCR의 넓이는 두 삼각형 APR와 PBQ의 각각의 넓이보다 크다. $\overline{QC}=a$일 때, 모든 자연수 a의 값의 합을 구하시오.

연립일차부등식의 풀이

01

연립부등식 $\begin{cases} kx+9 > -x+3 \\ 2(x+1)+1 < 4(x-1)-2 \end{cases}$ 의 해는 존재하지만 정수인 해는 존재하지 않도록 하는 상수 k의 값의 범위를 구하시오.

02

양수 a를 소수점 아래 첫째 자리에서 반올림한 정수를 $f(a)$라 하자. 예를 들어 $f(1.2)=1$, $f(3.52)=4$이다. 연립부등식 $\begin{cases} f\left(\dfrac{5}{2}x+2\right) \geq 6 \\ f\left(\dfrac{3}{4}x+1\right) < 12 \end{cases}$ 의 해가 $\alpha \leq x < \beta$일 때, $10\alpha+\beta$의 값을 구하시오.

03 ^{idea} ✦

세 부등식 $x-y+1<0$, $3x-y+6>0$, $3x+y-3<0$을 모두 만족시키는 정수 x, y의 순서쌍 (x, y)의 개수는?

① 2　　　　② 3　　　　③ 4

④ 5　　　　⑤ 6

절댓값 기호를 포함한 일차부등식의 풀이

04 서술형

x에 대한 부등식 $2a+5b-5 < (a+2b)x < a+b-1$의 해가 부등식 $\left| |2x-9|+\dfrac{1}{3} \right| < \dfrac{4}{3}$의 해와 같을 때, 상수 a, b에 대하여 $a+b$의 값을 구하시오.

05

두 양수 m, n $(m<n)$에 대하여 부등식 $|x-m|+|x|<n$을 만족시키는 정수 x의 개수를 $f(m, n)$이라 할 때, $f(1, 5)+f(2, 6)+f(3, 7)+\cdots+f(7, 11)$의 값을 구하시오.

이차부등식의 풀이

06

두 이차함수 $y=f(x)$, $y=g(x)$의 그래프가 그림과 같을 때, 부등식 $\{f(x)\}^2 \geq f(x)g(x)$의 해 중에서 $-5<x<5$인 정수 x의 개수는?

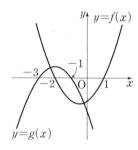

① 4　　　　② 5

③ 6　　　　④ 7

⑤ 8

07 학평

실수 전체의 집합에서 정의된 함수 $f(x)=x^2-2x-3$의 그래프는 그림과 같다.

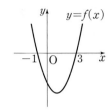

함수 $g(x)$를
$$g(x)=\frac{f(x)+|f(x)|}{2}$$

라 할 때, 보기에서 옳은 것만을 있는 대로 고른 것은?

보기

ㄱ. $y=g(x)$의 그래프는 직선 $x=2$에 대하여 대칭이다.
ㄴ. 방정식 $g(x)=1$은 서로 다른 두 실근을 갖는다.
ㄷ. 부등식 $g(x)\leq 0$의 해는 $-1\leq x\leq 3$이다.

① ㄱ   ② ㄴ   ③ ㄱ, ㄷ
④ ㄴ, ㄷ   ⑤ ㄱ, ㄴ, ㄷ

08

부등식 $[x-2]^2-3[x+1]+9\leq 0$의 해가 $\alpha\leq x<\beta$일 때, 이차함수 $f(x)=(x-\alpha)(x-\beta)$의 최솟값은?
(단, $[x]$는 x보다 크지 않은 최대의 정수이다.)

① -4 ② 4 ③ 12
④ 20 ⑤ 28

09

최고차항의 계수가 양수인 이차함수 $y=f(x)$의 그래프는 x축과 두 점 $(a, 0)$, $(a+3, 0)$에서 만난다. 부등식 $f\left(\frac{x+b}{2}\right)\leq 0$의 해가 $-3\leq x\leq 3$이고, 부등식 $f\left(\frac{b-x}{4}\right)\leq 0$의 해가 $-8\leq x\leq 4$일 때, 상수 a, b에 대하여 $2ab$의 값은?

① -1 ② -2 ③ -3
④ -4 ⑤ -5

10 학평

최고차항의 계수가 각각 $\frac{1}{2}$, 2인 두 이차함수 $y=f(x)$, $y=g(x)$가 다음 조건을 만족시킨다.

(가) 두 함수 $y=f(x)$와 $y=g(x)$의 그래프는 직선 $x=p$를 축으로 한다.
(나) 부등식 $f(x)\geq g(x)$의 해는 $-1\leq x\leq 5$이다.

$p\times\{f(2)-g(2)\}$의 값을 구하시오. (단, p는 상수이다.)

11

부등식 $x^2>a|x|+a+1$이 항상 성립하도록 하는 상수 a의 값의 범위를 구하시오.

연립이차부등식의 풀이

12 학평

x에 대한 연립이차부등식

$$\begin{cases} x^2-10x+21\leq0 \\ x^2-2(n-1)x+n^2-2n\geq0 \end{cases}$$

을 만족시키는 정수 x의 개수가 4가 되도록 하는 모든 자연수 n의 값의 합을 구하시오.

13

연립부등식 $\begin{cases} x^2-5x+4<0 \\ x^2-2[x]x+3<0 \end{cases}$ 의 해가 $\alpha\leq x<\beta$일 때, $\alpha+\beta$의 값은? (단, $[x]$는 x보다 크지 않은 최대의 정수이다.)

① 2   ② 4   ③ 6
④ 8   ⑤ 10

14

연립부등식 $\begin{cases} x^2-(a^2-1)x-a^2\leq0 \\ x^2+(a-4)x-4a>0 \end{cases}$ 이 해를 갖지 않도록 하는 상수 a의 값의 범위를 구하시오.

15 학평

모든 실수 x에 대하여 부등식

$$-x^2+3x+2\leq mx+n\leq x^2-x+4$$

가 성립할 때, m^2+n^2의 값은? (단, m, n은 상수이다.)

① 8   ② 10   ③ 12
④ 14   ⑤ 16

16

연립부등식 $\begin{cases} x^2+x+a\geq0 \\ |x+b|\leq1 \end{cases}$ 의 해가 $2\leq x\leq3$일 때, 이차부등식 $x^2+ax+3-b\leq0$을 만족시키는 정수 x의 개수는?

(단, a, b는 상수이다.)

① 2   ② 3   ③ 4
④ 5   ⑤ 6

이차방정식의 실근의 조건

17

이차방정식 $x^2-2(a-1)x-a+3=0$이 0과 3 사이에서 실근을 가질 때, 실수 a의 값의 범위를 구하시오.

18 서술형

삼차방정식 $x^3-3ax^2+(2a^2+a+6)x-a^2-6a=0$의 세 근이 모두 4보다 작도록 하는 실수 a의 값의 범위가 $p\leq a<q$일 때, $7(p+q)$의 값을 구하시오. (단, $a>0$)

부등식의 활용

19 학평

그림과 같이 어느 행사장에서 바닥면이 등변사다리꼴이 되도록 무대 위에 3개의 직사각형 모양의 스크린을 설치하려고 한다.

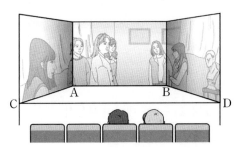

양옆 스크린의 하단과 중앙 스크린의 하단이 만나는 지점을 각각 A, B라 하고, 만나지 않는 하단의 끝 지점을 각각 C, D라 하자. 사각형 ACDB는 $\overline{AC}=\overline{BD}$인 등변사다리꼴이고 $\overline{CD}=20\,\mathrm{m}$, $\angle BAC=120°$이다. 선분 AB의 길이는 선분 AC의 길이의 4배보다 크지 않고, 사다리꼴 ACDB의 넓이는 $75\sqrt{3}\,\mathrm{m^2}$ 이하이다. 중앙 스크린의 가로인 선분 AB의 길이를 $d(\mathrm{m})$라 할 때, d의 최댓값과 최솟값의 합은? (단, 스크린의 두께는 무시한다.)

① 25 ② 26 ③ 27
④ 28 ⑤ 29

20 학평

그림과 같이 이차함수 $f(x)=-x^2+2kx+k^2+4\,(k>0)$의 그래프가 y축과 만나는 점을 A라 하자. 점 A를 지나고 x축에 평행한 직선이 이차함수 $y=f(x)$의 그래프와 만나는 점 중 A가 아닌 점을 B라 하고, 점 B에서

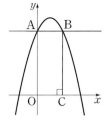

x축에 내린 수선의 발을 C라 하자. 사각형 OCBA의 둘레의 길이를 $g(k)$라 할 때, 부등식 $14\leq g(k)\leq 78$을 만족시키는 모든 자연수 k의 값의 합을 구하시오. (단, O는 원점이다.)

21

수직선 위의 세 점 A(1), B(5), C(x)에 대하여 $\overline{AB}$, $\overline{BC}$, $\frac{1}{2}\overline{AC}$를 세 변의 길이로 하는 삼각형이 존재할 때, x의 값의 범위는 $\alpha<x<\beta$이다. 이때 $3\alpha-\beta$의 값은?

① 2 ② 4 ③ 6
④ 8 ⑤ 10

22

농도가 10 %인 설탕물 80 g에서 a g의 설탕물을 덜어 내고 남은 설탕물에 a g의 물을 부은 후 다시 $10a$ g의 설탕물을 덜어 낼 때, 남아 있는 설탕물의 설탕의 양이 $\frac{19}{5}$ g 이상이 되도록 하는 양수 a의 값의 범위를 구하시오.

01 idea ✦

정수 a, b에 대하여 $b-a=8$일 때, 부등식

$$|4x-3a-b|+|4x-5a+b|\leq k$$

를 만족시키는 정수 x의 개수가 9가 되도록 하는 정수 k의 개수는?

① 7   ② 8   ③ 9

④ 10   ⑤ 11

02

부등식 $\{x+a(1-[a])\}^2-b^2\leq 0$의 해가 $9\leq x\leq 19$일 때, 양수 a, b에 대하여 $a+b$의 값은?

(단, $[x]$는 x보다 크지 않은 최대의 정수이다.)

① $\dfrac{26}{3}$ ② 9   ③ $\dfrac{28}{3}$

④ $\dfrac{29}{3}$ ⑤ 10

03 학평

x에 대한 이차부등식

$$(2x-a^2+2a)(2x-3a)\leq 0$$

의 해가 $\alpha\leq x\leq\beta$이다. 두 실수 α, β가 다음 조건을 만족시킬 때, 모든 실수 a의 값의 합을 구하시오.

> (가) $\beta-\alpha$는 자연수이다.
> (나) $\alpha\leq x\leq\beta$를 만족시키는 정수 x의 개수는 3이다.

04 학평

함수 $f(x)=x^2+2x-8$에 대하여 부등식

$$\frac{|f(x)|}{3}-f(x)\geq m(x-2)$$

를 만족시키는 정수 x의 개수가 10이 되도록 하는 양수 m의 최솟값을 구하시오.

05 학평

연립부등식 $\begin{cases} x^2-a^2x\geq0 \\ x^2-4ax+4a^2-1<0 \end{cases}$ 을 만족시키는 정수 x의

개수가 1이 되도록 하는 모든 실수 a의 값의 합은?

(단, $0<a<\sqrt{2}$)

① $\dfrac{3}{2}$ ② $\dfrac{25}{16}$ ③ $\dfrac{13}{8}$

④ $\dfrac{27}{16}$ ⑤ $\dfrac{7}{4}$

06 idea ✦

모든 실수 x에 대하여 연립부등식

$\begin{cases} -x^2+px+p\leq(m-1)x+n \\ x^2\geq(m-1)x+n \end{cases}$

을 만족시키는 두 실수 m, n이 유일하게 존재할 때,
$p+m+n$의 값을 구하시오. (단, $p\neq0$)

07

사차방정식 $x^4-2ax^3+(6a+1)x^2-2ax+1=0$의 모든 근이 양수가 되도록 하는 실수 a의 값의 범위를 구하시오.

08

갑과 을 두 사람이 각각 일정한 속력으로 원형 트랙의 출발점에서 같은 방향으로 동시에 출발하여 달린다. 출발 후 두 사람이 처음 만나면 갑은 같은 속력으로 트랙의 반대 방향으로 달리고, 두 번째 만날 때 을은 트랙의 두 바퀴를 지나 세 바퀴째를 돌고 있다고 한다. 갑의 속력은 을의 속력의 k배라 할 때, k의 값의 범위는 $\alpha<k<\beta$이다. 이때 $2\beta-3\alpha$의 값을 구하시오. (단, $k>1$)

01

학평 → 48쪽 01번

그림과 같이 6개의 면에 각각 0, 2, 3, 5, $2i$, $1+i$가 적힌 정육면체 모양의 주사위가 있다. 이 주사위를 n번 던져서 나온 수들을 모두 곱하였더니 -240이 되었을 때, 모든 n의 값의 합을 구하시오.

02

학평 → 49쪽 05번

30 이하의 두 자연수 m, n에 대하여 $\left\{ i^n - \left(-\dfrac{1}{i} \right)^{2n} \right\}^m$의 값이 양의 실수가 되도록 하는 순서쌍 (m, n)의 개수를 구하시오.

03

학평 → 57쪽 03번

이차방정식 $x^2 - x + 1 = 0$의 두 근 α, β에 대하여 이차식 $f(x) = x^2 + px + q$가 $f(-\alpha^2) = 5\alpha$와 $f(-\beta^2) = 5\beta$를 만족시킬 때, 상수 p, q에 대하여 $q - p$의 값을 구하시오.

04

학평 → 58쪽 06번

이차방정식 $x^2 + px + 2p + 5 = 0$이 허근 α를 가질 때, $\alpha^3 + \alpha$가 실수가 되도록 하는 모든 실수 p의 값의 곱은?

① -5 ② -4 ③ -3

④ -2 ⑤ -1

05

학평 → 59쪽 11번

$\dfrac{\sqrt{2}}{2}<k<\sqrt{2}$인 실수 k에 대하여 그림과 같이 한 변의 길이가 각각 2, $2k$인 두 정사각형 ABCD, EFGH가 있다. 두 정사각형의 대각선이 모두 한 점 O에서 만나고, 대각선 FH가 변 AB를 이등분한다. 변 AD와 EH의 교점을 I, 변 AD와 EF의 교점을 J, 변 AB와 EF의 교점을 K라 하자. 삼각형 AKJ의 넓이가 삼각형 EJI의 넓이의 $\dfrac{4}{3}$배가 되도록 하는 k의 값이 $p\sqrt{2}+q\sqrt{3}$일 때, $25(p+q)$의 값을 구하시오.

(단, p, q는 유리수이다.)

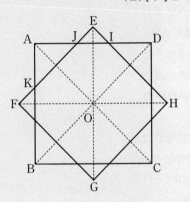

06

학평 → 68쪽 06번

두 이차함수

$$f(x)=(x-a)^2-a^2,$$
$$g(x)=-(x-3a)^2+9a^2+b$$

가 다음 조건을 만족시킨다.

(가) 방정식 $f(x)=g(x)$는 서로 다른 두 실근 α, β를 갖는다.

(나) $\beta-\alpha=3$

보기에서 옳은 것만을 있는 대로 고른 것은?

(단, a, b는 상수이다.)

◦ 보기 ◦

ㄱ. $a=\dfrac{1}{4}$일 때, $b=4$

ㄴ. $f(\alpha)-g(\beta)\leq g(3a)-f(a)$

ㄷ. $g(\alpha)=f(\beta)+10a^2+b$이면 $b=-\dfrac{27}{2}$

---

① ㄴ   ② ㄱ, ㄴ   ③ ㄱ, ㄷ

④ ㄴ, ㄷ   ⑤ ㄱ, ㄴ, ㄷ

07

학평→ 69쪽 08번

그림과 같이 $\overline{AB}=3$, $\overline{BC}=4$, $\overline{CA}=5$인 직각삼각형 ABC 의 두 꼭짓점 A, B를 각각 중심으로 하는 두 원 O_1, O_2가 서로 외접하고 있다. 변 AC와 원 O_1의 교점을 P, 변 BC와 원 O_2의 교점을 Q라 할 때, $\overline{PQ}^2$의 최솟값은 $\dfrac{b}{a}$이다. $a+b$의 값을 구하시오. (단, a와 b는 서로소인 자연수이다.)

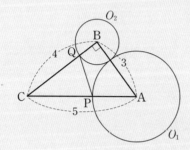

08

학평→ 72쪽 02번

삼차식 $f(x)=x^3+(1-2a)x^2+(b^2-2a)x+b^2$에 대하여 보기에서 옳은 것만을 있는 대로 고른 것은?

> **보기**
>
> ㄱ. $f(x)$는 $x+1$을 인수로 갖는다.
> ㄴ. $b<a<0$인 임의의 실수 a, b에 대하여 방정식 $f(x)=0$의 서로 다른 실근의 개수는 1이다.
> ㄷ. 방정식 $f(x)=0$이 서로 다른 세 실근을 갖고 세 근의 합이 -11이 되도록 하는 정수 a, b의 순서쌍 (a, b)의 개수는 9이다.

① ㄱ   ② ㄱ, ㄴ   ③ ㄱ, ㄷ
④ ㄴ, ㄷ   ⑤ ㄱ, ㄴ, ㄷ

09

학평→ 77쪽 02번

정수 m, n에 대하여 이차함수 $f(x)$와 일차함수 $g(x)$가 다음 조건을 만족시킨다. 방정식 $\{f(x)\}^2-\{g(x)\}^2=0$을 만족시키는 실근 중 최댓값과 최솟값의 합이 6일 때, $f(4)+g(2)$의 값을 구하시오.

> (가) 함수 $f(x)$의 최댓값은 0이다.
> (나) 함수 $y=f(x)$의 그래프와 함수 $y=g(x)$의 그래프는 두 점 $(m, 0)$, $(m+4, 16n)$에서 만난다.
> (다) $-3\le a\le 0$인 정수 a에 대하여 정수 b가 부등식 $f(m+a)\le b\le g(m+a)$를 만족시킬 때, 순서쌍 (a, b)의 개수는 80이다.

10

학평→ 77쪽 03번

삼차방정식 $ax^3+3bx^2+9bx+27a=0$이 서로 다른 세 정수를 근으로 갖는다. 정수 a, b가 $|a|\le 100$, $|b|\le 100$일 때, 순서쌍 (a, b)의 개수를 구하시오.

11

학평→ 78쪽 05번

사차방정식 $x^4+(3-4a)x^2+4a^2-6a-18=0$이 실근과 허근을 모두 가질 때, 이 사차방정식에 대하여 보기에서 옳은 것만을 있는 대로 고르시오. (단, a는 실수이다.)

━●보기━━━━━━━━━━━━━━━━━━━
ㄱ. $a=1$이면 모든 실근의 곱은 -5이다.
ㄴ. 모든 실근의 곱이 -6이면 모든 허근의 곱은 3이다.
ㄷ. 정수인 근을 갖도록 하는 모든 실수 a의 값의 합은 -2이다.

12

학평→ 86쪽 03번

x에 대한 이차부등식

$\qquad(3x-a^2+3a)(3x-2a)\leq0$

의 해가 $\alpha\leq x\leq\beta$이다. 실수 α, β가 다음 조건을 만족시킬 때, 모든 실수 a의 값의 합을 구하시오.

┌─────────────────────────────┐
│ (가) $\beta-\alpha$는 자연수이다.
│ (나) $\alpha\leq x\leq\beta$를 만족시키는 정수 x의 개수는 2이다.
└─────────────────────────────┘

13

학평→ 86쪽 04번

함수 $f(x)=x^2+2x-3$에 대하여 부등식

$\qquad\dfrac{|f(x)|}{2}-f(x)\geq m(x-1)$

을 만족시키는 정수 x의 개수가 7이 되도록 하는 양수 m의 값의 범위가 $\alpha\leq m<\beta$일 때, $2\beta-\alpha$의 값을 구하시오.

14

학평→ 87쪽 05번

연립부등식 $\begin{cases} x^2-a^2x>0 \\ x^2-6ax+9a^2-1\leq0 \end{cases}$ 을 만족시키는 정수 x의 개수가 3이 되도록 하는 실수 a의 값은? (단, $0<a<1$)

① $\dfrac{1}{6}$　　　② $\dfrac{1}{3}$　　　③ $\dfrac{1}{2}$

④ $\dfrac{2}{3}$　　　⑤ $\dfrac{5}{6}$

Ⅲ

도형의 방정식

08 **평면좌표와 직선의 방정식**

09 **원의 방정식**

10 **도형의 이동**

01
> 두 점 사이의 거리

세 점 $A(2, 0)$, $B(3, 2)$, $C(4, k)$를 꼭짓점으로 하는 삼각형 ABC가 이등변삼각형이 되도록 하는 모든 양수 k의 값의 합을 구하시오.

02 서술형
> 두 점 사이의 거리

세 점 $A(6, 2)$, $B(4, -2)$, $C(-2, 6)$을 꼭짓점으로 하는 삼각형 ABC의 외접원의 넓이를 구하시오.

03
> 같은 거리에 있는 점

두 점 $A(-1, 3)$, $B(4, k)$에서 각각 거리가 $\dfrac{\sqrt{26}}{2}$으로 같은 점 P가 직선 $y=x+1$ 위에 있을 때, 모든 실수 k의 값의 곱은?

① 2   ② 3   ③ 4
④ 5   ⑤ 6

04
> 선분의 내분점과 외분점

두 점 $A(-2, 3)$, $B(6, -2)$에 대하여 선분 AB를 $t : (1-t)$로 내분하는 점이 제4사분면 위에 있을 때, 실수 t의 값의 범위를 구하시오. (단, $0<t<1$)

05
> 선분의 내분점과 외분점

두 점 $A(3, -3)$, $B(8, 7)$을 지나는 직선 위의 점 P에 대하여 선분 AP를 한 변으로 하는 정사각형의 넓이를 S_1, 선분 BP를 한 변으로 하는 정사각형의 넓이를 S_2라 하자.
$S_1 : S_2 = 9 : 4$일 때, 점 P의 좌표를 모두 구하시오.

06
> 선분의 중점

네 점 $A(a, 0)$, $B(b, -2)$, $C(5, 2)$, $D(1, 4)$를 꼭짓점으로 하는 사각형 $ABCD$가 마름모일 때, 상수 a, b에 대하여 ab의 값은? (단, $a>0$)

① 20   ② 21   ③ 22
④ 23   ⑤ 24

07 [학평]   > 삼각형의 무게중심

좌표평면에서 이차함수 $y=x^2-8x+1$의 그래프와 직선 $y=2x+6$이 만나는 두 점을 각각 A, B라 하자. 삼각형 OAB의 무게중심의 좌표를 (a, b)라 할 때, $a+b$의 값을 구하시오. (단, O는 원점이다.)

08 [학평]   > 두 직선의 교점을 지나는 직선의 방정식

좌표평면에서 두 직선 $x-2y+2=0$, $2x+y-6=0$이 만나는 점과 점 $(4, 0)$을 지나는 직선의 y절편은?

① $\dfrac{5}{2}$ ② 3 ③ $\dfrac{7}{2}$

④ 4 ⑤ $\dfrac{9}{2}$

09   > 직선의 방정식

함수 $y=x^2$의 그래프와 직선 $y=2\sqrt{3}x+1$이 만나는 두 점을 A, B라 하자. x축 위의 점 P에서 선분 AB에 내린 수선의 발이 선분 AB의 중점일 때, 점 P의 좌표를 구하시오.

10   > 두 직선의 위치 관계

두 직선 $x-y-2=0$, $ax+y-a-2=0$이 제1사분면 위의 한 점에서 만나도록 하는 상수 a의 값의 범위는?

① $a>0$ ② $a>-1$ ③ $a<1$

④ $-2<a<1$ ⑤ $-1<a<2$

11   > 세 직선의 위치 관계

세 직선 $2x-y-2=0$, $x+2y-6=0$, $ax+(a-1)y+1=0$이 삼각형을 이루지 않도록 하는 모든 상수 a의 값의 합을 구하시오.

12   > 점과 직선 사이의 거리

점 $(-3, 2)$를 지나는 직선 l에 대하여 직선 l과 점 $(1, 0)$ 사이의 거리가 4일 때, 직선 l의 방정식을 모두 구하시오.

두 점 사이의 거리

01

세 점 A(1, 1), B(2, 5), C(3, 3)을 꼭짓점으로 하는 삼각형 ABC의 내부의 점 P에 대하여 $\overline{AP}^2+\overline{BP}^2+\overline{CP}^2$의 최솟값을 구하시오.

02

$\overline{AB}=\overline{AC}$이고 $\angle A=90°$인 직각이등변삼각형 ABC의 내부의 점 P에 대하여 $\overline{AP}=\sqrt{10}$, $\overline{BP}=2\sqrt{5}$, $\overline{CP}=2\sqrt{10}$일 때, 삼각형 ABC의 넓이를 구하시오.

선분의 내분점과 외분점

03 학평

좌표평면 위의 두 점 A(2, 3), B(0, 4)에 대하여 선분 AB를 $m:n\,(m>n>0)$으로 외분하는 점을 Q라 하자. 삼각형 OAQ의 넓이가 16일 때, $\dfrac{n}{m}$의 값은? (단, O는 원점이다.)

① $\dfrac{3}{8}$ ② $\dfrac{1}{2}$ ③ $\dfrac{5}{8}$

④ $\dfrac{3}{4}$ ⑤ $\dfrac{7}{8}$

04

세 점 A(−2, 2), B(3, −3), C(a, b)에 대하여 선분 AC가 y축과 만나는 점을 P, 선분 BC가 x축과 만나는 점을 Q라 할 때, $\overline{AP}:\overline{PC}=\overline{BQ}:\overline{QC}$이다. 이때 양수 a, b에 대하여 $\dfrac{a}{b}$의 값을 구하시오.

05

점 A(3, −1)과 함수 $y=x^2$의 그래프 위의 점 P에 대하여 선분 AP를 2:1로 내분하는 점이 나타내는 도형을 C라 하자. 도형 C가 직선 $y=x-k$에 접할 때, 상수 k의 값은?

① $\dfrac{5}{6}$ ② 1 ③ $\dfrac{7}{6}$

④ $\dfrac{4}{3}$ ⑤ $\dfrac{3}{2}$

06

그림과 같이 세 점 A(2, 6), B(−1, 2), C(8, a)를 꼭짓점으로 하는 삼각형 ABC에서 $\angle A$의 이등분선이 변 BC와 만나는 점을 D(2, b)라 할 때, $b-a$의 값을 구하시오. (단, $a<0$)

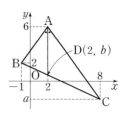

07 서술형

정사각형 ABCD에서 네 변 AB, BC, CD, DA를 각각 $t : 1$로 외분하는 점을 연결하여 만든 사각형의 넓이를 S_1이라 하고, 네 변 AB, BC, CD, DA를 각각 $t : 1$로 내분하는 점을 연결하여 만든 사각형의 넓이를 S_2라 하자. $\dfrac{S_1}{S_2}=9$일 때, t의 값을 구하시오. (단, $0<t<1$)

삼각형의 무게중심

08 학평

그림과 같이 좌표평면에 원점 O를 한 꼭짓점으로 하는 삼각형 OAB가 있다. 선분 OA를 $2 : 1$로 외분하는 점을 C, 선분 OB를 $2 : 1$로 외분하는 점을 D라 할 때, 두 선분 AD와 BC의 교점을 $E(p, q)$라 하자. 삼각형 OAB의 무게중심의 좌표가 $(5, 4)$일 때, $p+q$의 값은?

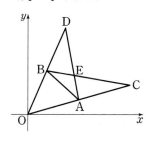

① 12   ② 14   ③ 16
④ 18   ⑤ 20

09

그림과 같이 $\overline{AB}=8$, $\overline{BC}=6$, $\angle B=90°$인 직각삼각형 ABC가 있다. 선분 AB를 $3 : 1$로 내분하는 점을 P라 하고, 선분 BC 위의 점 Q와 선분 CA 위의 점 R에 대하여 삼각형 PQR의 무게중심이 삼각형 ABC의 무게중심과 같을 때, 삼각형 PQR의 넓이를 구하시오.

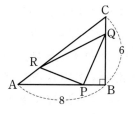

10 idea ✦

세 점 $P(3, 2)$, $Q(6, 1)$, $R(3, 6)$을 꼭짓점으로 하는 삼각형 PQR와 합동인 삼각형 ABC가 다음 조건을 만족시킨다. 점 C의 좌표를 (a, b)라 할 때, ab의 값은?

> ㈎ 삼각형 ABC의 무게중심은 원점이다.
> ㈏ 점 A는 x축 위에 있고, 점 C는 제3사분면 위에 있다.

① 2   ② 4   ③ 6
④ 8   ⑤ 10

11

그림과 같이 삼각형 ABC의 무게중
심을 G, 세 변 AB, BC, CA의 중점
을 각각 P, Q, R라 할 때, $\overline{GP}=7$,
$\overline{GQ}=6$, $\overline{GR}=5$이다. 이때
$\overline{AP}^2+\overline{BQ}^2+\overline{CR}^2$의 값을 구하시오.

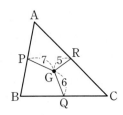

직선의 방정식

12 [학평]

좌표평면 위에 두 점 A(2, 0), B(0, 6)이 있다. 다음 조건
을 만족시키는 두 직선 l, m의 기울기의 합의 최댓값은?

(단, O는 원점이다.)

> (가) 직선 l은 점 O를 지난다.
> (나) 두 직선 l과 m은 선분 AB 위의 점 P에서 만난다.
> (다) 두 직선 l과 m은 삼각형 OAB의 넓이를 삼등분한다.

① $\dfrac{3}{4}$ ② $\dfrac{4}{5}$ ③ $\dfrac{5}{6}$

④ $\dfrac{6}{7}$ ⑤ $\dfrac{7}{8}$

13

그림과 같은 직각삼각형 OAB와 직
사각형 OCDE의 넓이를 동시에 이
등분하는 직선 l의 기울기를 m이라
할 때, 모든 m의 값의 합을 구하시
오.

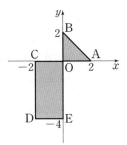

14

네 점 A(1, 1), B(1, −2), C(5, −3), D(3, 2)에 대하여
$\overline{PA}+\overline{PB}+\overline{PC}+\overline{PD}$의 값이 최소가 되도록 하는 점 P의 좌
표는?

① (1, 0)   ② (2, 0)   ③ (2, 1)

④ (3, 0)   ⑤ (3, 1)

직선의 위치 관계

15

직선 $y=ax\,(a>0)$와 x축이 이루는 예각을 이등분하는 직선 $y=bx$가 있다. 직선 $y=ax$와 직선 $y=1$의 교점을 A, 직선 $y=bx$와 직선 $x=1$의 교점을 B라 하면 두 점 A, B를 지나는 직선 l은 직선 $y=bx$와 수직이다. 이때 상수 a, b에 대하여 $a+b$의 값을 구하시오.

16 학평

좌표평면에서 세 직선

$$y=2x, \ y=-\frac{1}{2}x, \ y=mx+5\,(m>0)$$

로 둘러싸인 도형이 이등변삼각형일 때, m의 값은?

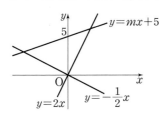

① $\dfrac{1}{3}$ ② $\dfrac{2}{5}$ ③ $\dfrac{7}{15}$

④ $\dfrac{8}{15}$ ⑤ $\dfrac{3}{5}$

17

직선 l: $(2k+1)x+(k-1)y-5k+2=0$과 두 점 A$(-2,\ -1)$, B$(4,\ 2)$에 대하여 보기에서 옳은 것만을 있는 대로 고른 것은? (단, k는 상수이다.)

• 보기 •

ㄱ. 직선 AB와 평행한 직선 l이 존재한다.

ㄴ. $k=-\dfrac{2}{3}$일 때, 선분 AB와 직선 l은 한 점에서 만난다.

ㄷ. 선분 AB 위의 점 중에서 직선 l이 지날 수 없는 점은 1개이다.

① ㄱ ② ㄷ ③ ㄱ, ㄴ

④ ㄱ, ㄷ ⑤ ㄱ, ㄴ, ㄷ

18 서술형

그림과 같이 직사각형 OABC와 세 점 P$(3,\ 0)$, Q$(8,\ 5)$, R$(2,\ 1)$이 있다. 선분 PR와 선분 RQ는 직사각형 OABC를 두 부분으로 나누는 경계선이다. 두 부분의 넓

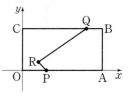

이가 변하지 않도록 점 P 또는 점 Q를 지나는 직선으로 경계선을 바꿀 때, 점 P를 지나는 새로운 경계선과 점 Q를 지나는 새로운 경계선의 교점의 좌표를 구하시오.

step ② 고난도 문제

19

직선 $a\{x-(a^2+a-2)\}+y+2=0$이 x축 및 직선 $y=\dfrac{1}{2}x$ 와 만나는 점을 각각 A, B라 할 때, 다음 조건을 만족시키는 양수 a의 값의 범위를 구하시오. (단, O는 원점이다.)

> ㈎ 점 A의 x좌표는 양수이다.
> ㈏ 삼각형 OAB는 둔각삼각형이다.

점과 직선 사이의 거리

20 학평

곡선 $y=-x^2+4$ 위의 점과 직선 $y=2x+k$ 사이의 거리의 최솟값이 $2\sqrt{5}$가 되도록 하는 상수 k의 값을 구하시오.

21

원점과 직선 $3x+2y-5+a(y-1)=0$ 사이의 거리가 자연수가 되도록 하는 상수 a의 값은?

① -2 ② -1 ③ 0
④ 1 ⑤ 2

22

두 직선 $y=2x+4$, $y=2x-2$와 수직인 직선이 두 직선과 제1사분면에서 만나는 점을 각각 P, Q라 하자. 삼각형 OPQ의 넓이가 8일 때, 두 점 P, Q를 지나는 직선의 x절편은?
(단, O는 원점이다.)

① 10 ② $\dfrac{35}{3}$ ③ $\dfrac{40}{3}$
④ 15 ⑤ $\dfrac{50}{3}$

23

두 점 P(a, a), Q$(b, b+1)$과 두 점 R, S에 대하여 사각형 PQRS는 평행사변형이다. 평행사변형 PQRS의 대각선의 교점의 좌표는 $(0, 0)$이고 넓이는 8일 때, 양수 a의 값을 구하시오.

24

두 점 O$(0, 0)$, A$(3, 5)$와 직선 OA 위에 있지 않은 점 P가 있다. 점 P의 x좌표와 y좌표는 모두 정수일 때, 두 선분 OA, OP를 두 변으로 하는 평행사변형의 넓이가 최소가 되도록 하는 점 P가 직선 $ax+by+1=0$ 위의 점이다. 이때 상수 a, b에 대하여 $|a|+|b|$의 값을 구하시오.

01 [학평]

$\overline{AB}=2\sqrt{3}$, $\overline{BC}=2$인 삼각형 ABC에서 선분 BC의 중점을 D라 할 때, $\overline{AD}=\sqrt{7}$이다. 각 ACB의 이등분선이 선분 AB와 만나는 점을 E, 선분 CE와 선분 AD가 만나는 점을 P, 각 APE의 이등분선이 선분 AB와 만나는 점을 R, 선분 PR의 연장선이 선분 BC와 만나는 점을 Q라 하자. 삼각형 PRE의 넓이를 S_1, 삼각형 PQC의 넓이를 S_2라 할 때, $\dfrac{S_2}{S_1}=a+b\sqrt{7}$이다. ab의 값은? (단, a, b는 유리수이다.)

① -16 ② -14 ③ -12

④ -10 ⑤ -8

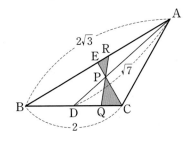

02 ✦ idea

세 점 A$(-a, 0)$, B$(0, -b)$, C(c, d)를 꼭짓점으로 하는 삼각형 ABC가 다음 조건을 만족시킬 때, $8(\overline{AB}^2+\overline{BC}^2+\overline{CA}^2)$의 값을 구하시오.

(단, $a>0$, $b>0$, $c>0$, $d>0$)

㈎ x축은 $\angle$BAC를 이등분한다.

㈏ 선분 AC의 중점을 D라 하면 점 D는 y축 위에 있고 $\overline{BD}=1$이다.

㈐ 선분 BC가 x축과 만나는 점을 E라 하면 $\overline{AE}=1$이다.

03

두 점 A$(-1, 2)$, B$(2, 5)$와 x축 위의 점 P에 대하여 $\overline{BP}-\overline{AP}$의 값은 점 P의 x좌표가 a일 때, 최댓값 b를 갖는다. 이때 상수 a, b에 대하여 ab의 값을 구하시오.

04 학평

그림과 같이 한 변의 길이가 12인 정사각형 OABC의 모양의 종이를 점 O가 원점에, 두 점 A, C가 각각 x축과 y축 위에 있도록 좌표평면 위에 놓았다. 두 점 D, E는 각각 두 선분 OC, AB를 2 : 1로 내분하는 점이고, 선분 OA 위의 점 F에 대하여 $\overline{OF}=5$이다. 선분 OC 위의 점 P와 선분 AB 위의 점 Q에 대하여 선분 PQ를 접는 선으로 하여 종이를 접었더니 점 O는 선분 BC 위의 점 O′으로, 점 F는 선분 DE 위의 점 F′으로 옮겨졌다. 이때 좌표평면에서 직선 PQ의 방정식은 $y=mx+n$이다. $m+n$의 값은?

(단, m, n은 상수이고, 종이의 두께는 고려하지 않는다.)

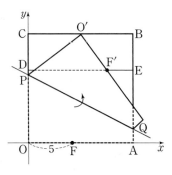

① 6
② $\dfrac{25}{4}$
③ $\dfrac{13}{2}$

④ $\dfrac{27}{4}$
⑤ 7

05

네 점 O(0, 0), A(6, 0), B(6, 12), C(0, 12)를 꼭짓점으로 하는 직사각형 OABC에 대하여 두 직선 $y=mx+a$, $y=mx+b$가 직사각형 OABC의 넓이를 삼등분한다. 직선 $y=mx+a$가 y축과 만나는 점을 P, 직선 $y=mx+b$가 직선 $x=6$과 만나는 점을 Q라 할 때, 두 점 P, Q를 지나는 직선의 x절편이 $3m+5(a-b)$이다. 이때 상수 m의 값을 구하시오. (단, $a>b$, $0<m<1$)

06 학평

그림과 같이 좌표평면에서 두 점 A(0, 6), B(18, 0)과 제1사분면 위의 점 C(a, b)가 $\overline{AC}=\overline{BC}$를 만족시킨다. 두 선분 AC, BC를 1 : 3으로 내분하는 점을 각각 P, Q라 할 때, 삼각형 CPQ의 무게중심을 G라 하자. 선분 CG의 길이가 $\sqrt{10}$일 때, $a+b$의 값은?

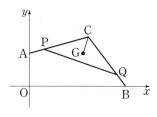

① 17
② 18
③ 19

④ 20
⑤ 21

07

삼각형의 세 꼭짓점에서 각 대변 또는 대변의 연장선에 내린 세 수선의 교점을 삼각형의 수심이라 한다. 삼각형 ABC의 꼭짓점 A, B, C를 지나는 중선은 각각 직선 $y=2x-1$, $y=1$, $y=-x+2$이고 삼각형 ABC의 수심과 점 A를 지나는 직선의 방정식이 $y=\dfrac{5}{2}x-1$일 때, 삼각형 ABC의 수심의 좌표를 구하시오.

08

실수 a, b에 대하여 $(a-b)^2+(2a-2b^2-3)^2$의 최솟값이 $\dfrac{q}{p}$일 때, $p+q$의 값은? (단, p, q는 서로소인 자연수이다.)

① 6   ② 7   ③ 8

④ 9   ⑤ 10

09 학평

그림과 같이 세 점 A$(0, 4)$, B$(-3, 0)$, C$(4, -3)$을 꼭짓점으로 하는 삼각형 ABC가 있다. 선분 AC 위를 움직이는 점 P를 지나고 직선 AB에 평행한 직선이 선분 BC와 만나는 점을 Q, 점 P를 지나고 직선 BC에 평행한 직선이 선분 AB와 만나는 점을 R, 점 Q를 지나고 직선 AC에 평행한 직선이 선분 AB와 만나는 점을 S라 하자. 사다리꼴 PRSQ의 넓이의 최댓값이 $\dfrac{q}{p}$일 때, $p+q$의 값을 구하시오.

(단, $\overline{AP}<\overline{PC}$이고, p와 q는 서로소인 자연수이다.)

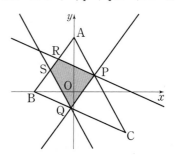

01
> 원의 방정식

원 $x^2+y^2-8kx+4ky-20k-7=0$의 넓이가 최소일 때, 원점과 원의 중심 사이의 거리는? (단, k는 상수이다.)

① 1   ② $\sqrt{2}$ ③ $\sqrt{5}$
④ $2\sqrt{2}$ ⑤ $\sqrt{10}$

02 학평
> 세 점을 지나는 원의 방정식

좌표평면 위의 세 점 $(0, 0)$, $(6, 0)$, $(-4, 4)$를 지나는 원의 중심의 좌표를 (p, q)라 할 때, $p+q$의 값을 구하시오.

03
> 좌표축에 접하는 원의 방정식

중심이 직선 $y=x+1$ 위에 있고 점 $(1, 3)$을 지나면서 y축에 접하는 원은 2개이다. 두 원의 중심을 각각 P, Q라 할 때, 삼각형 POQ의 넓이는? (단, O는 원점이다.)

① $\sqrt{2}$ ② 2   ③ $2\sqrt{2}$
④ 4   ⑤ $4\sqrt{2}$

04
> 두 원의 교점을 지나는 원의 방정식

두 원 $x^2+y^2+ax-2y-7=0$, $x^2+y^2-8x+8y-9=0$의 교점과 두 점 $(1, 2)$, $(2, 2)$를 지나는 원의 반지름의 길이를 구하시오. (단, a는 상수이다.)

05
> 두 원의 교점을 지나는 직선의 방정식

두 원
$$C_1: x^2+y^2+4x-6y+9=0,$$
$$C_2: x^2+y^2+2x-8y+a=0$$
의 교점을 지나는 직선이 원 C_1의 넓이를 이등분할 때, 상수 a의 값은?

① 10   ② 11   ③ 12
④ 13   ⑤ 14

06 서술형
> 두 원의 공통인 현의 길이

두 원 $x^2+y^2+4x-2y-4=0$, $x^2+y^2-4x-8y+6=0$의 공통인 현의 길이를 구하시오.

07
> 조건을 만족시키는 점이 나타내는 도형의 방정식

두 점 $O(0, 0)$, $A(6, 3)$에 대하여 $\overline{OP} : \overline{AP} = 2 : 1$을 만족시키는 점 P가 나타내는 도형의 넓이는?

① 16π ② 18π ③ 20π

④ 22π ⑤ 24π

08
> 원과 직선의 위치 관계 – 두 점에서 만나는 경우

중심이 직선 $x - y - 2 = 0$ 위에 있고 제4사분면에서 x축과 y축에 동시에 접하는 원이 직선 $y = ax + 1$과 서로 다른 두 점에서 만날 때, 상수 a의 값의 범위를 구하시오.

09 [학평]
> 원과 직선의 위치 관계 – 접하는 경우

직선 $y = x$ 위의 점을 중심으로 하고, x축과 y축에 동시에 접하는 원 중에서 직선 $3x - 4y + 12 = 0$과 접하는 원의 개수는 2이다. 두 원의 중심을 각각 A, B라 할 때, $\overline{AB}^2$의 값을 구하시오.

10
> 원 위의 점과 직선 사이의 거리

원 $(x+3)^2 + (y-2)^2 = 4$ 위의 점 중 직선 $5x - 12y - 26 = 0$까지의 거리가 자연수인 점의 개수는?

① 5   ② 6   ③ 7

④ 8   ⑤ 9

11
> 원의 접선의 방정식

원 $x^2 + y^2 = 25$ 위의 점 중 좌표가 $(a, a-1)$인 점은 2개이다. 이 두 점 각각에서의 접선이 서로 만날 때, 만나는 점의 좌표를 구하시오. (단, a는 상수이다.)

12
> 공통인 접선

점 $(0, 4)$를 지나는 직선이 두 원 $x^2 + y^2 = 4$, $x^2 + (y-a)^2 = 9$에 동시에 접할 때, 모든 상수 a의 값의 합은?

① 6   ② 7   ③ 8

④ 9   ⑤ 10

원의 방정식

01

원 $x^2+y^2-6x-4y+1=0$의 넓이가 두 직선 $y=ax$, $y=bx+c$에 의하여 4등분될 때, 상수 a, b, c에 대하여 $a+b+c$의 값은?

① $\dfrac{11}{2}$ ② $\dfrac{17}{3}$ ③ 6

④ $\dfrac{19}{3}$ ⑤ $\dfrac{13}{2}$

02

그림과 같이 반원 $x^2+y^2=64\,(y\geq0)$가 x축과 만나는 두 점을 A, B라 하고 직선 $x=1$이 x축 및 반원과 만나는 점을 각각 P, Q라 하자. 호 BQ와 두 선분 PB, PQ에 접하는 원의 방정식이 $x^2+y^2+ax+by+c=0$일 때, 상수 a, b, c에 대하여 $a+b+c$의 값은?

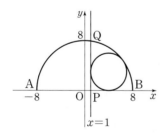

① -2 ② -1 ③ 0

④ 1 ⑤ 2

두 원의 교점을 지나는 도형의 방정식

03

두 원 $x^2+y^2-8=0$, $x^2+y^2+3x-4y-k=0$의 두 교점을 지나는 원의 넓이의 최솟값이 4π일 때, 모든 상수 k의 값의 합을 구하시오.

04

원 C: $x^2+y^2=36$은 원 C_1: $(x-7)^2+(y-a)^2=4$와 외접하고, 원 C_2: $(x-3)^2+(y-b)^2=1$과 내접한다. 그림과 같이 두 원 C, C_1의 접점에서의 접선이 y축과 만나는 점을 A, 두 원 C, C_2의 접점에서의 접선이 x축과 만나는 점을 B라 할 때, 삼각형 AOB의 넓이는?

(단, O는 원점이고, $a>0$, $b>0$이다.)

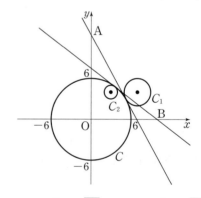

① $12\sqrt{15}$ ② $14\sqrt{15}$ ③ $16\sqrt{15}$

④ $18\sqrt{15}$ ⑤ $20\sqrt{15}$

05 서술형

그림과 같이 원 $x^2+y^2=36$을 선분 AB를 접는 선으로 하여 접어 점 $(3, 0)$에서 x축과 만나도록 하였을 때, 직선 AB의 y절편을 구하시오.

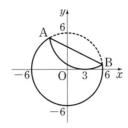

06 idea ✦

반지름의 길이가 1인 원 C_1의 중심 $(-5, 0)$은 x축 위를 양의 방향으로 매초 1의 속력으로 움직이고, 반지름의 길이가 2인 원 C_2의 중심 $(0, 5)$는 y축 위를 음의 방향으로 매초 2의 속력으로 움직인다. 두 원 C_1, C_2의 내부의 공통부분의 넓이가 최대일 때의 두 원 C_1, C_2의 교점과 점 $(0, -1)$을 지나는 원의 둘레의 길이를 구하시오.

▼ 조건을 만족시키는 점이 나타내는 도형의 방정식 ▼

07

세 점 $A(5, 0)$, $B(1, 0)$, $C(0, \sqrt{3})$과 점 $P(x, y)$에 대하여 $\overline{PA}^2+\overline{PB}^2=\overline{PC}^2$일 때, $x^2-y^2-2\sqrt{3}y$의 최댓값과 최솟값의 합을 구하시오.

08 학평

좌표평면 위의 두 점 $A(5, 12)$, $B(a, b)$에 대하여 선분 AB의 길이가 3일 때, a^2+b^2의 최댓값을 구하시오.

09 학평

좌표평면 위에 원 $C: (x-1)^2+(y-2)^2=4$와 두 점 $A(4, 3)$, $B(1, 7)$이 있다. 원 C 위를 움직이는 점 P에 대하여 삼각형 PAB의 무게중심과 직선 AB 사이의 거리의 최솟값은?

① $\dfrac{1}{15}$ ② $\dfrac{2}{15}$ ③ $\dfrac{1}{5}$

④ $\dfrac{4}{15}$ ⑤ $\dfrac{1}{3}$

10

점 $(2, t)$를 중심으로 하고 원점과 점 $(4, 0)$을 지나는 원이 원 $x^2+y^2=4$와 만나는 두 점을 P, Q라 하자. 선분 PQ의 중점이 나타내는 도형의 방정식이 $(x-a)^2+(y-b)^2=r^2$일 때, 상수 a, b, r에 대하여 $a+b+r^2$의 값을 구하시오.

원과 직선의 위치 관계 – 두 점에서 만나는 경우

11 학평

그림과 같이 점 A(4, 3)을 지나고 기울기가 양수인 직선 l이 원 $x^2+y^2=10$과 두 점 P, Q에서 만난다. $\overline{AP}=3$일 때, 직선 l의 기울기는?

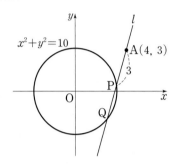

① $\dfrac{23}{7}$　　　② $\dfrac{24}{7}$　　　③ $\dfrac{25}{7}$

④ $\dfrac{26}{7}$　　　⑤ $\dfrac{27}{7}$

12

점 (4, 6)을 지나는 직선이 원 $x^2+y^2-2x-4y-31=0$과 만나는 두 점을 A, B라 할 때, 선분 AB의 길이가 될 수 있는 모든 자연수의 합은?

① 54　　　② 55　　　③ 56

④ 57　　　⑤ 58

13 학평

좌표평면에서 원 $x^2+(y-1)^2=1$과 직선 $y=mx-m+1$이 서로 다른 두 점 P, Q에서 만난다. 선분 PQ와 호 PQ로 둘러싸인 도형 중 넓이가 작은 도형의 넓이를 S_1, 선분 OQ와 호 OQ로 둘러싸인 도형 중 넓이가 작은 도형의 넓이를 S_2라 하자. $S_1=S_2$를 만족시키는 모든 실수 m의 값의 합을 구하시오. (단, O는 원점이고, 점 P의 x좌표는 점 Q의 x좌표보다 크다.)

14

두 점 A$(-1, -\sqrt{5})$, B$(3, \sqrt{5})$와 직선 $y=x+2$ 위의 서로 다른 두 점 P, Q에 대하여 $\angle APB=\angle AQB=90°$일 때, 두 삼각형 PAQ와 PBQ의 넓이의 합을 구하시오.

원과 직선의 위치 관계 – 접하는 경우

15 서술형

함수 $y=k|x|$의 그래프가 두 원 $x^2+(y-8)^2=4$, $(x-1)^2+(y-3)^2=2$와 만나는 점의 개수가 6일 때, 양수 k의 값의 범위를 구하시오.

16 학평

원 $C: x^2+y^2-5x=0$ 위의 점 P가 다음 조건을 만족시킨다.

> (가) $\overline{OP}=3$
>
> (나) 점 P는 제1사분면 위의 점이다.

원 C 위의 점 P에서의 접선의 기울기가 $\dfrac{q}{p}$일 때, $p+q$의 값을 구하시오. (단, O는 원점이고, p와 q는 서로소인 자연수이다.)

17

그림과 같이 원 $x^2+y^2=5$ 위의 두 점 A$(-2, -1)$, B$(1, -2)$와 원 위의 점 P를 꼭짓점으로 하는 삼각형 ABP의 넓이의 최댓값이 $\dfrac{q}{p}(1+\sqrt{2})$일 때, pq의 값은?

(단, p, q는 서로소인 자연수이다.)

① 6   ② 10   ③ 12
④ 14   ⑤ 15

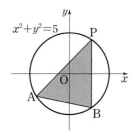

18 학평

그림과 같이 좌표평면에서 두 직선 $x-3y=0$, $3x-y=0$에 모두 접하고 반지름의 길이가 4인 네 원의 중심을 각각 A, B, C, D라 할 때, 사각형 ABCD의 넓이를 구하시오.

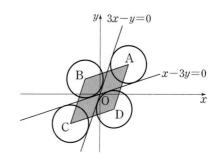

원의 접선의 방정식 ◀▶

19

그림과 같이 원 $x^2+y^2=1$ 위의 점 $(0, 1)$과 x축 위의 점 $(a, 0)$을 지나는 직선이 원과 만나는 점을 P라 하고, 원 위의 점 P에서의 접선이 x축과 만나는 점을 Q라 하자. 삼각형 POQ의 넓이가 $\dfrac{3}{8}$일 때, a의 값을 구하시오.

(단, O는 원점이고, $a>1$이다.)

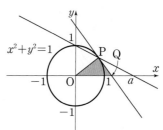

20 학평

좌표평면에 원 C_1: $(x+7)^2+(y-2)^2=20$이 있다. 그림과 같이 점 $P(a, 0)$에서 원 C_1에 그은 두 접선을 l_1, l_2라 하자. 두 직선 l_1, l_2가 원 C_2: $x^2+(y-b)^2=5$에 모두 접할 때, 두 직선 l_1, l_2의 기울기의 곱을 c라 하자. $11(a+b+c)$의 값을 구하시오. (단, a, b는 양의 상수이다.)

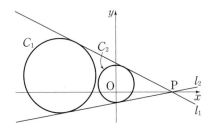

21 서술형

중심이 점 $(1, 2)$인 원 C_1이 원 C_2: $x^2+y^2=1$과 외접한다. 그림과 같이 두 원 C_1, C_2의 접점에서의 접선을 l이라 하고, 직선 l과 평행하고 두 원 C_1, C_2에 접하는 직선을 각각 l_1, l_2라 하자. 직선 l_1 위의 한 점을 $P(x_1, y_1)$, 직선 l_2 위의 한 점을 $Q(x_2, y_2)$라 할 때, $(x_1+2y_1-5)(x_2+2y_2-5)$의 값을 구하시오. (단, 두 직선 l_1, l_2는 직선 l과 다르다.)

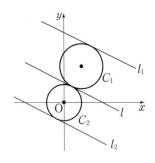

22

원 $x^2+y^2=1$ 위의 두 점 A, B에서의 접선의 교점을 P라 하자. 삼각형 APB가 정삼각형일 때, 점 P가 나타내는 도형의 길이를 구하시오. (단, 점 P는 제1사분면 위의 점이다.)

23

점 $P(-1, -3)$에서 원 $x^2+y^2=2$에 그은 두 접선이 x축과 만나는 점을 각각 A, B라 하자. 직선 $y=ax+a$가 삼각형 PAB의 넓이를 이등분할 때, 상수 a의 값을 구하시오.

24 $\overset{\text{idea}}{\text{✦}}$

원 $x^2+y^2+6x+4y+9=0$ 위의 점 P와 원 $x^2+y^2-10x-8y+37=0$ 위의 점 Q에 대하여 두 점 P, Q를 지나는 직선의 기울기의 최댓값을 M, 최솟값을 m이라 할 때, $M+m$의 값은?

① 2　　　　② 3　　　　③ 4

④ 5　　　　⑤ 6

step **3** 최고난도 * 문제

01

원 $x^2+y^2=1$의 제1사분면 위의 점 P에 대하여 선분 OP의 수직이등분선이 이차함수 $y=x^2-\dfrac{11}{4}$ $(x\geq0)$의 그래프와 만나는 점을 Q라 하자. 삼각형 OPQ의 넓이가 최소일 때, 점 P의 x좌표를 구하시오. (단, O는 원점이다.)

02 학평

좌표평면 위의 세 점 A, B, C에 대하여 두 점 A, B의 좌표는 각각 $(0,\ a)$, $(3,\ 0)$이고, 삼각형 ABC는 $\overline{AC}=\overline{BC}$인 직각이등변삼각형이다. $-1\leq a\leq2$일 때, 선분 OC의 길이의 최댓값을 M, 최솟값을 m이라 하자. $\dfrac{M}{m}$의 값은?

(단, O는 원점이다.)

① $\dfrac{14}{3}$ ② 5   ③ $\dfrac{16}{3}$

④ $\dfrac{17}{3}$ ⑤ 6

03

두 점 A$(2,\ 1)$, B$(-4,\ -2)$로부터의 거리의 비가 $1:2$인 점 C가 나타내는 도형이 직선 AB와 만나는 점을 P, y축과 만나는 점을 Q라 하자. 점 C가 나타내는 도형 위의 점 R에 대하여 $\overline{PQ}=\overline{PR}$일 때, 점 R의 좌표를 구하시오.

(단, 두 점 P, Q는 원점이 아니다.)

04

서로 만나지 않는 두 원 $C_1\colon (x-a)^2+(y-b)^2=1$, $C_2\colon (x-2)^2+(y+3)^2=4$에 동시에 접하는 직선 l과 수직이면서 원 C_2에 접하는 직선 m이 원 C_1의 중심을 지날 때, 점 $(a,\ b)$가 나타내는 도형의 넓이를 구하시오.

05

그림과 같이 원 $(x-3)^2+(y-4)^2=8$의 중심을 A라 하고, 원 $(x-3)^2+(y-4)^2=8$이 직선 $x+y=7$과 만나는 점 중에서 y축에 가까운 점을 B, 직선 $x=3$과 만나는 점 중에서 x축에 가까운 점을 C라 하자. 호 BC 중 긴 호와 두 선분 AB, AC로 둘러싸인 도형 위의 점 $P(a, b)$에 대하여 $(a-1)^2+(b-2)^2$의 최댓값과 최솟값의 합은?

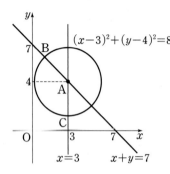

① 34　　　　② 35　　　　③ 36
④ 37　　　　⑤ 38

06 학평

좌표평면 위의 두 점 $A(-1, 0)$, $B(1, 0)$을 지름의 양 끝 점으로 하는 원 C가 있다. 점 A를 지나고 기울기가 $m\,(0<m<1)$인 직선이 원 C와 만나는 점 중 A가 아닌 점을 P라 할 때, 선분 AP를 $3:1$로 외분하는 점을 Q, 선분 BP와 선분 OQ가 만나는 점을 R라 하자. 삼각형 OBR의 넓이가 $\dfrac{9}{26}$일 때, 상수 m의 값은? (단, O는 원점이다.)

① $\dfrac{1}{3}$　　　② $\dfrac{5}{12}$　　　③ $\dfrac{1}{2}$

④ $\dfrac{7}{12}$　　　⑤ $\dfrac{2}{3}$

07 idea ✦

그림과 같이 원 $(x-2)^2+y^2=1$ 위의 점 $P(a, b)$와 직선 $y=x+1$ 위의 점 $Q(c, d)$에 대하여 $\dfrac{b}{a}\times\dfrac{d}{c}=-1$을 만족시킬 때, 점 Q가 나타내는 도형의 길이를 구하시오.

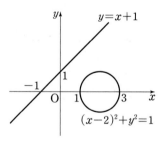

08

그림과 같이 두 직선 $y=mx$, $y=4mx$에 동시에 접하는 두 원 C_1, C_2가 두 점 A(5, 7), B(7, 5)에서 만난다. 두 원 C_1, C_2의 중심의 x좌표를 각각 a, b라 할 때, $\dfrac{3(a+b)}{m}$의 값은?

(단, $m>0$)

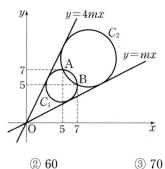

① 50   ② 60   ③ 70

④ 80   ⑤ 90

09 학평

좌표평면에서 반지름의 길이가 r이고 중심이 이차함수 $y=\dfrac{1}{2}x^2+\dfrac{7}{2}$의 그래프 위에 있는 원 중에서 직선 $y=x+7$에 접하는 원의 개수를 m이라 하고 직선 $y=x$에 접하는 원의 개수를 n이라 하자. m이 홀수일 때, $m+n+r^2$의 값은?

(단, r는 상수이다.)

① 11   ② 12   ③ 13

④ 14   ⑤ 15

10

원 $(x-3\sqrt{3})^2+(y-3)^2=64$ 위의 점 P에 대하여 점 P를 중심으로 하는 원 C가 두 직선 $y=0$, $y=\sqrt{3}x$와 모두 접한다. 원 C의 반지름의 길이를 r라 할 때, 서로 다른 모든 r의 값의 곱을 구하시오.

01

> 점의 평행이동

두 점 $A(a, 3)$, $B(1, b)$를 각각 두 점 $A'(-2, -2)$, $B'(3, -2)$로 옮기는 평행이동에 의하여 점 (b, a)가 옮겨지는 점의 좌표는?

① $(-9, 5)$ ② $(-4, 3)$ ③ $(-2, -2)$

④ $(3, -4)$ ⑤ $(5, -9)$

02

> 도형의 평행이동 - 직선

두 직선 $y=2x+3$, $y=3x+2$를 각각 두 직선 $y=2x$, $y=3x-2$로 옮기는 평행이동에 의하여 직선 $2x-3y-1=0$이 옮겨지는 직선을 l이라 하자. 직선 l이 원 $(x-a)^2+(y-2a+1)^2=1$의 넓이를 이등분할 때, 상수 a의 값을 구하시오.

03 학평

> 도형의 평행이동 - 원

원 $(x-a)^2+(y-a)^2=b^2$을 y축의 방향으로 -2만큼 평행이동한 도형이 직선 $y=x$와 x축에 동시에 접할 때, a^2-4b의 값을 구하시오. (단, $a>2$, $b>0$)

04

> 점의 대칭이동

직선 $y=x+3$ 위의 점 A를 직선 $y=x$에 대하여 대칭이동한 점을 B, 점 B를 원점에 대하여 대칭이동한 점을 C라 하자. 삼각형 ABC의 넓이가 21일 때, 점 A의 좌표를 구하시오.

(단, 점 A는 제1사분면 위의 점이다.)

05

> 도형의 대칭이동 - 직선

직선 l: $y=ax+2$를 x축, y축, 원점에 대하여 대칭이동한 직선을 각각 l_1, l_2, l_3이라 하자. 네 직선 l, l_1, l_2, l_3으로 둘러싸인 도형의 둘레의 길이가 10일 때, 양수 a의 값은?

① $\dfrac{3}{4}$ ② $\dfrac{4}{3}$ ③ $\dfrac{3}{2}$

④ $\dfrac{5}{3}$ ⑤ $\dfrac{16}{9}$

06 서술형

> 도형의 대칭이동 - 원

원 $x^2+y^2-4x+8y+19=0$을 x축에 대하여 대칭이동한 원을 C_1, 직선 $y=x$에 대하여 대칭이동한 원을 C_2라 하자. 원 C_1 위의 점 P와 원 C_2 위의 점 Q에 대하여 선분 PQ의 길이의 최댓값을 M, 최솟값을 m이라 할 때, Mm의 값을 구하시오.

07

> 도형의 평행이동과 대칭이동

포물선 $y=x^2-ax+3$을 x축의 방향으로 2만큼, y축의 방향으로 1만큼 평행이동한 후 x축에 대하여 대칭이동하였더니 직선 $y=4x-12$와 접할 때, 상수 a의 값을 구하시오.

08

> 그래프로 주어진 도형의 평행이동과 대칭이동

방정식 $f(x, y)=0$이 나타내는 도형이 그림과 같을 때, 다음 중 방정식 $f(y+1, x)=0$이 나타내는 도형은?

①

②

③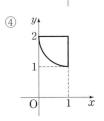

④

⑤

09

> 점에 대한 대칭이동

세 점 A$(0, 1)$, B$(-1, 2)$, C$(1, 6)$을 꼭짓점으로 하는 삼각형 ABC의 무게중심을 G라 하자. 세 꼭짓점 A, B, C를 점 G에 대하여 대칭이동한 점을 각각 A$'$, B$'$, C$'$이라 할 때, 삼각형 A$'$B$'$C$'$이 y축과 만나는 두 점 사이의 거리를 구하시오.

10

> 점과 직선에 대한 대칭이동

점 P$(0, 1)$을 점 $(-2, 3)$에 대하여 대칭이동한 후 다시 점 $(1, 2)$에 대하여 대칭이동한 점을 Q라 하자. 두 점 P, Q가 직선 $y=mx+n$에 대하여 대칭일 때, $m+n$의 값은?

(단, m, n은 상수이다.)

① -6　　　② -3　　　③ 0

④ 3　　　⑤ 6

11 학평

> 대칭이동을 이용한 최단 거리

좌표평면 위에 두 점 A$(1, 2)$, B$(2, 1)$이 있다. x축 위의 점 C에 대하여 삼각형 ABC의 둘레의 길이의 최솟값이 $\sqrt{a}+\sqrt{b}$일 때, 두 자연수 a, b의 합 $a+b$의 값을 구하시오.

(단, 점 C는 직선 AB 위에 있지 않다.)

평행이동

01 학평

두 자연수 m, n에 대하여 원 $C: (x-2)^2+(y-3)^2=9$를 x축의 방향으로 m만큼 평행이동한 원을 C_1, 원 C_1을 y축의 방향으로 n만큼 평행이동한 원을 C_2라 하자. 두 원 C_1, C_2와 직선 $l: 4x-3y=0$은 다음 조건을 만족시킨다.

> (가) 원 C_1은 직선 l과 서로 다른 두 점에서 만난다.
> (나) 원 C_2는 직선 l과 서로 다른 두 점에서 만난다.

$m+n$의 최댓값을 구하시오.

02

원점과 두 점 $(2, 0)$, $(0, 1)$을 지나는 원 C의 방정식을 $f(x, y)=0$이라 할 때, 방정식 $f(x-m, y-n)=0$이 나타내는 도형을 C'이라 하자. 보기에서 옳은 것만을 있는 대로 고르시오. (단, $m\neq0$ 또는 $n\neq0$이다.)

┌ **보기** ┐
ㄱ. 원 C'이 x축에 접하도록 하는 모든 n의 값의 합은 -2이다.
ㄴ. $m^2+n^2=5$이면 두 원 C, C'은 서로 외접한다.
ㄷ. 두 원 C, C'의 넓이를 모두 이등분하는 직선의 방정식은 $2nx-2my+m-2n=0$이다.
└────────┘

대칭이동

03 학평

그림과 같이 좌표평면에서 두 점 $A(2, 0)$, $B(1, 2)$를 직선 $y=x$에 대하여 대칭이동한 점을 각각 C, D라 하자. 삼각형 OAB 및 그 내부와 삼각형 ODC 및 그 내부의 공통부분의 넓이를 S라 할 때, $60S$의 값을 구하시오. (단, O는 원점이다.)

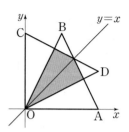

04

그림과 같이 점 $A(-2, 2)$와 제1사분면 위에 있는 두 점 B, C가 다음 조건을 만족시킬 때, 점 B의 좌표를 구하시오.

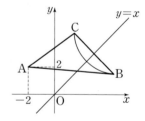

> (가) 점 C는 점 B를 직선 $y=x$에 대하여 대칭이동한 점이다.
> (나) 호 BC는 반지름의 길이가 3인 원의 일부이고, 그 길이는 $\frac{3}{2}\pi$이다.
> (다) 삼각형 ABC의 넓이는 9이다.

평행이동과 대칭이동

05

방정식 $f(x, y)=0$이 나타내는 도형이 그림과
같을 때, 다음 중 방정식 $f(2-y, x+1)=0$
이 나타내는 도형은?

① 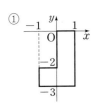　② 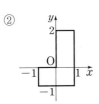　③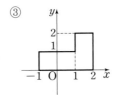

④ 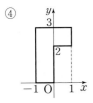　⑤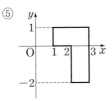

06

그림과 같이 방정식 $f(x, y)=0$이 나타내는 도형을 평행이
동과 대칭이동을 이용하여 방정식 $g(x, y)=0$이 나타내는
도형으로 이동시켰을 때, 보기에서 방정식 $g(x, y)=0$과 같
은 것만을 있는 대로 고르시오.

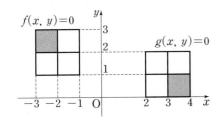

┌ 보기 ┐
ㄱ. $f(-x+1, y-3)=0$　　ㄴ. $f(-x+1, -y+3)=0$
ㄷ. $f(y-3, x-1)=0$　　ㄹ. $f(y-3, -x+1)=0$

07 학평

그림과 같이 두 대각선 AC, BD의 교점이 원점이고 네 변이
각각 x축 또는 y축에 평행한 직사각형 ABCD가 다음 조건
을 만족시킨다.

┌─────────────────────────────────
(가) $\overline{AD} > \overline{AB} > 2$
(나) 직사각형 ABCD를 y축의 방향으로 2만큼 평행이동한 직
사각형의 내부와 직사각형 ABCD 내부와의 공통부분의
넓이는 18이다.
(다) 직사각형 ABCD를 직선 $y=x$에 대하여 대칭이동한 직사
각형의 내부와 직사각형 ABCD 내부와의 공통부분의 넓
이는 16이다.
└─────────────────────────────────

직사각형 ABCD의 넓이는?

(단, 점 A는 제2사분면 위의 점이다.)

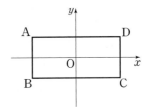

① 32　　　　② 36　　　　③ 40
④ 44　　　　⑤ 48

점에 대한 대칭이동

08

포물선 P_1: $y=x^2+x$를 점 $(1, a)$에 대하여 대칭이동한 포물선을 P_2라 하자. 두 포물선 P_1, P_2가 한 점 A에서 만날 때, 점 A의 좌표를 구하시오.

09

방정식 $f(x+1, y-2)=0$이 나타내는 도형은 세 점 $(0, 0)$, $(2, 0)$, $(1, 2)$를 꼭짓점으로 하는 삼각형이다. 방정식 $f(x, y)=0$이 나타내는 도형을 점 $(-1, 2)$에 대하여 대칭이동한 도형을 T라 하면 직선 $ax-y+3a+6=0$이 도형 T의 넓이를 이등분할 때, 상수 a의 값을 구하시오.

10 ^{idea} ✦

그림과 같이 좌표평면 위에 직각이등변삼각형 A와 정사각형 B가 있다. 직각이등변삼각형 A를 점 $(a, 2a)$에 대하여 대칭이동한 도형을 T라 하자. $0 \le a \le 1$일 때, 도형 T의 내부와 정사각형 B의 내부의 공통부분의 넓이를 구하시오.

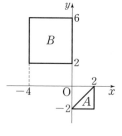

직선에 대한 대칭이동

11

점 $P(0, a)$를 직선 $x-2y+1=0$에 대하여 대칭이동한 점을 Q라 할 때, 점 Q가 제1사분면 위에 있도록 하는 a의 값의 범위를 구하시오.

12 서술형

포물선 $y=x^2+6x+8$을 y축에 대하여 대칭이동한 포물선 위의 서로 다른 두 점 A, B가 직선 $y=x+1$에 대하여 대칭일 때, 선분 AB의 길이를 구하시오.

13

직선 $y=0$을 직선 $y=ax$에 대하여 대칭이동한 직선을 l이라 하자. 직선 l이 직선 $3x+4y+12=0$과 만나는 점을 P라 할 때, 선분 OP의 길이가 최소가 되도록 하는 양수 a의 값은?
(단, O는 원점이다.)

① $\dfrac{1}{2}$　　　② 1　　　③ $\dfrac{3}{2}$

④ 2　　　⑤ $\dfrac{5}{2}$

14

원 C: $(x-a)^2+(y-b)^2=1$을 직선 $y=2x-2$에 대하여 대칭이동한 후 x축의 방향으로 1만큼 평행이동한 원을 C'이라 하자. 두 원 C, C'이 직선 $y=x$에 대하여 서로 대칭일 때, 상수 a, b에 대하여 $4b-2a$의 값을 구하시오.

15

다음 조건을 만족시키는 직선 l이 있다. 직선 $y=2x$를 직선 l에 대하여 대칭이동한 직선의 방정식을 $ax+by+c=0$이라 할 때, 상수 a, b, c에 대하여 $\dfrac{bc}{a^2}$의 값을 구하시오.

(가) 두 점 $(-3, 2)$, $(1, 0)$은 직선 l 위의 한 점에 대하여 서로 대칭이다.

(나) 원 $x^2+y^2-2x-4y+4=0$ 위의 점 중에서 직선 l에 대칭인 서로 다른 두 점이 존재한다.

◤ 대칭이동을 이용한 최단 거리

16

실수 x에 대하여 $\sqrt{(x-1)^2+1}+\sqrt{(x-5)^2+9}$의 최솟값을 구하시오.

17 학평

좌표평면 위에 두 점 $A(-4, 4)$, $B(5, 3)$이 있다. x축 위의 두 점 P, Q와 직선 $y=1$ 위의 점 R에 대하여 $\overline{AP}+\overline{PR}+\overline{RQ}+\overline{QB}$의 최솟값은?

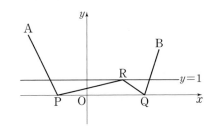

① 12 ② $5\sqrt{6}$ ③ $2\sqrt{39}$
④ $9\sqrt{2}$ ⑤ $2\sqrt{42}$

18

두 점 $A(9, 1)$, $B(5, 4)$와 직선 $y=x$ 위의 점 P, x축 위의 점 Q에 대하여 네 점 A, B, P, Q를 꼭짓점으로 하는 사각형 $ABPQ$의 둘레의 길이의 최솟값이 $a+\sqrt{b}$일 때, 유리수 a, b에 대하여 $a+b$의 값은?

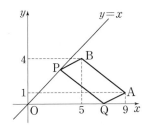

① 62 ② 63 ③ 64
④ 65 ⑤ 66

01 [학평]

좌표평면 위에 세 점 $O(0, 0)$, $A(0, 1)$, $B(-1, 0)$을 꼭짓점으로 하는 삼각형 OAB와 세 점 $O(0, 0)$, $C(0, -1)$, $D(1, 0)$을 꼭짓점으로 하는 삼각형 OCD가 있다. 양의 실수 t에 대하여 삼각형 OAB를 x축의 방향으로 t만큼 평행이동한 삼각형을 T_1, 삼각형 OCD를 y축의 방향으로 $2t$만큼 평행이동한 삼각형을 T_2라 하자. 두 삼각형 T_1, T_2의 내부의 공통부분이 육각형 모양이 되도록 하는 모든 t의 값의 범위는 $\dfrac{1}{3} < t < a$이고, 이때 육각형의 넓이의 최댓값은 M이다.

$a + M$의 값은?

① $\dfrac{11}{14}$ ② $\dfrac{23}{28}$ ③ $\dfrac{6}{7}$

④ $\dfrac{25}{28}$ ⑤ $\dfrac{13}{14}$

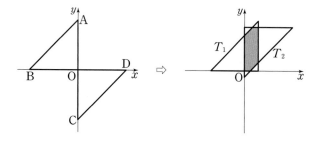

02

함수 $y = |x-1| + 2$의 그래프를 x축의 방향으로 $3a$만큼, y축의 방향으로 $-a$만큼 평행이동한 도형을 P_1, x축의 방향으로 $-2b$만큼, y축의 방향으로 b만큼 평행이동한 도형을 P_2라 할 때, 함수 $y = |x-1| + 2$의 그래프와 두 도형 P_1, P_2가 만나는 점을 각각 A, B라 하자. 점 $C(1, 2)$에 대하여 세 점 A, B, C를 지나는 원의 방정식이
$x^2 + y^2 + 2x - 10y + 13 = 0$일 때, 양수 a, b의 값을 구하시오.

03 [학평]

원 $x^2 + (y-1)^2 = 9$ 위의 점 P가 있다. 점 P를 y축의 방향으로 -1만큼 평행이동한 후 y축에 대하여 대칭이동한 점을 Q라 하자. 두 점 $A(1, -\sqrt{3})$, $B(3, \sqrt{3})$에 대하여 삼각형 ABQ의 넓이가 최대일 때, 점 P의 y좌표는?

① $\dfrac{5}{2}$ ② $\dfrac{11}{4}$ ③ 3

④ $\dfrac{13}{4}$ ⑤ $\dfrac{7}{2}$

04

이차함수 $f(x)=(x-3)^2$과 세 점 A$(5, 3)$, B$(2, 8)$, C(a, b)가 있다. 포물선 $y=f(x)$를 점 A에 대하여 대칭이동한 후 다시 점 B에 대하여 대칭이동한 포물선을 P_1이라 하자. 포물선 P_1을 점 C에 대하여 대칭이동한 후 다시 x축에 대하여 대칭이동하면 포물선 $y=f(x)$와 겹쳐질 때, $a+b$의 값을 구하시오.

05 ^{idea} ✦

그림과 같이 네 점 O$(0, 0)$, A$(18, 0)$, B$(18, 14)$, C$(0, 14)$를 꼭짓점으로 하는 직사각형 OABC가 있다. 직사각형 OABC 내부의 점 P$(3, 5)$와 점 Q에 대하여 선분 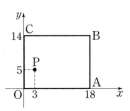 OA 위에 $\angle$PR$_1$O$=\angle$QR$_1$A가 되는 점 R$_1$을 잡고, 선분 AB 위에 $\angle$PR$_2$A$=\angle$QR$_2$B가 되는 점 R$_2$를 잡는다. 또 선분 BC 위에 $\angle$QR$_3$B$=\angle$PR$_3$C가 되는 점 R$_3$을 잡고, 선분 CO 위에 $\angle$PR$_4$O$=\angle$QR$_4$C가 되는 점 R$_4$를 잡는다. 두 선분 PR$_i$, R$_i$Q $(i=1, 2, 3, 4)$의 길이의 합이 항상 일정할 때, 점 Q의 좌표를 구하시오.

06

원 $x^2+y^2-8x-8y+28=0$ 위의 임의의 두 점 A(a, b), B(c, d)에 대하여 $\dfrac{b+d+2}{a+c+4}$의 최댓값을 M, 최솟값을 m이라 할 때, Mm의 값을 구하시오.

07

세 점 A$(0, 3)$, B$(2, 3)$, C$(1, 3+\sqrt{3})$을 꼭짓점으로 하는 삼각형 ABC 위의 점 P와 x축 위의 점 Q가 있다. 점 R$(6, 1)$에 대하여 $|\overline{PQ}-\overline{QR}|$의 값이 최대가 되도록 하는 점 Q를 Q$_1$, $\overline{PQ}+\overline{QR}$의 값이 최소가 되도록 하는 점 Q를 Q$_2$라 할 때, 선분 Q$_1Q_2$의 길이를 구하시오.

01

학평→ 98쪽 12번

좌표평면 위에 두 점 $A(3, 0)$, $B(0, 8)$이 있다. 다음 조건을 만족시키는 두 직선 l, m의 기울기의 합의 최솟값을 구하시오. (단, O는 원점이다.)

> (가) 직선 l은 점 O를 지난다.
> (나) 두 직선 l과 m은 선분 AB 위의 점 P에서 만난다.
> (다) 두 직선 l과 m은 삼각형 OAB의 넓이를 삼등분한다.

02

학평→ 99쪽 16번

좌표평면에서 세 직선

$$y=3x, \ y=-\frac{1}{3}x, \ y=mx+6$$

으로 둘러싸인 도형이 이등변삼각형일 때, 양수 m의 값을 구하시오.

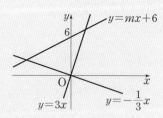

03

학평→ 101쪽 01번

그림과 같이 $\overline{AB}=2\sqrt{6}$, $\overline{BC}=2\sqrt{2}$인 삼각형 ABC에서 선분 BC의 중점을 D라 할 때, $\overline{AD}=\sqrt{14}$이다. 각 ACB의 이등분선이 선분 AB와 만나는 점을 E, 선분 CE와 선분 AD가 만나는 점을 P, 각 APE의 이등분선이 선분 AB와 만나는 점을 R, 선분 PR의 연장선이 선분 BC와 만나는 점을 Q라 하자. 삼각형 PRE의 넓이를 S_1, 삼각형 PQC의 넓이를 S_2라 할 때, $S_2-S_1=a\sqrt{21}+b\sqrt{3}$이다. 이때 $a-b$의 값은?

(단, a, b는 유리수이다.)

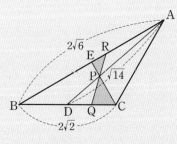

① $\dfrac{16}{27}$ ② $\dfrac{17}{27}$ ③ $\dfrac{2}{3}$

④ $\dfrac{19}{27}$ ⑤ $\dfrac{20}{27}$

04

학평 → 102쪽 06번

그림과 같이 좌표평면에서 두 점 A$(0, 8)$, B$(32, 0)$과 제1사분면 위의 점 C(a, b)가 $\overline{AC}=\overline{BC}$를 만족시킨다. 두 선분 AC, BC를 1 : 3으로 내분하는 점을 각각 P, Q라 할 때, 삼각형 CPQ의 무게중심을 G라 하자. 선분 CG의 길이가 $\sqrt{17}$일 때, $a+b$의 값은?

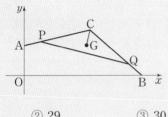

① 28　　　　② 29　　　　③ 30

④ 31　　　　⑤ 32

06

학평 → 109쪽 18번

그림과 같이 좌표평면에서 두 직선 $x-2y=0$, $2x-y=0$에 모두 접하고 반지름의 길이가 3인 네 원의 중심을 각각 A, B, C, D라 할 때, 사각형 ABCD의 넓이를 구하시오.

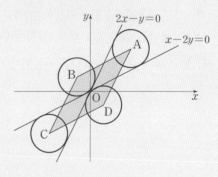

05

학평 → 108쪽 11번

그림과 같이 점 A$(12, 5)$를 지나고 기울기가 양수인 직선 l이 원 $x^2+y^2=41$과 두 점 P, Q에서 만난다. $\overline{AP}=8$일 때, 직선 l의 기울기를 구하시오.

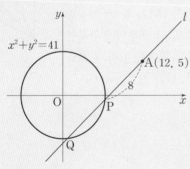

07

학평 → 111쪽 02번

좌표평면 위의 세 점 A, B, C에 대하여 두 점 A, B의 좌표는 각각 $(0, a)$, $(5, 0)$이고, 삼각형 ABC는 $\overline{AC}=\overline{BC}$인 직각이등변삼각형이다. $-2 \le a \le 3$에서 선분 OC의 길이의 최댓값을 M, 최솟값을 m이라 할 때, M^2+m^2의 값을 구하시오. (단, O는 원점이다.)

08

학평 → 112쪽 06번

좌표평면 위의 두 점 $A(-2, 0)$, $B(2, 0)$을 지름의 양 끝점으로 하는 원 C가 있다. 점 A를 지나고 기울기가 $m\,(0<m<1)$인 직선이 원 C와 만나는 점 중 A가 아닌 점을 P라 할 때, 선분 AP를 $3:1$로 외분하는 점을 Q, 선분 BP와 선분 OQ가 만나는 점을 R라 하자. 삼각형 OBR의 넓이가 $\dfrac{6}{5}$일 때, 상수 m의 값은? (단, O는 원점이다.)

① $\dfrac{1}{3}$ ② $\dfrac{5}{12}$ ③ $\dfrac{1}{2}$

④ $\dfrac{7}{12}$ ⑤ $\dfrac{2}{3}$

09

학평 → 113쪽 09번

좌표평면에서 반지름의 길이가 r이고 중심이 이차함수 $y=\dfrac{1}{4}x^2+\dfrac{9}{4}$의 그래프 위에 있는 원 중에서 직선 $y=x+9$에 접하는 원의 개수를 m이라 하고 직선 $y=x$에 접하는 원의 개수를 n이라 하자. m이 홀수일 때, $m+n+4\sqrt{2}r$의 값을 구하시오. (단, r는 상수이다.)

10

학평 → 116쪽 01번

두 자연수 m, n에 대하여 원 C: $(x-3)^2+(y-4)^2=16$을 x축의 방향으로 m만큼 평행이동한 원을 C_1, 원 C_1을 y축의 방향으로 n만큼 평행이동한 원을 C_2라 하자. 두 원 C_1, C_2와 직선 l: $12x-5y=0$이 다음 조건을 만족시킬 때, $m+n$의 최댓값을 구하시오.

> ㈎ 원 C_1은 직선 l과 적어도 한 점에서 만난다.
> ㈏ 원 C_2는 직선 l과 적어도 한 점에서 만난다.

11

학평 → 116쪽 03번

그림과 같이 좌표평면에서 두 점 $A(4, 0)$, $B(2, 4)$를 직선 $y=x$에 대하여 대칭이동한 점을 각각 C, D라 하자. 삼각형 OAB 및 그 내부와 삼각형 ODC 및 그 내부의 공통부분의 넓이를 S라 할 때, $15S$의 값을 구하시오. (단, O는 원점이다.)

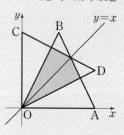

12

학평 → 117쪽 07번

그림과 같이 두 대각선 AC, BD의 교점이 원점이고 네 변이 각각 x축 또는 y축에 평행한 직사각형 ABCD가 다음 조건을 만족시킬 때, 직사각형 ABCD의 넓이는?

(단, 점 A는 제2사분면 위의 점이다.)

(가) $\overline{AD} > \overline{AB} > 3$

(나) 직사각형 ABCD를 y축의 방향으로 3만큼 평행이동한 직사각형의 내부와 직사각형 ABCD 내부의 공통부분의 넓이는 22이다.

(다) 직사각형 ABCD를 직선 $y=x$에 대하여 대칭이동한 직사각형의 내부와 직사각형 ABCD 내부의 공통부분의 넓이는 25이다.

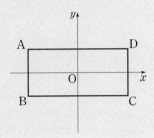

① 51   ② 53   ③ 55

④ 57   ⑤ 59

13

학평 → 120쪽 01번

그림과 같이 좌표평면 위에 세 점 O(0, 0), A(0, 2), B(−2, 0)을 꼭짓점으로 하는 삼각형 OAB와 세 점 O(0, 0), C(0, −2), D(2, 0)을 꼭짓점으로 하는 삼각형 OCD가 있다. 양수 t에 대하여 삼각형 OAB를 x축의 방향으로 t만큼 평행이동한 삼각형을 T_1, 삼각형 OCD를 y축의 방향으로 $3t$만큼 평행이동한 삼각형을 T_2라 하자. 두 삼각형 T_1, T_2의 내부의 공통부분이 육각형 모양이 되도록 하는 모든 t의 값의 범위는 $\dfrac{1}{2} < t < a$이고, 이때 육각형의 넓이의 최댓값은 M이다. $M - a = \dfrac{q}{p}$일 때, $p+q$의 값은?

(단, p, q는 서로소인 자연수이다.)

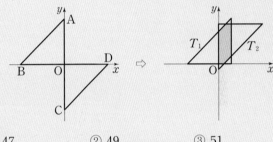

① 47   ② 49   ③ 51

④ 53   ⑤ 55

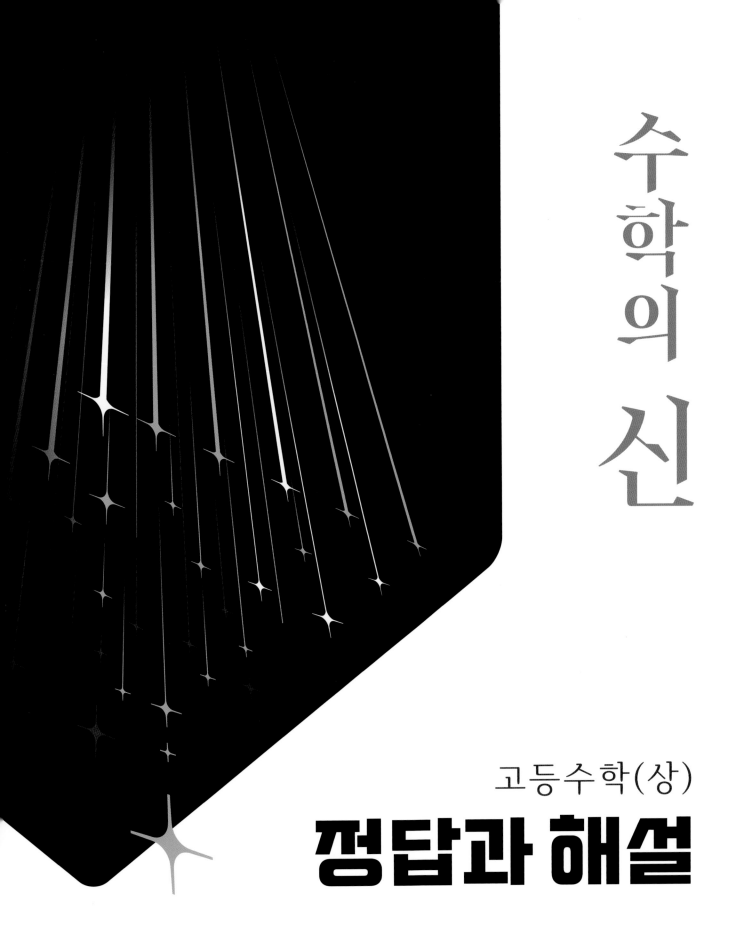

수학의 신

고등수학(상)

정답과 해설

visang

ABOVE IMAGINATION

우리는 남다른 상상과 혁신으로
교육 문화의 새로운 전형을 만들어
모든 이의 행복한 경험과 성장에 기여한다

수학의 신

고등수학(상)

정답과 해설

01 다항식의 연산

step ① 핵심 문제   20~21쪽

01 $11x^2-8x+5$ 02 ①   03 4   04 $\dfrac{11}{2}$ 05 104

06 ②   07 $\dfrac{88\sqrt{2}}{3}\pi$ 08 ④   09 ④   10 -2

11 ④

step ② 고난도 문제   22~25쪽

01 $-x^2+xy+\dfrac{1}{3}y^2$ 02 ⑤   03 4   04 ①

05 ③   06 $218\sqrt{2}$ 07 $5\sqrt{5}$ 08 $\dfrac{49}{4}$ 09 ②

10 6   11 ④   12 6   13 9   14 52π 15 ②

16 ②   17 x^2+1 18 26   19 ㄴ

20 몫: $8x^2+14x+8$, 나머지: 1

step ③ 최고난도 문제   26~27쪽

01 ⑤   02 183   03 $2\sqrt{2}+2\sqrt{6}$ 04 37, 52, 157

05 $2\,\mathrm{m}^3$ 06 30   07 14   08 -2

02 나머지정리와 인수분해

step ① 핵심 문제   28~29쪽

01 ③   02 $\dfrac{19}{16}$ 03 -9 04 $-x^2+x+2$ 05 $\dfrac{5}{2}$

06 ②   07 $4x$ 08 ①   09 9   10 ④   11 ④

12 171

step ② 고난도 문제   30~34쪽

01 ②   02 $a=-2,\ b=-3$ 03 40   04 22

05 14   06 34   07 74   08 12   09 -8

10 x^2+3x-2 11 5   12 ③   13 24   14 ②

15 54   16 $11x+4$ 17 ①   18 ⑤   19 ④

20 6   21 ③   22 -6 23 20   24 17   25 ⑤

26 34   27 5   28 $ab+bc+ca$

step ③ 최고난도 문제   35~37쪽

01 16   02 ④   03 ③   04 ④   05 0   06 ④

07 6   08 18   09 $8\sqrt{5}$ 10 6000   11 ㄹ, ㅂ

12 146

기출 변형 문제로 단원 마스터   38~39쪽

01 862   02 $\dfrac{37}{8}$ 03 60   04 302   05 27   06 -58

07 ⑤   08 139

03 복소수

step ① 핵심 문제   42~43쪽

01 7   02 ④   03 ②   04 $7-2i$ 05 15

06 ⑤   07 ㄱ, ㄷ   08 ⑤   09 25   10 ②

11 ③   12 8

step ② 고난도 문제   44~47쪽

01 ①   02 9   03 ④   04 24   05 ⑤   06 ③

07 ①   08 0   09 ④   10 17   11 ㄴ   12 ㄴ, ㄷ

13 $\dfrac{1}{2}$ 14 ㄴ   15 ③   16 85   17 44   18 ④

19 24   20 27   21 ⑤   22 ④   23 10   24 ③

01 18   **02** ②   **03** 144   **04** ④   **05** 150   **06** ㄱ, ㄷ

07 ④   **08** $-i, i$

04 이차방정식

01 ①   **02** ①   **03** ③   **04** 15   **05** ②   **06** 63

07 -2 **08** ②   **09** ②   **10** 33   **11** 2   **12** ②

01 -1 **02** ③   **03** ④   **04** 1   **05** ③   **06** ㄱ, ㄷ

07 ⑤   **08** ⑤   **09** ②   **10** -6 **11** ①   **12** ⑤

13 ㄴ, ㄷ   **14** 11   **15** 83   **16** ②   **17** ④

18 ④   **19** 4   **20** 27   **21** ③   **22** -1 **23** ①

24 ②   **25** ⑤   **26** ③   **27** $8\sqrt{3}$

01 $-\dfrac{5}{3}$ **02** ②   **03** 10   **04** ③   **05** ①   **06** ②

07 ㄱ, ㄴ   **08** ①   **09** $-6\sqrt{3}, 6\sqrt{3}$ **10** $\dfrac{5}{8}$

11 50

05 이차방정식과 이차함수

01 $1, \dfrac{7}{4}$ **02** ④   **03** ③   **04** 4   **05** ②

06 $-2 < k < 2$ **07** 6   **08** 60   **09** ④   **10** ③

11 8   **12** ②

01 $3\sqrt{2}$ **02** 2   **03** ④   **04** ④   **05** ③   **06** 39

07 $\dfrac{7}{4}$ **08** ③   **09** $3-\sqrt{7}$ **10** 9   **11** ④

12 ①   **13** $\dfrac{400}{9}$ m   **14** 28   **15** ⑤   **16** ③

17 33   **18** 0   **19** 11   **20** ⑤   **21** 98   **22** ③

23 $12\sqrt{3}-7$

01 ⑤   **02** 2   **03** ⑤   **04** $10-6\sqrt{2}$ **05** ②

06 ⑤   **07** $\dfrac{17}{8}$ **08** 360   **09** ④

06 여러 가지 방정식

01 ①   **02** ②   **03** 84   **04** ④   **05** -4 **06** ②

07 ①   **08** ㄱ, ㄷ   **09** ②   **10** 4   **11** 7

12 ②

01 ③   **02** ⑤   **03** ⑤   **04** 21   **05** ④   **06** ①

07 4   **08** $\dfrac{1}{2}$ **09** $-\dfrac{3}{2}$ **10** ④   **11** 31   **12** ③

13 ⑤   **14** 16   **15** $\dfrac{3}{4}$ cm   **16** 3   **17** ①

18 5   **19** $\dfrac{31}{8}$ **20** 6   **21** ②   **22** ②   **23** 39

24 3   **25** 12   **26** ②   **27** 10   **28** 8

01 34   **02** 64   **03** 46   **04** 20   **05** ⑤   **06** 4

07 ②   **08** ⑤   **09** ③   **10** 12   **11** ③   **12** 8

07 여러 가지 부등식

step ❶ 핵심 문제   80~81쪽

01 $x > -2$ 02 9   03 16   04 ⑤   05 ⑤

06 $0 \leq a \leq 3$ 07 2   08 ③   09 7   10 5

11 ③   12 ②   13 ①   14 18

step ❷ 고난도 문제   82~85쪽

01 $-\dfrac{7}{3} < k \leq -\dfrac{11}{5}$ 02 28   03 ②   04 -3

05 49   06 ⑤   07 ④   08 ①   09 ②   10 27

11 $a < -1$ 12 30   13 ③   14 $1 \leq a \leq 2$

15 ②   16 ④   17 $2 \leq a < 3$ 18 43   19 ②

20 15   21 ①   22 $0 < a \leq 4$

step ❸ 최고난도 문제   86~87쪽

01 ②   02 ④   03 6   04 2   05 ①   06 -15

07 $a \geq 3 + 2\sqrt{2}$ 08 $\sqrt{5} - \sqrt{10}$

기출 변형 문제로 **단원 마스터**   88~91쪽

01 21   02 165   03 12   04 ②   05 15   06 ⑤

07 23   08 ②   09 6   10 42   11 ㄱ, ㄴ, ㄷ

12 1   13 2   14 ④

08 평면좌표와 직선의 방정식

step ❶ 핵심 문제   94~95쪽

01 $\dfrac{5}{4}$ 02 25π 03 ⑤   04 $\dfrac{3}{5} < t < 1$

05 $(6, 3)$, $(18, 27)$ 06 ②   07 14   08 ④

09 $(15\sqrt{3}, 0)$ 10 ⑤   11 $-\dfrac{1}{12}$

12 $3x - 4y + 17 = 0$, $x = -3$

step ❷ 고난도 문제   96~100쪽

01 10   02 25   03 ④   04 $\dfrac{2}{3}$ 05 ⑤   06 $\dfrac{8}{3}$

07 $\dfrac{1}{2}$ 08 ④   09 $\dfrac{21}{2}$ 10 ②   11 330   12 ①

13 2   14 ②   15 $\dfrac{11}{6}$ 16 ①   17 ④

18 $\left(\dfrac{9}{2}, \dfrac{5}{2}\right)$ 19 $\sqrt{2} < a < 2$ 20 15   21 ①

22 ③   23 4   24 8

step ❸ 최고난도 문제   101~103쪽

01 ①   02 55   03 $-9\sqrt{2}$ 04 ⑤   05 $\dfrac{1}{3}$

06 ④   07 $\left(\dfrac{4}{9}, \dfrac{1}{9}\right)$ 08 ④   09 43

09 원의 방정식

step ① 핵심 문제 104~105쪽

01 ③ 02 10 03 ② 04 $\frac{5\sqrt{2}}{2}$ 05 ② 06 $2\sqrt{5}$

07 ③ 08 $a < -\frac{3}{4}$ 09 50 10 ④

11 $(25, -25)$ 12 ③

step ② 고난도 문제 106~110쪽

01 ② 02 ⑤ 03 16 04 ③ 05 $\frac{15}{4}$ 06 $\sqrt{5}\pi$

07 108 08 256 09 ⑤ 10 $\frac{3}{4}$ 11 ② 12 ④

13 2 14 9 15 $\sqrt{15} < k < 7$ 16 31 17 ②

18 80 19 2 20 87 21 -20 22 π 23 $-\frac{4}{3}$

24 ①

step ③ 최고난도 문제 111~113쪽

01 $\frac{3}{5}$ 02 ② 03 $\left(\frac{16}{5}, -\frac{12}{5}\right)$ 04 13π 05 ③

06 ⑤ 07 $\sqrt{6}$ 08 ④ 09 ③ 10 $7\sqrt{21}$

10 도형의 이동

step ① 핵심 문제 114~115쪽

01 ⑤ 02 $-\frac{3}{4}$ 03 6 04 $(2, 5)$ 05 ②

06 36 07 4 08 ③ 09 3 10 ① 11 12

step ② 고난도 문제 116~119쪽

01 11 02 ㄴ, ㄷ 03 64 04 $\left(\frac{9}{2}, \frac{3}{2}\right)$

05 ③ 06 ㄴ, ㄷ 07 ② 08 $(1, 2)$

09 $\frac{2}{3}$ 10 4 11 $\frac{1}{2} < a < \frac{4}{3}$ 12 $\sqrt{34}$ 13 ①

14 3 15 -66 16 $4\sqrt{2}$ 17 ④ 18 ⑤

step ③ 최고난도 문제 120~121쪽

01 ① 02 $a=1, b=\frac{10}{3}$ 03 ① 04 5

05 $(15, 9)$ 06 $\frac{21}{32}$ 07 4

기출 변형 문제로 단원 마스터 122~125쪽

01 $-\frac{16}{3}$ 02 $\frac{1}{2}$ 03 ② 04 ③ 05 $\frac{120}{119}$ 06 60

07 34 08 ③ 09 36 10 23 11 64 12 ③

13 ②

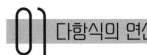

step ❶ 핵심 문제

01 $11x^2-8x+5$	02 ①	03 4	04 $\dfrac{11}{2}$	05 104
06 ②	07 $\dfrac{88\sqrt{2}}{3}\pi$	08 ④	09 ④	10 -2
11 ④				

01 답 $11x^2-8x+5$

$2A-B=2x^2-x$ ······ ㉠

$A-2B=-5x^2+4x-3$ ······ ㉡

㉠$-2\times$㉡을 하면

$3B=12x^2-9x+6$ $\therefore B=4x^2-3x+2$

㉡에서

$A=2B+(-5x^2+4x-3)$

$\quad=2(4x^2-3x+2)+(-5x^2+4x-3)$

$\quad=3x^2-2x+1$

이때 $3(X-B)=X+2A+B$에서

$2X=2A+4B$

$\therefore X=A+2B=(3x^2-2x+1)+2(4x^2-3x+2)$

$\qquad=11x^2-8x+5$

02 답 ①

$(x^4-2x^3+ax^2+5)\{-2x^4+(2a-1)x^3+(2-a)x^2-3\}$의 전개식에서

x^6항은

$x^4\times(2-a)x^2+(-2x^3)\times(2a-1)x^3+ax^2\times(-2x^4)$

$=2x^6-ax^6-4ax^6+2x^6-2ax^6$

$=(-7a+4)x^6$

이때 x^6의 계수가 -17이므로

$-7a+4=-17$ $\therefore a=3$

이를 주어진 다항식에 대입하면

$(x^4-2x^3+3x^2+5)(-2x^4+5x^3-x^2-3)$이므로 이 식의 전개식에서

x^4항은

$x^4\times(-3)+3x^2\times(-x^2)+5\times(-2x^4)=-16x^4$

따라서 x^4의 계수는 -16이다.

03 답 4

$(2x^3+ax+3)(2x^3+ax-1)+5$에서 $2x^3+ax=X$로 놓으면

$(2x^3+ax+3)(2x^3+ax-1)+5$

$=(X+3)(X-1)+5=X^2+2X+2$

$=(2x^3+ax)^2+2(2x^3+ax)+2$

$=(4x^6+4ax^4+a^2x^2)+(4x^3+2ax)+2$

$=4x^6+4ax^4+4x^3+a^2x^2+2ax+2$

이때 x^4의 계수가 -12이므로 $4a=-12$ $\therefore a=-3$

$\therefore (2x^3-3x+3)(2x^3-3x-1)+5$

$\qquad=4x^6-12x^4+4x^3+9x^2-6x+2$

따라서 $b=4,\ c=9,\ d=-6$이므로

$a+b+c+d=-3+4+9+(-6)=4$

04 답 $\dfrac{11}{2}$

$(x-y)^2=x^2+y^2-2xy$이므로

$1=\dfrac{5}{2}-2xy$ $\therefore xy=\dfrac{3}{4}$

$(x+y)^2=x^2+y^2+2xy=\dfrac{5}{2}+2\times\dfrac{3}{4}=4$이므로

$x+y=2$ ($\because x>0,\ y>0$)

$\therefore x^3+y^3=(x+y)^3-3xy(x+y)$

$\qquad=2^3-3\times\dfrac{3}{4}\times2=\dfrac{7}{2}$

$\therefore x^3+x+y^3+y=(x^3+y^3)+(x+y)$

$\qquad=\dfrac{7}{2}+2=\dfrac{11}{2}$

05 답 104

$x^2+\dfrac{1}{x^2}=\left(x+\dfrac{1}{x}\right)^2-2=(-3)^2-2=7$

$x^3+\dfrac{1}{x^3}=\left(x+\dfrac{1}{x}\right)^3-3\left(x+\dfrac{1}{x}\right)$

$\qquad=(-3)^3-3\times(-3)=-18$

$x^4+\dfrac{1}{x^4}=\left(x^2+\dfrac{1}{x^2}\right)^2-2=7^2-2=47$

$\therefore x^4-2x^3+3x^2+\dfrac{3}{x^2}-\dfrac{2}{x^3}+\dfrac{1}{x^4}$

$=x^4+\dfrac{1}{x^4}-2\left(x^3+\dfrac{1}{x^3}\right)+3\left(x^2+\dfrac{1}{x^2}\right)$

$=47-2\times(-18)+3\times7=104$

06 답 ②

$100=a$로 놓으면

$96^3+104^3=(a-4)^3+(a+4)^3$

$\qquad=(a^3-12a^2+48a-64)+(a^3+12a^2+48a+64)$

$\qquad=2a^3+96a=a(2a^2+96)$

$\qquad=100(20000+96)$

$\qquad=2009600$

따라서 구하는 각 자리 숫자의 합은

$2+9+6=17$

07 답 $\dfrac{88\sqrt{2}}{3}\pi$

서로 외접하는 두 구 S_1, S_2의 반지름의 길이를 각각 r_1, $r_2\,(r_1>r_2)$라 하면 두 구의 중심 사이의 거리가 $2\sqrt{3}$이므로

$r_1+r_2=2\sqrt{3}$

두 구의 겉넓이의 합이 40π이므로

$4\pi r_1^2+4\pi r_2^2=40\pi$ $\therefore r_1^2+r_2^2=10$ ············· 배점 **20%**

$r_1^2+r_2^2=(r_1+r_2)^2-2r_1r_2$이므로

$10=(2\sqrt{3})^2-2r_1r_2$ $\therefore r_1r_2=1$ ············· 배점 **20%**

이때 $(r_1-r_2)^2=(r_1+r_2)^2-4r_1r_2=(2\sqrt{3})^2-4\times1=8$이므로

$r_1-r_2=2\sqrt{2}$ ($\because r_1>r_2$) ············· 배점 **20%**

$\therefore r_1^3-r_2^3=(r_1-r_2)^3+3r_1r_2(r_1-r_2)$

$\qquad=(2\sqrt{2})^3+3\times1\times2\sqrt{2}=22\sqrt{2}$ ············· 배점 **20%**

따라서 두 구 S_1, S_2의 부피의 차는

$\dfrac{4}{3}\pi r_1^3-\dfrac{4}{3}\pi r_2^3=\dfrac{4}{3}\pi(r_1^3-r_2^3)=\dfrac{88\sqrt{2}}{3}\pi$ ············· 배점 **20%**

08 답 ④

세 모서리 AB, BC, BF의 길이를 각각 a, b, c라 하면 직육면체의 겉넓이가 148이므로

$2(ab+bc+ca)=148$

직육면체의 모든 모서리의 길이의 합이 60이므로

$4(a+b+c)=60$

$\therefore a+b+c=15$

$\therefore \overline{BG}^2+\overline{GD}^2+\overline{DB}^2=(b^2+c^2)+(a^2+c^2)+(a^2+b^2)$
$=2(a^2+b^2+c^2)$
$=2\{(a+b+c)^2-2(ab+bc+ca)\}$
$=2(15^2-148)$
$=154$

09 답 ④

$$
\begin{array}{r}
4x+(a+4) \\
x^2-x+1\overline{\smash{\big)}\,4x^3+\quad ax^2+\quad bx+a} \\
\underline{4x^3-\quad 4x^2+\quad 4x} \\
(a+4)x^2+(b-4)x+a \\
\underline{(a+4)x^2-(a+4)x+a+4} \\
(a+b)x-4
\end{array}
$$

이때 나머지가 ab이므로

$a+b=0$, $ab=-4$

$\therefore a^2+b^2=(a+b)^2-2ab=8$

10 답 -2

$f(x)$를 x^2+x+1로 나누었을 때의 몫이 $Q_1(x)$, 나머지가 $3x+2$이므로

$f(x)=(x^2+x+1)Q_1(x)+3x+2$ ...... ㉠

$Q_1(x)$를 x^2-x+1로 나누었을 때의 몫이 $(x-1)Q_2(x)$, 나머지가 $2x-3$이므로

$Q_1(x)=(x^2-x+1)(x-1)Q_2(x)+2x-3$ ...... ㉡

㉡을 ㉠에 대입하면

$f(x)=(x^2+x+1)\{(x^2-x+1)(x-1)Q_2(x)+2x-3\}+3x+2$
$=(x-1)(x^2+x+1)(x^2-x+1)Q_2(x)$
$\qquad\qquad +(2x-3)(x^2+x+1)+3x+2$
$=(x^3-1)(x^2-x+1)Q_2(x)+(2x-2-1)(x^2+x+1)+3x+2$
$=(x^3-1)(x^2-x+1)Q_2(x)$
$\qquad\qquad +2(x-1)(x^2+x+1)-(x^2+x+1)+3x+2$
$=(x^3-1)\{(x^2-x+1)Q_2(x)+2\}-x^2+2x+1$

따라서 $R(x)=-x^2+2x+1$이므로

$R(-1)=-1-2+1=-2$

11 답 ④

조립제법을 이용하여 $3x^3-7x^2+5x+1$을 $x-\dfrac{1}{3}$로 나누면

$$
\begin{array}{r|rrrr}
\frac{1}{3} & 3 & -7 & 5 & 1 \\
& & 1 & -2 & 1 \\
\hline
& 3 & -6 & 3 & \boxed{2}
\end{array}
$$

$\therefore 3x^3-7x^2+5x+1=\left(x-\dfrac{1}{3}\right)(3x^2-6x+3)+2$
$\qquad\qquad\qquad\qquad =(3x-1)(x^2-2x+1)+2$

따라서 $f(x)=3x^2-6x+3$, $g(x)=x^2-2x+1$이므로

$f(2)+g(2)=(12-12+3)+(4-4+1)=4$

step ② 고난도 문제 | 22~25쪽

01 $-x^2+xy+\dfrac{1}{3}y^2$		02 ⑤	03 4	04 ①	
05 ③	06 $218\sqrt{2}$	07 $5\sqrt{5}$	08 $\dfrac{49}{4}$	09 ②	
10 6	11 ④	12 6	13 9	14 52π	15 ②
16 ②	17 x^2+1	18 26	19 ㄴ		
20 몫: $8x^2+14x+8$, 나머지: 1					

01 답 $-x^2+xy+\dfrac{1}{3}y^2$

$(A+2B)+(2B+3C)+(3C+A)$
$=(3x^2-xy+y^2)+(-4x^2+2xy-y^2)+(x^2+3xy+4y^2)$
$=4xy+4y^2$

따라서 $A+2B+3C=2xy+2y^2$이므로

$3C=2xy+2y^2-(A+2B)$
$=2xy+2y^2-(3x^2-xy+y^2)$
$=-3x^2+3xy+y^2$

$\therefore C=-x^2+xy+\dfrac{1}{3}y^2$

다른 풀이

$A+2B=3x^2-xy+y^2$ ...... ㉠
$2B+3C=-4x^2+2xy-y^2$ ...... ㉡
$3C+A=x^2+3xy+4y^2$ ...... ㉢

㉠-㉡을 하면

$A-3C=7x^2-3xy+2y^2$ ...... ㉣

㉢-㉣을 하면

$6C=-6x^2+6xy+2y^2$

$\therefore C=-x^2+xy+\dfrac{1}{3}y^2$

02 답 ⑤

$\overline{OC}=a$, $\overline{CD}=b$라 하면

$\overline{DA}=2a$, $\overline{AB}=b$, $\overline{BO}=a$

㈎에서 $\overline{OC}+\overline{CD}=x+y+3$이므로

$a+b=x+y+3$ ...... ㉠

㈏에서 $\overline{DA}+\overline{AB}+\overline{BO}=3x+y+5$이므로

$2a+b+a=3x+y+5$

$\therefore 3a+b=3x+y+5$ ...... ㉡

㉡-㉠을 하면

$2a=2x+2$ $\therefore a=x+1$

이를 ㉠에 대입하면

$x+1+b=x+y+3$ $\therefore b=y+2$

따라서 직사각형 ABCD의 넓이는

$\overline{AD}\times\overline{AB}=2ab=2(x+1)(y+2)$

03 답 4

(개)에서 $(x-4)(2y-4)(3z-4)=0$이므로

$(2xy-4x-8y+16)(3z-4)=0$

$6xyz-8xy-12xz+16x-24yz+32y+48z-64=0$

$\therefore 6xyz-4(2xy+6yz+3zx)+16(x+2y+3z)-64=0$ ······ ㉠

(나)에서 $\dfrac{1}{x}+\dfrac{1}{2y}+\dfrac{1}{3z}=\dfrac{1}{4}$

양변에 $6xyz$를 곱하면

$2xy+6yz+3zx=\dfrac{3}{2}xyz$

이를 ㉠에 대입하면

$6xyz-4\times\dfrac{3}{2}xyz+16(x+2y+3z)-64=0$

$16(x+2y+3z)-64=0$

$16(x+2y+3z)=64$

$\therefore x+2y+3z=4$

비법 NOTE

x, y, z 중 적어도 하나가 a이다.

➡ $(x-a)(y-a)(z-a)=0$이 성립함을 이용하여 식을 세운다.

---

04 답 ①

정오각형의 한 내각의 크기는

$\dfrac{180^\circ\times3}{5}=108^\circ$ ⟶ (정n각형의 한 내각의 크기)$=\dfrac{180^\circ\times(n-2)}{n}$

삼각형 ABE는 이등변삼각형이고 $\angle$BAE$=108^\circ$이므로

$\angle$ABE$=36^\circ$

삼각형 BCA는 이등변삼각형이고 $\angle$ABC$=108^\circ$이므로

$\angle$BAC$=36^\circ$

$\therefore \angle$EAP$=108^\circ-\angle$BAC$=72^\circ$

또 $\angle$APE$=\angle$BAP$+\angle$ABP$=36^\circ+36^\circ=72^\circ$

즉, 삼각형 APE는 이등변삼각형이므로 $\overline{PE}=\overline{AE}=1$

$\overline{BE}:\overline{PE}=\overline{PE}:\overline{BP}$에서

$x:1=1:(x-1)$

$x(x-1)=1$

$x^2-x-1=0$

$\therefore x=\dfrac{1+\sqrt{5}}{2}$ $(\because x>0)$

$x^2=x+1$

$x^3=x(x+1)=x^2+x=(x+1)+x=2x+1$

$x^4=x(2x+1)=2x^2+x=2(x+1)+x=3x+2$

$x^5=x(3x+2)=3x^2+2x=3(x+1)+2x=5x+3$

$x^6=x(5x+3)=5x^2+3x=5(x+1)+3x=8x+5$

$x^7=x(8x+5)=8x^2+5x=8(x+1)+5x=13x+8$

$x^8=x(13x+8)=13x^2+8x=13(x+1)+8x=21x+13$

$\therefore 1-x+x^2-x^3+x^4-x^5+x^6-x^7+x^8$

$\quad=1-x+(x+1)-(2x+1)+(3x+2)-(5x+3)$
$\qquad\qquad\qquad\qquad +(8x+5)-(13x+8)+(21x+13)$

$\quad=12x+10$

$\quad=12\times\dfrac{1+\sqrt{5}}{2}+10$

$\quad=16+6\sqrt{5}$

따라서 $p=16$, $q=6$이므로 $p+q=22$

---

05 답 ③

$(a+b)^3=a^3+b^3+3ab(a+b)$이므로

$1=4+3ab$ $\therefore ab=-1$ ······ ㉠

$a+b=1$에서

$b=1-a$ ······ ㉡

$a=1-b$ ······ ㉢

㉡을 ㉠에 대입하면 $a(1-a)=-1$ $\therefore a^2=a+1$

㉢을 ㉠에 대입하면 $b(1-b)=-1$ $\therefore b^2=b+1$

$\therefore 5a^6+8b^5=5(a^2)^3+8b(b^2)^2$

$\qquad\qquad=5(a+1)^3+8b(b+1)^2$

$\qquad\qquad=5(a^3+3a^2+3a+1)+8b(b^2+2b+1)$

$\qquad\qquad=5\{a(a+1)+3(a+1)+3a+1\}+8b\{(b+1)+2b+1\}$

$\qquad\qquad=5(a^2+7a+4)+8b(3b+2)$

$\qquad\qquad=5\{(a+1)+7a+4\}+24b^2+16b$

$\qquad\qquad=5(8a+5)+24(b+1)+16b$

$\qquad\qquad=40(a+b)+49$

$\qquad\qquad=40\times1+49=89$

---

06 답 $218\sqrt{2}$

$x^2+(\sqrt{2}y)^2=(x+\sqrt{2}y)^2-2\sqrt{2}xy$이므로

$10=(2\sqrt{2})^2-2\sqrt{2}xy$ $\therefore xy=-\dfrac{\sqrt{2}}{2}$

$\therefore x^3+(\sqrt{2}y)^3=(x+\sqrt{2}y)^3-3\sqrt{2}xy(x+\sqrt{2}y)$

$\qquad\qquad=(2\sqrt{2})^3-3\sqrt{2}\times\left(-\dfrac{\sqrt{2}}{2}\right)\times2\sqrt{2}$

$\qquad\qquad=22\sqrt{2}$

$\therefore x^5+4\sqrt{2}y^5=x^5+(\sqrt{2}y)^5$

$\quad=\{x^2+(\sqrt{2}y)^2\}\{x^3+(\sqrt{2}y)^3\}-x^2(\sqrt{2}y)^3-(\sqrt{2}y)^2x^3$

$\quad=\{x^2+(\sqrt{2}y)^2\}\{x^3+(\sqrt{2}y)^3\}-(\sqrt{2}xy)^2(x+\sqrt{2}y)$

$\quad=10\times22\sqrt{2}-\left\{\sqrt{2}\times\left(-\dfrac{\sqrt{2}}{2}\right)\right\}^2\times2\sqrt{2}$

$\quad=218\sqrt{2}$

---

07 답 $5\sqrt{5}$

$x^4+\sqrt{5}x^2-1=0$의 양변을 x^2으로 나누면

$x^2+\sqrt{5}-\dfrac{1}{x^2}=0$, $x^2-\dfrac{1}{x^2}=-\sqrt{5}$

$\therefore \left(x^2+\dfrac{1}{x^2}\right)^2=\left(x^2-\dfrac{1}{x^2}\right)^2+4=(-\sqrt{5})^2+4=9$

이때 $x^2>0$이므로 $x^2+\dfrac{1}{x^2}=3$ ············· 배점 **40%**

$x^2+\dfrac{1}{x^2}=\left(x+\dfrac{1}{x}\right)^2-2$이므로 $3=\left(x+\dfrac{1}{x}\right)^2-2$

$\left(x+\dfrac{1}{x}\right)^2=5$ $\therefore x+\dfrac{1}{x}=\sqrt{5}$ $(\because x>0)$ ········· 배점 **40%**

$\therefore \dfrac{2x^6+x^4+x^2+2}{x^3}=2x^3+x+\dfrac{1}{x}+\dfrac{2}{x^3}$

$\qquad\qquad=2\left(x^3+\dfrac{1}{x^3}\right)+\left(x+\dfrac{1}{x}\right)$

$\qquad\qquad=2\left\{\left(x+\dfrac{1}{x}\right)^3-3\left(x+\dfrac{1}{x}\right)\right\}+\left(x+\dfrac{1}{x}\right)$

$\qquad\qquad=2\left(x+\dfrac{1}{x}\right)^3-5\left(x+\dfrac{1}{x}\right)$

$\qquad\qquad=2(\sqrt{5})^3-5\times\sqrt{5}=5\sqrt{5}$ ············· 배점 **20%**

08 답 $\dfrac{49}{4}$

$\dfrac{1}{a}+\dfrac{1}{b}+\dfrac{1}{c}=2$에서 $\dfrac{ab+bc+ca}{abc}=2$

$\therefore ab+bc+ca=2abc$

이때 $abc=\dfrac{9}{2}$이므로 $ab+bc+ca=9$

$(a+b)(b+c)(c+a)$
$=(a+b)(bc+ab+c^2+ac)$
$=(a+b)(ab+bc+ca)+c^2(a+b)$
$=(a+b)(ab+bc+ca)+c(ac+bc+ab)-abc$
$=(a+b+c)(ab+bc+ca)-abc$

이므로 $45=(a+b+c)\times 9-\dfrac{9}{2}$ $\quad\therefore a+b+c=\dfrac{11}{2}$

$\therefore a^2+b^2+c^2=(a+b+c)^2-2(ab+bc+ca)$
$\qquad\qquad\qquad =\left(\dfrac{11}{2}\right)^2-2\times 9=\dfrac{49}{4}$

09 답 ②

$(a+b+c)^2=a^2+b^2+c^2+2(ab+bc+ca)$이므로
$(a+b+c)^2=10+2\times(-5)=0$

$\therefore a+b+c=0$ $\qquad$ …… ㉠

$a^3+b^3+c^3=(a+b+c)(a^2+b^2+c^2-ab-bc-ca)+3abc$이므로

$6=3abc$ $\qquad\therefore abc=2$

㉠에서 $a+b=-c$, $b+c=-a$, $c+a=-b$이므로

$\dfrac{a^2b^2c^2}{(a+b)(b+c)(c+a)}=\dfrac{a^2b^2c^2}{(-c)\times(-a)\times(-b)}$

$\qquad\qquad\qquad\qquad =\dfrac{a^2b^2c^2}{-abc}=-abc=-2$

10 답 6

$(x+y+z)^2=x^2+y^2+z^2+2(xy+yz+zx)$이고

㈎에서 $x^2+y^2+z^2=-2(xy+yz+zx)$이므로

$(x+y+z)^2=0$ $\quad\therefore x+y+z=0$ $\qquad$ …… ㉠

$x^3+y^3+z^3=(x+y+z)(x^2+y^2+z^2-xy-yz-zx)+3xyz$이고

㈏에서 $x^3+y^3+z^3=-18$이므로

$-18=3xyz$ $\quad\therefore xyz=-6$ $\qquad$ …… ㉡

따라서 세 정수 x, y, z는 ㉠, ㉡을 만족시킨다.

이때 $|x|$, $|y|$, $|z|$는 모두 6의 약수이고, $x+y+z=0$, $xyz<0$이므로 세 정수 x, y, z 중 두 개는 양수이고 한 개는 음수이다.

따라서 $(-3)\times 1\times 2=-6$, $(-3)+1+2=0$이므로 세 정수 x, y, z 의 순서쌍 (x, y, z)는 $(-3, 1, 2)$, $(-3, 2, 1)$, $(1, -3, 2)$, $(1, 2, -3)$, $(2, -3, 1)$, $(2, 1, -3)$의 6개이다.

✦idea 11 답 ④

$a-b=x$, $b-c=y$, $c-a=z$로 놓으면

$(a-b)+(b-c)+(c-a)=0$이므로 $x+y+z=0$

$(a-b)^2+(b-c)^2+(c-a)^2=12$에서 $x^2+y^2+z^2=12$

$x^2+y^2+z^2=(x+y+z)^2-2(xy+yz+zx)$이므로

$12=-2(xy+yz+zx)$ $\quad\therefore xy+yz+zx=-6$

$\therefore (a-b)^2(b-c)^2+(b-c)^2(c-a)^2+(c-a)^2(a-b)^2$
$\quad =x^2y^2+y^2z^2+z^2x^2=(xy+yz+zx)^2-2xyz(x+y+z)$
$\quad =(-6)^2=36$

12 답 6

$x+y+z-(xy+yz+zx)=3$ $\qquad$ …… ㉠
$xy+yz+zx+xyz=-2$ $\qquad$ …… ㉡
$x+y+z-xyz=1$ $\qquad$ …… ㉢

㉠+㉡+㉢을 하면

$2(x+y+z)=2$ $\quad\therefore x+y+z=1$

이를 ㉢에 대입하면 $1-xyz=1$ $\quad\therefore xyz=0$

(i) $x=y=z=0$일 때,

㉠에서 좌변은 0이므로 성립하지 않는다.

(ii) x, y, z의 값 중 2개가 0일 때,

$x=y=0$이라 하면 ㉡에서 좌변은 0이므로 성립하지 않는다.

(iii) x, y, z의 값 중 1개가 0일 때,

$z=0$이라 하면 ㉢에서 $x+y=1$, ㉡에서 $xy=-2$이므로

$(x-y)^2=(x+y)^2-4xy=1^2-4\times(-2)=9$

$\therefore x-y=-3$ 또는 $x-y=3$

$\therefore |(x-y)(y-z)(z-x)|=|(x-y)\times y\times(-x)|$
$\qquad\qquad\qquad\qquad\qquad =|xy||x-y|$
$\qquad\qquad\qquad\qquad\qquad =2\times 3=6$

(i), (ii), (iii)에서 $|(x-y)(y-z)(z-x)|=6$

✦idea 13 답 9

$100=x$로 놓으면

$100.03=100+0.03=10^2+\dfrac{3}{10^2}=x+\dfrac{3}{x}$,

$99.97=100-0.03=10^2-\dfrac{3}{10^2}=x-\dfrac{3}{x}$

$\therefore (100.03)^3-(99.97)^3$

$=\left(x+\dfrac{3}{x}\right)^3-\left(x-\dfrac{3}{x}\right)^3$

$=\left(x^3+9x+\dfrac{27}{x}+\dfrac{27}{x^3}\right)-\left(x^3-9x+\dfrac{27}{x}-\dfrac{27}{x^3}\right)$

$=2\left(9x+\dfrac{27}{x^3}\right)$

$=18x+\dfrac{54}{x^3}$

$=18\times 10^2+\dfrac{54}{10^6}$

$=1800.000054$

따라서 $a=5$, $b=4$이므로 $a+b=9$

다른 풀이

$100.03=x$, $99.97=y$로 놓으면

$x=100+\dfrac{3}{100}=10^2+\dfrac{3}{10^2}$, $y=100-\dfrac{3}{100}=10^2-\dfrac{3}{10^2}$

$\therefore (100.03)^3-(99.97)^3=x^3-y^3$

$\qquad\qquad\qquad\qquad\quad =(x-y)(x^2+xy+y^2)$

$\qquad\qquad\qquad\qquad\quad =(x-y)\{(x+y)^2-xy\}$

$\qquad\qquad\qquad\qquad\quad =\dfrac{6}{10^2}\left\{4\times 10^4-\left(10^4-\dfrac{9}{10^4}\right)\right\}$

$\qquad\qquad\qquad\qquad\quad =\dfrac{6}{10^2}\left(3\times 10^4+\dfrac{9}{10^4}\right)$

$\qquad\qquad\qquad\qquad\quad =18\times 10^2+\dfrac{54}{10^6}$

$\qquad\qquad\qquad\qquad\quad =1800.000054$

따라서 $a=5$, $b=4$이므로 $a+b=9$

14 답 52π

세 원 C_1, C_2, C_3의 반지름의 길이를 각각
a, b, c라 하자.
삼각형 ABC는 $\angle A = 90°$인 직각삼각형이
므로

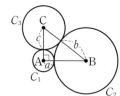

$$\overline{AB}^2 + \overline{AC}^2 = \overline{BC}^2$$
$$(a+b)^2 + (a+c)^2 = (b+c)^2$$
$$a^2 + 2ab + b^2 + a^2 + 2ac + c^2 = b^2 + 2bc + c^2$$
$$2a^2 + 2ab + 2ac = 2bc$$
$$\therefore\ a^2 + ab + ac = bc \qquad \cdots\cdots\ \bigcirc \quad\text{······ 배점 20\%}$$

삼각형 ABC의 넓이가 24이므로
$$\frac{1}{2} \times \overline{AB} \times \overline{AC} = 24$$
$$\frac{1}{2}(a+b)(a+c) = 24,\ (a+b)(a+c) = 48$$
$$\therefore\ a^2 + ac + ba + bc = 48 \qquad \cdots\cdots\ \bigcirc\!\!\!\bigcirc \quad\text{······ 배점 20\%}$$
$\bigcirc$을 $\bigcirc\!\!\!\bigcirc$에 대입하면 $2bc = 48$ $\therefore\ bc = 24$ ······ 배점 20%

두 원 C_2, C_3의 둘레의 길이의 합이 20π이므로
$$2\pi b + 2\pi c = 20\pi \qquad \therefore\ b+c = 10 \quad\text{······ 배점 20\%}$$
따라서 두 원 C_2, C_3의 넓이의 합은
$$\pi b^2 + \pi c^2 = (b^2 + c^2)\pi = \{(b+c)^2 - 2bc\}\pi$$
$$= (10^2 - 2\times 24)\pi = 52\pi \quad\text{······ 배점 20\%}$$

15 답 ②

직사각형 IOHP에서 두 대각선의 길이는 서로 같으므로 $\overline{HI} = \overline{OP} = 4$
$\overline{PH} = x$, $\overline{PI} = y$라 하면 삼각형 PIH는 $\angle IPH = 90°$인 직각삼각형이므로
$$\overline{PH}^2 + \overline{PI}^2 = \overline{IH}^2 \qquad \therefore\ x^2 + y^2 = 16$$
삼각형 PIH의 내접원의 반지름의 길이를 r라 하면 내접원의 넓이가 $\dfrac{\pi}{4}$
이므로
$$\pi r^2 = \frac{\pi}{4},\ r^2 = \frac{1}{4} \qquad \therefore\ r = \frac{1}{2}\ (\because\ r>0)$$
삼각형 PIH의 넓이는 $\dfrac{1}{2}xy = \dfrac{1}{2}r(x+y+4)$이므로
$\quad$└─ 삼각형 PIH의 각 변의 길이의 합이다.
$$xy = \frac{1}{2}(x+y+4),\ x+y+4 = 2xy$$
$$\therefore\ x+y = 2(xy-2) \qquad \cdots\cdots\ \bigcirc$$
한편 $x^2 + y^2 = (x+y)^2 - 2xy$이므로
$$16 = \{2(xy-2)\}^2 - 2xy$$
$$16 = 4(xy)^2 - 18xy + 16$$
$$2(xy)^2 - 9xy = 0,\ xy(2xy-9) = 0$$
이때 $xy \neq 0$이므로 $2xy-9 = 0$
$$\therefore\ xy = \frac{9}{2} \qquad \cdots\cdots\ \bigcirc\!\!\!\bigcirc$$
$\bigcirc\!\!\!\bigcirc$을 $\bigcirc$에 대입하면 $x+y = 2\left(\dfrac{9}{2}-2\right) = 5$
$$\therefore\ \overline{PH}^3 + \overline{PI}^3 = x^3 + y^3 = (x+y)^3 - 3xy(x+y)$$
$$= 5^3 - 3\times\frac{9}{2}\times 5 = \frac{115}{2}$$

개념 NOTE
삼각형 ABC의 내접원의 반지름의 길이를 r라 하면 삼각형
ABC의 넓이 S는
$$S = \frac{1}{2}r(a+b+c)$$

16 답 ②

$\overline{AB} = \overline{AC} + \overline{CB}$이므로 $6 = 2a + 2b$ $\therefore\ a+b = 3$ ······ $\bigcirc$
두 반원 O_1, O_2의 교점을 P_3이
라 하고 두 선분 P_3P_1, P_3P_2를
그으면 삼각형 $P_1P_2P_3$은
$\angle P_1P_3P_2 = 90°$인 직각삼각형
이므로 $\overline{P_1P_2}^2 = \overline{P_1P_3}^2 + \overline{P_2P_3}^2$

$$(a+b)^2 = \left(a+\frac{1}{2}\right)^2 + \left(b+\frac{1}{2}\right)^2$$
$$a^2 + 2ab + b^2 = a^2 + a + \frac{1}{4} + b^2 + b + \frac{1}{4}$$
$$2ab = a+b+\frac{1}{2},\ 2ab = 3+\frac{1}{2}\ (\because\ \bigcirc)$$
$$\therefore\ ab = \frac{7}{4}$$

17 답 x^2+1

평행사변형 ABCD의 넓이를 S라 하면
$$S = \overline{AB} \times \overline{BC} \times \sin 30° = \frac{1}{2} \times \overline{AB} \times \overline{BC}$$
두 삼각형 PAB, PCD의 넓이의 합은 $\dfrac{1}{2}S$이므로
$$\frac{1}{2}S = \frac{1}{4}\times\overline{AB}\times\overline{BC} = \frac{1}{8}\{(2x+1)(2x^3+4x-1)+5\}$$
$$\therefore\ \overline{AB}\times\overline{BC} = \frac{1}{2}\{(2x+1)(2x^3+4x-1)+5\}$$
$$= \frac{1}{2}(4x^4+2x^3+8x^2+2x+4)$$
$$= 2x^4+x^3+4x^2+x+2$$
이때 $\overline{BC} = 2x^2+x+2$이므로
$$\overline{AB} = (2x^4+x^3+4x^2+x+2) \div (2x^2+x+2)$$

$$\begin{array}{r}
x^2 +1 \\
2x^2+x+2\ \overline{)\ 2x^4+x^3+4x^2+x+2} \\
\underline{2x^4+x^3+2x^2} \\
2x^2+x+2 \\
\underline{2x^2+x+2} \\
0
\end{array}$$

따라서 변 AB의 길이는 x^2+1이다.

개념 NOTE
(1) 평행사변형 ABCD의 넓이를 S라 하면
$$S = ab\sin\theta$$
(2) 평행사변형 ABCD에서 내부의 임의의 한 점 P에 대하여
$$\triangle PAB + \triangle PCD = \triangle PBC + \triangle PDA = \frac{1}{2}\square ABCD$$

18 답 26

$f(x)$를 $(x-1)^2$으로 나누었을 때의 몫과 나머지를 $ax+b\,(a, b$는 상수,
$a \neq 0)$라 하면
$$f(x) = (x-1)^2(ax+b) + ax+b \qquad \cdots\cdots\ \bigcirc$$
(가)에서 $f(1) = 2$이므로 $a+b = 2$ $\therefore\ b = 2-a$
이를 $\bigcirc$에 대입하면
$$f(x) = (x-1)^2(ax+2-a) + ax+2-a$$
$$= (x-1)^2\{a(x-1)+2\} + a(x-1)+2$$
$$= a(x-1)^3 + 2(x-1)^2 + a(x-1)+2$$

즉, $f(x)$를 $(x-1)^3$으로 나누었을 때의 나머지 $R(x)$는
$$R(x)=2(x-1)^2+a(x-1)+2$$
이때 $R(0)=R(3)$이므로
$$2-a+2=8+2a+2 \quad \therefore a=-2$$
따라서 $R(x)=2(x-1)^2-2(x-1)+2$이므로
$$R(5)=32-8+2=26$$

19 답 ㄴ

다항식 $P(x)$를 $3x+2$로 나누었을 때의 몫이 $Q(x)$, 나머지가 R이므로
$$P(x)=(3x+2)Q(x)+R$$
ㄱ. $P(x+1)=(3x+5)\times Q(x+1)+R$
$$\qquad\quad =\left(x+\frac{5}{3}\right)\times 3Q(x+1)+R$$

따라서 $P(x+1)$을 $x+\dfrac{5}{3}$로 나누었을 때의 몫은 $3Q(x+1)$이다.

ㄴ. $xP(x)=x(3x+2)Q(x)+Rx$
$$\qquad\quad =\left(x+\frac{2}{3}\right)\times 3xQ(x)+R\left(x+\frac{2}{3}\right)-\frac{2}{3}R$$
$$\qquad\quad =\left(x+\frac{2}{3}\right)\{3xQ(x)+R\}-\frac{2}{3}R$$

따라서 $xP(x)$를 $x+\dfrac{2}{3}$로 나누었을 때의 몫은 $3xQ(x)+R$이다.

ㄷ. $x^2P(x)=x^2(3x+2)Q(x)+Rx^2$
$$\qquad\quad =\left(x+\frac{2}{3}\right)\times 3x^2Q(x)+Rx\left(x+\frac{2}{3}\right)-\frac{2}{3}R\left(x+\frac{2}{3}\right)+\frac{4}{9}R$$
$$\qquad\quad =\left(x+\frac{2}{3}\right)\left\{3x^2Q(x)+Rx-\frac{2}{3}R\right\}+\frac{4}{9}R$$

따라서 $x^2P(x)$를 $x+\dfrac{2}{3}$로 나누었을 때의 나머지는 $\dfrac{4}{9}R$이다.

따라서 보기에서 옳은 것은 ㄴ이다.

idea
20 답 몫: $8x^2+14x+8$, 나머지: 1

$f(x)$를 $g(x)$로 나누었을 때의 나머지가 $g(x)-2x$이므로 $g(x)-2x$의 차수는 $g(x)$의 차수보다 작아야 한다. 따라서 $g(x)$는 최고차항의 계수가 2인 일차식이다.

$g(x)=2x+a$ (a는 상수)라 하면
$$f(x)=g(x)\{g(x)-2x\}+g(x)-2x$$
$$\qquad =(2x+a)\{(2x+a)-2x\}+(2x+a)-2x$$
$$\qquad =2ax+a^2+a$$
이때 $f(x)$의 최고차항의 계수가 2이므로
$$2a=2 \quad \therefore a=1$$
이를 $f(x)$, $g(x)$에 대입하면 $f(x)=2x+2$, $g(x)=2x+1$이므로
$$\{f(x)\}^3+\{g(x)\}^3=(2x+2)^3+(2x+1)^3$$
$$\qquad =(8x^3+24x^2+24x+8)+(8x^3+12x^2+6x+1)$$
$$\qquad =16x^3+36x^2+30x+9$$
조립제법을 이용하여 $16x^3+36x^2+30x+9$를 $2x+1$로 나누면

$$
\begin{array}{r|rrrr}
-\dfrac{1}{2} & 16 & 36 & 30 & 9 \\
 & & -8 & -14 & -8 \\
\hline
 & 16 & 28 & 16 & \,|\,1 \\
\end{array}
$$

$$\therefore 16x^3+36x^2+30x+9=\left(x+\frac{1}{2}\right)(16x^2+28x+16)+1$$
$$\qquad\qquad =(2x+1)(8x^2+14x+8)+1$$
따라서 $16x^3+36x^2+30x+9$를 $2x+1$로 나누었을 때의 몫은 $8x^2+14x+8$이고, 나머지는 1이다.

---

step ❸ 최고난도 문제

01 ⑤	**02** 183	**03** $2\sqrt{2}+2\sqrt{6}$	**04** 37, 52, 157
05 $2\,\mathrm{m}^3$	**06** 30	**07** 14	**08** -2

01 답 ⑤

1단계 $f(n)$ 구하기

$$(1+2x+3x^2+\cdots+nx^{n-1})^2$$
$$=(1+2x+3x^2+\cdots+nx^{n-1})(1+2x+3x^2+\cdots+nx^{n-1})$$
이므로 x^n항은
$$2x\times nx^{n-1}+3x^2\times(n-1)x^{n-2}+4x^3\times(n-2)x^{n-3}$$
$$\qquad\qquad +\cdots+(n-1)x^{n-2}\times 3x^2+nx^{n-1}\times 2x$$
$$=\{2n+3(n-1)+4(n-2)+\cdots+(n-1)\times 3+n\times 2\}x^n$$
$$\therefore f(n)=2n+3(n-1)+4(n-2)+\cdots+(n-1)\times 3+n\times 2$$

2단계 $f(10)-f(9)$의 값 구하기

$$f(10)=2\times 10+3\times 9+4\times 8+\cdots+9\times 3+10\times 2,$$
$$f(9)=2\times 9+3\times 8+4\times 7+\cdots+9\times 2$$
이므로

$$
\begin{array}{r}
f(10)=2\times 10+3\times 9+4\times 8+\cdots+9\times 3+10\times 2 \\
-)\quad f(9)=2\times\ \ 9+3\times 8+4\times 7+\cdots+9\times 2 \\
\hline
f(10)-f(9)=2\times\ \ 1+3\times 1+4\times 1+\cdots+9\times 1+20
\end{array}
$$

$$\therefore f(10)-f(9)=2+3+4+\cdots+9+20$$
$$\qquad\qquad\qquad =64$$

idea
02 답 183

1단계 $B\left(x+\dfrac{1}{3}\right)=A(x)$임을 알기

$B(x)=9x^2-3x+1=(3x)^2-3x+1$이므로
$$B\left(x+\frac{1}{3}\right)=\left\{3\left(x+\frac{1}{3}\right)\right\}^2-3\left(x+\frac{1}{3}\right)+1$$
$$\qquad =(3x+1)^2-(3x+1)+1$$
$$\qquad =(9x^2+6x+1)-3x-1+1$$
$$\qquad =9x^2+3x+1$$
$$\qquad =A(x)$$

2단계 식의 값 구하기

따라서 $B\left(\dfrac{1}{3}\right)=A(0)$, $B\left(\dfrac{2}{3}\right)=A\left(\dfrac{1}{3}\right)$, $B\left(\dfrac{3}{3}\right)=A\left(\dfrac{2}{3}\right)$, $\cdots$,
$B\left(\dfrac{13}{3}\right)=A\left(\dfrac{12}{3}\right)$이므로

$$\frac{A\left(\dfrac{1}{3}\right)\times A\left(\dfrac{2}{3}\right)\times A\left(\dfrac{3}{3}\right)\times\cdots\times A\left(\dfrac{13}{3}\right)}{B\left(\dfrac{1}{3}\right)\times B\left(\dfrac{2}{3}\right)\times B\left(\dfrac{3}{3}\right)\times\cdots\times B\left(\dfrac{13}{3}\right)}$$
$$=\frac{A\left(\dfrac{1}{3}\right)\times A\left(\dfrac{2}{3}\right)\times A\left(\dfrac{3}{3}\right)\times\cdots\times A\left(\dfrac{13}{3}\right)}{A(0)\times A\left(\dfrac{1}{3}\right)\times A\left(\dfrac{2}{3}\right)\times\cdots\times A\left(\dfrac{12}{3}\right)}$$
$$=\frac{A\left(\dfrac{13}{3}\right)}{A(0)}$$
$$=\frac{9\times\left(\dfrac{13}{3}\right)^2+3\times\dfrac{13}{3}+1}{1}$$
$$=183$$

03 답 $2\sqrt{2}+2\sqrt{6}$

1단계 $x+\dfrac{1}{x}$, $x-\dfrac{1}{x}$의 값 구하기

$x>1$이므로 $x+\dfrac{1}{x}>0$, $x-\dfrac{1}{x}>0$

$\left(x+\dfrac{1}{x}\right)^2=x^2+\dfrac{1}{x^2}+2=6+2=8$ $\quad\therefore x+\dfrac{1}{x}=2\sqrt{2}$

$\left(x-\dfrac{1}{x}\right)^2=x^2+\dfrac{1}{x^2}-2=6-2=4$ $\quad\therefore x-\dfrac{1}{x}=2$

2단계 $y+\dfrac{1}{y}$, $y-\dfrac{1}{y}$의 값 구하기

$y>1$이므로 $y+\dfrac{1}{y}>0$, $y-\dfrac{1}{y}>0$

$\left(y+\dfrac{1}{y}\right)^2=y^2+\dfrac{1}{y^2}+2=10+2=12$ $\quad\therefore y+\dfrac{1}{y}=2\sqrt{3}$

$\left(y-\dfrac{1}{y}\right)^2=y^2+\dfrac{1}{y^2}-2=10-2=8$ $\quad\therefore y-\dfrac{1}{y}=2\sqrt{2}$

3단계 $xy+\dfrac{1}{xy}$의 값 구하기

이때 $\left(x+\dfrac{1}{x}\right)\left(y+\dfrac{1}{y}\right)=2\sqrt{2}\times2\sqrt{3}$에서

$xy+\dfrac{x}{y}+\dfrac{y}{x}+\dfrac{1}{xy}=4\sqrt{6}$ $\quad\cdots\cdots\ \bigcirc$

또 $\left(x-\dfrac{1}{x}\right)\left(y-\dfrac{1}{y}\right)=2\times2\sqrt{2}$에서

$xy-\dfrac{x}{y}-\dfrac{y}{x}+\dfrac{1}{xy}=4\sqrt{2}$ $\quad\cdots\cdots\ \bigcirc$

$\bigcirc+\bigcirc$을 하면

$2\left(xy+\dfrac{1}{xy}\right)=4\sqrt{6}+4\sqrt{2}$

$\therefore xy+\dfrac{1}{xy}=2\sqrt{2}+2\sqrt{6}$

04 답 37, 52, 157

1단계 $a-b$, $b-c$의 순서쌍 구하기

$a-b=x$, $b-c=y$로 놓으면 주어진 조건에서 x, y는 $xy=12$를 만족시키는 두 자연수이고 $x<y$이다.

따라서 이를 만족시키는 x, y의 순서쌍 $(x,\ y)$는 $(1,\ 12)$, $(2,\ 6)$, $(3,\ 4)$이다.

2단계 $a^2+b^2+c^2-ab-bc-ca$의 값 구하기

(i) $x=1$, $y=12$일 때,

$a-b=1$, $b-c=12$이므로 $a-c=13$

$\therefore a^2+b^2+c^2-ab-bc-ca=\dfrac{1}{2}\{(a-b)^2+(b-c)^2+(c-a)^2\}$

$=\dfrac{1}{2}\{1^2+12^2+(-13)^2\}=157$

(ii) $x=2$, $y=6$일 때,

$a-b=2$, $b-c=6$이므로 $a-c=8$

$\therefore a^2+b^2+c^2-ab-bc-ca=\dfrac{1}{2}\{(a-b)^2+(b-c)^2+(c-a)^2\}$

$=\dfrac{1}{2}\{2^2+6^2+(-8)^2\}=52$

(iii) $x=3$, $y=4$일 때,

$a-b=3$, $b-c=4$이므로 $a-c=7$

$\therefore a^2+b^2+c^2-ab-bc-ca=\dfrac{1}{2}\{(a-b)^2+(b-c)^2+(c-a)^2\}$

$=\dfrac{1}{2}\{3^2+4^2+(-7)^2\}=37$

(i), (ii), (iii)에서 구하는 식의 값은 37, 52, 157이다.

05 답 $2\,\mathrm{m}^3$

1단계 $a^2+b^2+c^2$의 값 구하기

옷장의 겉넓이가 $12\,\mathrm{m}^2$이므로

$2(ab+bc+ca)=12$ $\quad\therefore ab+bc+ca=6$

옷장의 모든 모서리의 길이의 합이 $20\,\mathrm{m}$이므로

$4(a+b+c)=20$ $\quad\therefore a+b+c=5$

$\therefore a^2+b^2+c^2=(a+b+c)^2-2(ab+bc+ca)$

$=5^2-2\times6=13$

2단계 $a^2b^2+b^2c^2+c^2a^2$, $a^4+b^4+c^4$을 abc를 이용하여 나타내기

이때 $abc=x$로 놓으면

$a^2b^2+b^2c^2+c^2a^2=(ab+bc+ca)^2-2abc(a+b+c)$

$=6^2-2x\times5=36-10x$

$\therefore a^4+b^4+c^4=(a^2+b^2+c^2)^2-2(a^2b^2+b^2c^2+c^2a^2)$

$=13^2-2(36-10x)=97+20x$

3단계 abc의 값 구하기

$\dfrac{a^4+b^4+c^4+7}{a^2b^2+b^2c^2+c^2a^2}=9$에서

$\dfrac{97+20x+7}{36-10x}=9$, $104+20x=324-90x$

$110x=220$ $\quad\therefore x=2$

$\therefore abc=2$

4단계 옷장의 부피 구하기

따라서 옷장의 부피는 $abc=2\,(\mathrm{m}^3)$이다.

06 답 30

1단계 삼각형 ABC의 외심과 무게중심을 이용하여 변의 길이 구하기

그림과 같이 삼각형 ABC의 외심을 O라 하면 외심 O는 삼각형 ABC의 무게중심이다.

삼각형 ABC에서 $\overline{\mathrm{AM}}=\overline{\mathrm{MB}}$, $\overline{\mathrm{AN}}=\overline{\mathrm{NC}}$이므로

$\overline{\mathrm{BC}}=2\overline{\mathrm{MN}}=2x$

선분 BC의 중점을 D라 하면

$\overline{\mathrm{AD}}=\dfrac{\sqrt{3}}{2}\overline{\mathrm{BC}}=\sqrt{3}x$

$\therefore \overline{\mathrm{OP}}=\overline{\mathrm{OA}}=\dfrac{2}{3}\overline{\mathrm{AD}}=\dfrac{2\sqrt{3}}{3}x$

선분 MN의 중점을 H라 하면 $\overline{\mathrm{AH}}=\dfrac{\sqrt{3}}{2}x$

$\therefore \overline{\mathrm{OH}}=\overline{\mathrm{OA}}-\overline{\mathrm{AH}}=\dfrac{2\sqrt{3}}{3}x-\dfrac{\sqrt{3}}{2}x=\dfrac{\sqrt{3}}{6}x$

2단계 직각삼각형 OPH에서 x에 대한 방정식 세우기

직각삼각형 OPH에서 $\overline{\mathrm{PH}}^2+\overline{\mathrm{OH}}^2=\overline{\mathrm{OP}}^2$이므로

$\left(\dfrac{x}{2}+1\right)^2+\left(\dfrac{\sqrt{3}}{6}x\right)^2=\left(\dfrac{2\sqrt{3}}{3}x\right)^2$

$\dfrac{x^2}{4}+x+1+\dfrac{1}{12}x^2=\dfrac{4}{3}x^2$

$x^2-x-1=0$

3단계 $10\left(x^2+\dfrac{1}{x^2}\right)$의 값 구하기

양변을 x로 나누면

$x-1-\dfrac{1}{x}=0$ $\quad\therefore x-\dfrac{1}{x}=1$

$\therefore 10\left(x^2+\dfrac{1}{x^2}\right)=10\left\{\left(x-\dfrac{1}{x}\right)^2+2\right\}$

$=10(1+2)=30$

다른 풀이

삼각형 ABC에서 $\overline{AM}=\overline{MB}$, $\overline{AN}=\overline{NC}$이므로

$\overline{BC}=2\overline{MN}=2x$

이때 $\overline{AC}=\overline{BC}=2x$이므로

$\overline{AN}=\overline{NC}=x$

반직선 NM이 삼각형 ABC의 외접원과 만나는 점을 Q, 원의 중심 O에서 현 QP에 내린 수선의 발을 H라 하면 $\overline{QH}=\overline{HP}$이므로

$\overline{QM}=\overline{QH}-\overline{MH}=\overline{HP}-\overline{HN}=\overline{NP}=1$

$\therefore \overline{QN}=1+x$

삼각형 AQN과 삼각형 PCN에서

$\angle AQN=\angle PCN$, $\angle ANQ=\angle PNC$이므로 ── 호 AP에 대하여
$\triangle AQN \sim \triangle PCN$ (AA 닮음) $\quad\quad\quad\angle AQP=\angle ACP$이므로
$\angle AQN=\angle PCN$

따라서 $\overline{QN}:\overline{CN}=\overline{AN}:\overline{PN}$이므로

$(1+x):x=x:1$

$1+x=x^2$, $x^2-x-1=0$

양변을 x로 나누면

$x-1-\dfrac{1}{x}=0$ $\quad\therefore x-\dfrac{1}{x}=1$

$\therefore 10\left(x^2+\dfrac{1}{x^2}\right)=10\left\{\left(x-\dfrac{1}{x}\right)^2+2\right\}$

$=10(1+2)=30$

개념 NOTE

• 다음의 각 경우에 두 삼각형 ABC, A′B′C′은 서로 닮음이다.

(1) 대응하는 세 변의 길이의 비가 같을 때 (SSS 닮음)
➡ $a:a'=b:b'=c:c'$

(2) 대응하는 두 변의 길이의 비가 같고, 그 끼인각의 크기가 같을 때 (SAS 닮음)
➡ $a:a'=c:c'$, $\angle B=\angle B'$

(3) 대응하는 두 각의 크기가 각각 같을 때 (AA 닮음)
➡ $\angle B=\angle B'$, $\angle C=\angle C'$

• 원에서 한 호에 대한 원주각의 크기는 모두 같다.
$\angle APB=\angle AQB$

---

07 답 14

1단계 선분 P_1P_2의 길이에 대한 식 세우기

$\overline{AP_1}=a$, $\overline{P_1P_2}=b$, $\overline{P_2B}=c$라 하면

$a+b+c=12$

$\therefore b=12-(a+c)$ ...... ㉠

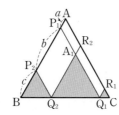

2단계 삼각형 ABC와 색칠한 세 삼각형이 닮음임을 이용하여 색칠한 부분의 넓이에 대한 식 세우기

두 선분 P_1Q_1, Q_2R_2의 교점을 A_1이라 하면

$\triangle ABC \sim \triangle P_2BQ_2 \sim \triangle A_1Q_2Q_1 \sim \triangle R_1Q_1C$이므로 닮음비는

$12:c:b:a$

따라서 넓이의 비는 $12^2:c^2:b^2:a^2$

네 삼각형 ABC, P_2BQ_2, $A_1Q_2Q_1$, R_1Q_1C의 넓이를 각각 12^2k, c^2k, b^2k, $a^2k\,(k>0)$라 하면 색칠한 부분의 넓이가 삼각형 ABC의 넓이의 $\dfrac{1}{2}$이므로

$\dfrac{1}{2}\times 12^2k=c^2k+b^2k+a^2k$ $\quad\therefore a^2+b^2+c^2=72$

3단계 $2\overline{P_1P_2}$의 값 구하기

$(a+b+c)^2=a^2+b^2+c^2+2(ab+bc+ca)$이므로

$12^2=72+2(ab+bc+ca)$ $\quad\therefore ab+bc+ca=36$

$\overline{AP_1}\times\overline{P_2B}=1$에서 $ac=1$이므로

$ab+bc=35$ $\quad\therefore b(a+c)=35$ ...... ㉡

㉠을 ㉡에 대입하면 $\{12-(a+c)\}(a+c)=35$

$a+c=t$로 놓으면 $(12-t)t=35$

$t^2-12t+35=0$, $(t-5)(t-7)=0$ $\quad\therefore t=5\ (\because a+c\leq 6)$

즉, $a+c=5$이므로 $b=12-(a+c)=12-5=7$

$\therefore 2\overline{P_1P_2}=2b=2\times 7=14$

---

08 답 -2

1단계 $g(x)$의 차수 알기

㈎에서 $4x^3+2x^2+2x-1$을 $f(x)$로 나누었을 때의 몫을 $Q_1(x)$라 하면 나머지가 $g(x)$이므로

$4x^3+2x^2+2x-1=f(x)Q_1(x)+g(x)$ ...... ㉠

이때 $f(x)$가 이차식이므로 나머지 $g(x)$는 1차 이하의 다항식이다.

2단계 $-2x^2+x+1+f(x)$가 상수임을 알기

㈏에서 $4x^3+2x^2+2x-1$을 $g(x)$로 나누었을 때의 몫을 $Q_2(x)$라 하면 나머지가 $-2x^2+x+1+f(x)$이므로

$4x^3+2x^2+2x-1=g(x)Q_2(x)-2x^2+x+1+f(x)$

이때 $g(x)$가 1차 이하의 다항식이므로 나머지 $-2x^2+x+1+f(x)$는 상수이다.

3단계 $f(x)$, $g(x)$ 구하기

따라서 $-2x^2+x+1+f(x)=a\,(a$는 상수$)$라 하고, $a-1=k$로 놓으면

$f(x)=2x^2-x+k$

$4x^3+2x^2+2x-1$을 $f(x)=2x^2-x+k$로 나누면

$$
\begin{array}{r}
2x+2 \\
2x^2-x+k\,\overline{)\,4x^3+2x^2+2x-1} \\
\underline{4x^3-2x^2+2kx} \\
4x^2+(2-2k)x-1 \\
\underline{4x^2-2x+2k} \\
(4-2k)x-1-2k
\end{array}
$$

이때 나머지가 $(4-2k)x-1-2k$이므로 ㉠에서

$g(x)=(4-2k)x-1-2k$

4단계 $f(x)+g(x)$를 $x+\dfrac{1}{2}$로 나누었을 때의 나머지 구하기

$\therefore f(x)+g(x)=2x^2-x+k+(4-2k)x-1-2k$

$=2x^2+(3-2k)x-1-k$

조립제법을 이용하여 $2x^2+(3-2k)x-1-k$를 $x+\dfrac{1}{2}$로 나누면

$$
\begin{array}{r|rrr}
-\dfrac{1}{2} & 2 & 3-2k & -1-k \\
& & -1 & -1+k \\
\hline
& 2 & 2-2k & \boxed{-2}
\end{array}
$$

따라서 구하는 나머지는 -2이다.

step ❶ 핵심 문제 | 28~29쪽

01 ③	02 $\dfrac{19}{16}$	03 -9	04 $-x^2+x+2$	05 $\dfrac{5}{2}$
06 ②	07 $4x$	08 ①	09 9	10 ④	11 ④
12 171				

01 답 ③

주어진 등식의 양변에 $x=2$를 대입하면
$$4^{50}=a_0+2a_1+2^2a_2+2^3a_3+\cdots+2^{99}a_{99}+2^{100}a_{100} \quad \cdots\cdots ㉠$$
주어진 등식의 양변에 $x=-2$를 대입하면
$$0=a_0-2a_1+2^2a_2-2^3a_3+\cdots-2^{99}a_{99}+2^{100}a_{100} \quad \cdots\cdots ㉡$$
㉠$-$㉡을 하면
$$\begin{aligned}4^{50}&=2(2a_1+2^3a_3+2^5a_5+\cdots+2^{99}a_{99})\\&=4(a_1+4a_3+4^2a_5+\cdots+4^{49}a_{99})\end{aligned}$$
$$\therefore a_1+4a_3+4^2a_5+\cdots+4^{49}a_{99}=4^{49}=2^{98}$$

02 답 $\dfrac{19}{16}$

$f(x)=ax+b\,(a,\ b$는 상수, $a\neq0)$라 하면
$$f(4x^2+x)=a(4x^2+x)+b=4ax^2+ax+b,$$
$$\begin{aligned}\{f(2x-1)\}^2+k&=\{a(2x-1)+b\}^2+k\\&=\{2ax+(b-a)\}^2+k\\&=4a^2x^2+4a(b-a)x+(b-a)^2+k\end{aligned}$$
$f(4x^2+x)=\{f(2x-1)\}^2+k$에서
$$4ax^2+ax+b=4a^2x^2+4a(b-a)x+(b-a)^2+k$$
이 등식이 x에 대한 항등식이므로
$$4a=4a^2 \quad \cdots\cdots ㉠$$
$$a=4a(b-a) \quad \cdots\cdots ㉡$$
$$b=(b-a)^2+k \quad \cdots\cdots ㉢$$
㉠에서 $a\neq0$이므로 $a=1$
이를 ㉡에 대입하면
$$1=4(b-1),\ 4b=5 \quad \therefore b=\dfrac{5}{4}$$
$a=1,\ b=\dfrac{5}{4}$를 ㉢에 대입하면
$$k=b-(b-a)^2=\dfrac{5}{4}-\left(\dfrac{5}{4}-1\right)^2=\dfrac{19}{16}$$

03 답 -9

주어진 등식이 x에 대한 항등식이므로
양변에 $x=-1$을 대입하면 $a=3$
양변에 $x=2$를 대입하면 $a+3b=-21$
$3+3b=-21\,(\because a=3) \quad \therefore b=-8$
양변에 $x=0$을 대입하면 $a+b-2c-2d=3$
$3-8-2c-2d=3\,(\because a=3,\ b=-8) \quad \therefore c+d=-4 \quad \cdots\cdots ㉠$
한편 최고차항의 계수를 비교하면 $d=2$
이를 ㉠에 대입하여 풀면 $c=-6$
$$\therefore a+b+c+d=3+(-8)+(-6)+2=-9$$

04 답 $-x^2+x+2$

$f(x)$를 $(x^2+1)(x-1)$로 나누었을 때의 몫을 $Q(x)$, 나머지를 $R(x)=ax^2+bx+c\,(a,\ b,\ c$는 상수)라 하면
$$f(x)=(x^2+1)(x-1)Q(x)+ax^2+bx+c \quad \cdots\cdots ㉠ \quad\text{····· 배점 30\%}$$
$f(x)$를 x^2+1로 나누었을 때의 나머지 $x+3$은 ax^2+bx+c를 x^2+1로 나누었을 때의 나머지와 같으므로
$$ax^2+bx+c=a(x^2+1)+x+3 \quad \cdots\cdots ㉡$$
㉡을 ㉠에 대입하면
$$f(x)=(x^2+1)(x-1)Q(x)+a(x^2+1)+x+3 \quad\text{····· 배점 30\%}$$
한편 $f(x)$를 $x-1$로 나누었을 때의 나머지가 2이므로 $f(1)=2$에서
$$2a+4=2 \quad \therefore a=-1 \quad\text{····· 배점 30\%}$$
따라서 구하는 나머지는
$$-(x^2+1)+x+3=-x^2+x+2 \quad\text{····· 배점 10\%}$$

05 답 $\dfrac{5}{2}$

$f(x)$를 x^2-3x로 나누었을 때의 몫을 $Q_1(x)$라 하면 나머지가 $(a-2)x+a$이므로
$$f(x)=(x^2-3x)Q_1(x)+(a-2)x+a$$
양변에 $x=3$을 대입하면
$$f(3)=3(a-2)+a=4a-6 \quad \cdots\cdots ㉠$$
$f(x+4)$를 $x+1$로 나누었을 때의 몫을 $Q_2(x)$라 하면 나머지가 $2a-1$이므로
$$f(x+4)=(x+1)Q_2(x)+2a-1$$
양변에 $x=-1$을 대입하면
$$f(3)=2a-1 \quad \cdots\cdots ㉡$$
㉠, ㉡에서 $4a-6=2a-1$
$$\therefore a=\dfrac{5}{2}$$

다른 풀이

$f(x)$를 x^2-3x로 나누었을 때의 몫을 $Q(x)$라 하면 나머지가 $(a-2)x+a$이므로
$$\begin{aligned}f(x)&=(x^2-3x)Q(x)+(a-2)x+a\\&=x(x-3)Q(x)+(a-2)x+a\end{aligned}$$
$$\begin{aligned}\therefore f(x+4)&=(x+4)(x+1)Q(x+4)+(a-2)(x+4)+a\\&=(x+4)(x+1)Q(x+4)+(a-2)(x+1)+3(a-2)+a\\&=(x+1)\{(x+4)Q(x+4)+a-2\}+4a-6\end{aligned}$$
이때 $f(x+4)$를 $x+1$로 나누었을 때의 나머지가 $2a-1$이므로
$$4a-6=2a-1$$
$$\therefore a=\dfrac{5}{2}$$

06 답 ②

$x^{10}-1$을 $(x-1)^2$으로 나누었을 때의 몫을 $Q(x)$, 나머지를 $R(x)=ax+b\,(a,\ b$는 상수)라 하면
$$x^{10}-1=(x-1)^2Q(x)+ax+b \quad \cdots\cdots ㉠$$
양변에 $x=1$을 대입하면
$$0=a+b \quad \therefore b=-a$$
이를 ㉠에 대입하면
$$\begin{aligned}x^{10}-1&=(x-1)^2Q(x)+a(x-1)\\&=(x-1)\{(x-1)Q(x)+a\} \quad \cdots\cdots ㉡\end{aligned}$$

조립제법을 이용하여 $x^{10}-1$을 $x-1$로 나누면

```
1 | 1  0  0  0  0  0  0  0  0  0  -1
  |    1  1  1  1  1  1  1  1  1   1
  ---------------------------------
    1  1  1  1  1  1  1  1  1  1 | 0
```

$\therefore x^{10}-1=(x-1)(x^9+x^8+x^7+\cdots+x+1)$ ...... ㉢

㉡, ㉢에서

$(x-1)\{(x-1)Q(x)+a\}=(x-1)(x^9+x^8+x^7+\cdots+x+1)$

양변을 $x-1$로 나누면

$(x-1)Q(x)+a=x^9+x^8+x^7+\cdots+x+1$

양변에 $x=1$을 대입하면 $a=10$ $\therefore b=-10$

따라서 $R(x)=10x-10$이므로

$R(3)=30-10=20$

07 답 $4x$

$f(x)$가 x^2+x, 즉 $x(x+1)$로 나누어떨어지므로

$f(-1)=0, f(0)=0$

$f(-1)=0$에서 $-1+b=0$ $\therefore b=1$

$f(0)=0$에서 $2+a+b=0$

$a+b=-2$ $\therefore a=-3 \ (\because b=1)$

$\therefore f(x)=x^3+2(x+1)^2-3(x+1)+1$ ...... ㉠

$f(x)$를 x^2+2x-3, 즉 $(x+3)(x-1)$로 나누었을 때의 몫을 $Q(x)$, 나머지를 $cx+d \ (c, d$는 상수$)$라 하면

$f(x)=(x+3)(x-1)Q(x)+cx+d$

양변에 $x=-3, x=1$을 각각 대입하면

$f(-3)=-3c+d, f(1)=c+d$

이때 ㉠에서 $f(-3)=-27+8+6+1=-12, f(1)=1+8-6+1=4$ 이므로

$-3c+d=-12, c+d=4$

두 식을 연립하여 풀면 $c=4, d=0$

따라서 구하는 나머지는 $4x$이다.

08 답 ①

$a^2(b-c)+b^2(a-c)+c^2(a+b)-2abc$

$=(b-c)a^2+(b^2-2bc+c^2)a-bc(b-c)$

$=(b-c)a^2+(b-c)^2a-bc(b-c)$

$=(b-c)\{a^2+(b-c)a-bc\}$

$=(b-c)(a+b)(a-c)$

따라서 $a^2(b-c)+b^2(a-c)+c^2(a+b)-2abc$의 인수인 것은 ①이다.

09 답 9

$x^2+2y^2-3xy+ax-6y-8$

$=x^2+(a-3y)x+2(y^2-3y-4)$

$=x^2+(a-3y)x+2(y-4)(y+1)$

(i) $2(y-4)(y+1)=\{-2(y-4)\}\times\{-(y+1)\}$일 때,

$-2(y-4)+\{-(y+1)\}=a-3y$에서

$7-3y=a-3y$ $\therefore a=7$

(ii) $2(y-4)(y+1)=\{-(y-4)\}\times\{-2(y+1)\}$일 때,

$-(y-4)+\{-2(y+1)\}=a-3y$에서

$2-3y=a-3y$ $\therefore a=2$

(i), (ii)에서 모든 상수 a의 값의 합은

$7+2=9$

10 답 ④

(나)에서 $\{f(x+1)\}^2=(x-1)(x+1)(x^2+5)+9$이므로 이 식에 x 대신 $x-1$을 대입하면

$\{f(x)\}^2=x(x-2)(x^2-2x+6)+9=(x^2-2x)(x^2-2x+6)+9$

$x^2-2x=X$로 놓으면

$(x^2-2x)(x^2-2x+6)+9=X(X+6)+9$

$\qquad =X^2+6X+9$

$\qquad =(X+3)^2$

$\qquad =(x^2-2x+3)^2$

(가)에서 $f(x)<0$이므로

$f(x)=-x^2+2x-3$

$\therefore f(x+a)=-(x+a)^2+2(x+a)-3$ ...... ㉠

한편 $f(x+a)$를 $x-2$로 나누었을 때의 몫을 $Q(x)$라 하면 나머지가 -6이므로

$f(x+a)=(x-2)Q(x)-6$ ...... ㉡

㉠, ㉡에서

$-(x+a)^2+2(x+a)-3=(x-2)Q(x)-6$

양변에 $x=2$를 대입하면

$-(2+a)^2+2(2+a)-3=-6$

$a^2+2a-3=0$

$(a+3)(a-1)=0$

$\therefore a=-3$ 또는 $a=1$

따라서 모든 상수 a의 값의 곱은

$-3\times1=-3$

11 답 ④

$n^4-35n^2+25=(n^4-10n^2+25)-25n^2$

$\qquad =(n^2-5)^2-(5n)^2$

$\qquad =(n^2-5n-5)(n^2+5n-5)$

이때 n이 자연수이고 $n^2-5n-5<n^2+5n-5$이므로 n^4-35n^2+25의 값이 소수가 되려면 $n^2-5n-5=1$, n^2+5n-5는 소수이어야 한다.

즉, $n^2-5n-6=0$이므로

$(n+1)(n-6)=0$

$\therefore n=6 \ (\because n$은 자연수$)$

$n=6$일 때,

$n^4-35n^2+25=(n^2-5n-5)(n^2+5n-5)$

$\qquad =1\times(6^2+5\times6-5)$

$\qquad =61$

따라서 $a=6, p=61$이므로

$a+p=67$

12 답 171

$60=x$로 놓으면

$60\times57\times54-7\times60+21=x(x-3)(x-6)-7x+21$

$\qquad =x(x-3)(x-6)-7(x-3)$

$\qquad =(x-3)\{x(x-6)-7\}$

$\qquad =(x-3)(x^2-6x-7)$

$\qquad =(x-3)(x-7)(x+1)$

$\qquad =57\times53\times61$

$\therefore a+b+c=57+53+61=171$

01 ②	02 $a=-2$, $b=-3$	03 40	04 22
05 14	06 34	07 74	08 12	09 -8
10 x^2+3x-2	11 5	12 ③	13 24	14 ②
15 54	16 $11x+4$	17 ①	18 ⑤	19 ④
20 6	21 ③	22 -6	23 20	24 17	25 ⑤
26 34	27 5	28 $ab+bc+ca$	

01 답 ②

$(x^2-x)(x^2-x+3)+k(x^2-x)+8=(x^2-x+a)(x^2-x+b)$에서

$x^2-x=X$로 놓으면

$X(X+3)+kX+8=(X+a)(X+b)$

$X^2+(k+3)X+8=X^2+(a+b)X+ab$

$\therefore k+3=a+b$ ······ ㉠

$ab=8$ ······ ㉡

이때 a, b $(a<b)$가 자연수이므로 ㉡에서

$a=1$, $b=8$ 또는 $a=2$, $b=4$

㉠에서 $k=a+b-3$이므로

$k=6$ 또는 $k=3$

따라서 모든 상수 k의 값의 합은

$6+3=9$

02 답 $a=-2$, $b=-3$

$2x^2+y=1$에서 $y=1-2x^2$ ······ ㉠

$\dfrac{ax+by+1}{2x+3y-1}=k(k\neq0)$로 놓으면

$ax+by+1=k(2x+3y-1)$

㉠을 대입하면

$ax+b(1-2x^2)+1=k\{2x+3(1-2x^2)-1\}$

$-2bx^2+ax+b+1=-6kx^2+2kx+2k$

이 등식이 x에 대한 항등식이므로

$-2b=-6k$, $a=2k$, $b+1=2k$

$\therefore a=2k$, $b=3k$, $b=2k-1$

이때 $3k=2k-1$에서 $k=-1$

$\therefore a=-2$, $b=-3$

다른 풀이

$2x^2+y=1$에서 $y=1-2x^2$이므로

$\dfrac{ax+by+1}{2x+3y-1}=\dfrac{ax+b(1-2x^2)+1}{2x+3(1-2x^2)-1}$

$=\dfrac{-2bx^2+ax+b+1}{-6x^2+2x+2}$

실수 x의 값에 관계없이 $\dfrac{ax+by+1}{2x+3y-1}$의 값이 항상 일정하므로

$\dfrac{-2b}{-6}=\dfrac{a}{2}=\dfrac{b+1}{2}$, $\dfrac{b}{3}=\dfrac{a}{2}=\dfrac{b+1}{2}$

따라서 $\dfrac{b}{3}=\dfrac{b+1}{2}$에서

$2b=3b+3$ $\therefore b=-3$

$\dfrac{b}{3}=\dfrac{a}{2}$에서 $a=-2$

03 답 40

다항식 $f(x)=a_0+a_1x+\cdots+a_nx^n$의 모든 계수와 상수항의 합은

$f(1)=a_0+a_1+\cdots+a_n$

$f\left(x-2+\dfrac{1}{x}\right)=x^4+\dfrac{1}{x^4}-7$

$=\left(x^2+\dfrac{1}{x^2}\right)^2-9$

$=\left\{\left(x+\dfrac{1}{x}\right)^2-2\right\}^2-9$

이때 $x-2+\dfrac{1}{x}=1$에서 $x+\dfrac{1}{x}=3$이므로

$f(1)=(3^2-2)^2-9$

$=40$

따라서 다항식 $f(x)$의 모든 계수와 상수항의 합은 40이다.

다른 풀이

$f\left(x-2+\dfrac{1}{x}\right)=x^4+\dfrac{1}{x^4}-7$

$=\left(x^2+\dfrac{1}{x^2}\right)^2-9$

$=\left\{\left(x+\dfrac{1}{x}\right)^2-2\right\}^2-9$

$=\left(x+\dfrac{1}{x}\right)^4-4\left(x+\dfrac{1}{x}\right)^2-5$

$x+\dfrac{1}{x}=t$로 놓으면

$f(t-2)=t^4-4t^2-5$

이때 $t-2=X$로 놓으면 $t=X+2$이므로

$f(X)=(X+2)^4-4(X+2)^2-5$

$=(X^2+4X+4)^2-4(X^2+4X+4)-5$

$=X^4+8X^3+24X^2+32X+16-4X^2-16X-16-5$

$=X^4+8X^3+20X^2+16X-5$

따라서 다항식 $f(x)$의 모든 계수와 상수항의 합은

$1+8+20+16+(-5)=40$

비법 NOTE

다항식 $f(x)=a_0+a_1x+a_2x^2+\cdots+a_nx^n$에 대하여 등식의 양변에 $x=1$을 대입하면

$f(1)=a_0+a_1+a_2+\cdots+a_n$

따라서 다항식 $f(x)$의 모든 계수와 상수항의 합은 $f(1)$의 값과 같다.

04 답 22

$x^{2n}+8=a_{2n}(x-2)^{2n}+a_{2n-1}(x-2)^{2n-1}+\cdots+a_1(x-2)+a_0$ ······ ㉠

㉠의 양변에 $x=4$를 대입하면

$2^{4n}+8=a_0+2a_1+2^2a_2+\cdots+2^{2n-1}a_{2n-1}+2^{2n}a_{2n}$ ······ ㉡

㉠의 양변에 $x=0$을 대입하면

$8=a_0-2a_1+2^2a_2-\cdots-2^{2n-1}a_{2n-1}+2^{2n}a_{2n}$ ······ ㉢

㉡-㉢을 하면

$2^{4n}=2(2a_1+2^3a_3+2^5a_5+\cdots+2^{2n-1}a_{2n-1})$

양변을 2^2으로 나누면

$2^{4n-2}=a_1+2^2a_3+2^4a_5+\cdots+2^{2n-2}a_{2n-1}$

이때 $a_1+2^2a_3+2^4a_5+\cdots+2^{2n-2}a_{2n-1}=2^{86}$이므로

$2^{4n-2}=2^{86}$

따라서 $4n-2=86$이므로

$n=22$

05 답 14

주어진 등식의 양변에 $x=0$을 대입하면 $a_0=-6$이므로

$(x^2+2x)^4=a_1x+a_2x^2+\cdots+a_8x^8$

$\therefore x^4(x+2)^4=a_1x+a_2x^2+\cdots+a_8x^8$

이 식의 좌변에서 삼차 이하의 항의 계수는 모두 0이므로

$a_1=0,\ a_2=0,\ a_3=0$

즉, $x^4(x+2)^4=a_4x^4+a_5x^5+a_6x^6+a_7x^7+a_8x^8$이므로

$(x+2)^4=a_4+a_5x+a_6x^2+a_7x^3+a_8x^4$

양변에 $x=0$을 대입하면 $16=a_4$

양변에 $x=1$을 대입하면

$81=a_4+a_5+a_6+a_7+a_8$

$\therefore a_5+a_6+a_7+a_8=65$

$\therefore \dfrac{1}{2}a_0+\dfrac{1}{3}(a_1+a_2+a_3)+\dfrac{1}{4}a_4+\dfrac{1}{5}(a_5+a_6+a_7+a_8)$

$=\dfrac{1}{2}\times(-6)+\dfrac{1}{3}\times0+\dfrac{1}{4}\times16+\dfrac{1}{5}\times65$

$=14$

06 답 34

조립제법을 이용하여 $16x^4-8x^3+8x^2+kx-4$를 $x-\dfrac{1}{2}$로 나누면

$$
\begin{array}{r|rrrrr}
\frac{1}{2} & 16 & -8 & 8 & k & -4 \\
 & & 8 & 0 & 4 & \frac{1}{2}k+2 \\
\hline
\frac{1}{2} & 16 & 0 & 8 & k+4 & \boxed{\frac{1}{2}k-2} \\
 & & 8 & 4 & 6 & \\
\hline
\frac{1}{2} & 16 & 8 & 12 & \boxed{k+10} & \\
 & & 8 & 8 & & \\
\hline
\frac{1}{2} & 16 & 16 & \boxed{20} & & \\
 & & 8 & & & \\
\hline
 & 16 & \boxed{24} & & &
\end{array}
$$

$\therefore 16x^4-8x^3+8x^2+kx-4$

$=16\left(x-\dfrac{1}{2}\right)^4+24\left(x-\dfrac{1}{2}\right)^3+20\left(x-\dfrac{1}{2}\right)^2+(k+10)\left(x-\dfrac{1}{2}\right)$

$\qquad\qquad\qquad\qquad\qquad +\dfrac{1}{2}k-2$

$=(2x-1)^4+3(2x-1)^3+5(2x-1)^2+\dfrac{k+10}{2}(2x-1)+\dfrac{1}{2}k-2$

따라서 $a=1,\ b=3,\ c=5,\ 14=\dfrac{k+10}{2},\ d=\dfrac{1}{2}k-2$이므로

$k=18,\ d=7$

$\therefore k+a+b+c+d=18+1+3+5+7=34$

비법 NOTE

조립제법을 연속으로 이용하면 내림차순으로 정리한 식에서 미정계수를 쉽게 구할 수 있다.

[예] $x^3+3x-14=a(x-1)^3+b(x-1)^2+c(x-1)+d$

$$
\begin{array}{r|rrrr}
1 & 1 & 0 & 3 & -14 \\
 & & 1 & 1 & 4 \\
\hline
1 & 1 & 1 & 4 & \boxed{-10} \leftarrow d \\
 & & 1 & 2 & \\
\hline
1 & 1 & 2 & \boxed{6} \leftarrow c & \\
 & & 1 & & \\
\hline
1 & 1 & \boxed{3} \leftarrow b & & \\
 & & & & \\
\hline
 & \boxed{1} & & & \\
 & a & & &
\end{array}
$$

$\therefore a=1,\ b=3,\ c=6,\ d=-10$

07 답 74

(가)에서 나머지 $g(x)-2x^2$의 차수는 $g(x)$의 차수보다 작아야 하므로 $g(x)$는 최고차항의 계수가 2인 이차식이다.

$g(x)=2x^2+ax+b\,(a,\ b$는 상수)라 하면

$f(x)=g(x)\{g(x)-2x^2\}+g(x)-2x^2$

$\qquad =\{g(x)+1\}\{g(x)-2x^2\}$

$\qquad =(2x^2+ax+b+1)(ax+b)$

$f(x)$의 최고차항의 계수가 1이므로

$2a=1\qquad \therefore a=\dfrac{1}{2}$

$\therefore f(x)=\left(2x^2+\dfrac{1}{2}x+b+1\right)\left(\dfrac{1}{2}x+b\right)$

(나)에서 $f(1)=-\dfrac{9}{4}$이므로

$f(1)=\left(2+\dfrac{1}{2}+b+1\right)\left(\dfrac{1}{2}+b\right)$

$\qquad =\left(b+\dfrac{7}{2}\right)\left(b+\dfrac{1}{2}\right)$

$\qquad =b^2+4b+\dfrac{7}{4}$

즉, $b^2+4b+\dfrac{7}{4}=-\dfrac{9}{4}$이므로

$b^2+4b+4=0$

$(b+2)^2=0$

$\therefore b=-2$

따라서 $f(x)=\left(2x^2+\dfrac{1}{2}x-1\right)\left(\dfrac{1}{2}x-2\right)$이므로

$f(6)=(72+3-1)(3-2)=74$

08 답 12

$f(x)$를 $x-2,\ x-3$으로 나누었을 때의 몫이 각각 $Q_1(x),\ Q_2(x)$이므로 나머지를 각각 $R_1,\ R_2$라 하면

$f(x)=(x-2)Q_1(x)+R_1\ \cdots\cdots\ \text{㉠}$

$f(x)=(x-3)Q_2(x)+R_2\ \cdots\cdots\ \text{㉡}$

㉡의 양변에 $x=3$을 대입하면

$f(3)=R_2$

이때 $Q_2(2)=f(3)$이므로

$R_2=Q_2(2)$

즉, $f(x)=(x-3)Q_2(x)+Q_2(2)$이고 양변에 $x=2$를 대입하면

$f(2)=-Q_2(2)+Q_2(2)\qquad \therefore f(2)=0$

따라서 ㉠의 양변에 $x=2$를 대입하면

$f(2)=R_1=0$

$\therefore f(x)=(x-2)Q_1(x)\ \cdots\cdots\ \text{㉢}$

$f(x)$는 최고차항의 계수가 1인 이차식이므로 $Q_1(x)=x+a\,(a$는 상수$)$라 하면

$Q_1(2)=2+a,\ Q_1(3)=3+a$

㉢의 양변에 $x=3$을 대입하면 $f(3)=Q_1(3)$

이때 $Q_2(2)=f(3)=Q_1(3)=3+a$이므로

$Q_1(2)+Q_2(2)=3$에서

$(2+a)+(3+a)=3$

$2a+5=3$

$\therefore a=-1$

따라서 $f(x)=(x-2)(x-1)$이므로

$f(5)=3\times4=12$

09 답 -8

$(x+2)f(x)$를 $x(x-2)(x-3)$으로 나누었을 때의 몫이 $Q(x)$이므로
나머지를 ax^2+bx+c (a, b, c는 상수)라 하면
$$(x+2)f(x)=x(x-2)(x-3)Q(x)+ax^2+bx+c \quad \cdots\cdots \text{㉠}$$
··· 배점 **20%**

(나)에서 $f(0)=4$, $f(2)=4+6+4=14$, $f(3)=9+9+4=22$이므로

㉠의 양변에 $x=0$을 대입하면

$2f(0)=c$ $\quad \therefore c=8$

㉠의 양변에 $x=2$를 대입하면

$4f(2)=4a+2b+c$

$4a+2b+8=56$

$\therefore 2a+b=24 \quad \cdots\cdots \text{㉡}$

㉠의 양변에 $x=3$을 대입하면

$5f(3)=9a+3b+c$

$9a+3b+8=110$

$\therefore 3a+b=34 \quad \cdots\cdots \text{㉢}$

㉡, ㉢을 연립하여 풀면 $a=10$, $b=4$

$\therefore (x+2)f(x)=x(x-2)(x-3)Q(x)+10x^2+4x+8 \quad \cdots\cdots \text{㉣}$
··· 배점 **40%**

이때 (가)에서 $f(4)=20$이므로 ㉣의 양변에 $x=4$를 대입하면

$6f(4)=8Q(4)+184$

$120=8Q(4)+184$

$8Q(4)=-64$

$\therefore Q(4)=-8$
··· 배점 **40%**

10 답 x^2+3x-2

$f(x)$를 $(x+1)^2(x+3)$으로 나누었을 때의 몫을 $Q(x)$, 나머지를
ax^2+bx+c (a, b, c는 상수)라 하면
$$f(x)=(x+1)^2(x+3)Q(x)+ax^2+bx+c$$
이때 $f(x)$를 $(x+1)^2$으로 나누었을 때의 나머지는 $3x+1$이므로
$$f(x)=(x+1)^2(x+3)Q(x)+a(x+1)^2+3x+1 \quad \cdots\cdots \text{㉠}$$
$f(x)$를 $x+3$으로 나누었을 때의 나머지가 -4이므로 $f(-3)=-4$에서

$4a-8=-4 \quad \therefore a=1$

이를 ㉠에 대입하면

$f(x)=(x+1)^2(x+3)Q(x)+(x+1)^2+3x+1$
$\qquad =(x+1)^2(x+3)Q(x)+x^2+5x+2$

$\therefore f(x-1)=x^2(x+2)Q(x-1)+(x-1)^2+5(x-1)+2$
$\qquad\qquad\quad =x^2(x+2)Q(x-1)+x^2+3x-2$

따라서 구하는 나머지는 x^2+3x-2이다.

11 답 5

$P(x)$가 삼차다항식이므로 $P(x)-x^2$은 삼차다항식이고, $P(x)-x^2$은
$(x+1)^2$으로 나누어떨어지므로
$P(x)-x^2=(x+1)^2(ax+b)$ (a, b는 상수, $a\neq0$)라 하면
$$P(x)=(x+1)^2(ax+b)+x^2 \quad \cdots\cdots \text{㉠}$$
··· 배점 **20%**

$4x-P(x)$를 $(x-1)^2$으로 나누었을 때의 몫을 $Q(x)$라 하면 나머지가
$x+2$이므로

$4x-P(x)=(x-1)^2Q(x)+x+2$

$\therefore P(x)=-(x-1)^2Q(x)+3x-2 \quad \cdots\cdots \text{㉡}$
··· 배점 **20%**

㉠, ㉡에서
$$(x+1)^2(ax+b)+x^2=-(x-1)^2Q(x)+3x-2 \quad \cdots\cdots \text{㉢}$$
양변에 $x=1$을 대입하면

$4(a+b)+1=1$

$a+b=0 \quad \therefore b=-a \quad \cdots\cdots \text{㉣}$
··· 배점 **20%**

이를 ㉢에 대입하면

$(x+1)^2(ax-a)+x^2=-(x-1)^2Q(x)+3x-2$

$a(x+1)^2(x-1)=-(x-1)^2Q(x)-(x^2-3x+2)$

$a(x+1)^2(x-1)=-(x-1)^2Q(x)-(x-1)(x-2)$

양변을 $x-1$로 나누면

$a(x+1)^2=-(x-1)Q(x)-(x-2)$

양변에 $x=1$을 대입하면

$4a=1 \quad \therefore a=\dfrac{1}{4} \quad \therefore b=-\dfrac{1}{4}$ ($\because$ ㉣)
··· 배점 **30%**

따라서 $P(x)=(x+1)^2\left(\dfrac{1}{4}x-\dfrac{1}{4}\right)+x^2=\dfrac{1}{4}(x+1)^2(x-1)+x^2$이므
로 구하는 나머지는

$P(3)=\dfrac{1}{4}\times4\times(-4)+9=5$
··· 배점 **10%**

idea

12 답 ③

$7^2=x$로 놓으면
$7^{2021}+7^{2022}+7^{2023}+7^{2024}$
$=7\times(7^2)^{1010}+(7^2)^{1011}+7\times(7^2)^{1011}+(7^2)^{1012}$
$=7x^{1010}+x^{1011}+7x^{1011}+x^{1012}$
$=7x^{1010}+8x^{1011}+x^{1012}$
이고, $96=2(7^2-1)=2(x-1)$

$f(x)=7x^{1010}+8x^{1011}+x^{1012}$이라 하면 $7^{2021}+7^{2022}+7^{2023}+7^{2024}$을 96으로
나누었을 때의 나머지는 $f(x)$를 $2(x-1)$로 나누었을 때의 나머지와 같
으므로

$f(1)=7+8+1=16$

따라서 구하는 나머지는 16이다.

다른 풀이

$7=x$로 놓으면
$7^{2021}+7^{2022}+7^{2023}+7^{2024}=x^{2021}+x^{2022}+x^{2023}+x^{2024}$
이고, $96=2(7^2-1)=2(x^2-1)$

$f(x)=x^{2021}+x^{2022}+x^{2023}+x^{2024} \quad \cdots\cdots \text{㉠}$
이라 하고 $f(x)$를 $2(x^2-1)$로 나누었을 때의 몫을 $Q(x)$, 나머지를
$R(x)=ax+b$ (a, b는 상수)라 하면
$f(x)=2(x^2-1)Q(x)+ax+b$
양변에 $x=-1$, $x=1$을 각각 대입하면
$f(-1)=-a+b$, $f(1)=a+b$
이때 ㉠에서 $f(-1)=-1+1-1+1=0$,
$f(1)=1+1+1+1=4$이므로
$-a+b=0$, $a+b=4$
두 식을 연립하여 풀면 $a=2$, $b=2$
$\therefore R(x)=2x+2$
이때 $7^{2021}+7^{2022}+7^{2023}+7^{2024}$을 96으로 나누었을 때의 나머지는
$R(7)$과 같으므로
$R(7)=14+2=16$
따라서 구하는 나머지는 16이다.

13 📝 24

㉮에서 $2P(x)+Q(x)=0$이므로 $Q(x)=-2P(x)$

즉, 두 이차다항식 $P(x)$와 $Q(x)$의 x에 대한 인수는 같다.

㉯에서 $P(x)Q(x)$는 x^2-3x+2, 즉 $(x-1)(x-2)$로 나누어떨어지므로 $P(x)$, $Q(x)$는 각각 $(x-1)(x-2)$를 인수로 갖는다.

이때 $P(x)=a(x-1)(x-2)$, $Q(x)=-2a(x-1)(x-2)$ $(a\neq0)$라 하면 $P(0)=-4$에서 $2a=-4$ ∴ $a=-2$

따라서 $Q(x)=4(x-1)(x-2)$이므로

$Q(4)=4\times3\times2=24$

14 📝 ②

$P(x)=x^2+ax+b$ $(a, b$는 상수$)$, $Q(x)=x+c$ $(c$는 상수$)$라 하면

㉮에서 $P(x+1)-Q(x+1)$이 $x+1$로 나누어떨어지므로

$P(0)-Q(0)=0$, $b-c=0$ ∴ $b=c$

㉯에서 $P(x)-Q(x)=0$이 중근을 가지므로 이차방정식 $x^2+ax+b-(x+b)=0$, 즉 $x^2+(a-1)x=0$의 판별식을 D라 하면

$D=(a-1)^2=0$ ∴ $a=1$

한편 $P(x)+Q(x)$를 $x-2$로 나누었을 때의 나머지가 12이므로

$P(2)+Q(2)=12$에서 $4+2a+b+(2+b)=12$

$2b=4$ $(\because a=1)$ ∴ $b=2$

따라서 $P(x)=x^2+x+2$이므로

$P(2)=4+2+2=8$

15 📝 54

$\{Q(x+1)\}^2+\{Q(x)\}^2=(x^2-x)P(x)$ ⋯⋯ ㉠

㉠의 양변에 $x=0$, $x=1$을 각각 대입하면

$\{Q(1)\}^2+\{Q(0)\}^2=0$, $\{Q(2)\}^2+\{Q(1)\}^2=0$

∴ $Q(0)=Q(1)=Q(2)=0$

다항식 $Q(x)$는 최고차항의 계수가 1인 삼차다항식이고, x, $x-1$, $x-2$를 인수로 가지므로

$Q(x)=x(x-1)(x-2)$

이를 ㉠에 대입하면

$\{(x+1)x(x-1)\}^2+\{x(x-1)(x-2)\}^2=x(x-1)P(x)$

∴ $P(x)=x(x-1)\{(x+1)^2+(x-2)^2\}$

$=x(x-1)(2x^2-2x+5)$

$=x(x-1)\{2(x-2)(x+1)+9\}$

$=2x(x-1)(x-2)(x+1)+9x(x-1)$

$=2(x+1)Q(x)+9x(x-1)$

따라서 $R(x)=9x(x-1)$이므로

$R(3)=9\times3\times2=54$

16 📝 $11x+4$

$f(x)-16$을 $x-1$, $x-2$, $x-3$으로 나누었을 때의 나머지가 각각 -1, -4, -9이므로

$f(1)-16=-1^2$, $f(2)-16=-2^2$, $f(3)-16=-3^2$

∴ $f(1)-16+1^2=0$, $f(2)-16+2^2=0$, $f(3)-16+3^2=0$

이때 $f(x)$는 최고차항의 계수가 2인 삼차다항식이므로

$g(x)=f(x)-16+x^2$이라 하면 $g(x)$는 최고차항의 계수가 2인 삼차다항식이고, $g(1)=g(2)=g(3)=0$이므로 $g(x)$는 $x-1$, $x-2$, $x-3$을 인수로 갖는다.

∴ $g(x)=2(x-1)(x-2)(x-3)$

즉, $f(x)-16+x^2=2(x-1)(x-2)(x-3)$이므로

$f(x)=2(x-1)(x-2)(x-3)+16-x^2$ ⋯⋯ ㉠

$f(x)$를 $x(x-1)$로 나누었을 때의 몫을 $Q(x)$, 나머지를 $ax+b$ $(a, b$는 상수$)$라 하면

$f(x)=x(x-1)Q(x)+ax+b$

양변에 $x=0$, $x=1$을 각각 대입하면

$f(0)=b$, $f(1)=a+b$

이때 ㉠에서 $f(0)=-12+16=4$, $f(1)=16-1=15$이므로

$b=4$, $a+b=15$ ∴ $a=11$

따라서 구하는 나머지는 $11x+4$이다.

17 📝 ①

$f(x^2)+x^4f(x)=2x^4(2x^4-x^2-1)$ ⋯⋯ ㉠

㉠에서 $f(x)$를 n차식이라 하면 $f(x^2)$의 최고차항은 x^{2n}, $x^4f(x)$의 최고차항은 x^{n+4}이다.

즉, ㉠에서 좌변의 최고차항은 x^{2n} 또는 x^{n+4}이고 우변의 최고차항은 x^8이므로

$2n=8$ 또는 $n+4=8$

∴ $n=4$

따라서 $f(x)$는 사차식이다.

한편 ㉠의 양변에

$x=0$을 대입하면 $f(0)=0$

$x=1$을 대입하면 $f(1)+f(1)=0$ ∴ $f(1)=0$

$x=-1$을 대입하면 $f(1)+f(-1)=0$ ∴ $f(-1)=0$

따라서 다항식 $f(x)$는 x, $x-1$, $x+1$을 인수로 갖는다.

이때 $f(x)=x(x^2-1)(ax+b)$ $(a, b$는 상수, $a\neq0)$라 하면 ㉠에서

$x^2(x^4-1)(ax^2+b)+x^5(x^2-1)(ax+b)=2x^4(2x^4-x^2-1)$

즉, 좌변의 최고차항의 계수는 $2a$이고, 우변의 최고차항의 계수는 4이므로

$2a=4$ ∴ $a=2$

∴ $x^2(x^4-1)(2x^2+b)+x^5(x^2-1)(2x+b)=2x^4(2x^2+1)(x^2-1)$

양변을 $x^2(x^2-1)$로 나누면

$(x^2+1)(2x^2+b)+x^3(2x+b)=2x^2(2x^2+1)$

상수항을 비교하면 $b=0$

∴ $f(x)=2x^2(x^2-1)$

따라서 구하는 나머지는 $f(2)=2\times4\times3=24$

18 📝 ⑤

㉯에서 $\{P(x)\}^3+\{Q(x)\}^3=12x^4+24x^3+12x^2+16$이므로

$\{P(x)+Q(x)\}^3-3P(x)Q(x)\{P(x)+Q(x)\}$

$=12x^4+24x^3+12x^2+16$

㉮에서 $P(x)+Q(x)=4$이므로

$64-3P(x)Q(x)\times4=12x^4+24x^3+12x^2+16$

$-12P(x)Q(x)=12x^4+24x^3+12x^2-48$

∴ $P(x)Q(x)=-x^4-2x^3-x^2+4$

$=-(x-1)(x+2)(x^2+x+2)$

$=-(x^2+x-2)(x^2+x+2)$

이때 $P(x)$의 최고차항의 계수가 음수이므로 ㉮, ㉯를 만족시키는 두 이차다항식 $P(x)$, $Q(x)$는

$P(x)=-x^2-x+2$, $Q(x)=x^2+x+2$ ⟶ $P(x)=-x^2-x-2$, $Q(x)=x^2+x-2$이면 $P(x)+Q(x)=-4$

∴ $P(2)+Q(3)=(-4-2+2)+(9+3+2)=10$

19 답 ④

$P(x)=x^3+(a-1)x^2+(a^2-a)x-a^2$에서

$P(1)=1+a-1+a^2-a-a^2=0$

즉, $P(x)$는 $x-1$을 인수로 갖는다.

조립제법을 이용하여 $x^3+(a-1)x^2+(a^2-a)x-a^2$을 $x-1$로 나누면

$$
\begin{array}{r|rrrr}
1 & 1 & a-1 & a^2-a & -a^2 \\
  &   & 1   & a   & a^2 \\
\hline
  & 1 & a   & a^2   & \;0\; \\
\end{array}
$$

$\therefore P(x)=(x-1)(x^2+ax+a^2)$

$Q(x)=x^3+bx^2-bx+2a^2$에서 $Q(1)=1+b-b+2a^2=1+2a^2\neq0$이

므로 $Q(x)$는 $x-1$을 인수로 갖지 않는다.

이때 $P(x)$와 $Q(x)$가 이차식인 공통 인수를 가지므로 $Q(x)$는

x^2+ax+a^2을 인수로 갖고, $Q(x)$의 삼차항의 계수가 1이므로

$Q(x)=(x+k)(x^2+ax+a^2)$ (k는 상수)라 하면

$x^3+bx^2-bx+2a^2=(x+k)(x^2+ax+a^2)$

$\qquad\qquad\qquad\quad =x^3+(a+k)x^2+(a^2+ak)x+a^2k$

이 등식이 x에 대한 항등식이므로

$b=a+k$ $\qquad$ …… ㉠

$-b=a^2+ak$ $\qquad$ …… ㉡

$2a^2=a^2k$ $\qquad$ …… ㉢

㉢에서 $a\neq0$이므로 양변을 a^2으로 나누면 $k=2$

이를 ㉠, ㉡에 각각 대입하면

$b=a+2$ $\qquad$ …… ㉣

$-b=a^2+2a$ $\qquad$ …… ㉤

㉣을 ㉤에 대입하면 $-a-2=a^2+2a$

$a^2+3a+2=0,\ (a+2)(a+1)=0$

$\therefore a=-2$ 또는 $a=-1$

(i) $a=-2$일 때, $Q(x)=(x+2)(x^2-2x+4)$

(ii) $a=-1$일 때, $Q(x)=(x+2)(x^2-x+1)$

(i), (ii)에서 $Q(x)$의 인수는 $x+2,\ x^2-2x+4,\ x^2-x+1$이다.

따라서 $Q(x)$의 인수인 것은 ④이다.

20 답 6

$x^3+(pq-4)x+n$이 $(x-2)(x+p)(x+q)$로 인수분해되므로

$x^3+(pq-4)x+n=(x-2)(x+p)(x+q)$

$\qquad\qquad\qquad\qquad =x^3+(p+q-2)x^2+(pq-2p-2q)x-2pq$

이 등식이 x에 대한 항등식이므로

$p+q-2=0$ …… ㉠, $n=-2pq$ …… ㉡

㉠에서 $q=2-p$이므로 이를 ㉡에 대입하면

$n=-2p(2-p)=2p(p-2)$

이때 n은 100 이하의 자연수이고 $p,\ q$는 정수이므로 $2<n\le100$

(i) $n>2$일 때,

$\quad p=2$이면 $n=2p(p-2)=2\times2\times0=0<2$

$\quad p=3$이면 $n=2p(p-2)=2\times3\times1=6>2$

$\quad \therefore p\ge3$

(ii) $n<100$일 때,

$\quad p=8$이면 $n=2p(p-2)=2\times8\times6=96<100$

$\quad p=9$이면 $n=2p(p-2)=2\times9\times7=126>100$

$\quad \therefore p\le8$

(i), (ii)에서 $3\le p\le8$이므로 정수 p는 3, 4, 5, 6, 7, 8이고, 정수 p의

개수만큼 다항식이 만들어지므로 구하는 모든 다항식의 개수는 6이다.

21 답 ③

$x^3-5yz=y^3-5zx$에서

$x^3-y^3-5yz+5zx=0$

$(x-y)(x^2+xy+y^2)+5z(x-y)=0$

$\therefore (x-y)(x^2+xy+y^2+5z)=0$

이때 $x\neq y$이므로 $x^2+xy+y^2+5z=0$ $\qquad$ …… ㉠

같은 방법으로 하면 $y^3-5zx=z^3-5xy$에서

$(y-z)(y^2+yz+z^2+5x)=0$

이때 $y\neq z$이므로 $y^2+yz+z^2+5x=0$ $\qquad$ …… ㉡

㉠-㉡을 하면

$x^2+xy+5z-yz-z^2-5x=0$

$(x^2-z^2)+(xy-yz)+(5z-5x)=0$

$(x-z)(x+z)+y(x-z)-5(x-z)=0$

$\therefore (x-z)(x+z+y-5)=0$

이때 $x\neq z$이므로 $x+y+z-5=0$

$\therefore x+y+z=5$

22 답 -6

$a^3+b^3+c^3=3abc$ $\qquad$ …… ㉠

에서 $a^3+b^3+c^3-3abc=0$이므로

$a^3+b^3+c^3-3abc=(a+b+c)(a^2+b^2+c^2-ab-bc-ca)$

$\qquad\qquad\qquad\qquad =\dfrac{1}{2}(a+b+c)\{(a-b)^2+(b-c)^2+(c-a)^2\}=0$

$\therefore a+b+c=0$ 또는 $a=b=c$ …………………………………… 배점 30%

(i) $a+b+c=0$일 때,

$\quad a=-b-c$이므로 양변을 제곱하면 $a^2=b^2+2bc+c^2$

$\quad \therefore a^2-b^2-c^2=2bc$

$\quad$ 같은 방법으로 하면

$\quad b^2-c^2-a^2=2ca,\ c^2-a^2-b^2=2ab$

$\quad \therefore \dfrac{4a^2}{a^2-b^2-c^2}+\dfrac{4b^2}{b^2-c^2-a^2}+\dfrac{4c^2}{c^2-a^2-b^2}$

$\quad =\dfrac{4a^2}{2bc}+\dfrac{4b^2}{2ca}+\dfrac{4c^2}{2ab}=\dfrac{2a^3}{abc}+\dfrac{2b^3}{abc}+\dfrac{2c^3}{abc}$

$\quad =\dfrac{2(a^3+b^3+c^3)}{abc}$

$\quad =\dfrac{2\times3abc}{abc}\ (\because ㉠)$

$\quad =6$ …………………………………………………………………… 배점 30%

(ii) $a=b=c$일 때,

$\quad b=a,\ c=a$를 대입하면

$\quad \dfrac{4a^2}{a^2-b^2-c^2}+\dfrac{4b^2}{b^2-c^2-a^2}+\dfrac{4c^2}{c^2-a^2-b^2}$

$\quad =\dfrac{4a^2}{-a^2}+\dfrac{4a^2}{-a^2}+\dfrac{4a^2}{-a^2}$

$\quad =-4-4-4=-12$ ………………………………………………… 배점 30%

(i), (ii)에서 구하는 모든 값의 합은

$6+(-12)=-6$ ……………………………………………………… 배점 10%

23 답 20

$n^4+n^2-2=(n^2-1)(n^2+2)$

$\qquad\qquad\quad =(n-1)(n+1)(n^2+2)$

$\qquad\qquad\quad =(n-1)(n^3+n^2+2n+2)$

$\qquad\qquad\quad =(n-1)\{(n-2)(n^2+3n+8)+18\}$

$\qquad\qquad\quad =(n-1)(n-2)(n^2+3n+8)+18(n-1)$ …… ㉠

$(n-1)(n-2)(n^2+3n+8)$은 $(n-1)(n-2)$의 배수이므로 ㉠이 $(n-1)(n-2)$의 배수가 되려면 $18(n-1)$이 $(n-1)(n-2)$의 배수이어야 한다.

따라서 $18(n-1)=k(n-1)(n-2)$ (k는 자연수)라 하면

$18=k(n-2)$

이때 k가 최소일 때, n이 최댓값을 갖고 자연수 k의 최솟값은 1이므로 그때의 n의 값은

$18=n-2$

$\therefore n=20$

다른 풀이

조립제법을 이용하여 n^4+n^2-2를 $(n-1)(n-2)$로 나누면

```
1 | 1   0   1   0   -2
  |     1   1   2    2
2 | 1   1   2   2  | 0
  |     2   6  16
  | 1   3   8  | 18
```

$\therefore n^4+n^2-2=(n-1)(n-2)(n^2+3n+8)+18(n-1)$ ...... ㉠

$(n-1)(n-2)(n^2+3n+8)$은 $(n-1)(n-2)$의 배수이므로 ㉠이 $(n-1)(n-2)$의 배수가 되려면 $18(n-1)$이 $(n-1)(n-2)$의 배수이어야 한다.

따라서 $18(n-1)=k(n-1)(n-2)$ (k는 자연수)라 하면

$18=k(n-2)$

이때 k가 최소일 때, n이 최댓값을 갖고 자연수 k의 최솟값은 1이므로 그때의 n의 값은

$18=n-2$

$\therefore n=20$

24 답 17

㈏에서 $(x+y-z)^3-x^3-y^3+z^3=462$이므로 $x+y=A$로 놓으면

$(x+y-z)^3-x^3-y^3+z^3$

$=(A-z)^3-x^3-y^3+z^3$

$=A^3-3A^2z+3Az^2-z^3-x^3-y^3+z^3$

$=(x+y)^3-3(x+y)^2z+3(x+y)z^2-x^3-y^3$

$=x^3+3xy(x+y)+y^3-3(x+y)^2z+3(x+y)z^2-x^3-y^3$

$=3xy(x+y)-3(x+y)^2z+3(x+y)z^2$

$=3(x+y)\{z^2-(x+y)z+xy\}$

$=3(x+y)(z-x)(z-y)$

$=3(x+y)(x-z)(y-z)=462$

$\therefore (x+y)(x-z)(y-z)=154$

㈎에서 x, y, z는 $x>y>z$인 한 자리의 자연수이므로

$18>x+y>x-z>y-z>1$

이때 $154=2\times7\times11$이므로

$x+y=11$ ...... ㉠

$x-z=7$ $\therefore x=z+7$ ...... ㉡

$y-z=2$ $\therefore y=z+2$ ...... ㉢

㉡, ㉢을 ㉠에 대입하면

$z+7+z+2=11$, $2z=2$

$\therefore z=1$

이를 ㉡, ㉢에 각각 대입하면

$x=8$, $y=3$

$\therefore x+2y+3z=8+6+3=17$

25 답 ⑤

$a^3+b^3+c^3+(a+b)(ab-c^2)-(a^2+b^2)c$

$=c^3-(a+b)c^2-(a^2+b^2)c+a^3+b^3+a^2b+ab^2$

$=c^2(c-a-b)-(a^2+b^2)c+a^2(a+b)+b^2(a+b)$

$=c^2(c-a-b)-(a^2+b^2)c+(a+b)(a^2+b^2)$

$=c^2(c-a-b)-(a^2+b^2)(c-a-b)$

$=(c-a-b)(c^2-a^2-b^2)=0$

이때 a, b, c는 삼각형의 세 변의 길이이므로

$a+b>c$ → 삼각형에서 두 변의 길이의 합은 나머지 한 변의 길이보다 크다.

$\therefore c-a-b<0$

따라서 $c^2-a^2-b^2=0$, 즉 $c^2=a^2+b^2$이므로 주어진 조건을 만족시키는 삼각형은 빗변의 길이가 c인 직각삼각형이다.

26 답 34

$16=x$, $32=y$, $72=z$로 놓으면

$xyz=16\times32\times72=2^4\times2^5\times(2^3\times3^2)=3^2\times2^{12}$

$\therefore 16^3+32^3+72^3-3^3\times2^{12}$

$=x^3+y^3+z^3-3xyz$

$=(x+y+z)(x^2+y^2+z^2-xy-yz-zx)$

$=\dfrac{1}{2}(x+y+z)\{(x-y)^2+(y-z)^2+(z-x)^2\}$

$=\dfrac{1}{2}\times(16+32+72)\times\{(-16)^2+(-40)^2+56^2\}$

$=\dfrac{1}{2}\times(16+32+72)\times(8^2\times2^2+8^2\times5^2+8^2\times7^2)$

$=\dfrac{1}{2}\times120\times8^2\times(4+25+49)$

$=60\times8^2\times78$

$=2^9\times3^2\times5\times13$

따라서 $p=2$, $q=3$, $r=5$, $s=13$, $m=9$, $n=2$이므로

$p+q+r+s+m+n=34$

27 답 5

㈎에서

$a^2-16b^2+3c^2+6ab+2bc+4ca$

$=a^2+(6b+4c)a-16b^2+2bc+3c^2$

$=a^2+(6b+4c)a-(8b+3c)(2b-c)$

$=\{a+(8b+3c)\}\{a-(2b-c)\}$

$=(a+8b+3c)(a-2b+c)=0$ .... 배점 30%

이때 a, b, c는 삼각형의 세 변의 길이이므로 $a+8b+3c>0$

따라서 $a-2b+c=0$이므로 $a+c=2b$ ...... ㉠ .... 배점 20%

이때 ㉠에서 $a=b$이면 $c=b$, 즉 $a=b=c$이면 삼각형 ABC는 정삼각형이다.

$\therefore a\neq b$

또 ㉠에서 $a>b$이면 $c<b$이어야 하므로 $c<b<a$

즉, 삼각형 ABC의 가장 긴 변의 길이는 a이다.

㈏에서 $a=\dfrac{2}{3}(b+c)$이므로 $3a-2c=2b$ ...... ㉡ .... 배점 20%

㉠, ㉡에서 $a+c=3a-2c$ $\therefore a=\dfrac{3}{2}c$

따라서 삼각형 ABC의 가장 긴 변의 길이는 가장 짧은 변의 길이의 $\dfrac{3}{2}$이므로

$p=2$, $q=3$ $\therefore p+q=5$ .... 배점 30%

28 답 $ab+bc+ca$

직육면체 A, B의 부피는 각각 abc, $(a+b)(b+c)(c+a)$

이때 $a+b+c=t$로 놓으면

$a+b=t-c$, $b+c=t-a$, $c+a=t-b$

직육면체 C의 부피는

$abc+(a+b)(b+c)(c+a)$

$=abc+(t-c)(t-a)(t-b)$

$=abc+t^3-(a+b+c)t^2+(ab+bc+ca)t-abc$

$=t\{t^2-(a+b+c)t+ab+bc+ca\}$

$=t(t^2-t\times t+ab+bc+ca)$

$=t(ab+bc+ca)$

$=(a+b+c)(ab+bc+ca)$

따라서 직육면체 C의 밑면의 세로의 길이는 $ab+bc+ca$이다.

다른 풀이

직육면체 A, B의 부피는 각각 abc, $(a+b)(b+c)(c+a)$이므로 직육면체 C의 부피는

$abc+(a+b)(b+c)(c+a)$

$=abc+(a+b)(bc+ab+c^2+ac)$

$=abc+abc+a^2b+ac^2+a^2c+b^2c+ab^2+bc^2+abc$

$=(b+c)a^2+(b^2+3bc+c^2)a+bc(b+c)$

$=(b+c)a^2+\{(b+c)^2+bc\}a+bc(b+c)$

$=(b+c)a^2+(b+c)^2a+bc(a+b+c)$

$=a(b+c)(a+b+c)+bc(a+b+c)$

$=(a+b+c)(ab+bc+ca)$

따라서 직육면체 C의 밑면의 세로의 길이는 $ab+bc+ca$이다.

step ❸ 최고난도 문제

| 35~37쪽

01 16	**02** ④	**03** ③	**04** ④	**05** 0	**06** ④
07 6	**08** 18	**09** $8\sqrt{5}$	**10** 6000	**11** ㄹ, ㅂ	
12 146					

01 답 16

1단계 항등식을 이용하여 a의 값 구하기

$\{P(x)+x\}^2=(x-a)(x+a)(x^2+5)+9$

$\qquad=(x^2-a^2)(x^2+5)+9$

$\qquad=x^4+(5-a^2)x^2-5a^2+9$

이때 $P(x)$는 최고차항의 계수가 음수인 이차다항식이므로 $P(x)+x$는 이차항의 계수가 -1인 이차다항식이다.

$P(x)+x=-x^2+px+q$ (p, q는 상수)라 하면

$(-x^2+px+q)^2=x^4-2px^3+(p^2-2q)x^2+2pqx+q^2$

즉, $x^4-2px^3+(p^2-2q)x^2+2pqx+q^2=x^4+(5-a^2)x^2-5a^2+9$에서 이 등식이 x에 대한 항등식이므로

$-2p=0$ $\quad\therefore p=0$

$p^2-2q=5-a^2$ $\qquad\cdots\cdots$ ㉠

$q^2=-5a^2+9$ $\qquad\cdots\cdots$ ㉡

$p=0$을 ㉠에 대입하면 $-2q=5-a^2$

$\therefore a^2=2q+5$ $\qquad\cdots\cdots$ ㉢

이를 ㉡에 대입하면 $q^2=-5(2q+5)+9$

$q^2+10q+16=0$, $(q+8)(q+2)=0$

$\therefore q=-8$ 또는 $q=-2$

이때 $q=-8$이면 ㉢에서 $a^2=-11<0$이므로 $q=-2$

이를 ㉢에 대입하면 $a^2=1$ $\quad\therefore a=1\ (\because a>0)$

2단계 $\{P(a)\}^2$의 값 구하기

이때 $P(x)+x=-x^2-2$, 즉 $P(x)=-x^2-x-2$이므로

$\{P(a)\}^2=\{P(1)\}^2=(-1-1-2)^2=16$

다른 풀이

$P(x)+x$가 이차다항식이므로 $(x-a)(x+a)(x^2+5)+9$도 이차다항식의 완전제곱식이어야 한다.

$(x-a)(x+a)(x^2+5)+9$

$=(x^2-a^2)(x^2+5)+9$

$=x^4+(5-a^2)x^2-5a^2+9$

$=x^4+(5-a^2)x^2+\dfrac{(5-a^2)^2}{4}-\dfrac{(5-a^2)^2}{4}-5a^2+9$

$=\left\{x^4+(5-a^2)x^2+\dfrac{(5-a^2)^2}{4}\right\}-\dfrac{(5-a^2)^2-4(-5a^2+9)}{4}$

$=\left(x^2+\dfrac{5-a^2}{2}\right)^2-\dfrac{a^4+10a^2-11}{4}$

이때 $\dfrac{a^4+10a^2-11}{4}=0$이어야 하므로

$a^4+10a^2-11=0$, $(a^2+11)(a^2-1)=0$

$\therefore a=1\ (\because a>0)$

$\{P(x)+x\}^2=(x^2+2)^2$에서

$|P(x)+x|=|x^2+2|$

$\therefore P(x)=x^2-x+2$ 또는 $P(x)=-x^2-x-2$

이때 최고차항의 계수가 음수이므로

$P(x)=-x^2-x-2$

$\therefore \{P(a)\}^2=\{P(1)\}^2=(-1-1-2)^2=16$

02 답 ④

1단계 $x^n(2x^3+8x^2+px+q)$를 $(x+2)^3$으로 나누었을 때의 몫을 정하고 식 세우기

$x^n(2x^3+8x^2+px+q)$를 $(x+2)^3$으로 나누었을 때의 몫을 $Q(x)$라 하면 나머지가 $r\times 2^{n+2}(x+2)^2$이므로

$x^n(2x^3+8x^2+px+q)$

$=(x+2)^3Q(x)+r\times 2^{n+2}(x+2)^2$

$=(x+2)^2\{(x+2)Q(x)+r\times 2^{n+2}\}$ $\qquad\cdots\cdots$ ㉠

2단계 p, q의 값 구하기

㉠에서 $2x^3+8x^2+px+q$는 $(x+2)^2$으로 나누어떨어지므로 조립제법을 이용하면

```
-2 | 2    8      p          q
   |     -4     -8       -2p+16
-2 | 2    4    p-8     | q-2p+16
   |     -4      0
     2    0    | p-8
```

$\therefore 2x^3+8x^2+px+q=2x(x+2)^2$

이때 $p-8=0$, $q-2p+16=0$이므로

$p=8$, $q=0$

3단계 r의 값 구하기

$x^n(2x^3+8x^2+8x)=x^n\times2x(x+2)^2=2x^{n+1}(x+2)^2$이므로 ㉠에서

$2x^{n+1}(x+2)^2=(x+2)^2\{(x+2)Q(x)+r\times2^{n+2}\}$

양변을 $(x+2)^2$으로 나누면

$2x^{n+1}=(x+2)Q(x)+r\times2^{n+2}$

양변에 $x=-2$를 대입하면

$2\times(-2)^{n+1}=r\times2^{n+2}$

n이 짝수이므로 $(-2)^{n+1}=-2^{n+1}$에서

$2=r\times(-2)$ $\therefore r=-1$

4단계 $p-q+r$의 값 구하기

$\therefore p-q+r=8-0-1=7$

03 답 ③

1단계 다항식 $f(x)$의 식 세우기

$f(x)$를 $(x-1)^3$으로 나누었을 때의 몫을 $Q(x)$라 하면 나머지가 $2(x-1)^2$이므로

$f(x)=(x-1)^3Q(x)+2(x-1)^2$

$\qquad=(x-1)^2\{(x-1)Q(x)+2\}$

$\therefore x^2(x^3+ax^2+bx+c)=(x-1)^2\{(x-1)Q(x)+2\}$

이때 $x^3+ax^2+bx+c=(x-1)^2(x+d)$인 실수 d가 존재하므로

$x^2(x-1)^2(x+d)=(x-1)^2\{(x-1)Q(x)+2\}$

양변을 $(x-1)^2$으로 나누면

$x^2(x+d)=(x-1)Q(x)+2$

양변에 $x=1$을 대입하면

$1+d=2$ $\therefore d=1$

$\therefore f(x)=x^2(x-1)^2(x+1)$

2단계 p, q의 값 구하기

$f(x)$를 $(x+1)^2$으로 나누었을 때의 몫을 $Q'(x)$라 하면 나머지가 $px+q$이므로

$f(x)=(x+1)^2Q'(x)+px+q$ ……㉠

$\therefore x^2(x-1)^2(x+1)=(x+1)^2Q'(x)+px+q$

양변에 $x=-1$을 대입하면

$0=-p+q$ $\therefore p=q$

이를 ㉠에 대입하면

$f(x)=(x+1)^2Q'(x)+px+p$

$\qquad=(x+1)^2Q'(x)+p(x+1)$

$\qquad=(x+1)\{(x+1)Q'(x)+p\}$

$\therefore x^2(x-1)^2(x+1)=(x+1)\{(x+1)Q'(x)+p\}$

양변을 $x+1$로 나누면

$x^2(x-1)^2=(x+1)Q'(x)+p$

양변에 $x=-1$을 대입하면 $4=p$

$\therefore q=4$

3단계 pq의 값 구하기

$\therefore pq=16$

04 답 ④

1단계 ㈎를 만족시키는 다항식 $f(x)$의 식 세우기

㈎에서 $f(x)$를 $x+2$, x^2+4로 나누었을 때의 몫을 각각 $Q_1(x)$, $Q_2(x)$라 하면 나머지가 $3p^2$으로 같으므로

$f(x)=(x+2)Q_1(x)+3p^2$, $f(x)=(x^2+4)Q_2(x)+3p^2$

$\therefore f(x)-3p^2=(x+2)Q_1(x)$ ……㉠,

$\quad f(x)-3p^2=(x^2+4)Q_2(x)$ ……㉡

이때 $f(x)$의 사차항의 계수가 1이므로 $f(x)-3p^2$은 사차항의 계수가 1인 다항식이고, ㉠, ㉡에서 $x+2$, x^2+4를 인수로 갖는다.

즉, $f(x)-3p^2=(x+2)(x^2+4)(x+a)$ (a는 상수)라 하면

$f(x)=(x+2)(x^2+4)(x+a)+3p^2$

2단계 ㈏를 이용하여 다항식 $f(x)$ 구하기

㈏에서 $f(1)=f(-1)$이므로

$15(1+a)+3p^2=5(-1+a)+3p^2$

$10a=-20$ $\therefore a=-2$

$\therefore f(x)=(x+2)(x^2+4)(x-2)+3p^2$

$\qquad=(x^2-4)(x^2+4)+3p^2$

$\qquad=x^4+3p^2-16$

3단계 ㈐를 이용하여 양수 p의 값 구하기

㈐에서 $f(\sqrt{p})=0$이므로

$p^2+3p^2-16=0$, $p^2=4$

$\therefore p=2\ (\because p>0)$

비법 NOTE

다항식 $f(x)$를 $x+p$, x^2+q로 나누었을 때의 나머지가 R로 같으면 $f(x)-R$는 두 다항식 $x+p$, x^2+q로 나누어떨어지므로 $x+p$, x^2+q를 인수로 갖는다.

$\therefore f(x)-R=(x+p)(x^2+q)Q(x)$

---

idea
05 답 0

1단계 주어진 식을 $f(x)+x^3f\left(\dfrac{1}{x}\right)$ 꼴로 나타내기

$f\left(\dfrac{1}{2}\right)=-\dfrac{f(2)}{8}$에서

$f(2)+2^3f\left(\dfrac{1}{2}\right)=0$

$f\left(\dfrac{1}{3}\right)=-\dfrac{f(3)}{27}$에서

$f(3)+3^3f\left(\dfrac{1}{3}\right)=0$

2단계 다항식 $f(x)$의 식 세우기

이때 $g(x)=f(x)+x^3f\left(\dfrac{1}{x}\right)$이라 하면 $g(2)=g(3)=0$

한편 $f(x)=ax^3+bx^2+cx+d$ (a, b, c, d는 상수, $a\neq0$)라 하면

$x^3f\left(\dfrac{1}{x}\right)=dx^3+cx^2+bx+a$이므로

$g(x)=(a+d)x^3+(b+c)x^2+(b+c)x+(a+d)$

이때 $a+d=p$, $b+c=q$로 놓으면

$g(x)=px^3+qx^2+qx+p$

$g(2)=0$에서

$9p+6q=0$ $\therefore 3p+2q=0$ ……㉠

$g(3)=0$에서

$28p+12q=0$ $\therefore 7p+3q=0$ ……㉡

㉠, ㉡을 연립하여 풀면

$p=0$, $q=0$

따라서 $d=-a$, $c=-b$이므로

$f(x)=ax^3+bx^2-bx-a$

3단계 $f(x)$를 $x-1$로 나누었을 때의 나머지 구하기

$\therefore f(1)=a+b-b-a=0$

즉, $f(x)$를 $x-1$로 나누었을 때의 나머지는 0이다.

06 답 ④

1단계 조건을 만족시키는 다항식 $A(x)$ 구하기

(나)에서 $A(x)\{A(x)-4\}$는 x^2-4x, 즉 $x(x-4)$로 나누어떨어지므로 $A(x)\{A(x)-4\}$를 $x(x-4)$로 나누었을 때의 몫을 $Q(x)$라 하면

$$A(x)\{A(x)-4\}=x(x-4)Q(x) \quad\cdots\cdots\ \bigcirc$$

$\bigcirc$의 양변에 $x=0$을 대입하면

$$A(0)\{A(0)-4\}=0$$

$$\therefore A(0)=0 \ \text{또는}\ A(0)=4$$

$\bigcirc$의 양변에 $x=4$를 대입하면

$$A(4)\{A(4)-4\}=0$$

$$\therefore A(4)=0 \ \text{또는}\ A(4)=4$$

(가)에서 $A(x)$는 $x-1$을 인수로 가지므로 이차다항식 $A(x)$는 다음과 같다. → $A(0)=0$, $A(4)=0$이면 $x-1$을 인수로 가질 수 없다.

(i) $A(0)=0$, $A(4)=4$일 때,

$A(x)=ax(x-1)$ ($a\neq0$인 상수)이라 하면

$A(4)=4$에서 $12a=4$ $\quad\therefore a=\dfrac{1}{3}$

$$\therefore A(x)=\frac{1}{3}x(x-1)$$

(ii) $A(0)=4$, $A(4)=0$일 때,

$A(x)=b(x-1)(x-4)$ ($b\neq0$인 상수)라 하면

$A(0)=4$에서 $4b=4$ $\quad\therefore b=1$

$$\therefore A(x)=(x-1)(x-4)$$

(iii) $A(0)=4$, $A(4)=4$일 때,

$A(x)=(x-1)(cx+d)$ (c, d는 상수, $c\neq0$)라 하면

$A(0)=4$에서 $-d=4$ $\quad\therefore d=-4$

$A(4)=4$에서 $12c+3d=4$

$12c-12=4$ ($\because d=-4$) $\quad\therefore c=\dfrac{4}{3}$

$$\therefore A(x)=(x-1)\left(\frac{4}{3}x-4\right)$$

2단계 다항식 $B(x)$ 구하기

(i), (ii), (iii)에서

$$B(x)=\frac{1}{3}x(x-1)+(x-1)(x-4)+(x-1)\left(\frac{4}{3}x-4\right)$$

3단계 $B(x)$를 $x-6$으로 나누었을 때의 나머지 구하기

따라서 $B(x)$를 $x-6$으로 나누었을 때의 나머지는

$$B(6)=10+10+20=40$$

07 답 6

1단계 다항식 $f(x)$의 차수 구하기

$f(x)$의 최고차항을 $a_n x^n$ ($a_n\neq0$)이라 하면

$f(x^2-x-2)$의 최고차항은 $a_n(x^2)^n=a_n x^{2n}$

$(x^2-x+1)f(x)+6$의 최고차항은 $x^2\times a_n x^n=a_n x^{n+2}$

즉, $a_n x^{2n}=a_n x^{n+2}$이므로

$2n=n+2$ $\quad\therefore n=2$

따라서 $f(x)$는 이차다항식이다.

2단계 다항식 $f(x)$ 구하기

$f(x^2-x-2)=f((x+1)(x-2))$이므로

$$f((x+1)(x-2))=(x^2-x+1)f(x)+6 \quad\cdots\cdots\ \bigcirc$$

$\bigcirc$의 양변에 $x=-1$을 대입하면

$$f(0)=3f(-1)+6$$

$$\therefore f(-1)=\frac{f(0)-6}{3}$$

$\bigcirc$의 양변에 $x=2$를 대입하면

$$f(0)=3f(2)+6$$

$$\therefore f(2)=\frac{f(0)-6}{3}$$

이때 $g(x)=f(x)-\dfrac{f(0)-6}{3}$이라 하면 $g(x)$는 이차다항식이고

$g(-1)=g(2)=0$이므로 $x+1$, $x-2$를 인수로 갖는다.

$$\therefore g(x)=a(x+1)(x-2) \ (a\neq0\text{인 상수})$$

즉, $a(x+1)(x-2)=f(x)-\dfrac{f(0)-6}{3}$이므로

$$f(x)=a(x+1)(x-2)+\frac{f(0)-6}{3}$$

3단계 m의 값 구하기

$$f(6)-f(4)=28a+\frac{f(0)-6}{3}-\left(10a+\frac{f(0)-6}{3}\right)$$
$$=18a$$

$$f(m+2)-f(m-1)$$
$$=a(m+3)\times m+\frac{f(0)-6}{3}-\left\{am(m-3)+\frac{f(0)-6}{3}\right\}$$
$$=am^2+3am-(am^2-3am)$$
$$=6am$$

$$\therefore \frac{f(m+2)-f(m-1)}{f(6)-f(4)}=\frac{6am}{18a}=\frac{m}{3}$$

따라서 $\dfrac{m}{3}=2$이므로 $m=6$

08 답 18

1단계 다항식 $x^{2n+2}+x^{2n}+4x+3$을 x^2-1로 나누었을 때의 나머지 구하기

$x^{2n+2}+x^{2n}+4x+3$을 x^2-1, 즉 $(x+1)(x-1)$로 나누었을 때의 몫이 $Q(x)$이므로 나머지를 $ax+b$ (a, b는 상수)라 하면

$$x^{2n+2}+x^{2n}+4x+3=(x+1)(x-1)Q(x)+ax+b \quad\cdots\cdots\ \bigcirc$$

$\bigcirc$의 양변에 $x=-1$을 대입하면

$$1+1-4+3=-a+b$$

$$\therefore a-b=-1 \quad\cdots\cdots\ \bigcirc\hspace{-0.3em}\bigcirc$$

$\bigcirc$의 양변에 $x=1$을 대입하면

$$1+1+4+3=a+b$$

$$\therefore a+b=9 \quad\cdots\cdots\ \bigcirc\hspace{-0.3em}\bigcirc\hspace{-0.3em}\bigcirc$$

$\bigcirc\hspace{-0.3em}\bigcirc$, $\bigcirc\hspace{-0.3em}\bigcirc\hspace{-0.3em}\bigcirc$을 연립하여 풀면

$$a=4,\ b=5$$

$$\therefore x^{2n+2}+x^{2n}+4x+3=(x+1)(x-1)Q(x)+4x+5$$

2단계 $Q(1)$을 n에 대한 식으로 나타내기

따라서 $(x+1)(x-1)Q(x)=x^{2n+2}+x^{2n}-2$이고,

$$x^{2n+2}+x^{2n}-2$$
$$=(x^{2n+2}-1)+(x^{2n}-1)$$
$$=(x-1)(x^{2n+1}+x^{2n}+\cdots+x+1)+(x-1)(x^{2n-1}+x^{2n-2}+\cdots+1)$$

이므로

$$(x+1)(x-1)Q(x)$$
$$=(x-1)(x^{2n+1}+x^{2n}+\cdots+x+1)+(x-1)(x^{2n-1}+x^{2n-2}+\cdots+1)$$

양변을 $x-1$로 나누면

$$(x+1)Q(x)=(x^{2n+1}+x^{2n}+\cdots+x+1)+(x^{2n-1}+x^{2n-2}+\cdots+1)$$

양변에 $x=1$을 대입하면

$$2Q(1)=(2n+2)+2n=4n+2$$

$$\therefore Q(1)=2n+1$$

3단계 n의 값 구하기

이때 $Q(x)$를 $x-1$로 나누었을 때의 나머지가 37이므로 $Q(1)=37$에서

$2n+1=37 \qquad \therefore n=18$

09 답 $8\sqrt{5}$

1단계 (다)의 식을 인수분해하기

(다)에서

$a^3+2ca^2+(c^2-bc-b^2)a-bc(b+c)$

$=a^3+2ca^2+ac^2-abc-ab^2-b^2c-bc^2$

$=(a-b)c^2+(2a^2-ab-b^2)c+a^3-ab^2$

$=(a-b)c^2+(a-b)(2a+b)c+a(a+b)(a-b)$

$=(a-b)\{c^2+(2a+b)c+a(a+b)\}$

$=(a-b)(c+a)(c+a+b)=0$

2단계 a, b, c의 값 구하기

이때 a, b, c는 삼각형 ABC의 세 변의 길이이므로

$c+a>0$, $c+a+b>0$

따라서 $a-b=0$이므로 $b=a$ ······ ㉠

이를 (가)의 $a+3b=3c$에 대입하면

$4a=3c$ ······ ㉡

(나)에서 $a+b+c=20$이므로 ㉠을 대입하면

$2a+c=20$ ······ ㉢

㉡, ㉢을 연립하여 풀면

$a=6$, $c=8$

$\therefore b=6$

3단계 삼각형 ABC의 넓이 구하기

즉, 삼각형 ABC는 $a=b$인 이등변삼각형이므로 삼각형의 높이를 h라 하면

$h=\sqrt{6^2-4^2}=2\sqrt{5}$

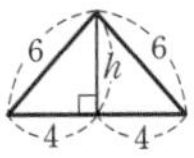

따라서 삼각형 ABC의 넓이는

$\frac{1}{2}\times8\times2\sqrt{5}=8\sqrt{5}$

10 답 6000

1단계 수를 문자로 치환하여 나타내기

$335=a$, $333=b$, $332=c$로 놓으면

$N(335,\ 333,\ 332)=N(a,\ b,\ c)=a^3(b-c)$,

$N(333,\ 332,\ 335)=N(b,\ c,\ a)=b^3(c-a)$,

$N(332,\ 335,\ 333)=N(c,\ a,\ b)=c^3(a-b)$

2단계 문자로 치환한 식을 인수분해하여 식의 값 구하기

$\therefore N(335,\ 333,\ 332)+N(333,\ 332,\ 335)+N(332,\ 335,\ 333)$

$=a^3(b-c)+b^3(c-a)+c^3(a-b)$

$=(b-c)a^3-(b^3-c^3)a+b^3c-bc^3$

$=(b-c)a^3-(b-c)(b^2+bc+c^2)a+bc(b+c)(b-c)$

$=(b-c)\{a^3-(b^2+bc+c^2)a+bc(b+c)\}$

$=(b-c)(a^3-ab^2-ac^2+bc^2-abc+b^2c)$

$=(b-c)\{a(a+b)(a-b)-c^2(a-b)-bc(a-b)\}$

$=(b-c)(a-b)(a^2+ab-c^2-bc)$

$=(b-c)(a-b)\{(a+c)(a-c)+b(a-c)\}$

$=(b-c)(a-b)(a-c)(a+b+c)$

$=(333-332)(335-333)(335-332)(335+333+332)$

$=1\times2\times3\times1000$

$=6000$

idea

11 답 ㄹ, ㅂ

1단계 주어진 식의 인수를 찾아 인수분해하기

$f(x)=x^5+4x^4+nx^3+nx^2+4x+1$이라 하면

$f(-1)=-1+4-n+n-4+1=0$

즉, $f(x)$는 $x+1$을 인수로 갖는다.

조립제법을 이용하여 $x^5+4x^4+nx^3+nx^2+4x+1$을 $x+1$로 나누면

-1	1	4	n	n	4	1
		-1	-3	$-n+3$	-3	-1
	1	3	$n-3$	3	1	0

$\therefore f(x)=(x+1)\{x^4+3x^3+(n-3)x^2+3x+1\}$

$=x^2(x+1)\left\{x^2+3x+(n-3)+\frac{3}{x}+\frac{1}{x^2}\right\}$

$=x^2(x+1)\left\{\left(x+\frac{1}{x}\right)^2+3\left(x+\frac{1}{x}\right)+n-5\right\}$

2단계 주어진 식의 인수가 될 수 있는 것 구하기

이때 $\left(x+\frac{1}{x}\right)^2+3\left(x+\frac{1}{x}\right)+n-5$를

$\left(x+\frac{1}{x}+\alpha\right)\left(x+\frac{1}{x}+\beta\right)$ (α, β는 정수)로 놓으면

$\left(x+\frac{1}{x}\right)^2+3\left(x+\frac{1}{x}\right)+n-5=\left(x+\frac{1}{x}+\alpha\right)\left(x+\frac{1}{x}+\beta\right)$

$=\left(x+\frac{1}{x}\right)^2+(\alpha+\beta)\left(x+\frac{1}{x}\right)+\alpha\beta$

이므로

$\alpha+\beta=3$, $\alpha\beta=n-5$ ······ ㉠

$\therefore f(x)=x^2(x+1)\left\{\left(x+\frac{1}{x}\right)^2+3\left(x+\frac{1}{x}\right)+n-5\right\}$

$=x^2(x+1)\left(x+\frac{1}{x}+\alpha\right)\left(x+\frac{1}{x}+\beta\right)$

$=(x+1)(x^2+\alpha x+1)(x^2+\beta x+1)$

(i) $\alpha=-3$일 때,

㉠에 대입하여 풀면 $\beta=6$, $n=-13$

이때 n은 자연수가 아니므로 조건을 만족시키지 않는다.

(ii) $\alpha=-1$일 때,

㉠에 대입하여 풀면 $\beta=4$, $n=1$이므로

$f(x)=(x+1)(x^2-x+1)(x^2+4x+1)$

(iii) $\alpha=4$일 때,

㉠에 대입하여 풀면 $\beta=-1$, $n=1$이므로

$f(x)=(x+1)(x^2+4x+1)(x^2-x+1)$ → (ii)와 $f(x)$가 같다.

(i), (ii), (iii)에서 $f(x)$의 인수가 될 수 있는 것은 x^2-x+1, x^2+4x+1이다.

따라서 보기에서 $x^5+4x^4+nx^3+nx^2+4x+1$의 인수가 될 수 있는 것은 ㄹ, ㅂ이다.

12 답 146

1단계 a의 값이 될 수 있는 자연수 구하기

$P(x)$가 일차식 $x-a$를 인수로 가지므로 $P(a)=0$에서

$a^4-290a^2+b=0$

$\therefore b=a^2(290-a^2)$ ······ ㉠

이때 b가 자연수이므로

$290-a^2>0$ ($\because a^2>0$)

따라서 $290-a^2>0$을 만족시키는 a의 값이 될 수 있는 자연수는 1, 2, 3, ⋯, 17이다.

조립제법을 이용하여 x^4-290x^2+b를 $x-a$로 나누면

$$
\begin{array}{r|rrrrr}
a & 1 & 0 & -290 & 0 & b \\
 &   & a & a^2 & a^3-290a & a^4-290a^2 \\
\hline
 & 1 & a & a^2-290 & a^3-290a & b+a^4-290a^2 \\
\end{array}
$$

$\therefore P(x)=(x-a)\{x^3+ax^2+(a^2-290)x+a^3-290a\}$

$P(x)$를 $x-a$로 나누었을 때의 몫을 $Q(x)$라 하면

$Q(x)=x^3+ax^2+(a^2-290)x+a^3-290a$

이때 $Q(-a)=-a^3+a^3-a^3+290a+a^3-290a=0$이므로 $Q(x)$는

$x+a$를 인수로 갖는다.

조립제법을 이용하여 $x^3+ax^2+(a^2-290)x+a^3-290a$를 $x+a$로 나누면

$$
\begin{array}{r|rrrr}
-a & 1 & a & a^2-290 & a^3-290a \\
 &   & -a & 0 & -a^3+290a \\
\hline
 & 1 & 0 & a^2-290 & 0 \\
\end{array}
$$

$\therefore P(x)=(x-a)(x+a)(x^2+a^2-290)$ ...... ㉡

3단계 p의 값 구하기

주어진 조건을 만족시키려면 ㉡에서 이차식 x^2+a^2-290은 계수와 상수항이 모두 정수인 서로 다른 두 개의 일차식의 곱으로 인수분해되지 않아야 한다.

이때 $x^2+a^2-290=x^2-(290-a^2)$이 계수와 상수항이 모두 정수인 서로 다른 두 개의 일차식의 곱으로 인수분해되는 경우는 $290-a^2$이 제곱수인 경우이다.

즉, $290=1^2+17^2=11^2+13^2$이므로 $290-a^2$이 제곱수가 되는 자연수 a의 값은 1, 11, 13, 17이다.

따라서 조건을 만족시키는 자연수 a의 개수는 $17-4=13$이고, 자연수 a의 개수만큼 $P(x)$가 만들어지므로 모든 $P(x)$의 개수는 13이다.

$\therefore p=13$

4단계 q의 값 구하기

한편 ㉠에서

$b=a^2(290-a^2)$

$=-(a^2-145)^2+145^2$

이때 a가 자연수이므로 b는 $a=12$일 때, 최댓값 $12^2\times(290-12^2)$을 갖는다.

$\therefore q=12^2\times(290-12^2)$

5단계 $\dfrac{q}{(p-1)^2}$의 값 구하기

$\therefore \dfrac{q}{(p-1)^2}=\dfrac{12^2\times(290-12^2)}{(13-1)^2}=146$

---

01 862 **02** $\dfrac{37}{8}$ **03** 60 **04** 302 **05** 27 **06** −58

07 ⑤ **08** 139

01 답 862

직사각형 IOHP에서 두 대각선의 길이는 서로 같으므로 $\overline{HI}=\overline{OP}=4\sqrt{2}$

$\overline{PH}=x$, $\overline{PI}=y$라 하면 삼각형 PIH는 $\angle IPH=90°$인 직각삼각형이므로

$\overline{PH}^2+\overline{PI}^2=\overline{IH}^2$ $\therefore x^2+y^2=32$

삼각형 PIH의 내접원의 반지름의 길이를 r라 하면 내접원의 넓이가 $\dfrac{\pi}{2}$이므로

$\pi r^2=\dfrac{\pi}{2}$, $r^2=\dfrac{1}{2}$ $\therefore r=\dfrac{\sqrt{2}}{2}$ $(\because r>0)$

삼각형 PIH의 넓이는 $\dfrac{1}{2}xy=\dfrac{1}{2}r(x+y+4\sqrt{2})$이므로

$xy=\dfrac{\sqrt{2}}{2}(x+y+4\sqrt{2})$

$x+y+4\sqrt{2}=\sqrt{2}xy$

$\therefore x+y=\sqrt{2}(xy-4)$

한편 $x^2+y^2=(x+y)^2-2xy$이므로

$32=\{\sqrt{2}(xy-4)\}^2-2xy$

$32=2(xy)^2-18xy+32$

$2(xy)^2-18xy=0$

$xy(xy-9)=0$

이때 $xy\neq0$이므로 $xy-9=0$

$\therefore xy=9$

$\therefore \overline{PH}^4+\overline{PI}^4=x^4+y^4$

$=(x^2+y^2)^2-2(xy)^2$

$=32^2-2\times9^2$

$=862$

02 답 $\dfrac{37}{8}$

$\overline{AB}=\overline{AC}+\overline{CB}$이므로

$4=2a+2b$ $\therefore a+b=2$ ...... ㉠

두 반원 O_1과 O_2의 교점을 P_3이라 하고 두 선분 P_3P_1, P_3P_2를 그으면 삼각형 $P_1P_2P_3$은 $\angle P_1P_3P_2=90°$인 직각삼각형이므로 $\overline{P_1P_2}^2=\overline{P_1P_3}^2+\overline{P_2P_3}^2$

$(a+b)^2=\left(a+\dfrac{1}{4}\right)^2+\left(b+\dfrac{1}{4}\right)^2$

$a^2+2ab+b^2=a^2+\dfrac{a}{2}+\dfrac{1}{16}+b^2+\dfrac{b}{2}+\dfrac{1}{16}$

$2ab=\dfrac{a+b}{2}+\dfrac{1}{8}$

$2ab=1+\dfrac{1}{8}$ $(\because ㉠)$

$\therefore ab=\dfrac{9}{16}$

$\therefore a^3+b^3=(a+b)^3-3ab(a+b)$

$=2^3-3\times\dfrac{9}{16}\times2=\dfrac{37}{8}$

03 답 60

그림과 같이 삼각형 ABC의 외심을 O라 하면
외심 O는 삼각형 ABC의 무게중심이다.

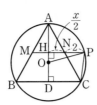

삼각형 ABC에서 $\overline{AM}=\overline{MB}$, $\overline{AN}=\overline{NC}$이므로
$$\overline{BC}=2\overline{MN}=2x$$
선분 BC의 중점을 D라 하면
$$\overline{AD}=\frac{\sqrt{3}}{2}\overline{BC}=\sqrt{3}x$$
$$\therefore \overline{OP}=\overline{OA}=\frac{2}{3}\overline{AD}=\frac{2\sqrt{3}}{3}x$$
선분 MN의 중점을 H라 하면
$$\overline{AH}=\frac{\sqrt{3}}{2}x$$
$$\therefore \overline{OH}=\overline{OA}-\overline{AH}$$
$$=\frac{2\sqrt{3}}{3}x-\frac{\sqrt{3}}{2}x=\frac{\sqrt{3}}{6}x$$
직각삼각형 OPH에서 $\overline{PH}^2+\overline{OH}^2=\overline{OP}^2$이므로
$$\left(\frac{x}{2}+2\right)^2+\left(\frac{\sqrt{3}}{6}x\right)^2=\left(\frac{2\sqrt{3}}{3}x\right)^2$$
$$\frac{x^2}{4}+2x+4+\frac{1}{12}x^2=\frac{4}{3}x^2$$
$$x^2-2x-4=0$$
양변을 x로 나누면
$$x-2-\frac{4}{x}=0$$
$$\therefore x-\frac{4}{x}=2$$
$$\therefore 5\left(x^2+\frac{16}{x^2}\right)=5\left\{\left(x-\frac{4}{x}\right)^2+8\right\}$$
$$=5(4+8)=60$$

다른 풀이

삼각형 ABC에서 $\overline{AM}=\overline{MB}$, $\overline{AN}=\overline{NC}$이므로
$$\overline{BC}=2\overline{MN}=2x$$
이때 $\overline{AC}=\overline{BC}=2x$이므로
$$\overline{AN}=\overline{NC}=x$$
반직선 NM이 삼각형 ABC의 외접원과 만나는
점을 Q, 원의 중심 O에서 현 QP에 내린 수선의
발을 H라 하면 $\overline{QH}=\overline{HP}$이므로
$$\overline{QM}=\overline{QH}-\overline{MH}=\overline{HP}-\overline{HN}$$
$$=\overline{NP}=2$$
$$\therefore \overline{QN}=2+x$$
삼각형 AQN과 삼각형 PCN에서
$\angle AQN=\angle PCN$, $\angle ANQ=\angle PNC$이므로
$\triangle AQN \sim \triangle PCN$ (AA 닮음)
따라서 $\overline{QN}:\overline{CN}=\overline{AN}:\overline{PN}$이므로
$$(2+x):x=x:2$$
$$4+2x=x^2$$
$$x^2-2x-4=0$$
양변을 x로 나누면
$$x-2-\frac{4}{x}=0$$
$$\therefore x-\frac{4}{x}=2$$
$$\therefore 5\left(x^2+\frac{16}{x^2}\right)=5\left\{\left(x-\frac{4}{x}\right)^2+8\right\}$$
$$=5(4+8)=60$$

04 답 302

(가)에서 나머지 $g(x)-3x^2$의 차수는 $g(x)$의 차수보다 작아야 하므로
$g(x)$는 최고차항의 계수가 3인 이차식이다.
$g(x)=3x^2+ax+b$ (a, b는 상수)라 하면
$$f(x)=g(x)\{g(x)-3x^2\}+g(x)-3x^2$$
$$=\{g(x)+1\}\{g(x)-3x^2\}$$
$$=(3x^2+ax+b+1)(ax+b)$$
$f(x)$의 최고차항의 계수가 1이므로 $3a=1$ $\quad\therefore a=\frac{1}{3}$
$$\therefore f(x)=\left(3x^2+\frac{1}{3}x+b+1\right)\left(\frac{1}{3}x+b\right)$$
(나)에서 $f(1)=-4$이므로
$$f(1)=\left(3+\frac{1}{3}+b+1\right)\left(\frac{1}{3}+b\right)$$
$$=\left(b+\frac{13}{3}\right)\left(b+\frac{1}{3}\right)=b^2+\frac{14}{3}b+\frac{13}{9}$$
즉, $b^2+\frac{14}{3}b+\frac{13}{9}=-4$이므로
$$b^2+\frac{14}{3}b+\frac{49}{9}=0, \left(b+\frac{7}{3}\right)^2=0 \quad\therefore b=-\frac{7}{3}$$
따라서 $f(x)=\left(3x^2+\frac{1}{3}x-\frac{4}{3}\right)\left(\frac{1}{3}x-\frac{7}{3}\right)$이므로
$$f(10)=\left(300+\frac{10}{3}-\frac{4}{3}\right)\left(\frac{10}{3}-\frac{7}{3}\right)=302$$

05 답 27

$$n^4+2n^2-3=(n^2-1)(n^2+3)=(n+1)(n-1)(n^2+3)$$
$$=(n+1)(n^3-n^2+3n-3)$$
$$=(n+1)\{(n-3)(n^2+2n+9)+24\}$$
$$=(n+1)(n-3)(n^2+2n+9)+24(n+1) \quad\cdots\cdots\ \unicode{x1F18} $$
$(n+1)(n-3)(n^2+2n+9)$는 $(n+1)(n-3)$의 배수이므로 ㉠이
$(n+1)(n-3)$의 배수가 되려면 $24(n+1)$이 $(n+1)(n-3)$의 배수
이어야 한다.
따라서 $24(n+1)=k(n+1)(n-3)$ (k는 자연수)라 하면
$$24=k(n-3)$$
이때 k가 최소일 때, n이 최댓값을 갖고 자연수 k의 최솟값은 1이므로
그때의 n의 값은
$$24=n-3 \quad\therefore n=27$$

다른 풀이

조립제법을 이용하여 n^4+2n^2-3을 $(n+1)(n-3)$으로 나누면

$$
\begin{array}{r|rrrr|r}
-1 & 1 & 0 & 2 & 0 & -3 \\
   &   & -1 & 1 & -3 & 3 \\
\hline
3 & 1 & -1 & 3 & -3 & 0 \\
  &   & 3 & 6 & 27 & \\
\hline
  & 1 & 2 & 9 & 24 &
\end{array}
$$

$$\therefore n^4+2n^2-3=(n+1)(n-3)(n^2+2n+9)+24(n+1) \quad\cdots\cdots\ \unicode{x1F18}$$
$(n+1)(n-3)(n^2+2n+9)$는 $(n+1)(n-3)$의 배수이므로 ㉠이
$(n+1)(n-3)$의 배수가 되려면 $24(n+1)$이 $(n+1)(n-3)$의 배수
이어야 한다.
따라서 $24(n+1)=k(n+1)(n-3)$ (k는 자연수)라 하면
$$24=k(n-3)$$
이때 k가 최소일 때, n이 최댓값을 갖고 자연수 k의 최솟값은 1이므로
그때의 n의 값은
$$24=n-3 \quad\therefore n=27$$

06 답 −58

$\{P(x)+2x\}^2=(x-a)(x+a)(x^2-3)+4$
$\qquad\qquad\quad=(x^2-a^2)(x^2-3)+4$
$\qquad\qquad\quad=x^4-(3+a^2)x^2+3a^2+4$

이때 $P(x)$는 최고차항의 계수가 음수인 이차다항식이므로 $P(x)+2x$는 이차항의 계수가 -1인 이차다항식이다.

$P(x)+2x=-x^2+px+q\,(p,\ q$는 상수$)$라 하면
$(-x^2+px+q)^2=x^4-2px^3+(p^2-2q)x^2+2pqx+q^2$

즉, $x^4-2px^3+(p^2-2q)x^2+2pqx+q^2=x^4-(3+a^2)x^2+3a^2+4$에서 이 등식이 x에 대한 항등식이므로

$-2p=0$ $\quad\therefore p=0$
$p^2-2q=-3-a^2$ $\qquad\cdots\cdots$ ㉠
$q^2=3a^2+4$ $\qquad\cdots\cdots$ ㉡

$p=0$을 ㉠에 대입하면
$-2q=-3-a^2$
$\therefore a^2=2q-3$ $\qquad\cdots\cdots$ ㉢

이를 ㉡에 대입하면
$q^2=3(2q-3)+4$
$q^2-6q+5=0,\ (q-1)(q-5)=0$
$\therefore q=1$ 또는 $q=5$

이때 $q=1$이면 ㉢에서 $a^2=-1<0$이므로 $q=5$

이를 ㉢에 대입하면 $a^2=7$

따라서 $P(x)+2x=-x^2+5$, 즉 $P(x)=-x^2-2x+5$이므로
$P(a^2)=P(7)=-49-14+5=-58$

다른 풀이

$P(x)+2x$가 이차다항식이므로 $(x-a)(x+a)(x^2-3)+4$도 이차다항식의 완전제곱식이어야 한다.

$(x-a)(x+a)(x^2-3)+4$
$=(x^2-a^2)(x^2-3)+4$
$=x^4-(3+a^2)x^2+3a^2+4$
$=x^4-(3+a^2)x^2+\dfrac{(3+a^2)^2}{4}-\dfrac{(3+a^2)^2}{4}+3a^2+4$
$=\left\{x^4-(3+a^2)x^2+\dfrac{(3+a^2)^2}{4}\right\}-\dfrac{(3+a^2)^2-4(3a^2+4)}{4}$
$=\left(x^2-\dfrac{3+a^2}{2}\right)^2-\dfrac{a^4-6a^2-7}{4}$

이때 $\dfrac{a^4-6a^2-7}{4}=0$이어야 하므로
$a^4-6a^2-7=0,\ (a^2+1)(a^2-7)=0$
$\therefore a^2=7\ (\because a^2\geq0)$

$\{P(x)+2x\}^2=(x^2-5)^2$에서 $|P(x)+2x|=|x^2-5|$
$P(x)=x^2-2x-5$ 또는 $P(x)=-x^2-2x+5$

이때 최고차항의 계수가 음수이므로
$P(x)=-x^2-2x+5$
$\therefore P(a^2)=P(7)=-49-14+5=-58$

07 답 ⑤

㈎에서 $f(x)$를 $x+3$, x^2+9로 나누었을 때의 몫을 각각 $Q_1(x)$, $Q_2(x)$라 하면 나머지가 $5p^2$으로 같으므로
$f(x)=(x+3)Q_1(x)+5p^2,\ f(x)=(x^2+9)Q_2(x)+5p^2$
$\therefore f(x)-5p^2=(x+3)Q_1(x)$ $\qquad\cdots\cdots$ ㉠,
$\quad\ f(x)-5p^2=(x^2+9)Q_2(x)$ $\qquad\cdots\cdots$ ㉡

이때 $f(x)$의 사차항의 계수가 1이므로 $f(x)-5p^2$은 사차항의 계수가 1인 다항식이고 ㉠, ㉡에서 $x+3$, x^2+9를 인수로 갖는다.

즉, $f(x)-5p^2=(x+3)(x^2+9)(x+a)\,(a$는 상수$)$라 하면
$f(x)=(x+3)(x^2+9)(x+a)+5p^2$

㈏에서 $f(2)=f(-2)$이므로
$65(2+a)+5p^2=13(-2+a)+5p^2$
$52a=-156$ $\quad\therefore a=-3$

$\therefore f(x)=(x+3)(x^2+9)(x-3)+5p^2$
$\qquad\quad=(x^2-9)(x^2+9)+5p^2=x^4+5p^2-81$

㈐에서 $f(\sqrt{2p})=0$이므로
$4p^2+5p^2-81=0,\ p^2=9$ $\quad\therefore p=3\ (\because p>0)$

08 답 139

$P(x)$가 일차식 $x-a$를 인수로 가지므로 $P(a)=0$
$a^4-260a^2+b=0$ $\quad\therefore b=a^2(260-a^2)$ $\qquad\cdots\cdots$ ㉠

이때 b가 자연수이므로 $260-a^2>0\ (\because a^2>0)$

따라서 $260-a^2>0$을 만족시키는 a의 값이 될 수 있는 자연수는 1, 2, 3, $\cdots$, 16이다.

조립제법을 이용하여 x^4-260x^2+b를 $x-a$로 나누면

$$\begin{array}{r|ccccc}
a & 1 & 0 & -260 & 0 & b \\
  &   & a & a^2 & a^3-260a & a^4-260a^2 \\
\hline
  & 1 & a & a^2-260 & a^3-260a & b+a^4-260a^2
\end{array}$$

$\therefore P(x)=(x-a)\{x^3+ax^2+(a^2-260)x+a^3-260a\}$

$P(x)$를 $x-a$로 나누었을 때의 몫을 $Q(x)$라 하면
$Q(x)=x^3+ax^2+(a^2-260)x+a^3-260a$

이때 $Q(-a)=-a^3+a^3-a^3+260a+a^3-260a=0$이므로 $Q(x)$는 $x+a$를 인수로 갖는다.

조립제법을 이용하여 $x^3+ax^2+(a^2-260)x+a^3-260a$를 $x+a$로 나누면

$$\begin{array}{r|cccc}
-a & 1 & a & a^2-260 & a^3-260a \\
   &   & -a & 0 & -a^3+260a \\
\hline
   & 1 & 0 & a^2-260 & 0
\end{array}$$

$\therefore P(x)=(x-a)(x+a)(x^2+a^2-260)$ $\qquad\cdots\cdots$ ㉡

주어진 조건을 만족시키려면 ㉡에서 이차식 x^2+a^2-260은 계수와 상수항이 모두 정수인 서로 다른 두 개의 일차식의 곱으로 인수분해되지 않아야 한다.

이때 $x^2+a^2-260=x^2-(260-a^2)$이 계수와 상수항이 모두 정수인 서로 다른 두 개의 일차식의 곱으로 인수분해되는 경우는 $260-a^2$이 제곱수인 경우이다.

즉, $260=2^2+16^2=8^2+14^2$이므로 $260-a^2$이 제곱수가 되는 자연수 a의 값은 2, 8, 14, 16이다.

따라서 조건을 만족시키는 자연수 a의 개수는 $16-4=12$이고, 자연수 a의 개수만큼 $P(x)$가 만들어지므로 모든 $P(x)$의 개수는 12이다.

$\therefore p=12$

한편 ㉠에서 $b=a^2(260-a^2)=-(a^2-130)^2+130^2$

이때 a가 자연수이므로 b는 $a=11$일 때, 최댓값 $11^2\times(260-11^2)$을 갖는다.

$\therefore q=11^2\times(260-11^2)$

$\therefore \dfrac{q}{(p-1)^2}=\dfrac{11^2\times(260-11^2)}{(12-1)^2}=139$

03 복소수

step ① 핵심 문제

01 7	02 ④	03 ②	04 $7-2i$	05 15
06 ⑤	07 ㄱ, ㄷ	08 ⑤	09 25	10 ②
11 ③	12 8			

01 답 7

$\alpha=(2-n-5i)^2$

$\quad=2^2+(-n)^2+(-5i)^2+2(-2n+5ni-10i)$

$\quad=4+n^2-25-4n+10ni-20i$

$\quad=(n^2-4n-21)+(10n-20)i$

α^2이 음의 실수가 되려면 α는 순허수이어야 한다.

즉, α의 실수부분은 0이어야 하고 허수부분은 0이 아니어야 하므로

$n^2-4n-21=0,\ 10n-20\neq0$

$(n+3)(n-7)=0,\ n\neq2$

$\therefore n=7$ ($\because n$은 자연수)

02 답 ④

$f(x)=ax^2+bx+c$ (a, b, c는 실수, $a\neq0$)라 하면

$f(0)=1$에서 $c=1$

$\therefore f(x)=ax^2+bx+1$

$f(1+i)=4-i$에서

$a(1+i)^2+b(1+i)+1=4-i$

$2ai+b+bi+1=4-i$

$(b+1)+(2a+b)i=4-i$

복소수가 서로 같을 조건에 의하여

$b+1=4,\ 2a+b=-1$

$\therefore a=-2,\ b=3$

따라서 $f(x)=-2x^2+3x+1$이므로

$f(1+2i)=-2(1+2i)^2+3(1+2i)+1$

$\qquad\quad=-2(-3+4i)+3+6i+1$

$\qquad\quad=6-8i+3+6i+1$

$\qquad\quad=10-2i$

03 답 ②

$\alpha=\dfrac{1+i}{2i}$, $\beta=\dfrac{1-i}{2i}$에서

$\alpha+\beta=\dfrac{1+i}{2i}+\dfrac{1-i}{2i}=\dfrac{2}{2i}=\dfrac{1}{i}=-i$

$\alpha\beta=\dfrac{1+i}{2i}\times\dfrac{1-i}{2i}=\dfrac{2}{-4}=-\dfrac{1}{2}$

$\therefore (2\alpha^2+3)(2\beta^2+3)=4\alpha^2\beta^2+6(\alpha^2+\beta^2)+9$

$\qquad\qquad\qquad\qquad\quad=4(\alpha\beta)^2+6\{(\alpha+\beta)^2-2\alpha\beta\}+9$

$\qquad\qquad\qquad\qquad\quad=4\times\left(-\dfrac{1}{2}\right)^2+6\left\{(-i)^2-2\times\left(-\dfrac{1}{2}\right)\right\}+9$

$\qquad\qquad\qquad\qquad\quad=1+6(-1+1)+9$

$\qquad\qquad\qquad\qquad\quad=10$

04 답 $7-2i$

$x=\dfrac{4-i}{1+i}+\dfrac{2+i}{1-i}=\dfrac{(4-i)(1-i)+(2+i)(1+i)}{(1+i)(1-i)}$

$\quad=\dfrac{(3-5i)+(1+3i)}{2}=2-i$ ⸺⸺⸺⸺ 배점 30%

따라서 $x-2=-i$이므로 양변을 제곱하면

$x^2-4x+4=-1$ $\quad\therefore x^2-4x+5=0$ ⸺⸺ 배점 30%

$\therefore x^5-4x^4+6x^3-4x^2+7x+3$

$\quad=x^3(x^2-4x+5)+x(x^2-4x+5)+2x+3$

$\quad=2x+3=2(2-i)+3$

$\quad=7-2i$ ⸺⸺⸺⸺⸺⸺⸺ 배점 40%

05 답 15

㈎에서 $\overline{z_1}=\dfrac{z_1^{\,2}}{4i}$이므로 $4i\overline{z_1}=z_1^{\,2}$

$4i(a-2i)=(a+2i)^2$

$8+4ai=(a^2-4)+4ai$

복소수가 서로 같을 조건에 의하여

$8=a^2-4$ $\quad\therefore a^2=12$

㈏에서 $z_1\overline{z_2}=(a+2i)(3-bi)=(3a+2b)+(6-ab)i$가 실수이므로

$6-ab=0$ $\quad\therefore ab=6$

이 식의 양변을 제곱하면 $a^2b^2=36$

$a^2=12$를 대입하면 $12b^2=36$ $\quad\therefore b^2=3$

$\therefore a^2+b^2=12+3=15$

06 답 ⑤

$iz=\overline{z}$에서 $i(a+bi)=a-bi$, $-b+ai=a-bi$

복소수가 서로 같을 조건에 의하여 $a=-b$ $\quad\therefore z=-b+bi$

ㄱ. $z+\overline{z}=(-b+bi)+(-b-bi)=-2b$

ㄴ. $i\overline{z}=i(-b-bi)=b-bi=-(-b+bi)=-z$

ㄷ. $\dfrac{\overline{z}}{z}+\dfrac{z}{\overline{z}}=\dfrac{-b-bi}{-b+bi}+\dfrac{-b+bi}{-b-bi}=\dfrac{(-b-bi)^2+(-b+bi)^2}{(-b+bi)(-b-bi)}$

$\qquad\qquad=\dfrac{2b^2i-2b^2i}{2b^2}=0$

따라서 보기에서 옳은 것은 ㄱ, ㄴ, ㄷ이다.

다른 풀이

ㄴ. $iz=\overline{z}$의 양변에 i를 곱하면 $-z=\overline{z}i$

ㄷ. $iz=\overline{z}$이므로 $\dfrac{\overline{z}}{z}=i$, $\dfrac{z}{\overline{z}}=\dfrac{1}{i}=-i$ $\quad\therefore \dfrac{\overline{z}}{z}+\dfrac{z}{\overline{z}}=i+(-i)=0$

07 답 ㄱ, ㄷ

ㄱ. $\overline{z_1}=z_2$이면 $z_1z_2=z_1\overline{z_1}$

이때 $z_1\overline{z_1}$는 항상 실수이므로 z_1z_2는 실수이다.

ㄴ. $z_1=1$, $z_2=i$이면 $z_1^{\,2}+z_2^{\,2}=1+(-1)=0$이지만 $z_1\neq0$, $z_2\neq0$이다.

ㄷ. $\overline{z_1}z_2=1$에서 $\dfrac{1}{\overline{z_1}}=z_2$이므로 $z_1+\dfrac{1}{\overline{z_1}}=z_1+z_2$ ⸺⸺ ㉠

또 $\overline{z_1}z_2=1$에서 $\dfrac{1}{z_2}=\overline{z_1}$이므로 $\dfrac{1}{z_2}=z_1$

$\therefore z_2+\dfrac{1}{z_2}=z_2+z_1$ ⸺⸺⸺⸺ ㉡

㉠, ㉡에서 $z_1+\dfrac{1}{\overline{z_1}}=z_2+\dfrac{1}{z_2}$

따라서 보기에서 옳은 것은 ㄱ, ㄷ이다.

08 답 ⑤

$\alpha+\beta=(3+\sqrt{2}i)+(1+2\sqrt{2}i)=4+3\sqrt{2}i$이므로

$$\begin{aligned}
\alpha\bar{\alpha}+\bar{\alpha}\beta+\alpha\bar{\beta}+\beta\bar{\beta}&=\bar{\alpha}(\alpha+\beta)+\bar{\beta}(\alpha+\beta)\\
&=(\alpha+\beta)(\bar{\alpha}+\bar{\beta})=(\alpha+\beta)\overline{(\alpha+\beta)}\\
&=(4+3\sqrt{2}i)(4-3\sqrt{2}i)\\
&=16+18=34
\end{aligned}$$

$\alpha-\beta=(3+\sqrt{2}i)-(1+2\sqrt{2}i)=2-\sqrt{2}i$이므로

$$\begin{aligned}
\alpha\bar{\alpha}-\bar{\alpha}\beta-\alpha\bar{\beta}+\beta\bar{\beta}&=\bar{\alpha}(\alpha-\beta)-\bar{\beta}(\alpha-\beta)\\
&=(\alpha-\beta)(\bar{\alpha}-\bar{\beta})=(\alpha-\beta)\overline{(\alpha-\beta)}\\
&=(2-\sqrt{2}i)(2+\sqrt{2}i)\\
&=4+2=6
\end{aligned}$$

$\therefore \dfrac{\alpha\bar{\alpha}+\bar{\alpha}\beta+\alpha\bar{\beta}+\beta\bar{\beta}}{\alpha\bar{\alpha}-\bar{\alpha}\beta-\alpha\bar{\beta}+\beta\bar{\beta}}=\dfrac{34}{6}=\dfrac{17}{3}$

09 답 25

$\dfrac{1}{i}=-i$, $\dfrac{1}{i^2}=-1$, $\dfrac{1}{i^3}=i$, $\dfrac{1}{i^4}=1$이므로

$\dfrac{1}{i}-\dfrac{1}{i^2}+\dfrac{1}{i^3}-\dfrac{1}{i^4}=-i+1+i-1=0$

음이 아닌 정수 k에 대하여

(ⅰ) $n=4k+1$일 때,

$$\begin{aligned}
&\dfrac{1}{i}-\dfrac{1}{i^2}+\dfrac{1}{i^3}-\dfrac{1}{i^4}+\cdots+\dfrac{(-1)^{n+1}}{i^n}\\
&=\left(\dfrac{1}{i}-\dfrac{1}{i^2}+\dfrac{1}{i^3}-\dfrac{1}{i^4}\right)+\dfrac{1}{i^4}\left(\dfrac{1}{i}-\dfrac{1}{i^2}+\dfrac{1}{i^3}-\dfrac{1}{i^4}\right)+\cdots+\dfrac{1}{i^{4k}}\times\dfrac{1}{i}\\
&=\dfrac{1}{i}=-i
\end{aligned}$$

(ⅱ) $n=4k+2$일 때,

$$\begin{aligned}
&\dfrac{1}{i}-\dfrac{1}{i^2}+\dfrac{1}{i^3}-\dfrac{1}{i^4}+\cdots+\dfrac{(-1)^{n+1}}{i^n}\\
&=\left(\dfrac{1}{i}-\dfrac{1}{i^2}+\dfrac{1}{i^3}-\dfrac{1}{i^4}\right)+\dfrac{1}{i^4}\left(\dfrac{1}{i}-\dfrac{1}{i^2}+\dfrac{1}{i^3}-\dfrac{1}{i^4}\right)\\
&\qquad+\cdots+\dfrac{1}{i^{4k}}\left(\dfrac{1}{i}-\dfrac{1}{i^2}\right)\\
&=\dfrac{1}{i}-\dfrac{1}{i^2}=-i+1
\end{aligned}$$

(ⅲ) $n=4k+3$일 때,

$$\begin{aligned}
&\dfrac{1}{i}-\dfrac{1}{i^2}+\dfrac{1}{i^3}-\dfrac{1}{i^4}+\cdots+\dfrac{(-1)^{n+1}}{i^n}\\
&=\left(\dfrac{1}{i}-\dfrac{1}{i^2}+\dfrac{1}{i^3}-\dfrac{1}{i^4}\right)+\dfrac{1}{i^4}\left(\dfrac{1}{i}-\dfrac{1}{i^2}+\dfrac{1}{i^3}-\dfrac{1}{i^4}\right)\\
&\qquad+\cdots+\dfrac{1}{i^{4k}}\left(\dfrac{1}{i}-\dfrac{1}{i^2}+\dfrac{1}{i^3}\right)\\
&=\dfrac{1}{i}-\dfrac{1}{i^2}+\dfrac{1}{i^3}=-i+1+i=1
\end{aligned}$$

(ⅳ) $n=4k+4$일 때,

$$\begin{aligned}
&\dfrac{1}{i}-\dfrac{1}{i^2}+\dfrac{1}{i^3}-\dfrac{1}{i^4}+\cdots+\dfrac{(-1)^{n+1}}{i^n}\\
&=\left(\dfrac{1}{i}-\dfrac{1}{i^2}+\dfrac{1}{i^3}-\dfrac{1}{i^4}\right)+\dfrac{1}{i^4}\left(\dfrac{1}{i}-\dfrac{1}{i^2}+\dfrac{1}{i^3}-\dfrac{1}{i^4}\right)\\
&\qquad+\cdots+\dfrac{1}{i^{4k}}\left(\dfrac{1}{i}-\dfrac{1}{i^2}+\dfrac{1}{i^3}-\dfrac{1}{i^4}\right)\\
&=0
\end{aligned}$$

(ⅰ)~(ⅳ)에서 $n=4k+2$ (k는 음이 아닌 정수) 꼴일 때

$\dfrac{1}{i}-\dfrac{1}{i^2}+\dfrac{1}{i^3}-\dfrac{1}{i^4}+\cdots+\dfrac{(-1)^{n+1}}{i^n}=1-i$가 성립하므로 100 이하의 자연수 n은 2, 6, 10, $\cdots$, 98의 25개이다.

비법 NOTE

$i+i^2+i^3+i^4=0$, $i-i^2+i^3-i^4=0$, $\dfrac{1}{i}+\dfrac{1}{i^2}+\dfrac{1}{i^3}+\dfrac{1}{i^4}=0$, $\dfrac{1}{i}-\dfrac{1}{i^2}+\dfrac{1}{i^3}-\dfrac{1}{i^4}=0$

이고, $i^4=1$이므로 i의 거듭제곱이 포함된 식을 계산할 때는 네 항씩 묶어서 간단히 할 수 있다.

예를 들어 $i+i^2+i^3+i^4+\cdots+i^{100}$에서 네 항씩 묶으면

$$\begin{aligned}
&i+i^2+i^3+i^4+\cdots+i^{100}\\
&=(i+i^2+i^3+i^4)+(i^5+i^6+i^7+i^8)+\cdots+(i^{97}+i^{98}+i^{99}+i^{100})\\
&=(i+i^2+i^3+i^4)+i^4(i+i^2+i^3+i^4)+\cdots+i^{96}(i+i^2+i^3+i^4)\\
&=0
\end{aligned}$$

10 답 ②

$x=\dfrac{1+i}{\sqrt{2}i}$라 하면

$x^2=\left(\dfrac{1+i}{\sqrt{2}i}\right)^2=\dfrac{2i}{-2}=-i$

$x^4=(x^2)^2=(-i)^2=-1$

$x^8=(x^4)^2=(-1)^2=1$

$y=\dfrac{1-i}{\sqrt{2}i}$라 하면

$y^2=\left(\dfrac{1-i}{\sqrt{2}i}\right)^2=\dfrac{-2i}{-2}=i$

$y^4=(y^2)^2=i^2=-1$

$y^8=(y^4)^2=(-1)^2=1$

$$\begin{aligned}
\therefore &\left(\dfrac{1+i}{\sqrt{2}i}\right)^{2022}-\left(\dfrac{1+i}{\sqrt{2}i}\right)^{2024}\left(\dfrac{1-i}{\sqrt{2}i}\right)^{2026}+\left(\dfrac{1-i}{\sqrt{2}i}\right)^{2028}\\
&=x^{2022}-x^{2024}y^{2026}+y^{2028}\\
&=(x^8)^{252}x^6-(x^8)^{253}(y^8)^{253}y^2+(y^8)^{253}y^4\\
&=x^6-y^2+y^4\\
&=x^4x^2-y^2+y^4\\
&=-1\times(-i)-i+(-1)=-1
\end{aligned}$$

11 답 ③

$a>0$, $b<0$이고, $b=-B$로 놓으면 $B>0$이므로

$$\begin{aligned}
&\sqrt{-a^2}\sqrt{-\dfrac{1}{b^2}}+\left(\sqrt{\dfrac{a}{b}}\right)^2+\dfrac{\sqrt{a}}{\sqrt{b}}\sqrt{\dfrac{a}{b}}\\
&=\sqrt{-a^2}\sqrt{-\dfrac{1}{B^2}}+\left(\sqrt{-\dfrac{a}{B}}\right)^2+\dfrac{\sqrt{a}}{\sqrt{-B}}\sqrt{-\dfrac{a}{B}}\\
&=\sqrt{a^2}i\times\sqrt{\dfrac{1}{B^2}}i+\left(\sqrt{\dfrac{a}{B}}i\right)^2+\dfrac{\sqrt{a}}{\sqrt{B}i}\times\sqrt{\dfrac{a}{B}}i\\
&=-\dfrac{a}{B}-\dfrac{a}{B}+\dfrac{a}{B}=-\dfrac{a}{B}=\dfrac{a}{b}
\end{aligned}$$

12 답 8

$\sqrt{-(m+1)}\sqrt{m-3}=-\sqrt{-(m+1)(m-3)}$에서

$-(m+1)\leq0$, $m-3\leq0$이므로

$-1\leq m\leq3$

즉, $-3\leq m-2\leq1$이므로 정수 m에 대하여 $|m-2|$의 최댓값은 3이다.

$\dfrac{\sqrt{n+3}}{\sqrt{n-2}}=-\sqrt{\dfrac{n+3}{n-2}}$에서 $n+3\geq0$, $n-2<0$이므로

$-3\leq n<2$

즉, $1\leq n+4<6$이므로 정수 n에 대하여 $|n+4|$의 최댓값은 5이다.

따라서 $|m-2|+|n+4|$의 최댓값은

$3+5=8$

01 ①	02 9	03 ④	04 24	05 ⑤	06 ③
07 ①	08 0	09 ④	10 17	11 ㄴ	12 ㄴ, ㄷ
13 $\frac{1}{2}$	14 ㄴ	15 ③	16 85	17 44	18 ④
19 24	20 27	21 ⑤	22 ④	23 10	24 ③

01 답 ①

ㄱ. $(\alpha\beta)^2=\alpha^2\beta^2=2i\times(-2i)=4$이므로

$\alpha\beta=2$ 또는 $\alpha\beta=-2$ ······ ㉠

ㄴ. $(\alpha+\beta)^2=\alpha^2+2\alpha\beta+\beta^2=2i+2\alpha\beta-2i=2\alpha\beta$이므로

$(\alpha+\beta)^4=\{(\alpha+\beta)^2\}^2=(2\alpha\beta)^2=4\alpha^2\beta^2$

$\qquad\qquad\quad =4\times2i\times(-2i)=16$

ㄷ. $\dfrac{\alpha-\beta}{\alpha+\beta}=\dfrac{(\alpha-\beta)^2}{(\alpha+\beta)(\alpha-\beta)}=\dfrac{\alpha^2-2\alpha\beta+\beta^2}{\alpha^2-\beta^2}$

$\qquad\quad =\dfrac{2i-2\alpha\beta-2i}{2i-(-2i)}=-\dfrac{\alpha\beta}{2i}=\dfrac{\alpha\beta}{2}i$

㉠에서 $\alpha\beta$는 실수이므로 $\dfrac{\alpha-\beta}{\alpha+\beta}$ 는 순허수이다.

따라서 보기에서 옳은 것은 ㄴ이다.

다른 풀이

ㄷ. $\left(\dfrac{\alpha-\beta}{\alpha+\beta}\right)^2=\dfrac{\alpha^2-2\alpha\beta+\beta^2}{\alpha^2+2\alpha\beta+\beta^2}=\dfrac{2i-2\alpha\beta-2i}{2i+2\alpha\beta-2i}=\dfrac{-2\alpha\beta}{2\alpha\beta}=-1$

즉, $\left(\dfrac{\alpha-\beta}{\alpha+\beta}\right)^2$이 음의 실수이므로 $\dfrac{\alpha-\beta}{\alpha+\beta}$는 순허수이다.

02 답 9

$z_1^2+z_2^2=8i$에서

$(z_1-z_2)^2+2z_1z_2=8i$, $(-1+i)^2+2z_1z_2=8i$

$-2i+2z_1z_2=8i$ $\qquad\therefore z_1z_2=5i$ ········· 배점 **20%**

$\therefore (z_1+z_2)^2=z_1^2+z_2^2+2z_1z_2=8i+2\times5i=18i$

$z_1^3+z_2^3=-9+9i$에서

$(z_1+z_2)^3-3z_1z_2(z_1+z_2)=-9+9i$

$(z_1+z_2)^2(z_1+z_2)-3z_1z_2(z_1+z_2)=-9+9i$

$18i(z_1+z_2)-3\times5i(z_1+z_2)=-9+9i$

$3i(z_1+z_2)=-9+9i$

$\therefore z_1+z_2=\dfrac{-9+9i}{3i}=3-\dfrac{3}{i}=3+3i$ ········· 배점 **30%**

따라서 $z_1-z_2=-1+i$, $z_1+z_2=3+3i$를 연립하여 풀면

$z_1=1+2i$, $z_2=2+i$ ········· 배점 **10%**

$z_1^2=(1+2i)^2=-3+4i$이므로

$z_1^4=(z_1^2)^2=(-3+4i)^2=-7-24i$ ······ ㉠

$z_2^2=(2+i)^2=3+4i$이므로

$z_2^4=(z_2^2)^2=(3+4i)^2=-7+24i$ ······ ㉡

㉠, ㉡을 $az_1^4+bz_2^4=42$에 대입하면

$a(-7-24i)+b(-7+24i)=42$

$-7(a+b)-24(a-b)i=42$

복소수가 서로 같을 조건에 의하여

$a+b=-6$, $a-b=0$

두 식을 연립하여 풀면

$a=-3$, $b=-3$ $\qquad\therefore ab=9$ ········· 배점 **40%**

03 답 ④

$x\ne0$이므로 $(ax^2+bx+b)x^4+2x^3+bx^2+bx+a=0$의 양변을 x^3으로 나누면

$ax^3+bx^2+bx+2+\dfrac{b}{x}+\dfrac{b}{x^2}+\dfrac{a}{x^3}=0$

$a\left(x^3+\dfrac{1}{x^3}\right)+b\left(x^2+\dfrac{1}{x^2}\right)+b\left(x+\dfrac{1}{x}\right)+2=0$ ······ ㉠

$x+\dfrac{1}{x}=i$에서

$x^2+\dfrac{1}{x^2}=\left(x+\dfrac{1}{x}\right)^2-2=i^2-2=-3$

$x^3+\dfrac{1}{x^3}=\left(x+\dfrac{1}{x}\right)^3-3\left(x+\dfrac{1}{x}\right)=i^3-3i=-4i$

이를 ㉠에 대입하면

$a\times(-4i)+b\times(-3)+b\times i+2=0$

$(2-3b)+(b-4a)i=0$

복소수가 서로 같을 조건에 의하여

$2-3b=0$, $b-4a=0$

$\therefore a=\dfrac{1}{6}$, $b=\dfrac{2}{3}$ $\qquad\therefore a+b=\dfrac{5}{6}$

✦idea
04 답 24

$z^3=2-3i$에서 $z^3-2=-3i$이므로 양변을 제곱하면

$z^6-4z^3+4=-9$ $\qquad\therefore z^6-4z^3+13=0$

$z\ne0$이므로 이 식의 양변을 각각 z, z^2, z^3으로 나누면

$z^5-4z^2+\dfrac{13}{z}=0$, $z^4-4z+\dfrac{13}{z^2}=0$, $z^3-4+\dfrac{13}{z^3}=0$

$\therefore 2z^5-2z^4+5z^3-8z^2+8z+\dfrac{26}{z}-\dfrac{26}{z^2}+\dfrac{13}{z^3}$

$=2\left(z^5-4z^2+\dfrac{13}{z}\right)-2\left(z^4-4z+\dfrac{13}{z^2}\right)+\left(z^3-4+\dfrac{13}{z^3}\right)+4z^3+4$

$=4z^3+4=4(2-3i)+4$

$=12-12i$

따라서 $a=12$, $b=-12$이므로 $a-b=24$

05 답 ⑤

$z=a+bi$(a, b는 실수, $b\ne0$)라 하면

$z+\bar{z}=(a+bi)+(a-bi)=2a$

$z-\bar{z}=(a+bi)-(a-bi)=2bi$

$z\bar{z}=(a+bi)(a-bi)=a^2+b^2$

① $\dfrac{1}{z}+\dfrac{1}{\bar{z}}=\dfrac{z+\bar{z}}{z\bar{z}}=\dfrac{2a}{a^2+b^2}$ ➡ 실수

② $z^2+z+\bar{z}^2+\bar{z}+1=(z+\bar{z})^2-2z\bar{z}+(z+\bar{z})+1$

$\qquad\qquad =(2a)^2-2(a^2+b^2)+2a+1$

$\qquad\qquad =2a^2-2b^2+2a+1$ ➡ 실수

③ $(2z+1)(2\bar{z}+1)=4z\bar{z}+2(z+\bar{z})+1$

$\qquad\qquad =4(a^2+b^2)+4a+1$ ➡ 실수

④ $(z+\bar{z})(z^2-z\bar{z}+\bar{z}^2)=z^3+\bar{z}^3=(z+\bar{z})^3-3z\bar{z}(z+\bar{z})$

$\qquad\qquad =(2a)^3-3(a^2+b^2)\times2a$

$\qquad\qquad =2a^3-6ab^2$ ➡ 실수

⑤ $\dfrac{z}{1-z}-\dfrac{\bar{z}}{1-\bar{z}}=\dfrac{z(1-\bar{z})-\bar{z}(1-z)}{(1-z)(1-\bar{z})}=\dfrac{z-\bar{z}}{1-(z+\bar{z})+z\bar{z}}$

$\qquad\qquad =\dfrac{2bi}{1-2a+a^2+b^2}$ ➡ 순허수

따라서 실수가 아닌 것은 ⑤이다.

06 답 ③

$z_1=(1-i)\overline{a}$에서 $\overline{z_1}=\overline{(1-i)\overline{a}}=(1+i)a$이므로

$z_2=(1-i)\overline{z_1}=(1-i)(1+i)a=2a$

$z_3=(1-i)\overline{z_2}=(1-i)\times2\overline{a}=2(1-i)\overline{a}$

$z_4=(1-i)\overline{z_3}=(1-i)\times2(1+i)a=2^2a$

$z_5=(1-i)\overline{z_4}=(1-i)\times2^2\overline{a}=2^2(1-i)\overline{a}$

$z_6=(1-i)\overline{z_5}=(1-i)\times2^2(1+i)a=2^3a$

$\vdots$

$\therefore z_{50}=2^{25}a=2^{25}(16-16i)=2^{29}-2^{29}i$

따라서 $a=2^{29}$, $b=-2^{29}$이므로

$a-b=2^{29}+2^{29}=2\times2^{29}=2^{30}$

07 답 ①

㈎에서 $\left(\dfrac{\overline{z}}{z}\right)^2>0$이므로 $\dfrac{\overline{z}}{z}$는 실수이다.

$z=a+bi$ (a, b는 실수, $b\neq0$)라 하면

$\dfrac{\overline{z}}{z}=\dfrac{a-bi}{a+bi}=\dfrac{(a-bi)^2}{(a+bi)(a-bi)}=\dfrac{(a^2-b^2)-2abi}{a^2+b^2}$

$\dfrac{\overline{z}}{z}$가 실수이므로 $ab=0$

그런데 $b\neq0$이므로 $a=0$ $\quad\therefore z=bi$

㈏에서 $\overline{z}+\overline{z}^2+\overline{z}^3=-4+6i$이므로

$-bi+(-bi)^2+(-bi)^3=-4+6i$

$-bi-b^2+b^3i=-4+6i$

$-b^2+(b^3-b)i=-4+6i$

복소수가 서로 같을 조건에 의하여

$b^2=4$ $\cdots\cdots$ ㉠, $b^3-b=6$ $\cdots\cdots$ ㉡

㉡에서 $b(b^2-1)=6$

㉠을 대입하면 $3b=6$ $\quad\therefore b=2$

따라서 $z=2i$, $\overline{z}=-2i$이므로

$z^3-\overline{z}^3=(2i)^3-(-2i)^3=-8i-8i=-16i$

08 답 0

$a+\beta=2\sqrt{3}i$에서 $\overline{a}+\overline{\beta}=-2\sqrt{3}i$

이때 $a\overline{a}=4$, $\beta\overline{\beta}=4$에서 $\overline{a}=\dfrac{4}{a}$, $\overline{\beta}=\dfrac{4}{\beta}$이므로

$\dfrac{4}{a}+\dfrac{4}{\beta}=-2\sqrt{3}i$, $\dfrac{4(a+\beta)}{a\beta}=-2\sqrt{3}i$

$\therefore a\beta=\dfrac{4(a+\beta)}{-2\sqrt{3}i}=\dfrac{4\times2\sqrt{3}i}{-2\sqrt{3}i}=-4$

$\therefore \dfrac{1}{a^3}+\dfrac{1}{\beta^3}=\dfrac{a^3+\beta^3}{a^3\beta^3}=\dfrac{(a+\beta)^3-3a\beta(a+\beta)}{(a\beta)^3}$

$\qquad=\dfrac{(2\sqrt{3}i)^3-3\times(-4)\times2\sqrt{3}i}{(-4)^3}=0$

09 답 ④

$a^2-\beta=i$에서 $\overline{a}^2-\overline{\beta}=-i$ $\cdots\cdots$ ㉠

$\overline{\beta}^2-\overline{a}=-i$ $\cdots\cdots$ ㉡

㉠-㉡을 하면

$(\overline{a}^2-\overline{\beta}^2)+\overline{a}-\overline{\beta}=0$, $(\overline{a}+\overline{\beta})(\overline{a}-\overline{\beta})+\overline{a}-\overline{\beta}=0$

$(\overline{a}-\overline{\beta})(\overline{a}+\overline{\beta}+1)=0$

이때 $\overline{a}\neq\overline{\beta}$이므로 $\overline{a}+\overline{\beta}+1=0$ $\quad\therefore \overline{a}+\overline{\beta}=-1$

㉠+㉡을 하면

$(\overline{a}^2+\overline{\beta}^2)-(\overline{a}+\overline{\beta})=-2i$

$(\overline{a}+\overline{\beta})^2-2\overline{a}\overline{\beta}-(\overline{a}+\overline{\beta})=-2i$

$(-1)^2-2\overline{a}\overline{\beta}-(-1)=-2i$ $\quad\therefore \overline{a}\overline{\beta}=1+i$

$\therefore \overline{a}^3+\overline{\beta}^3=(\overline{a}+\overline{\beta})^3-3\overline{a}\overline{\beta}(\overline{a}+\overline{\beta})$

$\qquad=(-1)^3-3(1+i)\times(-1)=2+3i$

따라서 $x=2$, $y=3$이므로 $xy=6$

10 답 17

$z=a+bi$, $w=c+di$ (a, b, c, d는 자연수)라 하면

$w\overline{w}=(c+di)(c-di)=c^2+d^2$

$z\overline{z}=10$에서 $(a+bi)(a-bi)=10$

$\therefore a^2+b^2=10$

이때 a, b는 자연수이므로

$a=1$, $b=3$ 또는 $a=3$, $b=1$

$z\overline{z}+w\overline{w}+z\overline{w}+\overline{z}w=41$에서

$z(\overline{z}+\overline{w})+w(\overline{z}+\overline{w})=41$, $(z+w)(\overline{z}+\overline{w})=41$

$(z+w)\overline{(z+w)}=41$

이때 $z+w=(a+c)+(b+d)i$이므로

$\{(a+c)+(b+d)i\}\{(a+c)-(b+d)i\}=41$

$(a+c)^2+(b+d)^2=41$

이때 $a+c$, $b+d$는 자연수이므로

$a+c=4$, $b+d=5$ 또는 $a+c=5$, $b+d=4$

(i) $a=1$, $b=3$일 때,

$\quad c=3$, $d=2$ 또는 $c=4$, $d=1$

$\quad\therefore c^2+d^2=13$ 또는 $c^2+d^2=17$

(ii) $a=3$, $b=1$일 때,

$\quad c=1$, $d=4$ 또는 $c=2$, $d=3$

$\quad\therefore c^2+d^2=17$ 또는 $c^2+d^2=13$

(i), (ii)에서 $w\overline{w}$, 즉 c^2+d^2의 최댓값은 17이다.

11 답 ㄴ

$z=a+bi$ (a, b는 실수)라 하자.

ㄱ. $f(\overline{z})=f(a-bi)=(a-bi)+(a+bi)-(a-bi)(a+bi)-1$

$\qquad=2a-a^2-b^2-1=-(a-1)^2-b^2$ $\cdots\cdots$ ㉠

이때 $(a-1)^2\geq0$, $b^2\geq0$이므로 $f(\overline{z})\leq0$

ㄴ. $z+\overline{z}=(a+bi)+(a-bi)=2a$이므로

$\quad f(z+\overline{z})=f(2a)=2a+2a-(2a)^2-1=-4a^2+4a-1$

$\quad f(\overline{z})=f(z)$이므로

$\quad f(z)+f(\overline{z})+2=2f(\overline{z})+2=-2(a-1)^2-2b^2+2$ ($\because$ ㉠)

$\qquad\qquad=-2a^2+4a-2b^2$

$\quad f(z+\overline{z})=f(z)+f(\overline{z})+2$에서

$\quad-4a^2+4a-1=-2a^2+4a-2b^2$

$\quad2b^2=2a^2+1$

$\quad$이때 $2b^2>0$이므로 $b\neq0$

$\quad$따라서 $z=a+bi$는 허수이다.

ㄷ. $z=1$이면 $\overline{z}=1$이므로

$\quad f(z\overline{z})=f(1)=1+1-1-1=0$

$\quad f(z)=f(1)=0$, $f(\overline{z})=f(1)=0$

$\quad$즉, $f(z\overline{z})=-f(z)f(\overline{z})$이지만 z는 실수이다.

따라서 보기에서 옳은 것은 ㄴ이다.

12 답 ㄴ, ㄷ

$z=\dfrac{\sqrt{3}+i}{2}$ 라 하면

$z+\overline{z}=\dfrac{\sqrt{3}+i}{2}+\dfrac{\sqrt{3}-i}{2}=\sqrt{3}$

$z\overline{z}=\dfrac{\sqrt{3}+i}{2}\times\dfrac{\sqrt{3}-i}{2}=\dfrac{4}{4}=1$

ㄱ. $a_3=z^3$, $\overline{a_3}=\overline{z}^3$이므로

$\quad a_3+\overline{a_3}=z^3+\overline{z}^3=(z+\overline{z})^3-3z\overline{z}(z+\overline{z})$

$\quad\quad\quad\quad\quad=(\sqrt{3})^3-3\times1\times\sqrt{3}=0$ ...... ㉠

ㄴ. ㉠에서 $z^3+\overline{z}^3=0$이므로

$\quad z^3=-\overline{z}^3$

$\quad$이때 $z\overline{z}=1$에서 $\overline{z}=\dfrac{1}{z}$이므로

$\quad z^3=-\dfrac{1}{\overline{z}^3}$, $z^6=-1$ $\quad\therefore \overline{z}^6=-1$ ...... ㉡

$\quad\therefore 1+\overline{a_2}+\overline{a_4}+\overline{a_6}+\overline{a_8}+\overline{a_{10}}=1+\overline{z}^2+\overline{z}^4+\overline{z}^6+\overline{z}^8+\overline{z}^{10}$

$\quad\quad\quad\quad\quad\quad\quad\quad\quad\quad\quad=1+\overline{z}^2+\overline{z}^4+\overline{z}^6(1+\overline{z}^2+\overline{z}^4)$

$\quad\quad\quad\quad\quad\quad\quad\quad\quad\quad\quad=1+\overline{z}^2+\overline{z}^4-(1+\overline{z}^2+\overline{z}^4)=0$

ㄷ. $\dfrac{1}{\overline{a_2}-2}-\dfrac{1}{\overline{a_8}+2}=\dfrac{1}{\overline{z}^2-2}-\dfrac{1}{\overline{z}^8+2}$

$\quad\quad\quad\quad\quad\quad\quad=\dfrac{1}{\overline{z}^2-2}-\dfrac{1}{-\overline{z}^2+2}$ (∵ ㉡)

$\quad\quad\quad\quad\quad\quad\quad=\dfrac{1}{\overline{z}^2-2}+\dfrac{1}{z^2-2}=\dfrac{(\overline{z}^2-2)+(z^2-2)}{(z^2-2)(\overline{z}^2-2)}$

$\quad\quad\quad\quad\quad\quad\quad=\dfrac{z^2+\overline{z}^2-4}{(z\overline{z})^2-2(z^2+\overline{z}^2)+4}$

$\quad\quad\quad\quad\quad\quad\quad=\dfrac{(z+\overline{z})^2-2z\overline{z}-4}{(z\overline{z})^2-2\{(z+\overline{z})^2-2z\overline{z}\}+4}$

$\quad\quad\quad\quad\quad\quad\quad=\dfrac{(\sqrt{3})^2-2\times1-4}{1^2-2\{(\sqrt{3})^2-2\times1\}+4}=\dfrac{-3}{3}=-1$

따라서 보기에서 옳은 것은 ㄴ, ㄷ이다.

13 답 $\dfrac{1}{2}$

$z_1z_2=\dfrac{i}{1+i}\times\dfrac{i^2}{1+i}=\dfrac{i^3}{(1+i)^2}=\dfrac{-i}{2i}=-\dfrac{1}{2}$

$z_2z_3=\dfrac{i^2}{1+i}\times\dfrac{i^3}{1+i}=\dfrac{i^5}{(1+i)^2}=\dfrac{i}{2i}=\dfrac{1}{2}$

$z_3z_4=\dfrac{i^3}{1+i}\times\dfrac{i^4}{1+i}=\dfrac{i^3}{(1+i)^2}=\dfrac{-i}{2i}=-\dfrac{1}{2}$

$z_4z_5=\dfrac{i^4}{1+i}\times\dfrac{i^5}{1+i}=\dfrac{i^5}{(1+i)^2}=\dfrac{i}{2i}=\dfrac{1}{2}$

$\quad\quad\vdots$

$z_{49}z_{50}=\dfrac{i^{49}}{1+i}\times\dfrac{i^{50}}{1+i}=\dfrac{i^{99}}{(1+i)^2}=\dfrac{-i}{2i}=-\dfrac{1}{2}$

$\therefore z_1z_2i^2+z_2z_3i^3+z_3z_4i^4+\cdots+z_{49}z_{50}i^{50}$

$=-\dfrac{1}{2}i^2+\dfrac{1}{2}i^3-\dfrac{1}{2}i^4+\dfrac{1}{2}i^5-\cdots-\dfrac{1}{2}i^{50}$

$=-\dfrac{1}{2}(i^2-i^3+i^4-i^5+\cdots+i^{50})$

$=-\dfrac{1}{2}\{(i^2-i^3+i^4-i^5)+i^4(i^2-i^3+i^4-i^5)$

$\quad\quad\quad\quad\quad\quad\quad\quad\quad+\cdots+i^{44}(i^2-i^3+i^4-i^5)+i^{48}\times i^2\}$

$=-\dfrac{1}{2}\{(-1+i+1-i)+(-1+i+1-i)$

$\quad\quad\quad\quad\quad\quad\quad\quad\quad+\cdots+(-1+i+1-i)+i^2\}$

$=-\dfrac{1}{2}\times(-1)=\dfrac{1}{2}$

14 답 ㄴ

$\dfrac{1+i}{1-i}=\dfrac{(1+i)^2}{(1-i)(1+i)}=\dfrac{2i}{2}=i$, $\dfrac{1-i}{1+i}=\dfrac{(1-i)^2}{(1+i)(1-i)}=\dfrac{-2i}{2}=-i$

이므로

$z_n=\left(\dfrac{1+i}{1-i}\right)^n+\left(\dfrac{1-i}{1+i}\right)^n=i^n+(-i)^n$

음이 아닌 정수 k에 대하여

$z_{4k+1}=i^{4k+1}+(-i)^{4k+1}=i+(-i)=0$

$z_{4k+2}=i^{4k+2}+(-i)^{4k+2}=i^2+(-i)^2=-2$

$z_{4k+3}=i^{4k+3}+(-i)^{4k+3}=i^3+(-i)^3=0$

$z_{4k+4}=i^{4k+4}+(-i)^{4k+4}=i^4+(-i)^4=2$

ㄱ. $n=1$일 때, $z_1=0$, $z_4=2$이므로

$\quad z_4\neq z_1$

ㄴ. $z_1-z_2+z_3-z_4=0+2+0-2=0$이므로

$\quad z_1-z_2+z_3-z_4+z_5-z_6+\cdots+z_{99}-z_{100}$

$\quad=(z_1-z_2+z_3-z_4)+(z_5-z_6+z_7-z_8)+\cdots+(z_{97}-z_{98}+z_{99}-z_{100})$

$\quad=(z_1-z_2+z_3-z_4)+(z_1-z_2+z_3-z_4)+\cdots+(z_1-z_2+z_3-z_4)$

$\quad=0$

ㄷ. $z_1+2z_2+3z_3+4z_4+5z_5+\cdots+14z_{14}$

$\quad=(z_1+2z_2+3z_3+4z_4)+(5z_5+6z_6+7z_7+8z_8)$

$\quad\quad\quad\quad\quad\quad\quad\quad\quad+(9z_9+10z_{10}+11z_{11}+12z_{12})+13z_{13}+14z_{14}$

$\quad=(z_1+2z_2+3z_3+4z_4)+(5z_1+6z_2+7z_3+8z_4)$

$\quad\quad\quad\quad\quad\quad\quad\quad\quad+(9z_1+10z_2+11z_3+12z_4)+13z_1+14z_2$

$\quad=(0-4+0+8)+(0-12+0+16)+(0-20+0+24)+0-28$

$\quad=4\times3-28=-16$

따라서 보기에서 옳은 것은 ㄴ이다.

다른 풀이

ㄷ. $z_1+2z_2+3z_3+4z_4+5z_5+\cdots+14z_{14}$

$\quad=2z_2+4z_4+6z_6+8z_8+10z_{10}+12z_{12}+14z_{14}$

$\quad=2z_2+4z_4+6z_2+8z_4+10z_2+12z_4+14z_2$

$\quad=\{2(z_2+z_4)+2z_4\}+\{6(z_2+z_4)+2z_4\}+\{10(z_2+z_4)+2z_4\}+14z_2$

$\quad=6z_4+14z_2$

$\quad=6\times2+14\times(-2)$

$\quad=-16$

15 답 ③

$a=1-i$에서

$a^2=(1-i)^2=-2i$, $a^3=a^2a=-2i(1-i)=-2-2i$

$a^4=(a^2)^2=(-2i)^2=-4$, $a^8=(a^4)^2=(-4)^2=16$

$\therefore f(1)+f(2)+f(3)+\cdots+f(10)$

$\quad=-a+a^2-a^3+a^4-\cdots+a^{10}$

$\quad=(-a+a^2-a^3+a^4)+a^4(-a+a^2-a^3+a^4)+a^8(-a+a^2)$

이때 $-a+a^2-a^3+a^4=-(1-i)-2i-(-2-2i)-4=-3+i$이므로

$f(1)+f(2)+f(3)+\cdots+f(10)$

$\quad=(-3+i)-4(-3+i)+16(-1+i-2i)$

$\quad=-3+i+12-4i-16-16i$

$\quad=-7-19i$

$\quad=19(1-i)-26$

$\quad=19a-26$

따라서 $a=19$, $b=-26$이므로

$a-b=45$

$a=1-i$에서 $a-1=-i$

양변을 제곱하면 $a^2-2a+1=-1$

즉, $a^2=2a-2$이므로

$a^3=a^2a=2a^2-2a=2(2a-2)-2a=2a-4$

$a^4=a^3a=2a^2-4a=2(2a-2)-4a=-4$

$a^8=(a^4)^2=(-4)^2=16$

$\therefore f(1)+f(2)+f(3)+\cdots+f(10)$

$=-a+a^2-a^3+a^4-\cdots+a^{10}$

$=-(a+a^5+a^9)+(a^2+a^6+a^{10})-(a^3+a^7)+(a^4+a^8)$

$=-(a-4a+16a)+(a^2-4a^2+16a^2)-(a^3-4a^3)+(-4+16)$

$=-13a+13a^2+3a^3+12$

$=-13a+13(2a-2)+3(2a-4)+12$

$=19a-26$

따라서 $a=19$, $b=-26$이므로 $a-b=45$

16 답 85

$\dfrac{\overline{z}}{z}=\dfrac{a+\sqrt{2}i}{a-\sqrt{2}i}=\dfrac{(a+\sqrt{2}i)^2}{(a-\sqrt{2}i)(a+\sqrt{2}i)}=\dfrac{a^2-2+2\sqrt{2}ai}{a^2+2}$

$\dfrac{\overline{z}}{z}$가 실수이므로 $2\sqrt{2}a=0$　$\therefore a=0$ ·········· 배점 **20%**

따라서 $z=-\sqrt{2}i$이므로

$z^2=(-\sqrt{2}i)^2=-2$, $z^3=z^2z=-2\times(-\sqrt{2}i)=2\sqrt{2}i$

$z^4=(z^2)^2=(-2)^2=4$ ·········· 배점 **30%**

이때 $z+z^2+z^3+z^4=-\sqrt{2}i-2+2\sqrt{2}i+4=2+\sqrt{2}i$이므로

$z+z^2+z^3+z^4+\cdots+z^{16}$

$=(z+z^2+z^3+z^4)+z^4(z+z^2+z^3+z^4)+z^8(z+z^2+z^3+z^4)$
$\qquad\qquad\qquad\qquad\qquad +z^{12}(z+z^2+z^3+z^4)$

$=(2+\sqrt{2}i)+4(2+\sqrt{2}i)+4^2(2+\sqrt{2}i)+4^3(2+\sqrt{2}i)$

$=(1+4+16+64)(2+\sqrt{2}i)$

$=170+85\sqrt{2}i$ ·········· 배점 **40%**

따라서 $p=170$, $q=85$이므로 $p-q=85$ ·········· 배점 **10%**

17 답 44

$i-i^2+i^3-i^4=i+1-i-1=0$

음이 아닌 정수 k에 대하여

(i) $n=4k+1$일 때,

$f(n)=f(4k+1)=i-i^2+i^3-i^4+i^5-\cdots+i^{4k+1}$
$\qquad\quad =(i-i^2+i^3-i^4)+i^4(i-i^2+i^3-i^4)+\cdots+i^{4k}\times i$
$\qquad\quad =i$

(ii) $n=4k+2$일 때,

$f(n)=f(4k+2)=i-i^2+i^3-i^4+i^5-\cdots-i^{4k+2}$
$\qquad\quad =(i-i^2+i^3-i^4)+i^4(i-i^2+i^3-i^4)+\cdots+i^{4k}(i-i^2)$
$\qquad\quad =i+1$

(iii) $n=4k+3$일 때,

$f(n)=f(4k+3)=i-i^2+i^3-i^4+i^5-\cdots+i^{4k+3}$
$\qquad\quad =(i-i^2+i^3-i^4)+i^4(i-i^2+i^3-i^4)+\cdots+i^{4k}(i-i^2+i^3)$
$\qquad\quad =i+1-i=1$

(iv) $n=4k+4$일 때,

$f(n)=f(4k+4)=i-i^2+i^3-i^4+i^5-\cdots-i^{4k+4}$
$\qquad\quad =(i-i^2+i^3-i^4)+i^4(i-i^2+i^3-i^4)+\cdots+i^{4k}(i-i^2+i^3-i^4)$
$\qquad\quad =0$

(i)~(iv)에서 각 경우에 $f(n)$의 값이 각각 다르므로 $f(n^2)=f(n)$을 만족시키려면 n^2을 4로 나누었을 때의 나머지와 n을 4로 나누었을 때의 나머지가 같아야 한다.

$n=4k+1$이면 $n^2=(4k+1)^2=16k^2+8k+1=4(4k^2+2k)+1$이므로 $f(n^2)=f(n)$을 만족시킨다.

$n=4k+2$이면 $n^2=(4k+2)^2=16k^2+16k+4=4(4k^2+4k+1)$이므로 $f(n^2)\neq f(n)$

$n=4k+3$이면 $n^2=(4k+3)^2=16k^2+24k+9=4(4k^2+6k+2)+1$이므로 $f(n^2)\neq f(n)$

$n=4k+4$이면 $n^2=(4k+4)^2=16(k+1)^2$이므로 $f(n^2)=f(n)$을 만족시킨다.

따라서 $n=4k+1$ 꼴인 두 자리의 자연수 n은 13, 17, 21, $\cdots$, 97의 22개이고, $n=4k+4$ 꼴인 두 자리의 자연수 n은 12, 16, 20, $\cdots$, 96의 22개이므로 구하는 자연수 n의 개수는

$22+22=44$

18 답 ④

$i+i^2+i^3+i^4=i-1-i+1=0$, $\dfrac{1}{i}+\dfrac{1}{i^2}+\dfrac{1}{i^3}+\dfrac{1}{i^4}=-i-1+i+1=0$

음이 아닌 정수 m에 대하여

(i) $n=4m+1$일 때,

$i+i^2+i^3+\cdots+i^{4m+1}$
$=(i+i^2+i^3+i^4)+i^4(i+i^2+i^3+i^4)+\cdots+i^{4m}\times i$
$=i$

$\dfrac{1}{i}+\dfrac{1}{i^2}+\dfrac{1}{i^3}+\cdots+\dfrac{1}{i^{4m+1}}$
$=\left(\dfrac{1}{i}+\dfrac{1}{i^2}+\dfrac{1}{i^3}+\dfrac{1}{i^4}\right)+\dfrac{1}{i^4}\left(\dfrac{1}{i}+\dfrac{1}{i^2}+\dfrac{1}{i^3}+\dfrac{1}{i^4}\right)+\cdots+\dfrac{1}{i^{4m}}\times\dfrac{1}{i}$
$=\dfrac{1}{i}=-i$

$\therefore f(n)=f(4m+1)=(4m+1)\times i\times(-i)=4m+1$

(ii) $n=4m+2$일 때,

$i+i^2+i^3+\cdots+i^{4m+2}$
$=(i+i^2+i^3+i^4)+i^4(i+i^2+i^3+i^4)+\cdots+i^{4m}(i+i^2)$
$=i-1$

$\dfrac{1}{i}+\dfrac{1}{i^2}+\dfrac{1}{i^3}+\cdots+\dfrac{1}{i^{4m+2}}$
$=\left(\dfrac{1}{i}+\dfrac{1}{i^2}+\dfrac{1}{i^3}+\dfrac{1}{i^4}\right)+\dfrac{1}{i^4}\left(\dfrac{1}{i}+\dfrac{1}{i^2}+\dfrac{1}{i^3}+\dfrac{1}{i^4}\right)$
$\qquad\qquad\qquad\qquad +\cdots+\dfrac{1}{i^{4m}}\left(\dfrac{1}{i}+\dfrac{1}{i^2}\right)$
$=-i-1$

$\therefore f(n)=f(4m+2)=(4m+2)(i-1)(-i-1)=2(4m+2)$

(iii) $n=4m+3$일 때,

$i+i^2+i^3+\cdots+i^{4m+3}$
$=(i+i^2+i^3+i^4)+i^4(i+i^2+i^3+i^4)+\cdots+i^{4m}(i+i^2+i^3)$
$=i-1-i=-1$

$\dfrac{1}{i}+\dfrac{1}{i^2}+\dfrac{1}{i^3}+\cdots+\dfrac{1}{i^{4m+3}}$
$=\left(\dfrac{1}{i}+\dfrac{1}{i^2}+\dfrac{1}{i^3}+\dfrac{1}{i^4}\right)+\dfrac{1}{i^4}\left(\dfrac{1}{i}+\dfrac{1}{i^2}+\dfrac{1}{i^3}+\dfrac{1}{i^4}\right)$
$\qquad\qquad\qquad\qquad +\cdots+\dfrac{1}{i^{4m}}\left(\dfrac{1}{i}+\dfrac{1}{i^2}+\dfrac{1}{i^3}\right)$
$=-i-1+i=-1$

$\therefore f(n)=f(4m+3)=(4m+3)\times(-1)\times(-1)=4m+3$

(iv) $n=4m+4$일 때,

$$i+i^2+i^3+\cdots+i^{4m+4}$$
$$=(i+i^2+i^3+i^4)+i^4(i+i^2+i^3+i^4)+\cdots+i^{4m}(i+i^2+i^3+i^4)$$
$$=0$$

$$\frac{1}{i}+\frac{1}{i^2}+\frac{1}{i^3}+\cdots+\frac{1}{i^{4m+4}}$$
$$=\left(\frac{1}{i}+\frac{1}{i^2}+\frac{1}{i^3}+\frac{1}{i^4}\right)+\frac{1}{i^4}\left(\frac{1}{i}+\frac{1}{i^2}+\frac{1}{i^3}+\frac{1}{i^4}\right)$$
$$+\cdots+\frac{1}{i^{4m}}\left(\frac{1}{i}+\frac{1}{i^2}+\frac{1}{i^3}+\frac{1}{i^4}\right)$$
$$=0$$

$$\therefore f(n)=f(4m+4)=(4m+4)\times0\times0=0$$

이때 $f(k)+f(k+1)=233$에서

$k=4m+1$이면 (ⅰ), (ⅱ)에 의하여

$(4m+1)+2(4m+2)=233,\ 12m=228 \qquad \therefore m=19$

$\therefore k=4m+1=4\times19+1=77$

$k=4m+2$이면 (ⅱ), (ⅲ)에 의하여

$2(4m+2)+(4m+3)=233,\ 12m=226$

이를 만족시키는 음이 아닌 정수 m은 존재하지 않는다.

$k=4m+3$이면 (ⅲ), (ⅳ)에 의하여

$(4m+3)+0=233,\ 4m=230$

이를 만족시키는 음이 아닌 정수 m은 존재하지 않는다.

$k=4m+4$이면 (ⅳ), (ⅰ)에 의하여

$0+\underline{(4m+5)}=233,\ 4m=228 \qquad \therefore m=57$

$\therefore k=4m+4=4\times57+4=232$ $\quad\underset{\substack{f(k+1)=f(4m+5)=f(4(m+1)+1)\\=4(m+1)+1=4m+5}}{\longrightarrow}$

따라서 모든 자연수 k의 값의 합은

$77+232=309$

19 답 24

$z_1=\dfrac{\sqrt{2}}{1+i}=\dfrac{\sqrt{2}(1-i)}{(1+i)(1-i)}=\dfrac{\sqrt{2}(1-i)}{2}$이므로

$z_1^2=\left\{\dfrac{\sqrt{2}(1-i)}{2}\right\}^2=\dfrac{2\times(-2i)}{4}=-i$

$z_1^3=z_1^2z_1=-i\times\dfrac{\sqrt{2}(1-i)}{2}=-\dfrac{\sqrt{2}(1+i)}{2}$

$z_1^4=(z_1^2)^2=(-i)^2=-1$

$z_1^8=(z_1^4)^2=(-1)^2=1$

$z_2=\dfrac{-1+\sqrt{3}i}{2}$에서

$z_2^2=\left(\dfrac{-1+\sqrt{3}i}{2}\right)^2=\dfrac{-2-2\sqrt{3}i}{4}=-\dfrac{1+\sqrt{3}i}{2}$

$z_2^3=z_2^2z_2=-\dfrac{1+\sqrt{3}i}{2}\times\dfrac{-1+\sqrt{3}i}{2}=1$

따라서 $z_1{}^n=z_2{}^n$을 만족시키는 자연수 n은 8과 3의 공배수이므로 최솟값은 24이다.

비법 NOTE

(1) 복소수 $z=\dfrac{-1\pm\sqrt{3}i}{2}$의 거듭제곱

$z=\dfrac{-1\pm\sqrt{3}i}{2}$에서 $2z+1=\pm\sqrt{3}i$

양변을 제곱하면 $4z^2+4z+1=-3 \qquad \therefore z^2+z+1=0$

양변에 $z-1$을 곱하면

$(z-1)(z^2+z+1)=0,\ z^3-1=0 \qquad \therefore z^3=1$

(2) 복소수 $z=\dfrac{1\pm\sqrt{3}i}{2}$의 거듭제곱

(1)과 같은 방법으로 하면 $z^3=-1$이 성립한다.

20 답 27

$\alpha=\dfrac{\sqrt{3}+i}{2}$에서

$\alpha^2=\left(\dfrac{\sqrt{3}+i}{2}\right)^2=\dfrac{2+2\sqrt{3}i}{4}=\dfrac{1+\sqrt{3}i}{2}=\beta$

$\alpha^3=\alpha^2\alpha=\dfrac{1+\sqrt{3}i}{2}\times\dfrac{\sqrt{3}+i}{2}=\dfrac{4i}{4}=i$

$\alpha^6=(\alpha^3)^2=i^2=-1,\ \alpha^{12}=(\alpha^6)^2=(-1)^2=1$

한편 $\alpha^2=\beta$이므로 $\alpha^m\beta^n=\alpha^m(\alpha^2)^n=\alpha^{m+2n}$

$\alpha^{m+2n}=i$를 만족시키는 $m+2n$의 값은 $12k+3$(k는 음이 아닌 정수) 꼴

이므로 3, 15, 27, 39, $\cdots$

이때 m, n이 10 이하의 자연수이므로 $m+2n\leq30$

따라서 $m+2n$의 최댓값은 27이다.

21 답 ⑤

(나)에서 a, b, c 중 한 수는 양수, 두 수는 음수이다.

(다)에서 $\dfrac{\sqrt{a-2}}{\sqrt{b+2}}=-\sqrt{\dfrac{a-2}{b+2}}$이므로

$a-2>0$, $b+2<0$ $\quad\therefore a>2,\ b<-2$

a가 양수, b가 음수이므로 c는 음수이다.

(가)에서 $a+c<b$, 즉 $b-c>a>0$이므로 $b>c$

$\therefore c<b<a$

22 답 ④

$x+y<0$, $xy>0$이므로 $x<0$, $y<0$

$x=-X$, $y=-Y$로 놓으면 $X>0$, $Y>0$이므로

$$\sqrt{\dfrac{x}{y}}+\sqrt{\dfrac{y}{x}}=\sqrt{\dfrac{-X}{-Y}}+\sqrt{\dfrac{-Y}{-X}}=\sqrt{\dfrac{X}{Y}}+\sqrt{\dfrac{Y}{X}}$$
$$=\dfrac{\sqrt{X}}{\sqrt{Y}}+\dfrac{\sqrt{Y}}{\sqrt{X}}=\dfrac{(\sqrt{X})^2+(\sqrt{Y})^2}{\sqrt{X}\sqrt{Y}}=\dfrac{X+Y}{\sqrt{XY}}$$

이때 $x+y=-6$, $xy=4$에서 $X+Y=6$, $XY=4$이므로

$$\sqrt{\dfrac{x}{y}}+\sqrt{\dfrac{y}{x}}=\dfrac{X+Y}{\sqrt{XY}}=\dfrac{6}{\sqrt{4}}=3$$

23 답 10

(ⅰ) $a>0$일 때,

$$\dfrac{\sqrt{2a}-\sqrt{|a|}}{\sqrt{2a}+\sqrt{|a|}}=\dfrac{\sqrt{2a}-\sqrt{a}}{\sqrt{2a}+\sqrt{a}}=\dfrac{\sqrt{a}(\sqrt{2}-1)}{\sqrt{a}(\sqrt{2}+1)}=\dfrac{\sqrt{2}-1}{\sqrt{2}+1}$$
$$=\dfrac{(\sqrt{2}-1)^2}{(\sqrt{2}+1)(\sqrt{2}-1)}=3-2\sqrt{2}$$

(ⅱ) $a<0$일 때,

$a=-A$로 놓으면 $A>0$이므로

$$\dfrac{\sqrt{2a}-\sqrt{|a|}}{\sqrt{2a}+\sqrt{|a|}}=\dfrac{\sqrt{2a}-\sqrt{-a}}{\sqrt{2a}+\sqrt{-a}}=\dfrac{\sqrt{-2A}-\sqrt{A}}{\sqrt{-2A}+\sqrt{A}}=\dfrac{\sqrt{2}Ai-\sqrt{A}}{\sqrt{2}Ai+\sqrt{A}}$$
$$=\dfrac{\sqrt{A}(\sqrt{2}i-1)}{\sqrt{A}(\sqrt{2}i+1)}=\dfrac{\sqrt{2}i-1}{\sqrt{2}i+1}=\dfrac{(\sqrt{2}i-1)^2}{(\sqrt{2}i+1)(\sqrt{2}i-1)}$$
$$=\dfrac{-1-2\sqrt{2}i}{-3}=\dfrac{1+2\sqrt{2}i}{3}$$

(ⅰ), (ⅱ)에서 $\dfrac{\sqrt{2a}-\sqrt{|a|}}{\sqrt{2a}+\sqrt{|a|}}$가 될 수 있는 모든 값의 합은

$$(3-2\sqrt{2})+\dfrac{1+2\sqrt{2}i}{3}=\left(\dfrac{10}{3}-2\sqrt{2}\right)+\dfrac{2\sqrt{2}}{3}i$$

따라서 $p=\dfrac{10}{3}-2\sqrt{2}$, $q=\dfrac{2\sqrt{2}}{3}$이므로

$$3p+9q=(10-6\sqrt{2})+6\sqrt{2}=10$$

24 답 ③

$a<0$, $b<0$이고, $a=-A$, $b=-B$로 놓으면 $A>0$, $B>0$이므로

$$z=\frac{\sqrt{a}-\sqrt{a}\sqrt{b}i}{\sqrt{ab}-\sqrt{a}i}=\frac{\sqrt{-A}-\sqrt{-A}\sqrt{-B}i}{\sqrt{AB}-\sqrt{-A}i}$$

$$=\frac{\sqrt{A}i-\sqrt{A}i\times\sqrt{B}\times i}{\sqrt{AB}-\sqrt{A}i\times i}=\frac{\sqrt{A}i+\sqrt{AB}i}{\sqrt{AB}+\sqrt{A}}$$

$$=\frac{(\sqrt{AB}+\sqrt{A})i}{\sqrt{AB}+\sqrt{A}}=i$$

따라서 $z=i$, $\overline{z}=-i$이므로

$$\frac{z-z\overline{z}}{\sqrt{2}}=\frac{i-i\times(-i)}{\sqrt{2}}=\frac{-1+i}{\sqrt{2}}$$

이때 $w=\dfrac{-1+i}{\sqrt{2}}$라 하면

$$w^2=\left(\frac{-1+i}{\sqrt{2}}\right)^2=\frac{-2i}{2}=-i$$

$$w^4=(w^2)^2=(-i)^2=-1$$

$$w^8=(w^4)^2=(-1)^2=1$$

따라서 n이 8의 배수일 때 $\left(\dfrac{z-z\overline{z}}{\sqrt{2}}\right)^n=1$을 만족시키므로 100 이하의 자연수 n은 8, 16, 24, $\cdots$, 96의 12개이다.

---

step ③ 최고난도 문제

| 48~49쪽

01 18	02 ②	03 144	04 ④	05 150	06 ㄱ, ㄷ
07 ④	08 $-i$, i				

01 답 18

1단계 주사위에 적힌 수끼리 곱하여 음의 실수가 되는 경우 찾기

$-32=-2^5$이므로 0, 3, 5가 적어도 한 번 나오면 나온 수들의 곱이 -32가 될 수 없다.

이때 $2i$, $1+i$에 대하여

$(2i)^2=-4$

$(1+i)^2=2i$, $(1+i)^4=(2i)^2=-4$

$2i(1+i)^2=2i\times 2i=-4$

2단계 주사위에 적힌 수끼리 곱하여 -32가 되는 경우 구하기

(i) $2i$가 2번 나오는 경우

2가 3번 나와야 $(2i)^2\times 2^3=-4\times 8=-32$이므로 주사위를 5번 던져야 한다.

(ii) $1+i$가 4번 나오는 경우

2가 3번 나와야 $(1+i)^4\times 2^3=-4\times 8=-32$이므로 주사위를 7번 던져야 한다.

(iii) $2i$가 1번, $1+i$가 2번 나오는 경우

2가 3번 나와야 $2i(1+i)^2\times 2^3=-4\times 8=-32$이므로 주사위를 6번 던져야 한다.

3단계 n의 값의 합 구하기

(i), (ii), (iii)에서 n의 값은 5, 6, 7이므로 그 합은

$5+6+7=18$

---

02 답 ②

1단계 α, β의 실수부분, 허수부분에 대한 식 세우기

$\alpha=a+bi$, $\beta=c+di$(a, b, c, d는 실수)라 하면

$\overline{\alpha}\beta=2$에서 $(a-bi)(c+di)=2$

$(ac+bd)+(ad-bc)i=2$

복소수가 서로 같을 조건에 의하여

$ac+bd=2$ ······ ㉠, $ad-bc=0$ ······ ㉡

$\alpha-\beta=\sqrt{5}i$에서 $(a+bi)-(c+di)=\sqrt{5}i$

$(a-c)+(b-d)i=\sqrt{5}i$

복소수가 서로 같을 조건에 의하여

$a-c=0$ ······ ㉢, $b-d=\sqrt{5}$ ······ ㉣

2단계 α, β의 실수부분 구하기

㉢에서 $a=c$이므로 이를 ㉡에 대입하면

$ad-ab=0$, $-a(b-d)=0$

㉣을 대입하면 $-\sqrt{5}a=0$ $\quad\therefore a=0$, $c=0$

3단계 $\alpha^3+7\beta$의 값 구하기

따라서 $\alpha=bi$, $\beta=di$이므로

$\alpha^3+7\beta=(bi)^3+7di=(-b^3+7d)i$ ······ ㉤

㉠에서 $bd=2$이고, ㉣에서 $d=b-\sqrt{5}$이므로 이를 $bd=2$에 대입하면

$b(b-\sqrt{5})=2$ $\quad\therefore b^2=\sqrt{5}b+2$

$\therefore b^3=\sqrt{5}b^2+2b=\sqrt{5}(\sqrt{5}b+2)+2b=7b+2\sqrt{5}$

이를 ㉤에 대입하면

$\alpha^3+7\beta=(-7b-2\sqrt{5}+7d)i=\{-7(b-d)-2\sqrt{5}\}i$

$=(-7\sqrt{5}-2\sqrt{5})i$ ($\because$ ㉣)

$=-9\sqrt{5}i$

4단계 p^2+q^2의 값 구하기

따라서 $p=0$, $q=-9\sqrt{5}$이므로 $p^2+q^2=405$

다른 풀이

$\overline{\alpha}\beta=2$, $\alpha-\beta=\sqrt{5}i$에서 $\alpha\overline{\beta}=2$, $\overline{\alpha}-\overline{\beta}=-\sqrt{5}i$

이때 $\overline{\alpha}=\dfrac{2}{\beta}$, $\overline{\beta}=\dfrac{2}{\alpha}$이므로 $\dfrac{2}{\beta}-\dfrac{2}{\alpha}=-\sqrt{5}i$

$\dfrac{2(\alpha-\beta)}{\alpha\beta}=-\sqrt{5}i$ $\quad\therefore \alpha\beta=\dfrac{2(\alpha-\beta)}{-\sqrt{5}i}=\dfrac{2\sqrt{5}i}{-\sqrt{5}i}=-2$

$\alpha\beta=-2$, $\overline{\alpha}\beta=2$에서 각 변끼리 더하면

$\alpha\beta+\overline{\alpha}\beta=0$, $(\alpha+\overline{\alpha})\beta=0$

이때 $\beta\neq 0$이므로 $\alpha+\overline{\alpha}=0$

$\alpha\beta=-2$, $\alpha\overline{\beta}=2$에서 각 변끼리 더하면

$\alpha\beta+\alpha\overline{\beta}=0$, $\alpha(\beta+\overline{\beta})=0$

이때 $\alpha\neq 0$이므로 $\beta+\overline{\beta}=0$

따라서 α, β는 모두 순허수이므로

$\alpha=ai$, $\beta=bi$(a, b는 실수, $ab\neq 0$)라 하면

$\alpha^3+7\beta=(ai)^3+7bi=(-a^3+7b)i$ ······ ㉠

$\overline{\alpha}\beta=2$에서 $-ai\times bi=2$ $\quad\therefore ab=2$ ······ ㉡

$\alpha-\beta=\sqrt{5}i$에서 $ai-bi=\sqrt{5}i$ $\quad\therefore a-b=\sqrt{5}$ ······ ㉢

㉢에서 $b=a-\sqrt{5}$이므로 이를 ㉡에 대입하면

$a(a-\sqrt{5})=2$ $\quad\therefore a^2=\sqrt{5}a+2$

$\therefore a^3=\sqrt{5}a^2+2a=\sqrt{5}(\sqrt{5}a+2)+2a=7a+2\sqrt{5}$

이를 ㉠에 대입하면

$\alpha^3+7\beta=(-7a-2\sqrt{5}+7b)i=\{-7(a-b)-2\sqrt{5}\}i$

$=(-7\sqrt{5}-2\sqrt{5})i$ ($\because$ ㉢)

$=-9\sqrt{5}i$

따라서 $p=0$, $q=-9\sqrt{5}$이므로 $p^2+q^2=405$

idea
03 답 144

1단계 α, β, $\bar{\alpha}$, $\bar{\beta}$, z, $\bar{z}$에 대한 식 세우기

임의의 복소수 z에 대하여 $\alpha z+\beta \bar{z}$가 실수이므로

$\alpha z+\beta \bar{z}=\overline{\alpha z+\beta \bar{z}}$ → 실수의 켤레복소수는 그 실수와 같다.

$\alpha z+\beta \bar{z}=\bar{\alpha}\bar{z}+\bar{\beta}z$

$\therefore (\alpha-\bar{\beta})z+(\beta-\bar{\alpha})\bar{z}=0$ ...... ㉠

2단계 α, β, $\bar{\alpha}$, $\bar{\beta}$ 사이의 관계식 구하기

임의의 복소수 z에 대하여 ㉠이 성립하므로

(i) $z=1$일 때,

$\bar{z}=1$이므로 ㉠에 대입하면

$(\alpha-\bar{\beta})+(\beta-\bar{\alpha})=0$ ...... ㉡

(ii) $z=i$일 때,

$\bar{z}=-i$이므로 ㉠에 대입하면

$(\alpha-\bar{\beta})i-(\beta-\bar{\alpha})i=0$

$\therefore (\alpha-\bar{\beta})-(\beta-\bar{\alpha})=0$ ...... ㉢

㉡+㉢을 하면 $2(\alpha-\bar{\beta})=0$, $\alpha-\bar{\beta}=0$ $\therefore \bar{\beta}=\alpha$

㉡-㉢을 하면 $2(\beta-\bar{\alpha})=0$, $\beta-\bar{\alpha}=0$ $\therefore \bar{\alpha}=\beta$

3단계 $(\alpha+\bar{\beta})^2(\bar{\alpha}+\beta)^2+(\alpha-\bar{\beta})^2(\bar{\alpha}-\beta)^2$의 값 구하기

$\therefore (\alpha+\bar{\beta})^2(\bar{\alpha}+\beta)^2+(\alpha-\bar{\beta})^2(\bar{\alpha}-\beta)^2=(2\alpha)^2(2\beta)^2+0$

$=16(\alpha\beta)^2$

$=16\times 3^2=144$

idea
04 답 ④

1단계 $z\bar{z}$의 값 구하기

$z+\dfrac{1}{z}$이 실수이므로

$z+\dfrac{1}{z}=\overline{z+\dfrac{1}{z}}$ → 실수의 켤레복소수는 그 실수와 같다.

$z+\dfrac{1}{z}=\bar{z}+\dfrac{1}{\bar{z}}$

양변에 $z\bar{z}$를 곱하면

$z^2\bar{z}+\bar{z}=z\bar{z}^2+z$, $z^2\bar{z}-z\bar{z}^2-z+\bar{z}=0$

$z\bar{z}(z-\bar{z})-(z-\bar{z})=0$

$(z-\bar{z})(z\bar{z}-1)=0$

이때 z가 실수가 아니므로 $z\neq\bar{z}$

$\therefore z\bar{z}=1$ ...... ㉠

2단계 $z+\bar{z}$의 값 구하기

$\dfrac{1}{z}+\dfrac{1}{z^2}$이 실수이므로

$\dfrac{1}{z}+\dfrac{1}{z^2}=\overline{\dfrac{1}{z}+\dfrac{1}{z^2}}$

$\dfrac{1}{z}+\dfrac{1}{z^2}=\dfrac{1}{\bar{z}}+\dfrac{1}{\bar{z}^2}$

양변에 $z^2\bar{z}^2$을 곱하면

$z\bar{z}^2+\bar{z}^2=z^2\bar{z}+z^2$, $z\bar{z}^2-z^2\bar{z}+\bar{z}^2-z^2=0$

$z\bar{z}(z-\bar{z})+(z-\bar{z})(z+\bar{z})=0$

$(z-\bar{z})(z\bar{z}+z+\bar{z})=0$

이때 $z\neq\bar{z}$이므로 $z\bar{z}+z+\bar{z}=0$

㉠을 대입하면

$1+z+\bar{z}=0$ $\therefore z+\bar{z}=-1$

3단계 $(z^2-1)(\bar{z}^2-1)$의 값 구하기

$\therefore (z^2-1)(\bar{z}^2-1)=(z\bar{z})^2-(z^2+\bar{z}^2)+1$

$=(z\bar{z})^2-\{(z+\bar{z})^2-2z\bar{z}\}+1$

$=1^2-\{(-1)^2-2\times 1\}+1=3$

05 답 150

1단계 $\left\{i^n+\left(\dfrac{1}{i}\right)^{2n}\right\}^m$ 간단히 하기

$\left\{i^n+\left(\dfrac{1}{i}\right)^{2n}\right\}^m=\{i^n+(-i)^{2n}\}^m$

$=\{i^n+(-1)^n\}^m$

2단계 n의 값의 경우를 나누어 조건을 만족시키는 m, n의 개수 구하기

$f(n)=i^n+(-1)^n$이라 하면 음이 아닌 정수 k에 대하여

(i) $n=4k+1$일 때,

$f(n)=f(4k+1)=i^{4k+1}+(-1)^{4k+1}=i-1$이므로

$\{f(n)\}^2=(i-1)^2=-2i$, $\{f(n)\}^4=(-2i)^2=-4$,

$\{f(n)\}^8=4^2$, $\{f(n)\}^{12}=-4^3$,

$\{f(n)\}^{16}=4^4$, $\{f(n)\}^{20}=-4^5$, $\cdots$

즉, $n=4k+1$일 때 $\{f(n)\}^m$의 값이 음의 실수가 되도록 하는 50 이하의 자연수 m은 4, 12, 20, 28, 36, 44의 6개이다.

또 $n=4k+1$ 꼴인 50 이하의 자연수 n은 1, 5, 9, $\cdots$, 49의 13개이다.

따라서 순서쌍 (m, n)의 개수는

$6\times 13=78$

(ii) $n=4k+2$일 때,

$f(n)=f(4k+2)=i^{4k+2}+(-1)^{4k+2}=i^2+1=-1+1=0$이므로 $\{f(n)\}^m$의 값은 음의 실수가 될 수 없다.

(iii) $n=4k+3$일 때,

$f(n)=f(4k+3)=i^{4k+3}+(-1)^{4k+3}=i^3-1=-i-1$이므로

$\{f(n)\}^2=(-i-1)^2=2i$, $\{f(n)\}^4=(2i)^2=-4$,

$\{f(n)\}^8=4^2$, $\{f(n)\}^{12}=-4^3$,

$\{f(n)\}^{16}=4^4$, $\{f(n)\}^{20}=-4^5$, $\cdots$

즉, $n=4k+3$일 때 $\{f(n)\}^m$의 값이 음의 실수가 되도록 하는 50 이하의 자연수 m은 4, 12, 20, 28, 36, 44의 6개이다.

또 $n=4k+3$ 꼴인 50 이하의 자연수 n은 3, 7, 11, $\cdots$, 47의 12개이다.

따라서 순서쌍 (m, n)의 개수는

$6\times 12=72$

(iv) $n=4k+4$일 때,

$f(n)=f(4k+4)=i^{4k+4}+(-1)^{4k+4}=1+1=2$이므로 $\{f(n)\}^m$의 값은 음의 실수가 될 수 없다.

3단계 순서쌍 (m, n)의 개수 구하기

(i)~(iv)에서 순서쌍 (m, n)의 개수는

$78+72=150$

06 답 ㄱ, ㄷ

1단계 ㄱ이 옳은지 확인하기

ㄱ. 24의 양의 약수는 1, 2, 3, 4, 6, 8, 12, 24이므로

$f(24)=i+i^2+i^3+i^4+i^6+i^8+i^{12}+i^{24}$

$=i-1-i+1-1+1+1+1$

$=2$

2단계 ㄴ이 옳은지 확인하기

ㄴ. 2^{4m}의 양의 약수는 1, 2, 2^2, 2^3, $\cdots$, 2^{4m}의 $(4m+1)$개이고, 이때 2^2, 2^3, $\cdots$, 2^{4m}은 4의 배수이므로

$f(2^{4m})=i+i^2+\underbrace{i^{2^2}+i^{2^3}+\cdots+i^{2^{4m}}}_{(4m-1)개}$

$=i-1+(4m-1)\times 1$

$=4m-2+i$

ㄷ. $10^m = 2^m \times 5^m$의 양의 약수는 다음과 같이 $(m+1)(m+1)$개이다.

1	2	2^2	2^3	$\cdots$	2^m
5	2×5	$2^2 \times 5$	$2^3 \times 5$	$\cdots$	$2^m \times 5$
5^2	2×5^2	$2^2 \times 5^2$	$2^3 \times 5^2$	$\cdots$	$2^m \times 5^2$
5^3	2×5^3	$2^2 \times 5^3$	$2^3 \times 5^3$	$\cdots$	$2^m \times 5^3$
$\vdots$	$\vdots$	$\vdots$	$\vdots$	$\cdots$	$\vdots$
5^m	2×5^m	$2^2 \times 5^m$	$2^3 \times 5^m$	$\cdots$	$2^m \times 5^m$
4로 나눈 나머지 1	4로 나눈 나머지 2	4의 배수			

$$\therefore f(10^m) = (m+1)i + (m+1)i^2 + (m+1)(m-1) \times 1$$
$$= (m+1)i - (m+1) + (m+1)(m-1)$$
$$= (m+1)(m-2) + (m+1)i$$

따라서 보기에서 옳은 것은 ㄱ, ㄷ이다.

07 답 ④

$z = \dfrac{-1+i}{\sqrt{2}}$에서

$z^2 = \left(\dfrac{-1+i}{\sqrt{2}}\right)^2 = \dfrac{-2i}{2} = -i$

$z^3 = z^2 z = -i \times \dfrac{-1+i}{\sqrt{2}} = \dfrac{1+i}{\sqrt{2}}$

$z^4 = (z^2)^2 = (-i)^2 = -1$

$z^5 = z^4 z = -z = \dfrac{1-i}{\sqrt{2}}$

$z^6 = z^4 z^2 = -z^2 = i$

$z^7 = z^4 z^3 = -z^3 = \dfrac{-1-i}{\sqrt{2}}$

$z^8 = (z^4)^2 = (-1)^2 = 1$

이때 $\overline{z} = \dfrac{-1-i}{\sqrt{2}}$, $z+\sqrt{2} = \dfrac{1+i}{\sqrt{2}}$, $\overline{z}+\sqrt{2} = \dfrac{1-i}{\sqrt{2}}$이므로

$\overline{z} = z^7 = -z^3$, $z+\sqrt{2} = z^3$, $\overline{z}+\sqrt{2} = z^5 = -z$

$f(n) = z^n + \overline{z}^n + (z+\sqrt{2})^n + (\overline{z}+\sqrt{2})^n$이라 하면

$f(n) = z^n + (-z^3)^n + (z^3)^n + (-z)^n$
$\quad\quad = z^n + (-z)^n + z^{3n} + (-z^3)^n$

이때 n이 홀수, 즉 $n = 2k+1$ (k는 음이 아닌 정수) 꼴이면

$f(n) = f(2k+1)$
$\quad\quad = z^{2k+1} + (-z)^{2k+1} + z^{3(2k+1)} + (-z^3)^{2k+1}$
$\quad\quad = z^{2k+1} - z^{2k+1} + z^{6k+3} - z^{6k+3} = 0$

n이 짝수일 때, $f(n)$의 값을 구하면

$f(2) = z^2 + z^2 + z^6 + z^6 = 2(z^2 + z^6) = 2(-i+i) = 0$

$f(4) = z^4 + z^4 + z^{12} + z^{12} = 4z^4 = -4$

$f(6) = z^6 + z^6 + z^{18} + z^{18} = 2(z^6 + z^2) = 2(i-i) = 0$

$f(8) = z^8 + z^8 + z^{24} + z^{24} = 4z^8 = 4$

또 $z^8 = 1$이므로

$f(2) = f(10) = f(18) = \cdots = 0$

$f(4) = f(12) = f(20) = \cdots = -4$

$f(6) = f(14) = f(22) = \cdots = 0$

$f(8) = f(16) = f(24) = \cdots = 4$

따라서 $z^n + \overline{z}^n + (z+\sqrt{2})^n + (\overline{z}+\sqrt{2})^n \neq 0$, 즉 $f(n) \neq 0$을 만족시키는 자연수 n은 4의 배수이므로 50 이하의 자연수 n은 4, 8, 12, $\cdots$, 48의 12개이다.

참고

n	z^n	$\overline{z}^n$	$(z+\sqrt{2})^n$	$(\overline{z}+\sqrt{2})^n$	합계
1	$\dfrac{-1+i}{\sqrt{2}}$	$\dfrac{-1-i}{\sqrt{2}}$	$\dfrac{1+i}{\sqrt{2}}$	$\dfrac{1-i}{\sqrt{2}}$	0
2	$-i$	i	i	$-i$	0
3	$\dfrac{1+i}{\sqrt{2}}$	$\dfrac{1-i}{\sqrt{2}}$	$\dfrac{-1+i}{\sqrt{2}}$	$\dfrac{-1-i}{\sqrt{2}}$	0
4	-1	-1	-1	-1	-4
5	$\dfrac{1-i}{\sqrt{2}}$	$\dfrac{1+i}{\sqrt{2}}$	$\dfrac{-1-i}{\sqrt{2}}$	$\dfrac{-1+i}{\sqrt{2}}$	0
6	i	$-i$	$-i$	i	0
7	$\dfrac{-1-i}{\sqrt{2}}$	$\dfrac{-1+i}{\sqrt{2}}$	$\dfrac{1-i}{\sqrt{2}}$	$\dfrac{1+i}{\sqrt{2}}$	0
8	1	1	1	1	4

08 답 $-i$, i

(i) $a_1 a_3 a_5 \cdots a_{199} = -1$이므로 홀수 n에 대하여 값이 -1인 a_n의 개수는 홀수이다.

값이 -1인 a_n이 1개이면

$\sqrt{a_1}\sqrt{a_3}\sqrt{a_5}\cdots\sqrt{a_{199}} = \sqrt{-1} = i$

값이 -1인 a_n이 3개이면

$\sqrt{a_1}\sqrt{a_3}\sqrt{a_5}\cdots\sqrt{a_{199}} = (\sqrt{-1})^3 = i^3 = -i$

값이 -1인 a_n이 5개이면

$\sqrt{a_1}\sqrt{a_3}\sqrt{a_5}\cdots\sqrt{a_{199}} = (\sqrt{-1})^5 = i^5 = i$

값이 -1인 a_n이 7개이면

$\sqrt{a_1}\sqrt{a_3}\sqrt{a_5}\cdots\sqrt{a_{199}} = (\sqrt{-1})^7 = i^7 = -i$

$\quad\quad\vdots$

따라서 $\sqrt{a_1}\sqrt{a_3}\sqrt{a_5}\cdots\sqrt{a_{199}}$의 값은 i 또는 $-i$이다.

(ii) $a_2 a_4 a_6 \cdots a_{200} = 1$이므로 짝수 m에 대하여 값이 -1인 a_m의 개수는 0 또는 짝수이다.

값이 -1인 a_m이 0개이면

$\sqrt{a_2}\sqrt{a_4}\sqrt{a_6}\cdots\sqrt{a_{200}} = 1$

값이 -1인 a_m이 2개이면

$\sqrt{a_2}\sqrt{a_4}\sqrt{a_6}\cdots\sqrt{a_{200}} = (\sqrt{-1})^2 = i^2 = -1$

값이 -1인 a_m이 4개이면

$\sqrt{a_2}\sqrt{a_4}\sqrt{a_6}\cdots\sqrt{a_{200}} = (\sqrt{-1})^4 = i^4 = 1$

값이 -1인 a_m이 6개이면

$\sqrt{a_2}\sqrt{a_4}\sqrt{a_6}\cdots\sqrt{a_{200}} = (\sqrt{-1})^6 = i^6 = -1$

$\quad\quad\vdots$

따라서 $\sqrt{a_2}\sqrt{a_4}\sqrt{a_6}\cdots\sqrt{a_{200}}$의 값은 1 또는 -1이다.

(i), (ii)에서 $\dfrac{\sqrt{a_2}\sqrt{a_4}\sqrt{a_6}\cdots\sqrt{a_{200}}}{\sqrt{a_1}\sqrt{a_3}\sqrt{a_5}\cdots\sqrt{a_{199}}}$의 값은

$\dfrac{1}{i}$, $\dfrac{1}{-i}$, $\dfrac{-1}{i}$, $\dfrac{-1}{-i}$ $\rightarrow$ $\dfrac{1}{i} = -i$, $-\dfrac{1}{i} = i$

따라서 구하는 값은 $-i$, i이다.

04 이차방정식

step ❶ 핵심 문제

					50~51쪽
01 ①	02 ①	03 ③	04 15	05 ②	06 63
07 −2	08 ②	09 ②	10 33	11 2	12 ②

01 답 ①

방정식 $x^2-|2x|=\sqrt{(2x-2)^2}+2$에서 $x^2-|2x|=2|x-1|+2$

(i) $x<0$일 때,

$|2x|=-2x$, $|x-1|=-(x-1)$이므로

$x^2+2x=-2(x-1)+2$, $x^2+4x-4=0$ ∴ $x=-2\pm2\sqrt{2}$

그런데 $x<0$이므로 $x=-2-2\sqrt{2}$

(ii) $0\leq x<1$일 때,

$|2x|=2x$, $|x-1|=-(x-1)$이므로

$x^2-2x=-2(x-1)+2$, $x^2=4$ ∴ $x=\pm2$

그런데 $0\leq x<1$이므로 근이 없다.

(iii) $x\geq1$일 때,

$|2x|=2x$, $|x-1|=x-1$이므로

$x^2-2x=2(x-1)+2$, $x^2-4x=0$

$x(x-4)=0$ ∴ $x=0$ 또는 $x=4$

그런데 $x\geq1$이므로 $x=4$

(i), (ii), (iii)에서 주어진 방정식의 모든 근의 합은

$-2-2\sqrt{2}+4=2-2\sqrt{2}$

02 답 ①

이차방정식 $x^2-2(m+a)x+m^2+m+b=0$의 판별식을 D라 하면

$\dfrac{D}{4}=(m+a)^2-(m^2+m+b)=0$, $(2a-1)m+a^2-b=0$

이 식이 m의 값에 관계없이 항상 성립하므로

$2a-1=0$, $a^2-b=0$ ∴ $a=\dfrac{1}{2}$, $b=\dfrac{1}{4}$

∴ $12(a+b)=12\left(\dfrac{1}{2}+\dfrac{1}{4}\right)=9$

03 답 ③

이차식 $(a+2)x^2-4(a-1)x+ka$가 완전제곱식이 되려면 이차방정식 $(a+2)x^2-4(a-1)x+ka=0$의 판별식이 0이어야 한다.

이차방정식 $(a+2)x^2-4(a-1)x+ka=0$의 판별식을 D_1이라 하면

$\dfrac{D_1}{4}=4(a-1)^2-ka(a+2)=0$

$(4-k)a^2-2(k+4)a+4=0$ ...... ㉠

이때 ㉠을 만족시키는 실수 a의 값이 오직 하나뿐이다.

(i) $4-k=0$, 즉 $k=4$일 때,

㉠에서 $-16a+4=0$ ∴ $a=\dfrac{1}{4}$

즉, $k=4$일 때 a의 값이 한 개 존재한다.

(ii) $4-k\neq0$, 즉 $k\neq4$일 때,

이차방정식 ㉠이 중근을 가져야 하므로 판별식을 D_2라 하면

$\dfrac{D_2}{4}=(k+4)^2-4(4-k)=0$, $k^2+12k=0$

$k(k+12)=0$ ∴ $k=-12$ 또는 $k=0$

(i), (ii)에서 실수 k는 -12, 0, 4의 3개이다.

04 답 15

이차방정식 $3x^2-4ax+4b=0$의 판별식을 D라 하면

$\dfrac{D}{4}=4a^2-12b<0$ ∴ $a^2<3b$

이때 a, b는 주사위를 던져서 나오는 눈의 수이므로 1부터 6까지의 자연수를 값으로 갖는다.

(i) $a=1$일 때,

$1<3b$이므로 $b>\dfrac{1}{3}$

따라서 b의 값은 1, 2, 3, 4, 5, 6이므로 순서쌍 (a, b)는 6개이다.

(ii) $a=2$일 때,

$4<3b$이므로 $b>\dfrac{4}{3}$

따라서 b의 값은 2, 3, 4, 5, 6이므로 순서쌍 (a, b)는 5개이다.

(iii) $a=3$일 때,

$9<3b$이므로 $b>3$

따라서 b의 값은 4, 5, 6이므로 순서쌍 (a, b)는 3개이다.

(iv) $a=4$일 때,

$16<3b$이므로 $b>\dfrac{16}{3}$

따라서 $b=6$이므로 순서쌍 (a, b)는 1개이다.

(v) $a=5$일 때,

$25<3b$이므로 $b>\dfrac{25}{3}$

이를 만족시키는 b의 값은 존재하지 않는다.

(vi) $a=6$일 때,

$36<3b$이므로 $b>12$

이를 만족시키는 b의 값은 존재하지 않는다.

(i)~(vi)에서 순서쌍 (a, b)의 개수는 $6+5+3+1=15$

05 답 ②

이차방정식 $x^2-(n^2+5n+6)x+n+2=0$의 두 근이 α_n, β_n이므로 근과 계수의 관계에 의하여

$\alpha_n+\beta_n=n^2+5n+6$, $\alpha_n\beta_n=n+2$

∴ $\dfrac{1}{\alpha_n}+\dfrac{1}{\beta_n}=\dfrac{\alpha_n+\beta_n}{\alpha_n\beta_n}=\dfrac{n^2+5n+6}{n+2}=\dfrac{(n+3)(n+2)}{n+2}=n+3$

∴ $\left(\dfrac{1}{\alpha_1}+\dfrac{1}{\alpha_2}+\dfrac{1}{\alpha_3}+\cdots+\dfrac{1}{\alpha_{10}}\right)+\left(\dfrac{1}{\beta_1}+\dfrac{1}{\beta_2}+\dfrac{1}{\beta_3}+\cdots+\dfrac{1}{\beta_{10}}\right)$

$=\left(\dfrac{1}{\alpha_1}+\dfrac{1}{\beta_1}\right)+\left(\dfrac{1}{\alpha_2}+\dfrac{1}{\beta_2}\right)+\left(\dfrac{1}{\alpha_3}+\dfrac{1}{\beta_3}\right)+\cdots+\left(\dfrac{1}{\alpha_{10}}+\dfrac{1}{\beta_{10}}\right)$

$=4+5+6+\cdots+13=85$

06 답 63

이차방정식 $x^2+5x+2=0$의 두 근이 α, β이므로

$\alpha^2+5\alpha+2=0$, $\beta^2+5\beta+2=0$

또 이차방정식의 근과 계수의 관계에 의하여

$\alpha+\beta=-5$, $\alpha\beta=2$

∴ $\dfrac{6\beta}{3\alpha^2+16\alpha+6}+\dfrac{6\alpha}{3\beta^2+16\beta+6}$

$=\dfrac{6\beta}{3(\alpha^2+5\alpha+2)+\alpha}+\dfrac{6\alpha}{3(\beta^2+5\beta+2)+\beta}$

$=\dfrac{6\beta}{\alpha}+\dfrac{6\alpha}{\beta}=\dfrac{6(\alpha^2+\beta^2)}{\alpha\beta}=\dfrac{6\{(\alpha+\beta)^2-2\alpha\beta\}}{\alpha\beta}$

$=\dfrac{6\{(-5)^2-2\times2\}}{2}=63$

07 답 -2

이차방정식 $x^2-(8k+4)x+5k^2+7=0$의 두 근을 α, $3\alpha\,(\alpha\neq0)$라 하면 근과 계수의 관계에 의하여

두 근의 합은 $\alpha+3\alpha=8k+4$ $\qquad\therefore \alpha=2k+1$ $\quad$ …… ㉠

두 근의 곱은 $\alpha\times3\alpha=5k^2+7$ $\qquad\therefore 3\alpha^2=5k^2+7$ $\quad$ …… ㉡

㉠을 ㉡에 대입하면

$3(2k+1)^2=5k^2+7$, $7k^2+12k-4=0$

$(k+2)(7k-2)=0$

$\therefore k=-2$ 또는 $k=\dfrac{2}{7}$

그런데 k는 정수이므로 $k=-2$

08 답 ②

이차방정식 $f(x)=0$의 두 근이 α, β이므로

$f(\alpha)=0$, $f(\beta)=0$

이차방정식 $f(2x-1)=0$의 두 근은

$2x-1=\alpha$ 또는 $2x-1=\beta$

$\therefore x=\dfrac{\alpha+1}{2}$ 또는 $x=\dfrac{\beta+1}{2}$

따라서 이차방정식 $f(2x-1)=0$의 두 근의 곱은

$\dfrac{\alpha+1}{2}\times\dfrac{\beta+1}{2}=\dfrac{\alpha\beta+\alpha+\beta+1}{4}=\dfrac{6+1+1}{4}=2$

비법 NOTE

(1) 이차방정식 $f(x)=0$의 두 근에 대한 조건이 주어진 경우

이차방정식 $f(x)=0$의 두 근을 α, β라 하면 $f(\alpha)=0$, $f(\beta)=0$

따라서 이차방정식 $f(ax+b)=0$의 두 근은

$ax+b=\alpha$ 또는 $ax+b=\beta$

$\therefore x=\dfrac{\alpha-b}{a}$ 또는 $x=\dfrac{\beta-b}{a}$

(2) 이차방정식 $f(ax+b)=0$의 두 근에 대한 조건이 주어진 경우

이차방정식 $f(ax+b)=0$의 두 근을 α, β라 하면

$f(a\alpha+b)=0$, $f(a\beta+b)=0$

따라서 이차방정식 $f(x)=0$의 두 근은

$x=a\alpha+b$ 또는 $x=a\beta+b$

다른 풀이

이차방정식 $f(x)=0$의 두 근 α, β의 합이 1, 곱이 6이므로

$f(x)=k(x^2-x+6)\,(k\neq0)$이라 하면

$f(2x-1)=k\{(2x-1)^2-(2x-1)+6\}=k(4x^2-6x+8)$

따라서 이차방정식 $f(2x-1)=0$에서 근과 계수의 관계에 의하여 두 근의 곱은 2이다.

09 답 ②

이차방정식 $x^2+(2m-10)x+m^2+1=0$의 판별식을 D, 두 실근을 α, β라 하면 두 근이 모두 양수이므로 $D\geq0$, $\alpha+\beta>0$, $\alpha\beta>0$이어야 한다.

(ⅰ) $D\geq0$에서 $\dfrac{D}{4}=(m-5)^2-(m^2+1)\geq0$

$-10m+24\geq0$ $\qquad\therefore m\leq\dfrac{12}{5}$ → 이를 만족시키는 자연수 m의 값은 1, 2이다.

(ⅱ) $\alpha+\beta>0$에서 $-2m+10>0$ $\qquad\therefore m<5$ → 이를 만족시키는 자연수 m의 값은 1, 2, 3, 4이다.

(ⅲ) $\alpha\beta>0$에서 $m^2+1>0$

이는 모든 자연수 m에 대하여 성립한다.

(ⅰ), (ⅱ), (ⅲ)에서 자연수 m은 1, 2의 2개이다.

10 답 33

이차방정식 $x^2-3x-5=0$의 두 근이 α, β이므로 근과 계수의 관계에 의하여

$\alpha+\beta=3$, $\alpha\beta=-5$ ………………………… 배점 **20%**

$\alpha+\dfrac{1}{\alpha}$, $\beta+\dfrac{1}{\beta}$의 합과 곱을 각각 구하면

$\left(\alpha+\dfrac{1}{\alpha}\right)+\left(\beta+\dfrac{1}{\beta}\right)=\alpha+\beta+\dfrac{\alpha+\beta}{\alpha\beta}=3+\dfrac{3}{-5}=\dfrac{12}{5}$

$\left(\alpha+\dfrac{1}{\alpha}\right)\left(\beta+\dfrac{1}{\beta}\right)=\alpha\beta+\dfrac{\alpha}{\beta}+\dfrac{\beta}{\alpha}+\dfrac{1}{\alpha\beta}$

$=\alpha\beta+\dfrac{\alpha^2+\beta^2}{\alpha\beta}+\dfrac{1}{\alpha\beta}$

$=\alpha\beta+\dfrac{(\alpha+\beta)^2-2\alpha\beta+1}{\alpha\beta}$

$=-5+\dfrac{3^2-2\times(-5)+1}{-5}=-9$ …… 배점 **30%**

$\alpha+\dfrac{1}{\alpha}$, $\beta+\dfrac{1}{\beta}$을 두 근으로 하고 이차항의 계수가 5인 이차방정식은

$5\left(x^2-\dfrac{12}{5}x-9\right)=0$ $\qquad\therefore 5x^2-12x-45=0$ …… 배점 **30%**

따라서 $a=-12$, $b=-45$이므로 $a-b=33$ …… 배점 **20%**

11 답 2

원래의 이차방정식을 $ax^2+bx+c=0\,(a,\ b,\ c$는 실수, $a\neq0)$이라 하자.

x의 계수를 잘못 보고 풀었을 때 한 근이 $1+\sqrt{2}i$였고 계수가 실수이므로 다른 한 근은 $1-\sqrt{2}i$이다.

이때 a와 c는 바르게 보고 풀었으므로 이차방정식의 근과 계수의 관계에 의하여 두 근의 곱은

$(1+\sqrt{2}i)(1-\sqrt{2}i)=\dfrac{c}{a}$ $\qquad\therefore c=3a$

상수항을 잘못 보고 풀었을 때 한 근이 $\sqrt{2}+i$였고 계수가 실수이므로 다른 한 근은 $\sqrt{2}-i$이다.

이때 a와 b는 바르게 보고 풀었으므로 이차방정식의 근과 계수의 관계에 의하여 두 근의 합은

$(\sqrt{2}+i)+(\sqrt{2}-i)=-\dfrac{b}{a}$ $\qquad\therefore b=-2\sqrt{2}a$

따라서 원래의 이차방정식 $ax^2-2\sqrt{2}ax+3a=0$의 두 근이 α, β이므로 근과 계수의 관계에 의하여

$\alpha+\beta=2\sqrt{2}$, $\alpha\beta=3$

$\therefore \alpha^2+\beta^2=(\alpha+\beta)^2-2\alpha\beta=(2\sqrt{2})^2-2\times3=2$

12 답 ②

$\overline{\text{AE}}=\alpha$, $\overline{\text{AH}}=\beta$라 하면

$\overline{\text{PF}}=10-\alpha$, $\overline{\text{PG}}=10-\beta$

직사각형 PFCG의 둘레의 길이가 28이므로

$2\{(10-\alpha)+(10-\beta)\}=28$

$20-\alpha-\beta=14$ $\qquad\therefore \alpha+\beta=6$

직사각형 PFCG의 넓이가 46이므로

$(10-\alpha)(10-\beta)=46$

$100-10(\alpha+\beta)+\alpha\beta=46$

$100-10\times6+\alpha\beta=46$ $\qquad\therefore \alpha\beta=6$

이차항의 계수가 1이고 두 선분 AE와 AH의 길이 α, β를 두 근으로 하는 이차방정식은

$x^2-6x+6=0$

01 −1	02 ③	03 ④	04 1	05 ③	06 ㄱ, ㄷ
07 ⑤	08 ⑤	09 ②	10 −6	11 ①	12 ⑤
13 ㄴ, ㄷ		14 11	15 83	16 ②	17 ④
18 ④	19 4	20 27	21 ③	22 −1	23 ①
24 ②	25 ⑤	26 ③	27 $8\sqrt{3}$		

01 답 −1

방정식 $(a^2+2a)x=a(4x-3)+3x+9$에서
$(a^2-2a-3)x=-3a+9$
이 방정식의 해가 무수히 많으려면
$a^2-2a-3=0$ …… ㉠, $-3a+9=0$ …… ㉡
㉡에서 $a=3$
이를 ㉠에 대입하면 성립하므로 $a=3$ ······················· 배점 **40%**
방정식 $x^2-a|x-1|-7=0$에서 $x^2-3|x-1|-7=0$
(ⅰ) $x<1$일 때,
　　$|x-1|=-(x-1)$이므로
　　$x^2+3(x-1)-7=0$, $x^2+3x-10=0$
　　$(x+5)(x-2)=0$　∴ $x=-5$ 또는 $x=2$
　　그런데 $x<1$이므로 $x=-5$ ······················· 배점 **20%**
(ⅱ) $x\geq1$일 때,
　　$|x-1|=x-1$이므로
　　$x^2-3(x-1)-7=0$, $x^2-3x-4=0$
　　$(x+1)(x-4)=0$　∴ $x=-1$ 또는 $x=4$
　　그런데 $x\geq1$이므로 $x=4$ ······················· 배점 **20%**
(ⅰ), (ⅱ)에서 주어진 방정식의 모든 근의 합은 $-5+4=-1$ ···· 배점 **20%**

개념 NOTE
x에 대한 방정식 $ax=b$에서
(1) 해가 존재하지 않으려면 $a=0$, $b\neq0$
(2) 해가 무수히 많으려면 $a=0$, $b=0$

02 답 ③

이차방정식 $ax^2+\sqrt{3}bx+c=0$의 한 근이 $\alpha=2+\sqrt{3}$이므로
$a(2+\sqrt{3})^2+\sqrt{3}b(2+\sqrt{3})+c=0$, $a(7+4\sqrt{3})+2\sqrt{3}b+3b+c=0$
$(7a+3b+c)+(4a+2b)\sqrt{3}=0$
a, b, c가 유리수이므로
$7a+3b+c=0$, $4a+2b=0$
∴ $b=-2a$, $c=-7a-3b=-7a-3\times(-2a)=-a$
이를 $ax^2+\sqrt{3}bx+c=0$에 대입하면 $ax^2-2\sqrt{3}ax-a=0$
$x^2-2\sqrt{3}x-1=0$ ($\because a\neq0$)　∴ $x=\sqrt{3}\pm2$
따라서 $\beta=\sqrt{3}-2$이므로
$\alpha+\dfrac{1}{\beta}=2+\sqrt{3}+\dfrac{1}{\sqrt{3}-2}=2+\sqrt{3}+\dfrac{\sqrt{3}+2}{(\sqrt{3}-2)(\sqrt{3}+2)}$
$=2+\sqrt{3}-(\sqrt{3}+2)=0$

개념 NOTE
a, b, c, d는 유리수, $\sqrt{m}$은 무리수일 때
(1) $a+b\sqrt{m}=c+d\sqrt{m}$이면 $a=c$, $b=d$
(2) $a+b\sqrt{m}=0$이면 $a=0$, $b=0$

다른 풀이

$t=\sqrt{3}x$라 하면 $x=\dfrac{t}{\sqrt{3}}$
$ax^2+\sqrt{3}bx+c=0$에서
$\dfrac{a}{3}t^2+bt+c=0$
∴ $at^2+3bt+3c=0$
이 이차방정식의 한 근이 $\sqrt{3}\alpha=\sqrt{3}(2+\sqrt{3})=3+2\sqrt{3}$이고 계수가 유리수이므로 다른 한 근은 $3-2\sqrt{3}$이다.
∴ $\beta=\dfrac{3-2\sqrt{3}}{\sqrt{3}}=\sqrt{3}-2$
∴ $\alpha+\dfrac{1}{\beta}=2+\sqrt{3}+\dfrac{1}{\sqrt{3}-2}=2+\sqrt{3}+\dfrac{\sqrt{3}+2}{(\sqrt{3}-2)(\sqrt{3}+2)}$
$=2+\sqrt{3}-(\sqrt{3}+2)=0$

03 답 ④

(ⅰ) $1<x<2$일 때,
　　$|4x-8|=-(4x-8)$이고 $[x]=1$이므로
　　$-x(4x-8)=3$, $4x^2-8x+3=0$
　　$(2x-1)(2x-3)=0$
　　∴ $x=\dfrac{1}{2}$ 또는 $x=\dfrac{3}{2}$
　　그런데 $1<x<2$이므로 $x=\dfrac{3}{2}$
(ⅱ) $2\leq x<3$일 때,
　　$|4x-8|=4x-8$이고 $[x]=2$이므로
　　$x(4x-8)=5$, $4x^2-8x-5=0$
　　$(2x+1)(2x-5)=0$
　　∴ $x=-\dfrac{1}{2}$ 또는 $x=\dfrac{5}{2}$
　　그런데 $2\leq x<3$이므로 $x=\dfrac{5}{2}$
(ⅰ), (ⅱ)에서 모든 근의 곱은
$\dfrac{3}{2}\times\dfrac{5}{2}=\dfrac{15}{4}$

04 답 1

(ⅰ) $0\leq x<1$일 때,
　　$[x]=0$, $[x+1]=1$이므로
　　$x^2-4=0$, $x^2=4$
　　∴ $x=\pm2$
　　그런데 $0\leq x<1$이므로 근이 없다.
(ⅱ) $1\leq x<2$일 때,
　　$[x]=1$, $[x+1]=2$이므로
　　$2x^2-2x-4=0$, $(x+1)(x-2)=0$
　　∴ $x=-1$ 또는 $x=2$
　　그런데 $1\leq x<2$이므로 근이 없다.
(ⅲ) $2\leq x<3$일 때,
　　$[x]=2$, $[x+1]=3$이므로
　　$3x^2-4x-4=0$, $(3x+2)(x-2)=0$
　　∴ $x=-\dfrac{2}{3}$ 또는 $x=2$
　　그런데 $2\leq x<3$이므로 $x=2$
(ⅰ), (ⅱ), (ⅲ)에서 주어진 방정식의 근은 2의 1개이다.

idea

05 답 ③

p는 소수이므로 이차방정식 $px^2-(p^2+1)x+3=0$의 계수는 모두 정수이다.

이 이차방정식이 유리수인 근을 가지려면 이차식 $px^2-(p^2+1)x+3$은 정수 a, b에 대하여 $(px-a)(x-b)$로 인수분해되어야 한다.

즉, $px^2-(p^2+1)x+3=(px-a)(x-b)$에서

$px^2-(p^2+1)x+3=px^2-(a+pb)x+ab$

$ab=3$이고 a, b는 정수이므로 순서쌍 (a, b)는

$(-3, -1)$, $(-1, -3)$, $(1, 3)$, $(3, 1)$

또 이차방정식 $(px-a)(x-b)=0$의 한 근이 b이므로 이차방정식 $px^2-(p^2+1)x+3=0$의 한 근도 b이다.

(i) $b=-3$일 때,

이차방정식 $px^2-(p^2+1)x+3=0$의 한 근이 -3이므로

$9p+3(p^2+1)+3=0$, $p^2+3p+2=0$

$(p+2)(p+1)=0$ ∴ $p=-2$ 또는 $p=-1$

그런데 p는 소수이므로 값이 존재하지 않는다.

(ii) $b=-1$일 때,

이차방정식 $px^2-(p^2+1)x+3=0$의 한 근이 -1이므로

$p+p^2+1+3=0$, $p^2+p+4=0$

∴ $p=\dfrac{-1\pm\sqrt{15}i}{2}$

그런데 p는 소수이므로 값이 존재하지 않는다.

(iii) $b=1$일 때,

이차방정식 $px^2-(p^2+1)x+3=0$의 한 근이 1이므로

$p-(p^2+1)+3=0$, $p^2-p-2=0$

$(p+1)(p-2)=0$ ∴ $p=-1$ 또는 $p=2$

그런데 p는 소수이므로 $p=2$

(iv) $b=3$일 때,

이차방정식 $px^2-(p^2+1)x+3=0$의 한 근이 3이므로

$9p-3(p^2+1)+3=0$, $p^2-3p=0$

$p(p-3)=0$ ∴ $p=0$ 또는 $p=3$

그런데 p는 소수이므로 $p=3$

(i)~(iv)에서 모든 p의 값의 합은

$2+3=5$

06 답 ㄱ, ㄷ

이차방정식 $f(x)=0$, 즉 $ax^2+bx+c=0$의 판별식을 D_1이라 하면

$D_1=b^2-4ac$

이차방정식 $g(x)=0$, 즉 $ax^2+2bx+c=0$의 판별식을 D_2라 하면

$\dfrac{D_2}{4}=b^2-ac$

ㄱ. $f(x)$, $g(x)$가 이차식이므로 $a\neq0$ ······ ㉠

두 이차방정식 $f(x)=0$, $g(x)=0$이 모두 중근을 가지면

$b^2-4ac=b^2-ac=0$ ······ ㉡

즉, $-4ac=-ac$이므로 $ac=0$ ∴ $c=0$ (∵ ㉠)

이를 ㉡에 대입하면 $b^2=0$

∴ $b^2+c^2=0$

ㄴ. $a=1$, $b=1$, $c=\dfrac{1}{2}$이면 $\dfrac{D_2}{4}=1-1\times\dfrac{1}{2}=\dfrac{1}{2}>0$이므로 이차방정식 $g(x)=0$은 실근을 갖는다.

그런데 $D_1=1-4\times1\times\dfrac{1}{2}=-1<0$이므로 이차방정식 $f(x)=0$은 허근을 갖는다.

ㄷ. 이차방정식 $g(x)=0$이 허근을 가지면 $D_2<0$이므로

$\dfrac{D_2}{4}=b^2-ac<0$ ∴ $4b^2-4ac<0$

이때 $D_1=b^2-4ac\leq4b^2-4ac<0$이므로 이차방정식 $f(x)=0$도 허근을 갖는다.

따라서 보기에서 옳은 것은 ㄱ, ㄷ이다.

07 답 ⑤

이차방정식 $f(x)=0$, 즉 $x^2+2(a+b)x+a^2=0$의 판별식을 D_1이라 하면

$\dfrac{D_1}{4}=(a+b)^2-a^2=2ab+b^2$

이차방정식 $g(x)=0$, 즉 $(b-a)x^2+bx-b=0$의 판별식을 D_2라 하면

$D_2=b^2+4(b-a)b=5b^2-4ab$

ㄱ. $\sqrt{a}\sqrt{b}=-\sqrt{ab}$이면 $a<0$, $b<0$ → 조건에서 a, b는 0이 아닌 실수이다.

이때 $2ab>0$, $b^2>0$이므로 $\dfrac{D_1}{4}=2ab+b^2>0$

따라서 이차방정식 $f(x)=0$은 서로 다른 두 실근을 갖는다.

ㄴ. $\dfrac{\sqrt{a}}{\sqrt{b}}=-\sqrt{\dfrac{a}{b}}$이면 $a>0$, $b<0$

이때 $5b^2>0$, $-4ab>0$이므로 $D_2=5b^2-4ab>0$

따라서 이차방정식 $g(x)=0$은 서로 다른 두 실근을 갖는다.

ㄷ. $a>b$일 때,

(i) $b>0$인 경우

$a>0$이므로 $2ab>0$, $b^2>0$

∴ $\dfrac{D_1}{4}=2ab+b^2>0$

따라서 이차방정식 $f(x)=0$은 서로 다른 두 실근을 갖는다.

(ii) $b<0$인 경우

$b^2>0$, $4(b-a)b>0$이므로

$D_2=b^2+4(b-a)b>0$ → $a>b$에서 $b-a<0$이고 $b<0$이므로 $4(b-a)b>0$

따라서 이차방정식 $g(x)=0$은 서로 다른 두 실근을 갖는다.

(i), (ii)에서 두 이차방정식 $f(x)=0$, $g(x)=0$ 중 적어도 하나는 실근을 갖는다.

따라서 보기에서 옳은 것은 ㄱ, ㄴ, ㄷ이다.

08 답 ⑤

방정식 $|x^2-4x+2k-2|=k+5$에서

$x^2-4x+2k-2=k+5$ 또는 $x^2-4x+2k-2=-(k+5)$

(i) $x^2-4x+2k-2=k+5$에서 $x^2-4x+k-7=0$

이 이차방정식의 판별식을 D_1이라 하면

$\dfrac{D_1}{4}=4-(k-7)\geq0$ ∴ $k\leq11$

(ii) $x^2-4x+2k-2=-(k+5)$에서 $x^2-4x+3k+3=0$

이 이차방정식의 판별식을 D_2라 하면

$\dfrac{D_2}{4}=4-(3k+3)\geq0$ ∴ $k\leq\dfrac{1}{3}$

(i), (ii)에서 $k\leq11$ ······ ㉠
→ (i) 또는 (ii)이므로 두 범위를 합한 부분을 생각한다.

방정식 $|x^2-4x+2k-2|=k+5$에서 $k+5<0$이면 근이 존재하지 않으므로

$k+5\geq0$ ∴ $k\geq-5$ ······ ㉡

㉠, ㉡에서 정수 k의 값은 -5, -4, -3, ···, 11이므로

$M=11$, $m=-5$ ∴ $M-m=16$

09 답 ②

이차방정식 $x^2-2(k+3)x+k^2-12=0$의 실근을 α라 하면
$\alpha^2-2(k+3)\alpha+k^2-12=0$
$\therefore k^2-2\alpha k+\alpha^2-6\alpha-12=0$
이때 실수 k가 존재해야 하므로 이 이차방정식의 판별식을 D라 하면
$\dfrac{D}{4}=\alpha^2-(\alpha^2-6\alpha-12)\geq 0$
$6\alpha+12\geq 0$ $\therefore \alpha\geq -2$
따라서 실근 α의 최솟값은 -2이다.

10 답 -6

$x=\dfrac{y^2-4y-2}{y^2+4y+4}$에서
$x(y^2+4y+4)=y^2-4y-2$
$\therefore (x-1)y^2+4(x+1)y+4x+2=0$ …… ㉠
(i) $x=1$일 때,
　㉠에서 $8y+6=0$ $\therefore y=-\dfrac{3}{4}$
(ii) $x\neq 1$일 때,
　㉠은 y에 대한 이차방정식이고 y가 실수이므로 ㉠의 판별식을 D라 하면
　$\dfrac{D}{4}=4(x+1)^2-(x-1)(4x+2)\geq 0$
　$10x+6\geq 0$ $\therefore x\geq -\dfrac{3}{5}$
　그런데 $x\neq 1$이므로
　$-\dfrac{3}{5}\leq x<1$ 또는 $x>1$
(i), (ii)에서 $x\geq -\dfrac{3}{5}$
따라서 $m=-\dfrac{3}{5}$이므로
$10m=-6$

11 답 ①

이차방정식 $x^2+(m+1)x+2m-1=0$에서
$x=\dfrac{-(m+1)\pm\sqrt{(m+1)^2-4(2m-1)}}{2}$
$=\dfrac{-(m+1)\pm\sqrt{m^2-6m+5}}{2}$ …… ㉠
$D=m^2-6m+5$라 할 때, 주어진 이차방정식의 두 근이 모두 정수가 되려면 D가 제곱수이거나 0이어야 한다.
이때 $D=(m-3)^2-4$이고 $\underline{m$이 정수이므로 $D=0$이어야 한다.}
즉, $m^2-6m+5=0$에서
$(m-1)(m-5)=0$

> $(m-3)^2-4=n^2(n$은 0이 아닌 정수)라 하면
> $(m-3)^2-n^2=4$
> 그런데 $1^2=1$, $2^2=4$, $3^2=9$, $4^2=16$, ⋯이므로 차가 4가 되는 두 제곱수는 존재하지 않는다.
> 즉, D가 제곱수인 경우는 존재하지 않는다.

$\therefore m=1$ 또는 $m=5$
(i) $m=1$일 때,
　㉠에서 $x=-1$
　따라서 근이 정수이다.
(ii) $m=5$일 때,
　㉠에서 $x=-3$
　따라서 근이 정수이다.
(i), (ii)에서 모든 정수 m의 값의 합은
$1+5=6$

12 답 ⑤

이차방정식 $f(x)=0$의 이차항의 계수가 1이고 ㈎에서 두 근의 곱이 7이므로 $f(x)=x^2+kx+7(k$는 실수)이라 하자.
㈏에서 이차방정식 $x^2-3x+1=0$의 두 근이 α, β이므로 근과 계수의 관계에 의하여
$\alpha+\beta=3$, $\alpha\beta=1$
$f(\alpha)+f(\beta)=3$에서
$(\alpha^2+k\alpha+7)+(\beta^2+k\beta+7)=3$
$(\alpha^2+\beta^2)+k(\alpha+\beta)+14=3$
$(\alpha+\beta)^2-2\alpha\beta+k(\alpha+\beta)+11=0$
$3^2-2\times 1+3k+11=0$
$3k=-18$ $\therefore k=-6$
따라서 $f(x)=x^2-6x+7$이므로
$f(7)=49-42+7=14$

13 답 ㄴ, ㄷ

이차방정식 $x^2+ax+1=0$의 두 실근이 α, β이므로 근과 계수의 관계에 의하여
$\alpha+\beta=-a$, $\alpha\beta=1$
ㄱ. $\alpha\beta=1>0$이므로 α와 β는 서로 부호가 같다.
　$\therefore |\alpha+\beta|=|\alpha|+|\beta|$
ㄴ. 이차방정식 $x^2+ax+1=0$의 판별식을 D라 하면 서로 다른 두 실근이 존재하므로
　$D=a^2-4>0$
　$\therefore \alpha^2+\beta^2=(\alpha+\beta)^2-2\alpha\beta$
　　　　　　　$=(-a)^2-2\times 1$
　　　　　　　$=a^2-2$
　　　　　　　$=(a^2-4)+2>2$ …… ㉠
ㄷ. $\dfrac{\beta^3}{\alpha}+\dfrac{\alpha^3}{\beta}=\dfrac{\alpha^4+\beta^4}{\alpha\beta}=\alpha^4+\beta^4$
　　　　$=(\alpha^2+\beta^2)^2-2(\alpha\beta)^2$
　　　　$=(\alpha^2+\beta^2)^2-2>2^2-2=2$ ($\because$ ㉠)
따라서 보기에서 옳은 것은 ㄴ, ㄷ이다.

14 답 11

이차방정식 $x^2+(a-1)x+2a-2=0$의 두 실근이 α, β이므로 근과 계수의 관계에 의하여
$\alpha+\beta=-(a-1)$, $\alpha\beta=2a-2$
이때 $a<1$에서 $a-1<0$이므로
$\alpha+\beta>0$, $\alpha\beta<0$
즉, α와 β는 서로 부호가 다르므로
$(|\alpha|+|\beta|)^2=(\alpha-\beta)^2$
$(4\sqrt{3})^2=(\alpha+\beta)^2-4\alpha\beta$
$48=(a-1)^2-4(2a-2)$
$a^2-10a-39=0$
$(a+3)(a-13)=0$
$\therefore a=-3$ 또는 $a=13$
그런데 $a<1$이므로 $a=-3$
따라서 $\alpha+\beta=4$, $\alpha\beta=-8$이므로
$|\alpha-1||\beta-1|=|(\alpha-1)(\beta-1)|=|\alpha\beta-(\alpha+\beta)+1|$
　　　　　$=|-8-4+1|=11$

15 답 83

이차방정식 $ax^2-(5a-4)x-20=0$의 두 근을 α, β라 하면 근과 계수의 관계에 의하여 두 근의 곱은

$$\alpha\beta=-\frac{20}{a}<0\ (\because a>0)$$

따라서 α와 β는 서로 부호가 다르다.

이때 두 근의 절댓값의 비가 $2:5$이므로 $|\alpha|:|\beta|=2:5$라 하면 $\alpha=2k$, $\beta=-5k\,(k\neq0)$로 놓을 수 있다. ……………… 배점 **30%**

이차방정식의 근과 계수의 관계에 의하여

두 근의 합은 $-3k=\dfrac{5a-4}{a}$, $-3k=5-\dfrac{4}{a}$

$$\therefore \frac{4}{a}=3k+5 \quad\cdots\cdots\ \bigcirc$$

두 근의 곱은 $-10k^2=-\dfrac{20}{a}$

$$\therefore 2k^2=\frac{4}{a} \quad\cdots\cdots\ \bigcirc\!\!\bigcirc$$

㉠을 ㉡에 대입하면

$2k^2=3k+5$, $2k^2-3k-5=0$

$(k+1)(2k-5)=0$

$$\therefore k=-1\ \text{또는}\ k=\frac{5}{2}$$

이를 ㉡에 대입하여 풀면

$$a=2\ \text{또는}\ a=\frac{8}{25}$$ …………………………… 배점 **40%**

따라서 모든 a의 값의 합은 $2+\dfrac{8}{25}=\dfrac{58}{25}$이므로

$p=25$, $q=58$

$$\therefore p+q=83$$ ………………………………………… 배점 **30%**

16 답 ②

이차방정식 $x^2-ax+b=0$의 두 근이 c, d이므로 근과 계수의 관계에 의하여

$$c+d=a,\ cd=b \quad\cdots\cdots\ \bigcirc$$

이때 ㈎에서 a, b는 100 이하의 자연수이므로

$c+d\leq100$, $cd\leq100$

㈏에서 c와 d는 각각 3개의 양의 약수를 가지므로 c, d는 소수의 제곱수이다.

㈎에서 c, d는 100 이하의 서로 다른 자연수이므로 4, 9, 25, 49 중에서 서로 다른 값을 갖는다.

그런데 $cd\leq100$이어야 하므로

(i) $c=4$, $d=9$ 또는 $c=9$, $d=4$인 경우

 ㉠에서 $a=c+d=13$, $b=cd=36$

 따라서 순서쌍 $(a,\ b)$는 $(13,\ 36)$의 1개이다.

(ii) $c=4$, $d=25$ 또는 $c=25$, $d=4$인 경우

 ㉠에서 $a=c+d=29$, $b=cd=100$

 따라서 순서쌍 $(a,\ b)$는 $(29,\ 100)$의 1개이다.

(i), (ii)에서 순서쌍 $(a,\ b)$의 개수는 $1+1=2$

비법 NOTE

- 어떤 수 p가 2개의 양의 약수를 가지면 p는 소수이다.
- 어떤 수 p가 3개의 양의 약수를 가지면 p는 소수의 제곱수이다.
- 어떤 수 p를 1이 아닌 서로 다른 두 자연수 m, n에 대하여 $p=m\times n$ 꼴로 나타낼 수 있으면 p의 양의 약수는 4개 이상이다.

17 답 ④

이차방정식 $(x-a)(x-b)+(x-b)(x-c)+(x-c)(x-a)=0$에서

$x^2-(a+b)x+ab+x^2-(b+c)x+bc+x^2-(c+a)x+ca=0$

$3x^2-2(a+b+c)x+ab+bc+ca=0$

이 이차방정식의 두 근의 합과 곱이 각각 4, -3이므로 근과 계수의 관계에 의하여

$$\frac{2(a+b+c)}{3}=4,\ \frac{ab+bc+ca}{3}=-3$$

$$\therefore a+b+c=6,\ ab+bc+ca=-9$$

이차방정식 $(x-a)^2+(x-b)^2+(x-c)^2=0$에서

$x^2-2ax+a^2+x^2-2bx+b^2+x^2-2cx+c^2=0$

$3x^2-2(a+b+c)x+a^2+b^2+c^2=0$

이 이차방정식에서 근과 계수의 관계에 의하여 두 근의 곱은

$$\frac{a^2+b^2+c^2}{3}=\frac{(a+b+c)^2-2(ab+bc+ca)}{3}$$

$$=\frac{6^2-2\times(-9)}{3}=18$$

18 답 ④

이차방정식 $x^2+ax+b=0$의 두 근이 α, β이므로 근과 계수의 관계에 의하여

$$\alpha+\beta=-a \quad\cdots\cdots\ \bigcirc,\ \alpha\beta=b \quad\cdots\cdots\ \bigcirc\!\!\bigcirc$$

이차방정식 $3x^2+ax-1=0$의 두 근이 $\alpha+2$, $-\dfrac{1}{\beta}$이므로 근과 계수의 관계에 의하여

$$\alpha+2-\frac{1}{\beta}=-\frac{a}{3} \quad\cdots\cdots\ \boxdot,\ -\frac{\alpha+2}{\beta}=-\frac{1}{3} \quad\cdots\cdots\ \boxdot\!\!\boxdot$$

㉠을 ㉢의 우변에 대입하면

$$\alpha+2-\frac{1}{\beta}=\frac{1}{3}(\alpha+\beta) \quad\cdots\cdots\ \boxminus$$

㉣에서 $\alpha+2=\dfrac{1}{3}\beta$ $\therefore \alpha=\dfrac{1}{3}\beta-2 \quad\cdots\cdots\ \boxminus\!\!\boxminus$

㉻을 ㉺에 대입하면

$$\frac{1}{3}\beta-\frac{1}{\beta}=\frac{1}{3}\left(\frac{1}{3}\beta-2+\beta\right)$$

양변에 9β를 곱하면

$3\beta^2-9=4\beta^2-6\beta$, $\beta^2-6\beta+9=0$

$(\beta-3)^2=0$ $\therefore \beta=3$

이를 ㉻에 대입하면 $\alpha=\dfrac{1}{3}\times3-2=-1$

㉠, ㉡에서 $a=-(\alpha+\beta)=-2$, $b=\alpha\beta=-3$이므로

$|a|+|b|=2+3=5$

19 답 4

이차방정식 $x^2-mx+n=0$의 두 근이 α, β이므로 근과 계수의 관계에 의하여

$$\alpha+\beta=m,\ \alpha\beta=n \quad\cdots\cdots\ \bigcirc$$

이차방정식 $x^2-2mx+3n=0$의 두 근이 $\alpha^2+\beta^2$, $\alpha\beta$이므로 근과 계수의 관계에 의하여

$\alpha^2+\beta^2+\alpha\beta=2m$, $(\alpha^2+\beta^2)\alpha\beta=3n$

이때 ㉠에서 $\alpha^2+\beta^2=(\alpha+\beta)^2-2\alpha\beta=m^2-2n$, $\alpha\beta=n$이므로

$$m^2-n=2m \quad\cdots\cdots\ \bigcirc\!\!\bigcirc$$

$$(m^2-2n)n=3n \quad\cdots\cdots\ \boxdot$$

이때 ㉢에서 $(m^2-2n-3)n=0$

$$\therefore n=0\ \text{또는}\ m^2-2n-3=0$$

(i) $n=0$일 때,

ⓒ에 대입하면

$m^2=2m$, $m^2-2m=0$, $m(m-2)=0$

$\therefore m=0$ 또는 $m=2$

따라서 순서쌍 (m, n)은 $(0, 0)$, $(2, 0)$의 2개이다.

(ii) $m^2-2n-3=0$일 때,

$n=\dfrac{m^2-3}{2}$이므로 이를 ⓒ에 대입하면

$m^2-\dfrac{m^2-3}{2}=2m$, $m^2-4m+3=0$

$(m-1)(m-3)=0$ $\therefore m=1$ 또는 $m=3$

이를 $n=\dfrac{m^2-3}{2}$에 대입하면

$m=1$일 때 $n=-1$, $m=3$일 때 $n=3$

따라서 순서쌍 (m, n)은 $(1, -1)$, $(3, 3)$의 2개이다.

(i), (ii)에서 순서쌍 (m, n)의 개수는 $2+2=4$

20 답 27

$\alpha=\dfrac{f(a)}{a-b}$, $\beta=\dfrac{f(b)}{b-a}$라 하면

$\alpha+\beta=\dfrac{f(a)}{a-b}+\dfrac{f(b)}{b-a}=\dfrac{f(a)}{a-b}-\dfrac{f(b)}{a-b}$

$=\dfrac{f(a)-f(b)}{a-b}=\dfrac{7(a-b)}{a-b}=7$

$\alpha\beta=\dfrac{f(a)}{a-b}\times\dfrac{f(b)}{b-a}=-\dfrac{f(a)f(b)}{(a-b)^2}$

$=-\dfrac{-12(a-b)^2}{(a-b)^2}=12$

따라서 두 근이 α, β이고 이차항의 계수가 1인 이차방정식은

$x^2-7x+12=0$ $\therefore m=-7$, $n=12$

이차방정식 $x^2-7x+12=0$에서

$(x-3)(x-4)=0$ $\therefore x=3$ 또는 $x=4$

이때 $\alpha-\beta=\dfrac{f(a)}{a-b}-\dfrac{f(b)}{b-a}=\dfrac{f(a)+f(b)}{a-b}>0$, 즉 $\alpha>\beta$이므로

$\alpha=4$, $\beta=3$

$\therefore \dfrac{nf(a)-mf(b)}{a-b}=n\times\dfrac{f(a)}{a-b}+m\times\dfrac{f(b)}{b-a}=n\alpha+m\beta$

$\phantom{\therefore \dfrac{nf(a)-mf(b)}{a-b}}=12\times4+(-7)\times3=48-21=27$

21 답 ③

이차방정식 $x^2+2x+2=0$의 두 근이 α, β이므로 근과 계수의 관계에 의하여

$\alpha+\beta=-2$, $\alpha\beta=2$

$\beta=-\alpha-2$이므로 ㈎에서

$f(\alpha)=2\beta+3=2(-\alpha-2)+3=-2\alpha-1$

$\therefore f(\alpha)+2\alpha+1=0$

$\alpha=-\beta-2$이므로 ㈏에서

$f(\beta)=2\alpha+3=2(-\beta-2)+3=-2\beta-1$

$\therefore f(\beta)+2\beta+1=0$

따라서 이차방정식 $f(x)+2x+1=0$의 두 근이 α, β이므로 이차항의 계수를 $a\,(a\neq0)$라 하면

$f(x)+2x+1=a(x-\alpha)(x-\beta)$

$\therefore f(x)+2x+1=a(x^2+2x+2)$

㈐에서 $f(0)=0$이므로 위의 식에 $x=0$을 대입하면

$1=2a$ $\therefore a=\dfrac{1}{2}$

따라서 $f(x)+2x+1=\dfrac{1}{2}(x^2+2x+2)$이므로

$f(x)=\dfrac{1}{2}x^2-x$

$\therefore f(-2)+f(2)=(2+2)+(2-2)=4$

⚡idea

22 답 -1

$f(x)=x^2-kx-1$이라 하면 이차방정식 $f(x)=0$의 두 근이 γ, δ이고 이차항의 계수가 1이므로

$f(x)=(x-\gamma)(x-\delta)$

한편 $(\alpha-\gamma)(\beta-\gamma)(\alpha-\delta)(\beta-\delta)=4k^2$에서

$\{(\alpha-\gamma)(\alpha-\delta)\}\{(\beta-\gamma)(\beta-\delta)\}=4k^2$

$f(\alpha)f(\beta)=4k^2$

$\therefore (\alpha^2-k\alpha-1)(\beta^2-k\beta-1)=4k^2$ …… ㉠

이차방정식 $x^2-x-k=0$의 두 근이 α, β이므로

$\alpha^2-\alpha-k=0$, $\beta^2-\beta-k=0$

$\therefore \alpha^2=\alpha+k$, $\beta^2=\beta+k$

또 이차방정식의 근과 계수의 관계에 의하여

$\alpha+\beta=1$, $\alpha\beta=-k$

따라서 ㉠에서

$(\alpha^2-k\alpha-1)(\beta^2-k\beta-1)$

$=(\alpha+k-k\alpha-1)(\beta+k-k\beta-1)$

$=\{(1-k)\alpha-(1-k)\}\{(1-k)\beta-(1-k)\}$

$=(1-k)^2(\alpha-1)(\beta-1)$

$=(1-k)^2\{\alpha\beta-(\alpha+\beta)+1\}$

$=-k(1-k)^2$

즉, $-k(1-k)^2=4k^2$이고 $k\neq0$이므로

$-(1-k)^2=4k$, $k^2+2k+1=0$

$(k+1)^2=0$ $\therefore k=-1$

23 답 ①

이차방정식 $f(x)=0$의 계수가 실수이고 한 근이 $\alpha=\dfrac{1-i}{\sqrt{2}}$이므로 다른

한 근은 $\dfrac{1+i}{\sqrt{2}}$이다.

이차방정식 $x^2+ax+b=0$에서 근과 계수의 관계에 의하여

두 근의 합은 $\dfrac{1-i}{\sqrt{2}}+\dfrac{1+i}{\sqrt{2}}=-a$ $\therefore a=-\sqrt{2}$

두 근의 곱은 $\dfrac{1-i}{\sqrt{2}}\times\dfrac{1+i}{\sqrt{2}}=b$ $\therefore b=1$

$\therefore f(x)=x^2-\sqrt{2}x+1$

이차방정식 $x^2-\sqrt{2}x+1=0$의 한 근이 α이므로

$\alpha^2-\sqrt{2}\alpha+1=0$ $\therefore \alpha^2=\sqrt{2}\alpha-1$

또 $\alpha^2+1=\sqrt{2}\alpha$이므로 양변을 제곱하면 $\alpha^4+2\alpha^2+1=2\alpha^2$

$\therefore \alpha^4=-1$ $\therefore \alpha^5=\alpha^4\alpha=-\alpha$

$\therefore f(\alpha^5+2\alpha+\sqrt{2})=f(-\alpha+2\alpha+\sqrt{2})=f(\alpha+\sqrt{2})$

$\phantom{\therefore f(\alpha^5+2\alpha+\sqrt{2})}=(\alpha+\sqrt{2})^2-\sqrt{2}(\alpha+\sqrt{2})+1$

$\phantom{\therefore f(\alpha^5+2\alpha+\sqrt{2})}=\alpha^2+2\sqrt{2}\alpha+2-\sqrt{2}\alpha-2+1$

$\phantom{\therefore f(\alpha^5+2\alpha+\sqrt{2})}=\alpha^2+\sqrt{2}\alpha+1$

$\phantom{\therefore f(\alpha^5+2\alpha+\sqrt{2})}=(\sqrt{2}\alpha-1)+\sqrt{2}\alpha+1=2\sqrt{2}\alpha$

$\phantom{\therefore f(\alpha^5+2\alpha+\sqrt{2})}=2\sqrt{2}\times\dfrac{1-i}{\sqrt{2}}=2-2i$

24 답 ②

이차방정식 $f(x)=0$의 계수가 유리수이고 $f(\sqrt{b}-1)=0$에서 $\sqrt{b}-1$이 한 근이므로 다른 한 근은 $-\sqrt{b}-1$이다. → b가 소수이므로 $\sqrt{b}$는 무리수이다.

이차방정식 $x^2+ax-4=0$에서 근과 계수의 관계에 의하여

두 근의 합은 $(\sqrt{b}-1)+(-\sqrt{b}-1)=-a$ ∴ $a=2$

두 근의 곱은 $(\sqrt{b}-1)(-\sqrt{b}-1)=-4$, $1-b=-4$ ∴ $b=5$

한편 $g(x)$를 $f(x)$로 나누었을 때의 몫을 $Q(x)$, 나머지를 $R(x)=px+q$ (p, q는 상수)라 하면

$g(x)=f(x)Q(x)+px+q$ …… ㉠

이때 $f(x)$, $g(x)$는 계수가 유리수인 다항식이므로 p, q도 유리수이다.

$f(-\sqrt{5}-1)=0$이고, $g(-\sqrt{5}-1)=1+\sqrt{5}$이므로 ㉠의 양변에 $x=-\sqrt{5}-1$을 대입하면

$1+\sqrt{5}=p(-\sqrt{5}-1)+q$

$(q-p)-p\sqrt{5}=1+\sqrt{5}$

즉, $q-p=1$, $-p=1$이므로 $p=-1$, $q=0$

따라서 $R(x)=-x$이므로

$R(a)=R(2)=-2$

25 답 ⑤

이차방정식 $x^2-4x+2=0$의 두 실근이 α, β이므로 근과 계수의 관계에 의하여

$\alpha+\beta=4$, $\alpha\beta=2$

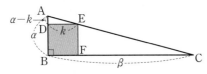

그림과 같이 정사각형의 꼭짓점 중 B가 아닌 점을 각각 D, E, F라 할 때, 두 삼각형 ADE, ABC에서

$\angle ADE=\angle ABC=90°$, $\angle DAE=\angle BAC$

∴ $\triangle ADE \backsim \triangle ABC$ (AA 닮음)

$\overline{AD}:\overline{AB}=\overline{DE}:\overline{BC}$이므로 정사각형의 한 변의 길이를 k라 하면

$(a-k):a=k:\beta$

$ak=(a-k)\beta$, $(a+\beta)k=a\beta$

∴ $k=\dfrac{a\beta}{a+\beta}=\dfrac{2}{4}=\dfrac{1}{2}$

내접하는 정사각형의 넓이는 $k^2=\dfrac{1}{4}$, 둘레의 길이는 $4k=2$이므로

$\dfrac{1}{4}$, 2를 두 근으로 하고 이차항의 계수가 4인 x에 대한 이차방정식은

$4\left(x-\dfrac{1}{4}\right)(x-2)=0$ ∴ $4x^2-9x+2=0$

따라서 $m=-9$, $n=2$이므로 $m+n=-7$

26 답 ③

$\overline{PR}=x$, $\overline{PQ}=y$라 하면 직사각형 QPRD의 둘레의 길이가 4이므로

$2(x+y)=4$, $x+y=2$

∴ $y=2-x$

$\overline{PR}\geq\overline{PQ}$에서

$x\geq2-x$ ∴ $x\geq1$

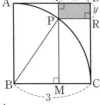

점 P에서 변 BC에 내린 수선의 발을 M이라 하면

$\overline{BM}=3-x$, $\overline{PM}=3-y=3-(2-x)=x+1$

직각삼각형 PBM에서 피타고라스 정리에 의하여

$\overline{BM}^2+\overline{PM}^2=\overline{BP}^2$, $(3-x)^2+(x+1)^2=9$

$2x^2-4x+1=0$ ∴ $x=\dfrac{2\pm\sqrt{2}}{2}$

그런데 $x\geq1$이므로 $x=\dfrac{2+\sqrt{2}}{2}$

∴ $\overline{PR}-\overline{PQ}=x-(2-x)=2x-2$

$=2\times\dfrac{2+\sqrt{2}}{2}-2=\sqrt{2}$

27 답 $8\sqrt{3}$

삼각형 ABC는 $\overline{AB}=\overline{AC}$인 이등변 삼각형이므로 꼭짓점 A에서 변 BC에 내린 수선의 발을 M이라 하면

$\overline{BM}=\overline{CM}=\dfrac{1}{2}\overline{BC}=15$

직각삼각형 ABM에서 피타고라스 정리에 의하여

$\overline{AM}^2+\overline{BM}^2=\overline{AB}^2$, $\overline{AM}^2+15^2=25^2$

$\overline{AM}^2=400$ ∴ $\overline{AM}=20$ ($\because \overline{AM}>0$) ………… 배점 20%

삼각형 ABC의 넓이를 S_1이라 하면

$S_1=\dfrac{1}{2}\times\overline{BC}\times\overline{AM}=\dfrac{1}{2}\times30\times20=300$

또 $S_1=\dfrac{1}{2}\times\overline{AC}\times\overline{BH}=\dfrac{1}{2}\times25\times\overline{BH}$이므로

$\dfrac{25}{2}\overline{BH}=300$ ∴ $\overline{BH}=24$ ………… 배점 20%

직각삼각형 ABH에서 피타고라스 정리에 의하여

$\overline{AH}^2+\overline{BH}^2=\overline{AB}^2$, $\overline{AH}^2+24^2=25^2$

$\overline{AH}^2=49$ ∴ $\overline{AH}=7$ ($\because \overline{AH}>0$)

∴ $\overline{CH}=\overline{AC}-\overline{AH}=25-7=18$

두 삼각형 APS, ABH에서

$\angle ASP=\angle AHB=90°$, $\angle PAS=\angle BAH$

∴ $\triangle APS \backsim \triangle ABH$ (AA 닮음)

$\overline{PS}:\overline{BH}=\overline{AS}:\overline{AH}$이므로 $\overline{PS}=x$라 하면

$x:24=\overline{AS}:7$

$24\overline{AS}=7x$ ∴ $\overline{AS}=\dfrac{7}{24}x$

또 두 삼각형 CRQ, CHB에서

$\angle CRQ=\angle CHB=90°$, $\angle QCR=\angle BCH$

∴ $\triangle CRQ \backsim \triangle CHB$ (AA 닮음)

$\overline{RQ}:\overline{HB}=\overline{CR}:\overline{CH}$이므로

$x:24=\overline{CR}:18$

$24\overline{CR}=18x$ ∴ $\overline{CR}=\dfrac{3}{4}x$

∴ $\overline{SR}=\overline{AC}-\overline{AS}-\overline{CR}=25-\dfrac{7}{24}x-\dfrac{3}{4}x=25-\dfrac{25}{24}x$

따라서 직사각형 PQRS의 넓이가 100이면

$\left(25-\dfrac{25}{24}x\right)x=100$, $25x-\dfrac{25}{24}x^2=100$

$24x-x^2=96$ ∴ $x^2-24x+96=0$ ………… 배점 40%

이 이차방정식의 두 근이 α, β이므로 근과 계수의 관계에 의하여

$\alpha+\beta=24$, $\alpha\beta=96$

∴ $|\alpha-\beta|=\sqrt{(\alpha-\beta)^2}=\sqrt{(\alpha+\beta)^2-4\alpha\beta}$

$=\sqrt{24^2-4\times96}=\sqrt{192}=8\sqrt{3}$ ………… 배점 20%

01 $-\dfrac{5}{3}$	02 ②	03 10	04 ③	05 ①	06 ②
07 ㄱ, ㄴ			08 ①	09 $-6\sqrt{3},\ 6\sqrt{3}$	10 $\dfrac{5}{8}$
11 50					

01 답 $-\dfrac{5}{3}$

1단계 $[x]=n$으로 놓고 주어진 방정식을 n에 대한 방정식으로 나타내기

$x=[x]+\dfrac{1}{3}$에서 $[x]=n$(n은 정수)이라 하면

$x=n+\dfrac{1}{3}$, $3x=3n+1$

$\therefore [3x]=3n+1 \longrightarrow$ n이 정수이므로 $3n+1$도 정수이다.

방정식 $[3x][x]+3[x]=\dfrac{7}{3}+|x|$에서

$(3n+1)n+3n=\dfrac{7}{3}+\left|n+\dfrac{1}{3}\right|$

2단계 근 구하기

(i) $n<-\dfrac{1}{3}$일 때,

$\qquad (3n+1)n+3n=\dfrac{7}{3}-\left(n+\dfrac{1}{3}\right)$

$\qquad 3n^2+5n-2=0$, $(n+2)(3n-1)=0$

$\qquad \therefore n=-2$ 또는 $n=\dfrac{1}{3}$

그런데 n은 $-\dfrac{1}{3}$보다 작은 정수이므로 $n=-2$

(ii) $n\geq-\dfrac{1}{3}$일 때,

$\qquad (3n+1)n+3n=\dfrac{7}{3}+\left(n+\dfrac{1}{3}\right)$

$\qquad 3n^2+3n-\dfrac{8}{3}=0$, $9n^2+9n-8=0$

$\qquad \therefore n=\dfrac{-3\pm\sqrt{41}}{6}$

그런데 정수 n은 존재하지 않는다.

(i), (ii)에서 $n=-2$이므로

$x=n+\dfrac{1}{3}=-2+\dfrac{1}{3}=-\dfrac{5}{3}$

02 답 ②

1단계 주어진 방정식의 정수인 근 알기

방정식 $x^2+a|x|+b=0$에서 $|x|^2+a|x|+b=0$

$|x|=t$로 놓으면 $t\geq0$이고

$t^2+at+b=0$ ······ ㉠

이 이차방정식의 양의 정수인 근이 존재해야 한다.

이차방정식 ㉠이 하나의 양의 정수인 근(중근 포함) $t=p$만을 가지면

$|x|=p$에서 $x=p$ 또는 $x=-p$이므로 두 근의 곱은

$-p^2<0$

이는 정수인 근의 곱이 256이라는 조건을 만족시키지 않는다.

따라서 이차방정식 ㉠은 서로 다른 두 개의 양의 정수인 근을 가지므로

이를 α, β $(\alpha>0,\ \beta>0,\ \alpha\neq\beta)$라 하면

$t=\alpha$ 또는 $t=\beta$에서

$|x|=\alpha$ 또는 $|x|=\beta$

$\therefore x=\alpha$ 또는 $x=-\alpha$ 또는 $x=\beta$ 또는 $x=-\beta$

2단계 a, b의 값 구하기

정수인 근의 곱이 256이므로

$\alpha\times(-\alpha)\times\beta\times(-\beta)=256$

$(\alpha\beta)^2=256$ $\therefore \alpha\beta=16$ $(\because \alpha>0,\ \beta>0)$

α, β는 $\alpha\neq\beta$인 양의 정수이므로 순서쌍 $(\alpha,\ \beta)$는

$(1,\ 16)$, $(2,\ 8)$, $(8,\ 2)$, $(16,\ 1)$

이차방정식 ㉠의 두 근이 α, β이므로 근과 계수의 관계에 의하여

두 근의 합은 $-a=17$ 또는 $-a=10$ $\therefore a=-17$ 또는 $a=-10$

두 근의 곱은 $b=16$

3단계 모든 $a+b$의 값의 합 구하기

$\therefore a+b=-17+16=-1$ 또는 $a+b=-10+16=6$

따라서 모든 $a+b$의 값의 합은 $-1+6=5$

03 답 10

1단계 α, β 사이의 관계식 구하기

이차방정식 $x^2+x+1=0$의 두 근이 α, β이므로

$\alpha^2+\alpha+1=0$, $\beta^2+\beta+1=0$ ······ ㉠

또 이차방정식의 근과 계수의 관계에 의하여 $\alpha+\beta=-1$ ······ ㉡

$\therefore \alpha+1=-\beta$, $\beta+1=-\alpha$

이를 ㉠에 대입하면

$\alpha^2-\beta=0$, $\beta^2-\alpha=0$ $\therefore \alpha^2=\beta$, $\beta^2=\alpha$

2단계 $f(x)$ 구하기

㉡에서 $\alpha=-\beta-1$이므로

$f(\alpha^2)=-4\alpha$에서 $f(\beta)=-4(-\beta-1)$

$\therefore f(\beta)-4\beta-4=0$

㉡에서 $\beta=-\alpha-1$이므로

$f(\beta^2)=-4\beta$에서 $f(\alpha)=-4(-\alpha-1)$

$\therefore f(\alpha)-4\alpha-4=0$

따라서 이차방정식 $f(x)-4x-4=0$의 두 근이 α, β이고 이차항의 계수가 1이므로

$f(x)-4x-4=(x-\alpha)(x-\beta)$

$f(x)-4x-4=x^2+x+1$ $\therefore f(x)=x^2+5x+5$

3단계 $p+q$의 값 구하기

따라서 $p=5$, $q=5$이므로 $p+q=10$

04 답 ③

1단계 α, $\dfrac{1}{\alpha}$ 사이의 관계식 구하기

이차방정식 $x^2-x+1=0$의 한 근이 α이므로 $\alpha^2-\alpha+1=0$

$\alpha\neq0$이므로 양변을 α로 나누면

$\alpha-1+\dfrac{1}{\alpha}=0$ ······ ㉠

$\therefore \alpha=-\dfrac{1}{\alpha}+1$, $\dfrac{1}{\alpha}=-\alpha+1$

2단계 α, $\dfrac{1}{\alpha}$을 두 근으로 하는 이차방정식 세우기

$f(\alpha)=\dfrac{m}{\alpha}+5$에서 $f(\alpha)=m(-\alpha+1)+5$

$\therefore f(\alpha)+m\alpha-m-5=0$

$f\left(\dfrac{1}{\alpha}\right)=m\alpha+5$에서 $f\left(\dfrac{1}{\alpha}\right)=m\left(-\dfrac{1}{\alpha}+1\right)+5$

$\therefore f\left(\dfrac{1}{\alpha}\right)+\dfrac{m}{\alpha}-m-5=0$

따라서 α, $\dfrac{1}{\alpha}$은 이차방정식 $f(x)+mx-m-5=0$의 두 근이다.

3단계 $f(1)$의 값 구하기

㉠에서 $\alpha+\dfrac{1}{\alpha}=1$이고 $\alpha\times\dfrac{1}{\alpha}=1$이므로 이차항의 계수가 1이고 두 근의 합이 1, 두 근의 곱이 1인 이차방정식은

$x^2-x+1=0$

따라서 $f(x)+mx-m-5=x^2-x+1$이므로 양변에 $x=1$을 대입하면

$f(1)-5=1$ $\therefore f(1)=6$

다른 풀이

이차방정식 $x^2-x+1=0$의 판별식을 D라 하면 $D=1-4=-3<0$이므로 이 이차방정식은 서로 다른 두 허근을 갖는다.

이때 이차방정식 $x^2-x+1=0$의 계수가 실수이고 한 근이 허수 α이므로 다른 한 근은 α의 켤레복소수인 $\overline{\alpha}$이다.

이차방정식의 근과 계수의 관계에 의하여

$\alpha+\overline{\alpha}=1$, $\alpha\overline{\alpha}=1$

$\therefore \alpha=1-\overline{\alpha}$, $\overline{\alpha}=1-\alpha$, $\overline{\alpha}=\dfrac{1}{\alpha}$

$f(\alpha)=\dfrac{m}{\alpha}+5$에서 $f(\alpha)=m\overline{\alpha}+5$

$f(\alpha)=m(1-\alpha)+5$ $\therefore f(\alpha)+m\alpha-m-5=0$

$f\left(\dfrac{1}{\alpha}\right)=m\alpha+5$에서 $f(\overline{\alpha})=m\alpha+5$

$f(\overline{\alpha})=m(1-\overline{\alpha})+5$ $\therefore f(\overline{\alpha})+m\overline{\alpha}-m-5=0$

따라서 이차방정식 $f(x)+mx-m-5=0$의 두 근이 α, $\overline{\alpha}$이고 이차항의 계수가 1이므로

$f(x)+mx-m-5=(x-\alpha)(x-\overline{\alpha})$

$f(x)+mx-m-5=x^2-x+1$

$\therefore f(x)=x^2-(m+1)x+m+6$

$\therefore f(1)=1-(m+1)+m+6=6$

05 답 ①

1단계 이차방정식의 근과 계수의 관계를 이용하여 식 세우기

이차방정식 $x^2+(a+1)x+b=0$의 두 근이 α, β이므로 근과 계수의 관계에 의하여

$\alpha+\beta=-a-1$ ······ ㉠

$\alpha\beta=b$ ······ ㉡

이차방정식 $x^2+ax+c=0$의 두 근이 $\alpha-i$, γ이므로 근과 계수의 관계에 의하여

$\alpha-i+\gamma=-a$ ······ ㉢

$(\alpha-i)\gamma=c$ ······ ㉣

2단계 α, β의 값 구하기

㉠에서 $-a=\alpha+\beta+1$이므로 이를 ㉢에 대입하면

$\alpha-i+\gamma=\alpha+\beta+1$ $\therefore \beta-\gamma=-1-i$

이를 $\alpha+\beta-\gamma=1$에 대입하면

$\alpha-1-i=1$ $\therefore \alpha=2+i$

이차방정식 $x^2+(a+1)x+b=0$의 계수가 실수이고 한 근이 $\alpha=2+i$이므로 다른 한 근은 $\beta=2-i$이다.

3단계 a, b, c의 값 구하기

㉠에서 $(2+i)+(2-i)=-a-1$ $\therefore a=-5$

㉡에서 $b=(2+i)(2-i)=5$

㉢에서 $(2+i)-i+\gamma=5$ $\therefore \gamma=3$

㉣에서 $c=(2+i-i)\times3=6$

4단계 abc의 값 구하기

$\therefore abc=-5\times5\times6=-150$

06 답 ②

1단계 이차방정식이 켤레근을 가짐을 알기

이차방정식 $x^2-px+p+3=0$의 계수가 실수이고 한 허근 α를 가지므로 $\alpha=a+bi$(a, b는 실수, $b\neq0$)라 하면 다른 한 근은 $a-bi$이다.

2단계 이차방정식의 근과 계수의 관계를 이용하여 식 세우기

이차방정식의 근과 계수의 관계에 의하여

두 근의 합은 $(a+bi)+(a-bi)=p$

$\therefore 2a=p$ ······ ㉠

두 근의 곱은 $(a+bi)(a-bi)=p+3$

$\therefore a^2+b^2=p+3$ ······ ㉡

3단계 α^3이 실수임을 이용하여 식 세우기

$\alpha=a+bi$에서

$\alpha^3=(a+bi)^3$

$=a^3+3a^2bi+3a(bi)^2+(bi)^3$

$=a^3+3a^2bi-3ab^2-b^3i$

$=(a^3-3ab^2)+(3a^2b-b^3)i$

이때 α^3이 실수이려면

$3a^2b-b^3=0$, $b(3a^2-b^2)=0$

$\therefore 3a^2-b^2=0$ ($\because b\neq0$) ······ ㉢

4단계 p의 값의 곱 구하기

㉢에서 $b^2=3a^2$이므로 이를 ㉡에 대입하면

$a^2+3a^2=p+3$ $\therefore 4a^2=p+3$

㉠에서 $a=\dfrac{1}{2}p$이므로 이를 위의 식에 대입하면

$4\left(\dfrac{1}{2}p\right)^2=p+3$

$\therefore p^2-p-3=0$

따라서 이차방정식의 근과 계수의 관계에 의하여 모든 실수 p의 값의 곱은 -3이다.

다른 풀이

이차방정식 $x^2-px+p+3=0$의 한 허근이 α이므로

$\alpha^2-p\alpha+p+3=0$

$\alpha^2-p\alpha=-p-3$

$\therefore \alpha^2-p\alpha+p^2=p^2-p-3$

양변에 $\alpha+p$를 곱하면

$(\alpha+p)(\alpha^2-p\alpha+p^2)=(\alpha+p)(p^2-p-3)$

$\alpha^3+p^3=(p^2-p-3)\alpha+p^3-p^2-3p$

$\therefore \alpha^3=(p^2-p-3)\alpha-p^2-3p$

이때 α^3이 실수이려면

$p^2-p-3=0$

따라서 이차방정식의 근과 계수의 관계에 의하여 모든 실수 p의 값의 곱은 -3이다.

비법 NOTE

α가 허수이면 $\alpha=p+qi$(p, q는 실수, $q\neq0$)로 놓을 수 있으므로

실수 A, B, C에 대하여 $A\alpha+B=C$에서

$A(p+qi)+B=C$

$(Ap+B)+Aqi=C$

복소수가 서로 같을 조건에 의하여

$Ap+B=C$, $Aq=0$

이때 $q\neq0$이므로 $A=0$, $B=C$

따라서 허수 α에 대하여 $A\alpha+B=C$(A, B, C는 실수)이면

$A=0$, $B=C$

07 답 ㄱ, ㄴ

1단계 $\alpha+\overline{\alpha}$, $\alpha\overline{\alpha}$의 값 구하기

이차방정식 $x^2+\sqrt{3}x+1=0$의 판별식을 D라 하면 $D=3-4=-1<0$
이므로 이 이차방정식은 서로 다른 두 허근을 갖는다.

이때 이차방정식 $x^2+\sqrt{3}x+1=0$의 계수가 실수이고 한 근이 α이므로
다른 한 근은 $\overline{\alpha}$이다.

이차방정식의 근과 계수의 관계에 의하여

$$\alpha+\overline{\alpha}=-\sqrt{3},\ \alpha\overline{\alpha}=1$$

2단계 ㄱ이 옳은지 확인하기

ㄱ. $\alpha^2+\overline{\alpha}^2=(\alpha+\overline{\alpha})^2-2\alpha\overline{\alpha}$
$\qquad\qquad=(-\sqrt{3})^2-2\times1=1$

3단계 ㄴ이 옳은지 확인하기

ㄴ. $\alpha^3+\overline{\alpha}^3=(\alpha+\overline{\alpha})^3-3\alpha\overline{\alpha}(\alpha+\overline{\alpha})$
$\qquad\qquad=(-\sqrt{3})^3-3\times1\times(-\sqrt{3})=0$ ······ ㉠

$\alpha\overline{\alpha}=1$에서 $\alpha^3\overline{\alpha}^3=1$ ······ ㉡

㉠에서 $\overline{\alpha}^3=-\alpha^3$이므로 이를 ㉡에 대입하면

$-\alpha^6=1$ $\quad\therefore\alpha^6=-1$ ······ ㉢

㉠에서 $\alpha^3=-\overline{\alpha}^3$이므로 이를 ㉡에 대입하면

$-\overline{\alpha}^6=1$ $\quad\therefore\overline{\alpha}^6=-1$

$\therefore \dfrac{1}{1+\alpha^8}+\dfrac{1}{1+\overline{\alpha}^8}=\dfrac{1}{1+\alpha^6\alpha^2}+\dfrac{1}{1+\overline{\alpha}^6\overline{\alpha}^2}$

$\qquad=\dfrac{1}{1-\alpha^2}+\dfrac{1}{1-\overline{\alpha}^2}$

$\qquad=\dfrac{(1-\overline{\alpha}^2)+(1-\alpha^2)}{(1-\alpha^2)(1-\overline{\alpha}^2)}$

$\qquad=\dfrac{2-(\alpha^2+\overline{\alpha}^2)}{1-(\alpha^2+\overline{\alpha}^2)+(\alpha\overline{\alpha})^2}$

$\qquad=\dfrac{2-1}{1-1+1}=1$

4단계 ㄷ이 옳은지 확인하기

ㄷ. ㉢에서 $\alpha^6=-1$이므로

$\alpha^{12}=(\alpha^6)^2=(-1)^2=1$

$\therefore \alpha^2+\alpha^4+\alpha^6+\cdots+\alpha^{20}$

$=(\alpha^2+\alpha^4+\alpha^6+\alpha^8+\alpha^{10})+\alpha^{12}(1+\alpha^2+\alpha^4+\alpha^6+\alpha^8)$

$=(\alpha^2+\alpha^4-1-\alpha^2-\alpha^4)+(1+\alpha^2+\alpha^4-1-\alpha^2)$

$=\alpha^4-1$

같은 방법으로 하면

$\overline{\alpha}^2+\overline{\alpha}^4+\overline{\alpha}^6+\cdots+\overline{\alpha}^{20}=\overline{\alpha}^4-1$

$\therefore (\alpha^2+\overline{\alpha}^2)+(\alpha^4+\overline{\alpha}^4)+(\alpha^6+\overline{\alpha}^6)+\cdots+(\alpha^{20}+\overline{\alpha}^{20})$

$=(\alpha^4-1)+(\overline{\alpha}^4-1)$

$=\alpha^4+\overline{\alpha}^4-2$

$=(\alpha^2+\overline{\alpha}^2)^2-2(\alpha\overline{\alpha})^2-2$

$=1-2\times1-2=-3$

5단계 옳은 것 구하기

따라서 보기에서 옳은 것은 ㄱ, ㄴ이다.

08 답 ①

1단계 a, b, c, d에 대한 식 세우기

$\alpha=m+ni$, $\beta=p+qi$ (m, n, p, q는 실수)라 하면

$\alpha+\beta=(m+ni)+(p+qi)=(m+p)+(n+q)i$

$\alpha+\beta$는 순허수이므로

$m+p=0,\ n+q\neq0$ ······ ㉠

$\therefore p=-m$

즉, $\beta=-m+qi$이므로

$\alpha\beta=(m+ni)(-m+qi)=(-m^2-nq)+(mq-mn)i$

$\alpha\beta$는 실수이므로 $mq-mn=0$, $m(q-n)=0$

$\therefore m=0$ 또는 $q=n$

그런데 $m=0$이면 $\alpha=ni$

이때 이차방정식 $x^2+ax+b=0$의 계수가 실수이고 한 근이 $\alpha=ni$이므
로 다른 한 근은 $-ni$이다.

이차방정식의 근과 계수의 관계에 의하여 두 근의 합은

$ni+(-ni)=-a$ $\quad\therefore a=0$

그런데 a는 0이 아닌 실수이므로 $m\neq0$이고 $q=n$

이때 ㉠에서 $n+q\neq0$이므로 $2n\neq0$ $\quad\therefore n\neq0$

이차방정식 $x^2+ax+b=0$의 계수가 실수이고 한 근이 $\alpha=m+ni$이므
로 다른 한 근은 $m-ni$이다.

이차방정식의 근과 계수의 관계에 의하여

$(m+ni)+(m-ni)=-a$, $(m+ni)(m-ni)=b$

$\therefore a=-2m,\ b=m^2+n^2$

또 이차방정식 $x^2+cx+d=0$의 계수가 실수이고 한 근이 $\beta=-m+ni$
이므로 다른 한 근은 $-m-ni$이다.

이차방정식의 근과 계수의 관계에 의하여

$(-m+ni)+(-m-ni)=-c$, $(-m+ni)(-m-ni)=d$

$\therefore c=2m,\ d=m^2+n^2$

2단계 $abcd$의 값 구하기

이차방정식 $x^2+(a-c)x+b+d=0$의 계수가 실수이고 한 근이 $2+i$
이므로 다른 한 근은 $2-i$이다.

이차방정식의 근과 계수의 관계에 의하여

두 근의 합은 $(2+i)+(2-i)=-(a-c)$

$4=-(-2m-2m)$ $\quad\therefore m=1$

두 근의 곱은 $(2+i)(2-i)=b+d$

$5=2(m^2+n^2)$ $\quad\therefore m^2+n^2=\dfrac{5}{2}$

따라서 $a=-2$, $b=d=\dfrac{5}{2}$, $c=2$이므로

$$abcd=-2\times\dfrac{5}{2}\times2\times\dfrac{5}{2}=-25$$

09 답 $-6\sqrt{3}$, $6\sqrt{3}$

1단계 α^3이 실수임을 알기

α가 실수이면 β도 실수이므로 $\alpha^4+\beta^4\geq0$

이는 ㈏를 만족시키지 않으므로 α는 허수이다.

이차방정식 $x^2+ax+b=0$의 계수가 실수이고 한 근이 허수 α이므로 다
른 한 근은 α의 켤레복소수인 $\overline{\alpha}$이다.

$\therefore \beta=\overline{\alpha}$

㈎에서 $\dfrac{\alpha^2}{\beta}$이 실수이므로 $\dfrac{\alpha^2}{\beta}=\dfrac{\alpha^2}{\overline{\alpha}}=\dfrac{\alpha^3}{\alpha\overline{\alpha}}$이 실수이다.

이때 $\alpha\overline{\alpha}$는 항상 실수이므로 α^3도 실수이다.

2단계 b를 a에 대한 식으로 나타내기

한편 α는 이차방정식 $x^2+ax+b=0$의 한 근이므로

$\alpha^2+a\alpha+b=0$

$\alpha^2=-a\alpha-b$

$\therefore \alpha^3=\alpha^2\alpha=(-a\alpha-b)\alpha=-a\alpha^2-b\alpha$

$\qquad=-a(-a\alpha-b)-b\alpha=(a^2-b)\alpha+ab$

α^3이 실수이므로

$a^2-b=0$ $\quad\therefore b=a^2$

따라서 이차방정식 $x^2+ax+a^2=0$의 두 근이 α, β이므로 근과 계수의 관계에 의하여

$\alpha+\beta=-a$, $\alpha\beta=a^2$

$\therefore \alpha^2+\beta^2=(\alpha+\beta)^2-2\alpha\beta=(-a)^2-2a^2=-a^2$,

$\alpha^4+\beta^4=(\alpha^2+\beta^2)^2-2(\alpha\beta)^2=(-a^2)^2-2a^4=-a^4$

㈏에서 $\alpha^4+\beta^4=-9$이므로

$-a^4=-9$, $a^2=3$ ($\because a$는 실수)

$\therefore a=\pm\sqrt{3}$

$\therefore \alpha^3+\beta^3=(\alpha+\beta)^3-3\alpha\beta(\alpha+\beta)$

$=(-a)^3-3a^2\times(-a)=2a^3$

$=2\times(\pm\sqrt{3})^3=\pm6\sqrt{3}$

10 답 $\dfrac{5}{8}$

그림과 같이 두 선분 BH, EF가 만나는 점을 I라 하자.

두 사각형 EBCF, EHGF는 합동이므로

$\overline{BE}=\overline{HE}$, $\angle BEI=\angle HEI$

$\therefore \triangle EIB\equiv\triangle EIH$ (SAS 합동)

즉, $\angle EIB=\angle EIH$이므로

$\angle EIH=\angle EIB=90°$

점 F에서 변 AB에 내린 수선의 발을 J라 하면

$\angle EFJ=\angle HBA$, $\overline{JF}=\overline{AB}$,

$\angle EJF=\angle HAB=90°$

$\therefore \triangle EJF\equiv\triangle HAB$ (ASA 합동)

즉, $\overline{JE}=\overline{AH}=b$이므로

$\overline{CF}=a-b$

직각삼각형 AHE에서 피타고라스 정리에 의하여

$\overline{AH}^2+\overline{AE}^2=\overline{HE}^2$

$b^2+(2-a)^2=a^2$

$b^2+4-4a=0$ $\therefore a=\dfrac{1}{4}b^2+1$ ...... ㉠

사각형 EBCF의 넓이가 $\dfrac{13}{8}$이므로

$\dfrac{1}{2}(\overline{BE}+\overline{CF})\times\overline{BC}=\dfrac{13}{8}$

$\dfrac{1}{2}\{a+(a-b)\}\times2=\dfrac{13}{8}$, $2a-b=\dfrac{13}{8}$

㉠을 대입하면

$2\left(\dfrac{1}{4}b^2+1\right)-b=\dfrac{13}{8}$, $4b^2-8b+3=0$

$(2b-1)(2b-3)=0$ $\therefore b=\dfrac{1}{2}$ 또는 $b=\dfrac{3}{2}$

이를 ㉠에 대입하면

$b=\dfrac{1}{2}$일 때 $a=\dfrac{17}{16}$, $b=\dfrac{3}{2}$일 때 $a=\dfrac{25}{16}$

$\therefore a-b=\dfrac{9}{16}$ 또는 $a-b=\dfrac{1}{16}$

따라서 모든 $a-b$의 값의 합은 $\dfrac{9}{16}+\dfrac{1}{16}=\dfrac{5}{8}$

개념 NOTE

다음의 각 경우에 두 삼각형 ABC, A'B'C'은 서로 합동이다.

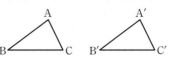

(1) 대응하는 세 변의 길이가 각각 같을 때 (SSS 합동)
➡ $\overline{AB}=\overline{A'B'}$, $\overline{BC}=\overline{B'C'}$, $\overline{AC}=\overline{A'C'}$

(2) 대응하는 두 변의 길이가 각각 같고, 그 끼인각의 크기가 같을 때 (SAS 합동)
➡ $\overline{AB}=\overline{A'B'}$, $\overline{BC}=\overline{B'C'}$, $\angle B=\angle B'$

(3) 대응하는 한 변의 길이가 같고, 그 양 끝 각의 크기가 각각 같을 때 (ASA 합동)
➡ $\overline{BC}=\overline{B'C'}$, $\angle B=\angle B'$, $\angle C=\angle C'$

11 답 50

두 정사각형의 대각선이 모두 한 점 O에서 만나고 정사각형 EFGH의 대각선이 정사각형 ABCD의 한 변을 이등분하므로 주어진 도형은 각각의 대각선에 대하여 대칭이다.

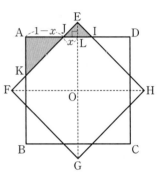

꼭짓점 E에서 변 AD에 내린 수선의 발을 L이라 하고, $\overline{JL}=x$라 하면 삼각형 EJL은 직각이등변삼각형이므로

$\overline{EL}=x$

따라서 삼각형 EJI의 넓이는

$\dfrac{1}{2}\times\overline{JI}\times\overline{EL}=\dfrac{1}{2}\times2x\times x=x^2$

삼각형 AKJ도 직각이등변삼각형이고 $\overline{AJ}=1-x$이므로 삼각형 AKJ의 넓이는

$\dfrac{1}{2}\times\overline{AJ}\times\overline{AK}=\dfrac{1}{2}(1-x)^2$

삼각형 AKJ의 넓이가 삼각형 EJI의 넓이의 $\dfrac{3}{2}$배이면

$\dfrac{1}{2}(1-x)^2=\dfrac{3}{2}x^2$, $1-2x+x^2=3x^2$

$2x^2+2x-1=0$ $\therefore x=\dfrac{-1\pm\sqrt{3}}{2}$

그런데 $x>0$이므로 $x=\dfrac{-1+\sqrt{3}}{2}$

직각이등변삼각형 EJL에서 $\overline{EJ}=\sqrt{2}x$, 직각이등변삼각형 AKJ에서 $\overline{KJ}=\sqrt{2}(1-x)$이므로

$\overline{EF}=2\overline{EJ}+\overline{KJ}$

$2k=2\sqrt{2}x+\sqrt{2}(1-x)$

$\therefore k=\dfrac{\sqrt{2}}{2}(x+1)=\dfrac{\sqrt{2}}{2}\left(\dfrac{-1+\sqrt{3}}{2}+1\right)$

$=\dfrac{\sqrt{2}}{2}\times\dfrac{1+\sqrt{3}}{2}$

$=\dfrac{\sqrt{2}}{4}+\dfrac{\sqrt{6}}{4}$

따라서 $p=\dfrac{1}{4}$, $q=\dfrac{1}{4}$이므로

$100(p+q)=100\left(\dfrac{1}{4}+\dfrac{1}{4}\right)=50$

05 이차방정식과 이차함수

step ❶ 핵심 문제 | 60~61쪽

01 $1, \dfrac{7}{4}$	02 ④	03 ③	04 4	05 ②
06 $-2<k<2$	07 6	08 60	09 ④	10 ③
11 8	12 ②			

01 답 $1, \dfrac{7}{4}$

이차함수 $y=x^2+2(2m-3)x-m-2$의 그래프가 x축과 만나는 두 점의 x좌표를 α, β라 하면 두 점 사이의 거리가 4이므로
$|\alpha-\beta|=4$
이차방정식 $x^2+2(2m-3)x-m-2=0$의 두 근이 α, β이므로 근과 계수의 관계에 의하여
$\alpha+\beta=-2(2m-3)$, $\alpha\beta=-m-2$
$|\alpha-\beta|^2=16$이므로
$(\alpha-\beta)^2=16$, $(\alpha+\beta)^2-4\alpha\beta=16$
$4(2m-3)^2+4(m+2)=16$, $4m^2-11m+7=0$
$(m-1)(4m-7)=0$ ∴ $m=1$ 또는 $m=\dfrac{7}{4}$

02 답 ④

이차함수 $y=x^2-2(a-1)x-b^2+25$의 그래프가 x축과 한 점에서 만나므로 이차방정식 $x^2-2(a-1)x-b^2+25=0$의 판별식을 D_1이라 하면
$\dfrac{D_1}{4}=(a-1)^2+b^2-25=0$ ∴ $(a-1)^2+b^2=25$
a, b는 자연수이므로 $a-1$은 0 또는 자연수이다.
이때 제곱수의 합이 25가 되는 경우는 0과 5^2의 합인 경우와 3^2과 4^2의 합인 경우가 있다.
즉, 순서쌍 $(a-1, b)$는 $(0, 5)$, $(3, 4)$, $(4, 3)$
따라서 순서쌍 (a, b)는 $(1, 5)$, $(4, 4)$, $(5, 3)$ ……㉠
이차함수 $y=-x^2+2bx+c^2-25$의 그래프가 x축과 만나지 않으므로
이차방정식 $-x^2+2bx+c^2-25=0$의 판별식을 D_2라 하면
$\dfrac{D_2}{4}=b^2+c^2-25<0$ ∴ $c^2<25-b^2$ ……㉡
이때 ㉠에서 b의 값은 3, 4, 5이다.
(i) $b=3$일 때,
  ㉡에서 $c^2<16$이므로 자연수 c의 값은 1, 2, 3이다.
(ii) $b=4$일 때,
  ㉡에서 $c^2<9$이므로 자연수 c의 값은 1, 2이다.
(iii) $b=5$일 때,
  ㉡에서 $c^2<0$이므로 자연수 c는 존재하지 않는다.
(i), (ii), (iii)에서 순서쌍 (a, b, c)는 $(4, 4, 1)$, $(4, 4, 2)$, $(5, 3, 1)$, $(5, 3, 2)$, $(5, 3, 3)$의 5개이다.

03 답 ③

$f(x)=5x^2-(a+1)x-a$라 할 때, 이차방정식 $f(x)=0$의 두 근 α, β에 대하여 $-1<\alpha<0$, $1<\beta<2$이려면 이차함수 $y=f(x)$의 그래프가 그림과 같이 -1과 0 사이에서 x축과 한 점에서 만나고, 1과 2 사이에서 x축과 한 점에서 만나야 한다.

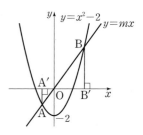

즉, $f(-1)>0$, $f(0)<0$, $f(1)<0$, $f(2)>0$이므로
$f(-1)>0$에서 $6>0$
$f(0)<0$에서 $-a<0$ ∴ $a>0$ ……㉠
$f(1)<0$에서 $-2a+4<0$ ∴ $a>2$ ……㉡
$f(2)>0$에서 $-3a+18>0$ ∴ $a<6$ ……㉢
㉠, ㉡, ㉢에서 정수 a는 3, 4, 5의 3개이다.

04 답 4

그림과 같이 이차함수 $y=x^2-2$의 그래프와 원점을 지나고 기울기가 양수인 직선 $y=mx$는 제1사분면과 제3사분면에서 각각 만난다.

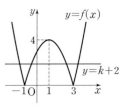

두 점 A, B의 x좌표를 각각
α, β $(\alpha<0<\beta)$라 하면 A$(\alpha, m\alpha)$,
B$(\beta, m\beta)$이고 A$'(\alpha, 0)$, B$'(\beta, 0)$이므로
$\overline{AA'}=|m\alpha|=-m\alpha$, $\overline{BB'}=|m\beta|=m\beta$
이차방정식 $x^2-2=mx$, 즉 $x^2-mx-2=0$의 두 근이 α, β이므로 근과 계수의 관계에 의하여
$\alpha+\beta=m$
선분 AA$'$과 선분 BB$'$의 길이의 차가 16이므로
$|-m\alpha-m\beta|=16$, $|m(\alpha+\beta)|=16$
$m^2=16$ ∴ $m=4$ $(\because m>0)$

05 답 ②

이차함수 $y=x^2-4kx+4k^2+k$의 그래프와 직선 $y=2ax+b$가 접하므로 이차방정식 $x^2-4kx+4k^2+k=2ax+b$, 즉
$x^2-2(2k+a)x+4k^2+k-b=0$의 판별식을 D라 하면
$\dfrac{D}{4}=(2k+a)^2-4k^2-k+b=0$
$4ak+a^2-k+b=0$, $(4a-1)k+a^2+b=0$
이 식이 k의 값에 관계없이 항상 성립하므로
$4a-1=0$, $a^2+b=0$ ∴ $a=\dfrac{1}{4}$, $b=-\dfrac{1}{16}$ ∴ $a+b=\dfrac{3}{16}$

06 답 $-2<k<2$

방정식 $|x^2-2x-3|=k+2$가 서로 다른 네 개의 실근을 가지면 함수 $y=|x^2-2x-3|$의 그래프와 직선 $y=k+2$가 서로 다른 네 점에서 만난다.
$f(x)=|x^2-2x-3|$이라 할 때 $x^2-2x-3=0$이면
$(x+1)(x-3)=0$ ∴ $x=-1$ 또는 $x=3$
또 $y=x^2-2x-3=(x-1)^2-4$이므로 함수 $y=f(x)$의 그래프는 그림과 같다.

이때 교점이 4개가 되도록 직선 $y=k+2$를 그어 보면
$0<k+2<4$ ∴ $-2<k<2$

비법 NOTE

함수 $y=|f(x)|$의 그래프는 함수 $y=f(x)$의 그래프에서 x축보다 아래쪽에 있는 부분을 x축에 대하여 대칭이동하여 그린다.

07 답 6

이차함수 $y=f(x)$의 그래프와 직선 $y=g(x)$가 만나는 두 점의 x좌표가 2, 6이므로 이차방정식 $f(x)=g(x)$, 즉 $f(x)-g(x)=0$의 두 근이 2, 6이다. .... 배점 **20%**

즉, $h(x)=f(x)-g(x)$에서 이차방정식 $h(x)=0$의 두 근이 2, 6이므로 $h(x)$의 최고차항의 계수를 $a(a<0)$라 하면

$h(x)=a(x-2)(x-6)$ ┗→ $f(x)$의 최고차항의 계수가 음수이므로 $h(x)$의 최고차항의 계수도 음수이다.

$\quad\quad =a(x^2-8x+12)$

$\quad\quad =a(x-4)^2-4a$ .... 배점 **30%**

이차함수 $h(x)$는 $x=4$일 때 최댓값 $-4a$이므로

$-4a=8$ $\therefore a=-2$ .... 배점 **30%**

따라서 $h(x)=-2(x-4)^2+8$이므로

$h(5)=-2+8=6$ .... 배점 **20%**

08 답 60

㈎에서 이차함수 $y=-x^2+px-q$의 그래프가 x축에 접하므로 이차방정식 $-x^2+px-q=0$의 판별식을 D라 하면

$D=p^2-4q=0$ $\therefore q=\dfrac{p^2}{4}$ ...... ㉠

$\therefore f(x)=-x^2+px-\dfrac{p^2}{4}=-\left(x-\dfrac{p}{2}\right)^2$

㈏에서 이차함수 $y=f(x)$의 그래프의 꼭짓점의 x좌표 $\dfrac{p}{2}$가 $-p\le x\le p$에 포함되므로 $f(x)$는 $x=-p$일 때 최솟값 $-\dfrac{9}{4}p^2$이다.

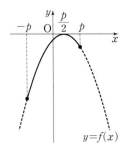

즉, $-\dfrac{9}{4}p^2=-54$이므로 $p^2=24$

이를 ㉠에 대입하면 $q=6$

$\therefore p^2+q^2=24+36=60$

09 답 ④

$x^2-4x+1=t$로 놓으면

$t=x^2-4x+1=(x-2)^2-3$ ...... ㉠

$1\le x\le4$에서 ㉠은 $x=4$일 때 최댓값 1, $x=2$일 때 최솟값 -3이므로

$-3\le t\le1$

주어진 함수는

$y=-(x^2-4x+1)^2-4(x^2-4x)-2=-t^2-4(t-1)-2$

$\quad =-t^2-4t+2=-(t+2)^2+6$ ...... ㉡

따라서 $-3\le t\le1$에서 ㉡은 $t=-2$일 때 최댓값 6, $t=1$일 때 최솟값이 -3이므로

$M=6, m=-3$ $\therefore M-m=9$

10 답 ③

$z^2+(\bar{z})^2=0$에서 $(a+2bi)^2+(a-2bi)^2=0$

$a^2+4abi-4b^2+a^2-4abi-4b^2=0$

$2a^2-8b^2=0$ $\therefore b^2=\dfrac{1}{4}a^2$

이를 $6a+12b^2+11$에 대입하면

$6a+12b^2+11=6a+12\times\dfrac{1}{4}a^2+11=3a^2+6a+11$

$\quad\quad\quad\quad\quad\quad\quad =3(a+1)^2+8$

따라서 $6a+12b^2+11$은 $a=-1$일 때 최솟값이 8이다.

11 답 8

점 $P(a, b)$는 이차함수 $y=x^2-5x+6$의 그래프 위의 점이므로

$b=a^2-5a+6$ ...... ㉠

이차함수 $y=x^2-5x+6$의 그래프가 y축과 만나는 점은 $A(0, 6)$

이차함수 $y=x^2-5x+6$의 그래프가 x축과 만나는 점의 x좌표를 구하면

$x^2-5x+6=0, (x-2)(x-3)=0$

$\therefore x=2$ 또는 $x=3$ $\therefore B(2, 0), C(3, 0)$

점 P가 점 A에서 점 B를 지나 점 C까지 움직이므로 $0\le a\le3$

$a+b$에 ㉠을 대입하면

$a+b=a+a^2-5a+6$

$\quad\quad =a^2-4a+6$

$\quad\quad =(a-2)^2+2$ ...... ㉡

$0\le a\le3$에서 ㉡은 $a=0$일 때 최댓값 6, $a=2$일 때 최솟값이 2이다.

따라서 $a+b$의 최댓값과 최솟값의 합은 $6+2=8$

12 답 ②

상품 한 개의 작년 가격을 a라 하면 가격을 작년보다 $x\%$만큼 내린 올해 상품 한 개의 가격은

$a\left(1-\dfrac{x}{100}\right)$

상품의 작년 판매량을 b라 하면 판매량은 작년보다 $2.5x\%$만큼 증가하므로 올해 판매량은

$b\left(1+\dfrac{2.5x}{100}\right)=b\left(1+\dfrac{x}{40}\right)$

따라서 올해 총 판매 금액은

$ab\left(1-\dfrac{x}{100}\right)\left(1+\dfrac{x}{40}\right)=-\dfrac{ab}{4000}(x-100)(x+40)$

$\quad\quad\quad\quad\quad\quad\quad\quad\quad =-\dfrac{ab}{4000}(x^2-60x-4000)$

$\quad\quad\quad\quad\quad\quad\quad\quad\quad =-\dfrac{ab}{4000}(x-30)^2+\dfrac{49}{40}ab$ ...... ㉠

따라서 $0\le x\le50$에서 ㉠은 $x=30$일 때 최댓값이 $\dfrac{49}{40}ab$이다.

이때 $\dfrac{49}{40}ab=\left(1+\dfrac{22.5}{100}\right)ab$이므로 올해 총 판매 금액의 최댓값은 작년 총 판매 금액인 ab보다 22.5% 증가한 것이다.

$\therefore p=22.5$

step ② 고난도 문제

| 62~66쪽

01 $3\sqrt{2}$	02 2	03 ④	04 ④	05 ③	06 39
07 $\dfrac{7}{4}$	08 ③	09 $3-\sqrt{7}$	10 9	11 ④	
12 ①	13 $\dfrac{400}{9}$ m	14 28	15 ⑤	16 ③	
17 33	18 0	19 11	20 ⑤	21 98	22 ③
23 $12\sqrt{3}-7$					

01 답 $3\sqrt{2}$

이차함수 $y=f(x)$의 그래프가 x축과 만나는 두 점의 x좌표를 α, β라 하면

$\overline{AB}^2=|\alpha-\beta|^2=(\alpha-\beta)^2$

이차함수 $y=f(ax-1)$의 그래프가 x축과 만나는 점의 x좌표는 이차방정식 $f(ax-1)=0$의 실근과 같다.

이차방정식 $f(x)=0$의 두 근이 α, β이므로 $f(\alpha)=0$, $f(\beta)=0$

따라서 이차방정식 $f(ax-1)=0$의 두 근은

$ax-1=\alpha$ 또는 $ax-1=\beta$

$\therefore x=\dfrac{\alpha+1}{a}$ 또는 $x=\dfrac{\beta+1}{a}$

$\therefore \overline{CD}^2=\left|\dfrac{\alpha+1}{a}-\dfrac{\beta+1}{a}\right|^2=\dfrac{(\alpha-\beta)^2}{a^2}$

$\overline{AB}^2=18\overline{CD}^2$에서 $(\alpha-\beta)^2=\dfrac{18(\alpha-\beta)^2}{a^2}$

이때 $\alpha\neq\beta$에서 $(\alpha-\beta)^2\neq0$이므로

$1=\dfrac{18}{a^2}$, $a^2=18$ $\quad\therefore a=3\sqrt{2}$ $(\because a>0)$

다른 풀이

이차함수 $y=x^2+ax+a$의 그래프가 x축과 만나는 두 점의 x좌표를 α, β라 하면 이차방정식 $x^2+ax+a=0$의 두 근이 α, β이다.

이차방정식의 근과 계수의 관계에 의하여

$\alpha+\beta=-a$, $\alpha\beta=a$

$\therefore \overline{AB}^2=|\alpha-\beta|^2=(\alpha-\beta)^2=(\alpha+\beta)^2-4\alpha\beta=a^2-4a$

$f(ax-1)=(ax-1)^2+a(ax-1)+a=a^2x^2+(a^2-2a)x+1$에서 이차함수 $y=a^2x^2+(a^2-2a)x+1$의 그래프가 x축과 만나는 두 점의 x좌표를 γ, δ라 하면 이차방정식 $a^2x^2+(a^2-2a)x+1=0$의 두 근이 γ, δ이다.

이차방정식의 근과 계수의 관계에 의하여

$\gamma+\delta=-\dfrac{a^2-2a}{a^2}=-\dfrac{a-2}{a}$, $\gamma\delta=\dfrac{1}{a^2}$

$\therefore \overline{CD}^2=|\gamma-\delta|^2=(\gamma-\delta)^2=(\gamma+\delta)^2-4\gamma\delta$

$\qquad=\dfrac{(a-2)^2}{a^2}-\dfrac{4}{a^2}=\dfrac{a^2-4a}{a^2}$

$\overline{AB}^2=18\overline{CD}^2$에서 $a^2-4a=\dfrac{18(a^2-4a)}{a^2}$

이때 $a^2-4a\neq0$이므로 $\longrightarrow \overline{AB}^2=a^2-4a>0$

$1=\dfrac{18}{a^2}$, $a^2=18$ $\quad\therefore a=3\sqrt{2}$ $(\because a>0)$

02 답 2

이차방정식 $2x^2-(2k+3)x+k+1=0$에서

$(2x-1)\{x-(k+1)\}=0$ $\quad\therefore x=\dfrac{1}{2}$ 또는 $x=k+1$

$f(x)=x^2-kx+2k-8$이라 할 때, $\dfrac{1}{2}$, $k+1$이 모두 이차방정식 $f(x)=0$의 두 근 사이에 있으려면 그림과 같이 $f\left(\dfrac{1}{2}\right)<0$, $f(k+1)<0$이어야 한다.

$f\left(\dfrac{1}{2}\right)<0$에서 $\dfrac{3}{2}k-\dfrac{31}{4}<0$ $\quad\therefore k<\dfrac{31}{6}$ $\qquad$ ...... ㉠

$f(k+1)<0$에서 $(k+1)^2-k(k+1)+2k-8<0$

$3k-7<0$ $\quad\therefore k<\dfrac{7}{3}$ $\qquad$ ...... ㉡

㉠, ㉡에서 정수 k의 최댓값은 2이다.

03 답 ④

이차함수의 그래프를 x축의 방향으로 평행이동하여도 x축 또는 x축에 평행한 직선과 만나는 두 점 사이의 거리는 변하지 않으므로 이차함수 $y=f(x)$의 그래프를 그림과 같이 y축에 대하여 대칭인 그래프라 하자.

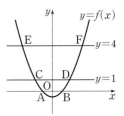

$\overline{AB}=l$이므로 두 점 A, B의 x좌표는 $-\dfrac{l}{2}$, $\dfrac{l}{2}$이다.

따라서 이차방정식 $f(x)=0$의 두 근이 $-\dfrac{l}{2}$, $\dfrac{l}{2}$이므로 이차함수 $f(x)$의 최고차항의 계수를 $a(a>0)$라 하면

$f(x)=a\left(x+\dfrac{l}{2}\right)\left(x-\dfrac{l}{2}\right)$ $\quad\overset{\overline{AB}<\overline{CD}<\overline{EF}이므로\ a>0}{\longrightarrow}$

$\overline{CD}=l+1$이므로 두 점 C, D의 x좌표는 $-\dfrac{l+1}{2}$, $\dfrac{l+1}{2}$이다.

이차함수 $y=f(x)$의 그래프는 점 $\left(\dfrac{l+1}{2},\,1\right)$을 지나므로

$f\left(\dfrac{l+1}{2}\right)=1$에서

$a\left(l+\dfrac{1}{2}\right)\times\dfrac{1}{2}=1$ $\quad\therefore al+\dfrac{1}{2}a=2$ $\qquad$ ...... ㉠

$\overline{EF}=l+3$이므로 두 점 E, F의 x좌표는 $-\dfrac{l+3}{2}$, $\dfrac{l+3}{2}$이다.

이차함수 $y=f(x)$의 그래프는 점 $\left(\dfrac{l+3}{2},\,4\right)$를 지나므로

$f\left(\dfrac{l+3}{2}\right)=4$에서

$a\left(l+\dfrac{3}{2}\right)\times\dfrac{3}{2}=4$ $\quad\therefore al+\dfrac{3}{2}a=\dfrac{8}{3}$ $\qquad$ ...... ㉡

㉡-㉠을 하면 $a=\dfrac{2}{3}$

이를 ㉡에 대입하면

$\dfrac{2}{3}l+1=\dfrac{8}{3}$ $\quad\therefore l=\dfrac{5}{2}$

04 답 ④

이차항의 계수가 1인 이차함수 $y=f(x)$의 그래프의 꼭짓점이 직선 $y=kx$ 위에 있으므로 꼭짓점의 좌표를 $(a,\,ka)$라 하면

$f(x)=(x-a)^2+ka$

이차함수 $y=f(x)$의 그래프와 직선 $y=kx+5$가 만나는 두 점의 x좌표가 α, β이므로 이차방정식 $(x-a)^2+ka=kx+5$, 즉

$x^2-(k+2a)x+a^2+ka-5=0$의 두 근이 α, β이다.

이차방정식의 근과 계수의 관계에 의하여

$\alpha+\beta=k+2a$, $\alpha\beta=a^2+ka-5$

한편 이차함수 $f(x)=(x-a)^2+ka$의 그래프의 축이 직선 $x=\dfrac{\alpha+\beta}{2}-\dfrac{1}{4}$이므로 $\dfrac{\alpha+\beta}{2}-\dfrac{1}{4}=a$

$\alpha+\beta=k+2a$를 대입하면

$\dfrac{k+2a}{2}-\dfrac{1}{4}=a$, $\dfrac{k}{2}=\dfrac{1}{4}$ $\quad\therefore k=\dfrac{1}{2}$

따라서 $\alpha+\beta=2a+\dfrac{1}{2}$, $\alpha\beta=a^2+\dfrac{a}{2}-5$이므로

$(\alpha-\beta)^2=(\alpha+\beta)^2-4\alpha\beta=\left(2a+\dfrac{1}{2}\right)^2-4\left(a^2+\dfrac{a}{2}-5\right)=\dfrac{81}{4}$

$\therefore |\alpha-\beta|=\dfrac{9}{2}$

Ⅱ. 방정식과 부등식

05 답 ③

모든 실수 x에 대하여 $f(x) \geq f(2)$이므로 이차함수 $y=f(x)$의 그래프는 직선 $x=2$에 대하여 대칭이고 아래로 볼록하다.

ㄱ. $f(-1)=0$이고 이차함수 $y=f(x)$의 그래프가 직선 $x=2$에 대하여 대칭이므로 $f(5)=0$

ㄴ. $f(-1)=0$, $f(5)=0$이므로 이차방정식 $f(x)=0$의 두 근이 -1, 5이다.

$f(x)=a(x+1)(x-5)$ $(a>0)$라 하면

$f(0)=-5a$, $f\left(-\dfrac{3}{2}\right)=\dfrac{13}{4}a$, $f(6)=7a$

$\therefore f(0)<f\left(-\dfrac{3}{2}\right)<f(6)$

ㄷ. $f(x)=a(x+1)(x-5)$에서 $f(0)=k$이므로

$-5a=k$

이차함수 $y=f(x)$의 그래프와 직선 $y=2kx$의 교점의 x좌표는 방정식 $f(x)=2kx$의 실근과 같다.

$f(x)=2kx$에서 $a(x+1)(x-5)=2kx$

$ax^2-4ax-5a=-10ax$

$x^2+6x-5=0$ $(\because a>0)$

이차방정식의 근과 계수의 관계에 의하여 두 실근의 합은 -6이므로 두 교점의 x좌표의 합은 -6이다.

따라서 보기에서 옳은 것은 ㄱ, ㄴ이다.

다른 풀이

ㄴ. 이차함수 $y=f(x)$의 그래프는 그림과 같이 직선 $x=2$에 대하여 대칭이므로

$f(0)<f\left(-\dfrac{3}{2}\right)<f(6)$

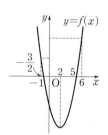

비법 NOTE

이차함수 $f(x)$가 모든 실수 x에 대하여

(1) $f(x) \geq f(a)$이면 이차함수 $y=f(x)$의 그래프의 축은 직선 $x=a$이고 아래로 볼록하다.

(2) $f(x) \leq f(b)$이면 이차함수 $y=f(x)$의 그래프의 축은 직선 $x=b$이고 위로 볼록하다.

06 답 39

이차함수 $y=-x^2+1$의 그래프와 직선 $y=2x+k$가 만나는 두 점 A, B의 x좌표를 각각 α, β라 하면

$A(\alpha, 2\alpha+k)$, $B(\beta, 2\beta+k)$, $A_1(\alpha, 0)$, $B_1(\beta, 0)$

또 $y=2x+k$에 $y=0$을 대입하면 $2x+k=0$ $\therefore x=-\dfrac{k}{2}$

$\therefore C\left(-\dfrac{k}{2}, 0\right)$

이차방정식 $-x^2+1=2x+k$, 즉 $x^2+2x+k-1=0$의 두 근이 α, β이므로 근과 계수의 관계에 의하여

$\alpha+\beta=-2$, $\alpha\beta=k-1$

삼각형 ACA_1의 넓이를 S_1이라 하면

$S_1=\dfrac{1}{2}\times\overline{A_1C}\times\overline{A_1A}$

$=\dfrac{1}{2}\times\left(-\dfrac{k}{2}-\alpha\right)\times(-2\alpha-k)=\left(\alpha+\dfrac{k}{2}\right)^2$

삼각형 BCB_1의 넓이를 S_2라 하면

$S_2=\dfrac{1}{2}\times\overline{B_1C}\times\overline{B_1B}$

$=\dfrac{1}{2}\times\left(\beta+\dfrac{k}{2}\right)\times(2\beta+k)=\left(\beta+\dfrac{k}{2}\right)^2$

$S_1+S_2=\dfrac{3}{2}$이므로

$\left(\alpha+\dfrac{k}{2}\right)^2+\left(\beta+\dfrac{k}{2}\right)^2=\dfrac{3}{2}$, $\alpha^2+\beta^2+k(\alpha+\beta)+\dfrac{k^2}{2}=\dfrac{3}{2}$

$(\alpha+\beta)^2-2\alpha\beta+k(\alpha+\beta)+\dfrac{k^2}{2}=\dfrac{3}{2}$

$(-2)^2-2(k-1)+k\times(-2)+\dfrac{k^2}{2}=\dfrac{3}{2}$

$k^2-8k+9=0$ $\therefore k=4\pm\sqrt{7}$

그런데 $-2<k<2$이므로 $k=4-\sqrt{7}$

따라서 $p=4$, $q=-1$이므로 $10p+q=40-1=39$

07 ⭐idea 답 $\dfrac{7}{4}$

두 점 B, C에서 x축에 내린 수선의 길이가 각각 p, q이므로 두 점 A, B를 지나는 직선의 방정식은 $y=-p$, 두 점 C, D를 지나는 직선의 방정식은 $y=q$이다.

따라서 $A(\alpha, -p)$, $B(\beta, -p)$, $C(\gamma, q)$, $D(\delta, q)$라 하자.

이차함수 $y=x^2-3x$의 그래프와 직선 $y=-p$가 만나는 두 점의 x좌표가 α, β이므로 이차방정식 $x^2-3x=-p$, 즉 $x^2-3x+p=0$의 두 근이 α, β이다.

이차방정식의 근과 계수의 관계에 의하여

$\alpha+\beta=3$, $\alpha\beta=p$

또 이차함수 $y=-x^2+4x$의 그래프와 직선 $y=q$가 만나는 두 점의 x좌표가 γ, δ이므로 이차방정식 $-x^2+4x=q$, 즉 $x^2-4x+q=0$의 두 근이 γ, δ이다.

이차방정식의 근과 계수의 관계에 의하여

$\gamma+\delta=4$, $\gamma\delta=q$

사각형 ABCD가 평행사변형이면 $\overline{AB}=\overline{DC}$이므로 $|\beta-\alpha|=|\delta-\gamma|$

$(\beta-\alpha)^2=(\delta-\gamma)^2$, $(\alpha+\beta)^2-4\alpha\beta=(\gamma+\delta)^2-4\gamma\delta$

$3^2-4p=4^2-4q$, $4(q-p)=7$

$\therefore q-p=\dfrac{7}{4}$

08 답 ③

ㄱ. 이차방정식 $x^2+ax+b=0$의 판별식을 D_1이라 하면 $D_1=a^2-4b$

이때 $a^2<4b$이면 $D_1<0$이므로 이차함수 $y=f(x)$의 그래프는 x축과 만나지 않는다.

따라서 $f(2)=4+2a+b>0$이므로 $b>-2a-4$

ㄴ. 모든 실수 x에 대하여 $f(x+2)=f(-x+2)$이면 이차함수 $y=f(x)$의 그래프의 축은 직선 $x=2$이다.

이때 $f(x)=x^2+ax+b=\left(x+\dfrac{a}{2}\right)^2-\dfrac{a^2}{4}+b$이므로

$-\dfrac{a}{2}=2$ $\therefore a=-4$

$x^2+ax+b=bx+a$에서 $x^2+(a-b)x-a+b=0$

$a=-4$를 대입하면 $x^2-(4+b)x+4+b=0$

이 이차방정식의 판별식을 D_2라 하면

$D_2=(4+b)^2-4(4+b)=b(b+4)$

이때 $b<-4$이면 $D_2>0$이므로 이차함수 $y=f(x)$의 그래프와 직선 $y=bx+a$는 서로 다른 두 점에서 만난다.

ㄷ. $x^2+ax+b=-ax+3$에서 $x^2+2ax+b-3=0$ ...... ㉠

$g(x)=x^2+2ax+b-3$이라 하면 $g(1)=2a+b-2$

이때 $2a+b<2$이면 $g(1)<0$

즉, 이차함수 $y=g(x)$의 그래프는 그림과 같이

x축과 서로 다른 두 점에서 만나므로 이차방정

식 ㉠의 판별식을 D_3이라 하면 $D_3>0$

따라서 이차함수 $y=f(x)$의 그래프와 직선

$y=-ax+3$은 서로 다른 두 점에서 만난다.

따라서 보기에서 옳은 것은 ㄱ, ㄴ이다.

09 답 $3-\sqrt{7}$

$y=mx-4m-1=m(x-4)-1$이므로 직선 $y=mx-4m-1$은 m의
값에 관계없이 항상 점 $(4, -1)$을 지난다.

이차함수 $y=-x^2+2x$의 그래프가 x축과 만나는 점의 x좌표를 구하면

$-x^2+2x=0$, $-x(x-2)=0$ ∴ $x=0$ 또는 $x=2$

이차함수 $y=2x^2-4x$의 그래프가 x축과 만나는 점의 x좌표를 구하면

$2x^2-4x=0$, $2x(x-2)=0$ ∴ $x=0$ 또는 $x=2$

따라서 함수 $y=f(x)$의 그래프와 직선 $y=mx-4m-1$은 그림과 같다.

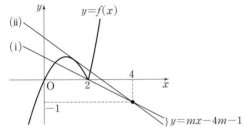

함수 $y=f(x)$의 그래프와 직선 $y=mx-4m-1$이 서로 다른 세 점에
서 만나려면 직선의 기울기 m의 값이 점 $(2, 0)$을 지나는 직선 (i)의
기울기와 $x<2$에서 이차함수 $y=-x^2+2x$의 그래프에 접하는 직선 (ii)
의 기울기 사이의 값이어야 한다. ...... **배점 40%**

(i) 직선 $y=mx-4m-1$이 점 $(2, 0)$을 지날 때,

$0=2m-4m-1$ ∴ $m=-\dfrac{1}{2}$ ...... **배점 20%**

(ii) 이차함수 $y=-x^2+2x$의 그래프와 직선 $y=mx-4m-1$이 접할 때,

$-x^2+2x=mx-4m-1$에서

$x^2+(m-2)x-4m-1=0$ ...... ㉠

이차방정식 ㉠의 판별식을 D라 하면

$D=(m-2)^2-4(-4m-1)=0$

$m^2+12m+8=0$ ∴ $m=-6\pm2\sqrt{7}$

ⓘ $m=-6+2\sqrt{7}$일 때,

㉠에서 $x^2+(-8+2\sqrt{7})x+23-8\sqrt{7}=0$

$\{x+(-4+\sqrt{7})\}^2=0$ ∴ $x=4-\sqrt{7}$

이때 접점의 x좌표 $4-\sqrt{7}$이 $x<2$에 속한다.

ⓘⓘ $m=-6-2\sqrt{7}$일 때,

㉠에서 $x^2+(-8-2\sqrt{7})x+23+8\sqrt{7}=0$

$\{x-(4+\sqrt{7})\}^2=0$ ∴ $x=4+\sqrt{7}$

이때 접점의 x좌표 $4+\sqrt{7}$이 $x<2$에 속하지 않는다.

ⓘ, ⓘⓘ에서 $m=-6+2\sqrt{7}$ ...... **배점 20%**

(i), (ii)에서 m의 값의 범위는 $-6+2\sqrt{7}<m<-\dfrac{1}{2}$

따라서 $\alpha=-6+2\sqrt{7}$, $\beta=-\dfrac{1}{2}$이므로

$\alpha\beta=3-\sqrt{7}$ ...... **배점 20%**

10 답 9

방정식 $f(x)=g(x)$의 서로 다른 실근의 개수 $h(k)$는 함수 $y=f(x)$의
그래프와 직선 $y=g(x)$의 교점의 개수와 같다.

$f(x)=|x^2-5x+4|$에서 $x^2-5x+4=0$이면

$(x-1)(x-4)=0$ ∴ $x=1$ 또는 $x=4$

따라서 함수 $y=f(x)$의 그래프와 기울기가 -1인 직선 $y=g(x)$는 그
림과 같다.

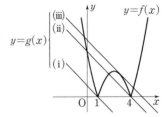

(i) 직선 $y=-x+k$가 점 $(1, 0)$을 지날 때,

$0=-1+k$ ∴ $k=1$

(ii) 직선 $y=-x+k$가 점 $(4, 0)$을 지날 때,

$0=-4+k$ ∴ $k=4$

(iii) $1<x<4$에서 함수 $y=f(x)$의 그래프와 직선 $y=g(x)$가 접할 때,

$1<x<4$에서 $f(x)=-(x^2-5x+4)$이므로 이차방정식

$-(x^2-5x+4)=-x+k$, 즉 $x^2-6x+k+4=0$의 판별식을 D라

하면

$\dfrac{D}{4}=9-k-4=0$ ∴ $k=5$

(i), (ii), (iii)에서

$h(k)=\begin{cases}0 & (k<1) \\ 1 & (k=1) \\ 2 & (1<k<4 \text{ 또는 } k>5) \\ 3 & (k=4 \text{ 또는 } k=5) \\ 4 & (4<k<5)\end{cases}$

∴ $h\left(\dfrac{1}{2}\right)+h(1)+h\left(\dfrac{7}{2}\right)+h\left(\dfrac{9}{2}\right)+h\left(\dfrac{11}{2}\right)=0+1+2+4+2=9$

11 답 ④

두 함수 $y=f(x)$, $y=h(x)$의 그래프가 $x=\alpha$인 점에서 접하므로 방정
식 $f(x)-h(x)=0$은 중근 α를 갖는다.

이때 ㈎에서 $f(x)$의 최고차항의 계수가 1이므로

$f(x)-h(x)=(x-\alpha)^2$ ...... ㉠

두 함수 $y=g(x)$, $y=h(x)$의 그래프가 $x=\beta$인 점에서 접하므로 방정
식 $g(x)-h(x)=0$은 중근 β를 갖는다.

이때 ㈎에서 $g(x)$의 최고차항의 계수가 4이므로

$g(x)-h(x)=4(x-\beta)^2$ ...... ㉡

㈏에서 $\alpha:\beta=1:2$이므로 $\beta=2\alpha$

이를 ㉡에 대입하면 $g(x)-h(x)=4(x-2\alpha)^2$ ...... ㉢

㉠-㉢을 하면 $f(x)-g(x)=(x-\alpha)^2-4(x-2\alpha)^2$

∴ $f(x)-g(x)=-3x^2+14\alpha x-15\alpha^2$

두 이차함수 $y=f(x)$, $y=g(x)$의 그래프가 $x=t$인 점에서 만나므로

$f(t)=g(t)$에서 $f(t)-g(t)=0$

$3t^2-14\alpha t+15\alpha^2=0$, $(3t-5\alpha)(t-3\alpha)=0$

∴ $t=\dfrac{5}{3}\alpha$ 또는 $t=3\alpha$

그런데 $\alpha<t<\beta$, 즉 $\alpha<t<2\alpha$이므로 $t=\dfrac{5}{3}\alpha$ ∴ $\dfrac{t}{\alpha}=\dfrac{5}{3}$

12 답 ①

이차함수 $y=x^2-4mx$의 그래프와 직선 $y=mx$의 교점의 x좌표를 구하면

$x^2-4mx=mx$, $x^2-5mx=0$, $x(x-5m)=0$

$\therefore x=0$ 또는 $x=5m$

따라서 점 A의 x좌표가 $5m$이므로 A$'(5m, 0)$

직선 l의 y절편을 k라 하면 직선 l의 방정식은 $y=-\dfrac{1}{m}x+k$

$x^2-4mx=-\dfrac{1}{m}x+k$에서 $x^2-\left(4m-\dfrac{1}{m}\right)x-k=0$ ...... ㉠

이차방정식 ㉠의 판별식을 D라 하면

$D=\left(4m-\dfrac{1}{m}\right)^2+4k=0$ $\therefore k=-\dfrac{1}{4}\left(4m-\dfrac{1}{m}\right)^2$

이를 ㉠에 대입하면

$x^2-\left(4m-\dfrac{1}{m}\right)x+\dfrac{1}{4}\left(4m-\dfrac{1}{m}\right)^2=0$, $\left\{x-\dfrac{1}{2}\left(4m-\dfrac{1}{m}\right)\right\}^2=0$

$\therefore x=\dfrac{1}{2}\left(4m-\dfrac{1}{m}\right)$

따라서 점 B의 x좌표가 $\dfrac{1}{2}\left(4m-\dfrac{1}{m}\right)$, 즉 $2m-\dfrac{1}{2m}$이므로

B$'\left(2m-\dfrac{1}{2m}, 0\right)$

$\overline{A'B'}=6$에서 $5m-\left(2m-\dfrac{1}{2m}\right)=6$

$6m^2-12m+1=0$ $\therefore m=\dfrac{6\pm\sqrt{30}}{6}$

그런데 $m>1$이므로 $m=\dfrac{6+\sqrt{30}}{6}$ $\therefore 6m=6+\sqrt{30}$

13 답 $\dfrac{400}{9}$ m

그림과 같이 다리를 x축, 아치의 높이가 최대인 점을 지나고 다리에 수직인 직선을 y축, 포물선 모양의 아치가 나타내는 이차함수의 식을 $f(x)$라 하면 $y=f(x)$의 그래프는 그림과 같다.

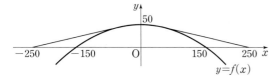

이차함수 $y=f(x)$의 그래프의 꼭짓점의 좌표가 $(0, 50)$이므로

$f(x)=ax^2+50$ (단, $a<0$)

이차함수 $y=f(x)$의 그래프가 점 $(150, 0)$을 지나므로 $f(150)=0$에서

$150^2a+50=0$ $\therefore a=-\dfrac{1}{450}$ $\therefore f(x)=-\dfrac{1}{450}x^2+50$

이차함수 $y=f(x)$의 그래프는 y축에 대하여 대칭이므로 철끈과 아치가 만나는 두 지점의 높이는 서로 같다.

철끈이 나타내는 두 접선 중 기울기가 양수인 직선의 기울기를 m이라 하면 이 직선은 점 $(-250, 0)$을 지나므로

$y=m(x+250)$ $\therefore y=mx+250m$

$-\dfrac{1}{450}x^2+50=mx+250m$에서

$x^2+450mx+450(250m-50)=0$ ...... ㉠

이차방정식 ㉠의 판별식을 D라 하면

$\dfrac{D}{4}=225^2m^2-450(250m-50)=0$, $9m^2-20m+4=0$

$(9m-2)(m-2)=0$ $\therefore m=\dfrac{2}{9}$ 또는 $m=2$

(i) $m=\dfrac{2}{9}$일 때,

㉠에서 $x^2+100x+2500=0$

$(x+50)^2=0$ $\therefore x=-50$

이때 접점의 x좌표 -50이 $-150<x<0$에 속한다.

(ii) $m=2$일 때,

㉠에서 $x^2+900x+450^2=0$

$(x+450)^2=0$ $\therefore x=-450$

이때 접점의 x좌표 -450이 $-150<x<0$에 속하지 않는다.

(i), (ii)에서 철끈과 아치는 $x=-50$인 점에서 접하므로 그때의 y좌표는

$f(-50)=-\dfrac{1}{450}\times(-50)^2+50=\dfrac{400}{9}$

따라서 구하는 높이는 $\dfrac{400}{9}$ m이다.

14 답 28

$2x+3y=8$에서 $3y=8-2x$

이때 $x>0$, $y>0$이므로 $8-2x>0$

$\therefore 0<x<4$

$(\sqrt{2x+1}+\sqrt{3y+5})^2=2x+1+2\sqrt{(2x+1)(3y+5)}+3y+5$

$\qquad =2x+1+2\sqrt{(2x+1)(8-2x+5)}+8-2x+5$

$\qquad =2\sqrt{-4x^2+24x+13}+14$ ...... ㉠

$f(x)=-4x^2+24x+13$이라 하면

$f(x)=-4(x-3)^2+49$

$0<x<4$에서 $f(x)$는 $x=3$일 때 최댓값이 49이므로 ㉠에서

$(\sqrt{2x+1}+\sqrt{3y+5})^2=2\sqrt{-4x^2+24x+13}+14$

$\qquad\qquad \leq 2\sqrt{49}+14=28$

따라서 $(\sqrt{2x+1}+\sqrt{3y+5})^2$의 최댓값은 28이다.

15 답 ⑤

$f(x)=x^2-3|x|-2$에서

(i) $-2\leq x\leq 0$일 때,

$|x|=-x$이므로 $f(x)=x^2+3x-2=\left(x+\dfrac{3}{2}\right)^2-\dfrac{17}{4}$

$-2\leq x\leq 0$에서 이차함수 $f(x)$는 $x=0$일 때 최댓값 -2,

$x=-\dfrac{3}{2}$일 때 최솟값이 $-\dfrac{17}{4}$이다.

(ii) $0\leq x\leq 1$일 때,

$|x|=x$이므로 $f(x)=x^2-3x-2=\left(x-\dfrac{3}{2}\right)^2-\dfrac{17}{4}$

$0\leq x\leq 1$에서 이차함수 $f(x)$는 $x=0$일 때 최댓값 -2, $x=1$일 때 최솟값이 -4이다.

(i), (ii)에서 $-2\leq x\leq 1$일 때, 이차함수 $f(x)$의 최댓값은 -2, 최솟값은 $-\dfrac{17}{4}$이므로

$-\dfrac{17}{4}\leq f(x)\leq -2$

$f(x)=t$로 놓으면 $-\dfrac{17}{4}\leq t\leq -2$이고

$y=\{f(x)\}^2+5f(x)+5=t^2+5t+5=\left(t+\dfrac{5}{2}\right)^2-\dfrac{5}{4}$ ...... ㉠

$-\dfrac{17}{4}\leq t\leq -2$에서 ㉠은 $t=-\dfrac{17}{4}$일 때 최댓값이 $\dfrac{29}{16}$, $t=-\dfrac{5}{2}$일 때 최솟값이 $-\dfrac{5}{4}$이다.

따라서 $M=\dfrac{29}{16}$, $m=-\dfrac{5}{4}$이므로 $M-m=\dfrac{29}{16}+\dfrac{5}{4}=\dfrac{49}{16}$

16 답 ③

$f(x)=x^2-6x+11=(x-3)^2+2$

(i) $t+1<3$, 즉 $t<2$일 때,

꼭짓점의 x좌표가 $t\le x\le t+1$에 포함되지
않으므로 이차함수 $f(x)$는 $x=t$일 때 최댓
값이

$f(t)=t^2-6t+11$

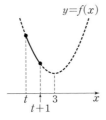

(ii) $t\le3\le t+1$, 즉 $2\le t\le3$일 때,

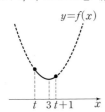 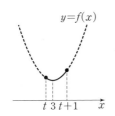

꼭짓점의 x좌표가 $t\le x\le t+1$에 포함되므로

$3-t\ge(t+1)-3$, 즉 $2\le t\le\dfrac{5}{2}$이면 이차함수 $f(x)$는 $x=t$일 때 최

댓값이

$f(t)=t^2-6t+11$

$3-t<(t+1)-3$, 즉 $\dfrac{5}{2}<t\le3$이면 이차함수 $f(x)$는 $x=t+1$일

때 최댓값이

$f(t+1)=(t+1)^2-6(t+1)+11=t^2-4t+6$

(iii) $t>3$일 때,

꼭짓점의 x좌표가 $t\le x\le t+1$에 포함되지
않으므로 이차함수 $f(x)$는 $x=t+1$일 때 최
댓값이

$f(t+1)=t^2-4t+6$

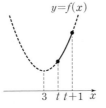

(i), (ii), (iii)에서

$g(t)=\begin{cases}t^2-6t+11 & \left(t\le\dfrac{5}{2}\right)\\ t^2-4t+6 & \left(t>\dfrac{5}{2}\right)\end{cases}$

$t\le\dfrac{5}{2}$일 때, 방정식 $g(t)=3$에서 $t^2-6t+11=3$, $t^2-6t+8=0$

$(t-2)(t-4)=0$ $\therefore t=2\left(\because t\le\dfrac{5}{2}\right)$

$t>\dfrac{5}{2}$일 때, 방정식 $g(t)=3$에서 $t^2-4t+6=3$, $t^2-4t+3=0$

$(t-1)(t-3)=0$ $\therefore t=3\left(\because t>\dfrac{5}{2}\right)$

따라서 방정식 $g(t)=3$의 모든 실근의 합은 $2+3=5$

17 답 33

$f(x)=x^2-4ax+4a^2+b$라 하면 $f(x)=(x-2a)^2+b$

(i) $2a<2$, 즉 $a<1$일 때,

꼭짓점의 x좌표가 $2\le x\le4$에 포함되지 않
으므로 이차함수 $f(x)$는 $x=2$일 때 최솟값
이 $(2-2a)^2+b$이다.

이때 최솟값이 4이므로

$(2-2a)^2+b=4$

$\therefore b=-4(a-1)^2+4$

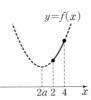

(ii) $2\le2a\le4$, 즉 $1\le a\le2$일 때,

꼭짓점의 x좌표가 $2\le x\le4$에 포함되므로
이차함수 $f(x)$는 $x=2a$일 때 최솟값이 b이
다.

이때 최솟값이 4이므로

$b=4$

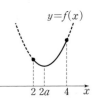

(iii) $2a>4$, 즉 $a>2$일 때,

꼭짓점의 x좌표가 $2\le x\le4$에 포함되지 않
으므로 이차함수 $f(x)$는 $x=4$일 때 최솟값
이 $(4-2a)^2+b$이다.

이때 최솟값이 4이므로

$(4-2a)^2+b=4$

$\therefore b=-4(a-2)^2+4$

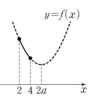

(i), (ii), (iii)에서

$b=\begin{cases}-4(a-1)^2+4 & (a<1)\\ 4 & (1\le a\le2)\\ -4(a-2)^2+4 & (a>2)\end{cases}$

이때 $b=g(a)$라 하면 함수 $b=g(a)$의 그래
프는 그림과 같다.

$2a+b=k$라 하면

$b=-2a+k$

이때 k는 기울기가 -2인 직선의 y절편이므로
k는 이차함수 $b=-4(a-2)^2+4$의 그래프와
직선 $b=-2a+k$가 접할 때 최대이다.

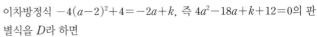

이차방정식 $-4(a-2)^2+4=-2a+k$, 즉 $4a^2-18a+k+12=0$의 판
별식을 D라 하면

$\dfrac{D}{4}=81-4(k+12)=0$

$4k=33$ $\therefore k=\dfrac{33}{4}$

따라서 $M=\dfrac{33}{4}$이므로 $4M=33$

다른 풀이

$b=\begin{cases}-4(a-1)^2+4 & (a<1)\\ 4 & (1\le a\le2)\\ -4(a-2)^2+4 & (a>2)\end{cases}$

$\therefore 2a+b=\begin{cases}-4(a-1)^2+4+2a & (a<1)\\ 4+2a & (1\le a\le2)\\ -4(a-2)^2+4+2a & (a>2)\end{cases}$

$=\begin{cases}-4a^2+10a & (a<1)\\ 2a+4 & (1\le a\le2)\\ -4a^2+18a-12 & (a>2)\end{cases}$

$=\begin{cases}-4\left(a-\dfrac{5}{4}\right)^2+\dfrac{25}{4} & (a<1)\\ 2a+4 & (1\le a\le2)\\ -4\left(a-\dfrac{9}{4}\right)^2+\dfrac{33}{4} & (a>2)\end{cases}$

$2a+b$는 $a<1$에서 최댓값이 존재하지 않고, $1\le a\le2$에서 $a=2$일 때
최댓값 8, $a>2$에서 $a=\dfrac{9}{4}$일 때 최댓값 $\dfrac{33}{4}$이다.

따라서 $2a+b$의 최댓값은 $\dfrac{33}{4}$이므로

$M=\dfrac{33}{4}$ $\therefore 4M=33$

18 답 0

$f\left(\dfrac{3}{2}+x\right)=f\left(\dfrac{5}{2}-x\right)$의 양변에 x 대신 $\dfrac{1}{2}+x$를 대입하면

$f(2+x)=f(2-x)$

따라서 이차함수 $y=f(x)$의 그래프의 축이 직선 $x=2$이므로

$f(x)=a(x-2)^2+b\,(a,\ b$는 상수, $a\neq0)$라 하자. ·········· 배점 **10%**

(i) $-1\leq x\leq1$일 때,

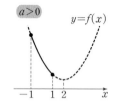 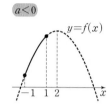

꼭짓점의 x좌표가 $-1\leq x\leq1$에 포함되지 않으므로

ⓘ $a>0$인 경우

이차함수 $f(x)$는 $x=-1$일 때 최댓값이 $9a+b$, $x=1$일 때 최솟값이 $a+b$이다.

ⓘⓘ $a<0$인 경우

이차함수 $f(x)$는 $x=1$일 때 최댓값이 $a+b$, $x=-1$일 때 최솟값이 $9a+b$이다.

ⓘ, ⓘⓘ에서 a의 값의 부호에 관계없이 이차함수 $f(x)$의 최댓값과 최솟값의 합은 $(9a+b)+(a+b)=10a+2b$이므로

$10a+2b=14$ ∴ $5a+b=7$ ······ ㉠ ·········· 배점 **30%**

(ii) $1\leq x\leq4$일 때,

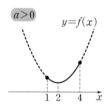 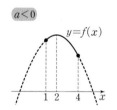

꼭짓점의 x좌표가 $1\leq x\leq4$에 포함되므로

ⓘ $a>0$인 경우

이차함수 $f(x)$는 $x=4$일 때 최댓값이 $4a+b$, $x=2$일 때 최솟값이 b이다.

ⓘⓘ $a<0$인 경우

이차함수 $f(x)$는 $x=2$일 때 최댓값이 b, $x=4$일 때 최솟값이 $4a+b$이다.

ⓘ, ⓘⓘ에서 a의 값의 부호에 관계없이 이차함수 $f(x)$의 최댓값과 최솟값의 합은 $(4a+b)+b=4a+2b$이므로

$4a+2b=26$ ∴ $2a+b=13$ ······ ㉡ ·········· 배점 **30%**

㉠, ㉡을 연립하여 풀면

$a=-2,\ b=17$ ·········· 배점 **10%**

따라서 $f(x)=-2(x-2)^2+17$이므로

$f(-2)+f(3)=(-32+17)+(-2+17)=0$ ·········· 배점 **20%**

19 답 11

$f(0)=f(4)$에서 이차함수 $y=f(x)$의 그래프의 축이 직선 $x=2$이므로

$f(x)=a(x-2)^2+b\,(a,\ b$는 상수, $a\neq0)$라 하자.

이때 $f(-1)\neq f(4)$이고, $f(-1)+|f(4)|=0$에서

$f(-1)=-|f(4)|$이므로

$f(-1)<0,\ f(-1)=-f(4)$ ∴ $f(4)>0$

(i) $a>0$인 경우

$-2\leq x\leq5$에서 $f(-1)<0$이면 이차함수 $y=f(x)$의 그래프는 그림과 같다.

이때 $f(4)<0$이므로 조건을 만족시키지 않는다.

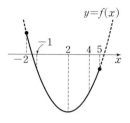

(ii) $a<0$인 경우

$-2\leq x\leq5$에서 $f(-1)<0$이면 이차함수 $y=f(x)$의 그래프는 그림과 같다.

$f(-1)=-f(4)$이어야 하므로

$9a+b=-(4a+b)$

∴ $13a+2b=0$ ······ ㉠

$-2\leq x\leq5$에서 이차함수 $f(x)$는 $x=-2$일 때 최솟값이 $16a+b$이므로

$16a+b=-19$ ······ ㉡

㉠, ㉡을 연립하여 풀면 $a=-2,\ b=13$

(i), (ii)에서 $f(x)=-2(x-2)^2+13$이므로

$f(3)=-2+13=11$

20 답 ⑤

그림과 같이 점 A에서 변 BC에 내린 수선의 발을 H라 하고 선분 AH가 변 DG와 만나는 점을 I라 하자.

$\overline{DI}=a\,(0<a<10)$라 하면 직각삼각형 ADI에서 $\angle ADI=60°$이므로

$\overline{AI}=\overline{DI}\tan60°=\sqrt{3}a$

$\overline{BH}=10,\ \angle B=60°$이므로

$\overline{AH}=\overline{BH}\tan60°=10\sqrt{3}$

∴ $\overline{DE}=\overline{AH}-\overline{AI}=10\sqrt{3}-\sqrt{3}a$

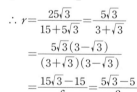

직사각형 DEFG의 넓이를 S라 하면

$S=2\overline{DI}\times\overline{DE}=2a(10\sqrt{3}-\sqrt{3}a)$

$=-2\sqrt{3}a^2+20\sqrt{3}a$

$=-2\sqrt{3}(a-5)^2+50\sqrt{3}$

따라서 직사각형 DEFG의 넓이는 $a=\overline{DI}=5$일 때 최대이다.

$\overline{DI}=5$일 때, 직각삼각형 DBE에서

$\overline{BE}=10-5=5,\ \overline{DE}=10\sqrt{3}-5\sqrt{3}=5\sqrt{3},\ \overline{DB}=\sqrt{5^2+(5\sqrt{3})^2}=10$

이므로 내접하는 원의 반지름의 길이를 r라 하면

$\dfrac{1}{2}\times\overline{BE}\times\overline{DE}=\dfrac{1}{2}r(\overline{BE}+\overline{DE}+\overline{DB})$

$\dfrac{1}{2}\times5\times5\sqrt{3}=\dfrac{1}{2}r(5+5\sqrt{3}+10)$

∴ $r=\dfrac{25\sqrt{3}}{15+5\sqrt{3}}=\dfrac{5\sqrt{3}}{3+\sqrt{3}}$

$=\dfrac{5\sqrt{3}(3-\sqrt{3})}{(3+\sqrt{3})(3-\sqrt{3})}$

$=\dfrac{15\sqrt{3}-15}{6}=\dfrac{5\sqrt{3}-5}{2}$

원의 둘레의 길이는

$2\pi r=2\pi\times\dfrac{5\sqrt{3}-5}{2}=(5\sqrt{3}-5)\pi$

따라서 $p=5,\ q=-5$이므로 $p^2+q^2=25+25=50$

21 답 98

변 AB의 중점이 P이므로
$$\overline{PB}=\frac{1}{2}\overline{AB}=2$$

변 BC의 4등분점 중 꼭짓점 C에 가장 가까운 점이 Q이므로
$$\overline{QB}=\frac{3}{4}\overline{BC}=3\sqrt{3}, \ \overline{QC}=\sqrt{3}$$ .... 배점 10%

두 직사각형의 공통부분인 직사각형의 가로의 길이를 a ($2\le a\le 4$), 세로의 길이를 b라 하자.

그림과 같이 점 F에서 선분 QB에 내린 수선의 발을 H라 하면 두 삼각형 QFH, QPB에서
$$\angle FQH=\angle PQB,$$
$$\angle FHQ=\angle PBQ=90°$$
$$\therefore \triangle QFH \varpropto \triangle QPB \ \text{(AA 닮음)}$$
$\overline{FH}:\overline{PB}=\overline{QH}:\overline{QB}$이므로
$$(4-a):2=(b-\sqrt{3}):3\sqrt{3}$$
$$3\sqrt{3}(4-a)=2(b-\sqrt{3})$$
$$2b=14\sqrt{3}-3\sqrt{3}a$$
$$\therefore b=7\sqrt{3}-\frac{3\sqrt{3}}{2}a$$ .... 배점 30%

두 직사각형의 공통부분의 넓이를 $S(a)$라 하면
$$S(a)=ab$$
$$=a\left(7\sqrt{3}-\frac{3\sqrt{3}}{2}a\right)$$
$$=-\frac{3\sqrt{3}}{2}a^2+7\sqrt{3}a$$
$$=-\frac{3\sqrt{3}}{2}\left(a-\frac{7}{3}\right)^2+\frac{49\sqrt{3}}{6}$$ .... 배점 30%

따라서 $2\le a\le 4$에서 $S(a)$는 $a=\frac{7}{3}$일 때 최댓값이 $\frac{49\sqrt{3}}{6}$, $a=4$일 때 최솟값이 $4\sqrt{3}$이므로
$$M=\frac{49\sqrt{3}}{6}, \ m=4\sqrt{3}$$
$$\therefore Mm=98$$ .... 배점 30%

22 답 ③

A($t, -t+10$)이므로
B($t, -t^2+11t-10$)
한편 $f(x)=-x^2+11x-10=-\left(x-\frac{11}{2}\right)^2+\frac{81}{4}$이므로 이차함수
$y=f(x)$의 그래프의 축은 직선 $x=\frac{11}{2}$이다.
$$\therefore \text{C}(11-t, -t^2+11t-10), \ \text{D}(11-t, -t+10)$$
직사각형 ABCD의 둘레의 길이를 l이라 하자.

(i) $2<t<\frac{11}{2}$일 때,
$$\overline{AB}=-t^2+11t-10-(-t+10)$$
$$=-t^2+12t-20$$
$$\overline{BC}=11-t-t=11-2t$$
$$\therefore l=2(\overline{AB}+\overline{BC})$$
$$=2(-t^2+12t-20+11-2t)$$
$$=-2(t^2-10t+9)$$
$$=-2(t-5)^2+32$$

따라서 $2<t<\frac{11}{2}$에서 l은 $t=5$일 때 최댓값이 32이다.

(ii) $\frac{11}{2}<t<10$일 때,
$$\overline{AB}=-t^2+11t-10-(-t+10)$$
$$=-t^2+12t-20$$
$$\overline{BC}=t-(11-t)=2t-11$$
$$\therefore l=2(\overline{AB}+\overline{BC})$$
$$=2(-t^2+12t-20+2t-11)$$
$$=-2(t^2-14t+31)$$
$$=-2(t-7)^2+36$$

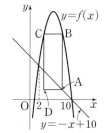

따라서 $\frac{11}{2}<t<10$에서 l은 $t=7$일 때 최댓값이 36이다.

(i), (ii)에서 직사각형 ABCD의 둘레의 길이의 최댓값은 36이다.

23 답 $12\sqrt{3}-7$

점 A에서 변 BC에 내린 수선의 발을 H라 하면 삼각형 ABC는 이등변삼각형이므로
$$\overline{BH}=\frac{1}{2}\overline{BC}=4\sqrt{3}$$

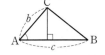

직각삼각형 ABH에서 $\angle B=\theta$라 하면
$$\cos\theta=\frac{\overline{BH}}{\overline{AB}}=\frac{4\sqrt{3}}{8}=\frac{\sqrt{3}}{2}$$이므로 $\theta=30°$
$$\therefore \angle B=\angle C=30°$$
삼각형 ABC의 넓이를 S_1이라 하면
$$S_1=\frac{1}{2}\times\overline{AB}\times\overline{BC}\sin 30°$$
$$=\frac{1}{2}\times 8\times 8\sqrt{3}\times\frac{1}{2}=16\sqrt{3}$$

t초 후 세 점 P, Q, R가 움직인 거리는 각각 t, $2t$, t이므로
삼각형 PBQ의 넓이를 S_2라 하면
$$S_2=\frac{1}{2}\times\overline{PB}\times\overline{BQ}\sin 30°$$
$$=\frac{1}{2}(8-t)\times 2t\times\frac{1}{2}$$
$$=-\frac{1}{2}t^2+4t$$

삼각형 RQC의 넓이를 S_3이라 하면
$$S_3=\frac{1}{2}\times\overline{RC}\times\overline{CQ}\sin 30°$$
$$=\frac{1}{2}t(8\sqrt{3}-2t)\times\frac{1}{2}$$
$$=-\frac{1}{2}t^2+2\sqrt{3}t$$

사각형 APQR의 넓이를 $S(t)$라 하면
$$S(t)=S_1-S_2-S_3$$
$$=16\sqrt{3}-\left(-\frac{1}{2}t^2+4t\right)-\left(-\frac{1}{2}t^2+2\sqrt{3}t\right)$$
$$=t^2-2(2+\sqrt{3})t+16\sqrt{3}$$
$$=\{t-(2+\sqrt{3})\}^2+12\sqrt{3}-7$$

이때 $0<t<4\sqrt{3}$이므로 $S(t)$는 $t=2+\sqrt{3}$일 때 최솟값이 $12\sqrt{3}-7$이다.

개념 NOTE

삼각형 ABC에서 두 변의 길이 b, c와 끼인각 $\angle A$의 크기를 알 때, 삼각형 ABC의 넓이 S는
$$S=\frac{1}{2}bc\sin A$$

01 ⑤	**02** 2	**03** ⑤	**04** $10-6\sqrt{2}$	**05** ②
06 ⑤	**07** $\dfrac{17}{8}$	**08** 360	**09** ④	

01 답 ⑤

1단계 $ax^2+bx+c=0$의 두 근의 부호 알기

이차함수 $y=f(x)$의 그래프가 아래로 볼록하고 $f(0)<0$이므로
$a>0$, $c<0$

따라서 이차함수 $y=f(x)$의 그래프는 그림과
같이 x축과 서로 다른 두 점에서 만난다.
이차함수 $y=f(x)$의 그래프와 x축의 두 교점의
x좌표를 α, β $(\alpha<\beta)$라 하면 이차방정식
$ax^2+bx+c=0$의 두 근이 α, β이고
$\alpha<0$, $\beta>0$

2단계 $c|x-3|^2-b|x-3|+a=0$의 근 구하기

한편 함수 $y=c|x-3|^2-b|x-3|+a$에서 $|x-3|=t$ $(t\geq0)$로 놓으면
$y=ct^2-bt+a$ ……㉠

이차방정식 $ax^2+bx+c=0$의 한 근이 α이므로
$a\alpha^2+b\alpha+c=0$

$\alpha\neq0$이므로 양변을 α^2으로 나누면
$a+\dfrac{b}{\alpha}+\dfrac{c}{\alpha^2}=0$ $\therefore c\left(-\dfrac{1}{\alpha}\right)^2-b\times\left(-\dfrac{1}{\alpha}\right)+a=0$

즉, $-\dfrac{1}{\alpha}$은 이차방정식 $cx^2-bx+a=0$의 한 근이다.

같은 방법으로 하면 $-\dfrac{1}{\beta}$도 이차방정식 $cx^2-bx+a=0$의 한 근이다.

그런데 $-\dfrac{1}{\alpha}>0$, $-\dfrac{1}{\beta}<0$이고 ㉠에서 $t\geq0$이므로 이차방정식
$ct^2-bt+a=0$의 근은
$t=-\dfrac{1}{\alpha}$

즉, 방정식 $c|x-3|^2-b|x-3|+a=0$의 근은
$|x-3|=-\dfrac{1}{\alpha}$

$\therefore x=3-\dfrac{1}{\alpha}$ 또는 $x=3+\dfrac{1}{\alpha}$ ……㉡

3단계 $y=c|x-3|^2-b|x-3|+a$의 그래프와 x축의 교점의 x좌표의 합 구하기

㉡은 함수 $y=c|x-3|^2-b|x-3|+a$의 그래프와 x축의 교점의 x좌
표와 같으므로 그 합은
$3-\dfrac{1}{\alpha}+3+\dfrac{1}{\alpha}=6$

비법 NOTE

이차방정식 $ax^2+bx+c=0$의 두 근이 α, β일 때 (단, a, b, c는 실수, $ac\neq0$)

(1) 이차방정식 $cx^2+bx+a=0$의 두 근은 $\dfrac{1}{\alpha}$, $\dfrac{1}{\beta}$

(2) 이차방정식 $cx^2-bx+a=0$의 두 근은 $-\dfrac{1}{\alpha}$, $-\dfrac{1}{\beta}$

02 답 2

1단계 변환하였을 때 판별식 비교하기

이차방정식 $ax^2+bx+c=0$의 판별식을 D_1이라 하면
$D_1=b^2-4ac$

이차방정식 $a(x+1)^2+bx(x+1)+cx^2=0$, 즉
$(a+b+c)x^2+(2a+b)x+a=0$의 판별식을 D_2라 하면
$D_2=(2a+b)^2-4a(a+b+c)=b^2-4ac=D_1$

이차방정식 $a+b(x+1)+c(x+1)^2=0$, 즉
$cx^2+(b+2c)x+a+b+c=0$의 판별식을 D_3이라 하면
$D_3=(b+2c)^2-4c(a+b+c)=b^2-4ac=D_1$

$D_1=D_2=D_3$이므로 변환 후 판별식의 값이 모두 같다.

따라서 함수 $y=f_n(x)$의 그래프가 x축과 만나는 점의 개수는 이차함수
$y=f(x)$의 그래프가 x축과 만나는 점의 개수와 같다.

2단계 $y=g(x)$의 그래프가 x축과 만나는 점의 개수 구하기

$g(x)=x^2+3x+1$에서 이차방정식 $x^2+3x+1=0$의 판별식을 D_4라 하면
$D_4=9-4=5>0$

따라서 이차함수 $y=g(x)$의 그래프는 x축과 서로 다른 두 점에서 만난
다.

3단계 $y=h(x)$의 그래프가 x축과 만나는 점의 개수 구하기

$h(x)=x^2-3x+5$에서 이차방정식 $x^2-3x+5=0$의 판별식을 D_5라 하면
$D_5=9-4\times5=-11<0$

따라서 이차함수 $y=h(x)$의 그래프는 x축과 만나지 않는다.

4단계 $p+q$의 값 구하기

따라서 두 함수 $y=g_{10}(x)$, $y=h_{10}(x)$의 그래프가 x축과 만나는 서로
다른 점의 개수도 각각 2, 0이므로
$p=2$, $q=0$ $\therefore p+q=2$

03 답 ⑤

1단계 $f(x)$의 식 세우기

최고차항의 계수가 1인 이차함수 $y=f(x)$의 그래프가 두 점 A$(1, 0)$,
B$(a, 0)$을 지나므로
$f(x)=(x-1)(x-a)$ ……㉠

2단계 ㄱ이 옳은지 확인하기

ㄱ. ㉠에 $x=2$를 대입하면 $f(2)=2-a$

3단계 ㄴ이 옳은지 확인하기

ㄴ. 직선 PB는 기울기가 m이고 점 B$(a, 0)$을 지나므로 직선 PB의 방
정식은 $y=m(x-a)$
이차함수 $y=f(x)$의 그래프와 직선 PB의 교점의 x좌표를 구하면
$(x-1)(x-a)=m(x-a)$
$(x-1-m)(x-a)=0$
$\therefore x=m+1$ 또는 $x=a$
이때 $x=a$인 점은 B이므로 점 P의 x좌표는 $m+1$이다.
한편 $f(x)=(x-1)(x-a)=x^2-(a+1)x+a$이므로 이차함수
$y=f(x)$의 그래프의 꼭짓점 P의 x좌표는 $\dfrac{a+1}{2}$이다.

즉, $\dfrac{a+1}{2}=m+1$이므로 $a=2m+1$ ……㉡

직선 AQ는 기울기가 m이고 점 A$(1, 0)$을 지나므로 직선 AQ의
방정식은 $y=m(x-1)$
이차함수 $y=f(x)$의 그래프와 직선 AQ의 교점의 x좌표를 구하면
$(x-1)(x-a)=m(x-1)$
$(x-1)(x-a-m)=0$
$\therefore x=1$ 또는 $x=a+m$
이때 $x=1$인 점은 A이므로 점 Q의 x좌표는 $a+m$이다.
따라서 점 R의 x좌표도 $a+m$이므로
$\overline{AR}=a+m-1=(2m+1)+m-1$ $(\because$ ㉡$)$
$=3m$

4단계 ㄷ이 옳은지 확인하기

ㄷ. 점 Q의 x좌표는 $a+m$이고 점 Q는 직선 $y=m(x-1)$ 위의 점이므로 점 Q의 y좌표는

$y=m(a+m-1)=m(2m+1+m-1)$ (∵ ㉡)

$\quad =3m^2$

∴ $\overline{QR}=3m^2$

$\overline{BR}=a+m-a=m$이고 삼각형 BRQ의 넓이가 $\dfrac{81}{2}$이므로

$\dfrac{1}{2}\times\overline{BR}\times\overline{QR}=\dfrac{81}{2}$, $\dfrac{1}{2}\times m\times 3m^2=\dfrac{81}{2}$

$m^3=27$ ∴ $m=3$ (∵ m은 실수)

∴ $a+m=(2m+1)+m$ (∵ ㉡)

$\quad\quad\quad =3m+1=9+1=10$

5단계 옳은 것 구하기

따라서 보기에서 옳은 것은 ㄱ, ㄴ, ㄷ이다.

---

^{idea}
04 답 $10-6\sqrt{2}$

1단계 $f(0)$, $f(3)$의 값 구하기

$-3\le x\le 0$에서 정의된 함수 $y=g(x)$의 그래프와 $0\le x\le 3$에서 정의된 함수 $y=f(x)$의 그래프가 한 점에서 만나므로

$g(0)=f(0)$ ...... ㉠

$g(x)=-f(-x)$에 $x=0$을 대입하면 $g(0)=-f(0)$

㉠을 대입하면 $f(0)=-f(0)$ ∴ $f(0)=0$

또 $3\le x\le 6$에서 정의된 함수 $y=h(x)$의 그래프와 $0\le x\le 3$에서 정의된 함수 $y=f(x)$의 그래프가 한 점에서 만나므로

$h(3)=f(3)$ ...... ㉡

$h(x)=6-f(6-x)$에 $x=3$을 대입하면 $h(3)=6-f(3)$

㉡을 대입하면 $f(3)=6-f(3)$, $2f(3)=6$ ∴ $f(3)=3$

2단계 $f(x)$, $g(x)$, $h(x)$ 구하기

이차함수 $f(x)$의 최고차항의 계수가 1이므로

$f(x)=x^2+ax+b$ (a, b는 상수)라 하면

$f(0)=0$에서 $b=0$

$f(3)=3$에서 $9+3a+b=3$, $9+3a=3$ ∴ $a=-2$

따라서 $f(x)=x^2-2x$ ($0\le x\le 3$)이므로

$g(x)=-f(-x)=-(x^2+2x)=-x^2-2x$ (단, $-3\le x\le 0$)

$h(x)=6-f(6-x)=6-\{(6-x)^2-2(6-x)\}$

$\quad\quad =-x^2+10x-18$ (단, $3\le x\le 6$)

3단계 직선이 세 함수의 그래프와 두 점에서 만나는 경우 알기

이때 $f(x)=x^2-2x=(x-1)^2-1$,

$g(x)=-x^2-2x=-(x+1)^2+1$,

$h(x)=-x^2+10x-18=-(x-5)^2+7$

이고 $g(-3)=-3$, $g(0)=f(0)=0$, $f(3)=h(3)=3$, $h(6)=6$이므로 세 함수 $y=f(x)$, $y=g(x)$, $y=h(x)$의 그래프는 그림과 같다.

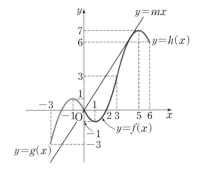

원점을 지나고 기울기가 1보다 큰 직선 $y=mx$가 세 함수 $y=f(x)$, $y=g(x)$, $y=h(x)$의 그래프와 서로 다른 두 점에서 만나려면 직선 $y=mx$와 함수 $y=h(x)$의 그래프가 $3\le x\le 5$에서 접해야 한다.

4단계 m의 값 구하기

$mx=-x^2+10x-18$에서

$x^2+(m-10)x+18=0$ ...... ㉢

이차방정식 ㉢의 판별식을 D라 하면

$D=(m-10)^2-72=0$

$m^2-20m+28=0$

∴ $m=10\pm6\sqrt{2}$

(i) $m=10+6\sqrt{2}$일 때,

㉢에서 $x^2+6\sqrt{2}x+18=0$

$(x+3\sqrt{2})^2=0$ ∴ $x=-3\sqrt{2}$

이때 접점의 x좌표 $-3\sqrt{2}$가 $3\le x\le 5$에 속하지 않는다.

(ii) $m=10-6\sqrt{2}$일 때,

㉢에서 $x^2-6\sqrt{2}x+18=0$

$(x-3\sqrt{2})^2=0$ ∴ $x=3\sqrt{2}$

이때 접점의 x좌표 $3\sqrt{2}$가 $3\le x\le 5$에 속한다.

(i), (ii)에서

$m=10-6\sqrt{2}$

---

^{idea}
05 답 ②

1단계 주어진 함수가 최댓값을 갖는 경우 알기

주어진 함수를 $f_n(x)$라 하면

$f_n(x)=-2[x]^2+n[x]+3$

$\quad\quad =-2\left([x]-\dfrac{n}{4}\right)^2+\dfrac{n^2}{8}+3$

이때 $[x]$는 정수이므로 $\dfrac{n}{4}$의 값에 가장 가까운 정수에서 최댓값을 갖는다.

2단계 $M(12)$, $M(13)$, $M(15)$, $M(16)$의 값 구하기

(i) $n=12$일 때,

$\dfrac{n}{4}=\dfrac{12}{4}=3$이므로 함수 $f_{12}(x)=-2[x]^2+12[x]+3$은 $[x]=3$에서 최대이다.

∴ $M(12)=-2\times9+12\times3+3=21$

(ii) $n=13$일 때,

$\dfrac{n}{4}=\dfrac{13}{4}=3.25$이므로 함수 $f_{13}(x)=-2[x]^2+13[x]+3$은 $[x]=3$에서 최대이다.

∴ $M(13)=-2\times9+13\times3+3=24$

(iii) $n=15$일 때,

$\dfrac{n}{4}=\dfrac{15}{4}=3.75$이므로 함수 $f_{15}(x)=-2[x]^2+15[x]+3$은 $[x]=4$에서 최대이다.

∴ $M(15)=-2\times16+15\times4+3=31$

(iv) $n=16$일 때,

$\dfrac{n}{4}=\dfrac{16}{4}=4$이므로 함수 $f_{16}(x)=-2[x]^2+16[x]+3$은 $[x]=4$에서 최대이다.

∴ $M(16)=-2\times16+16\times4+3=35$

3단계 $M(12)+M(13)+M(15)+M(16)$의 값 구하기

(i)~(iv)에서

$M(12)+M(13)+M(15)+M(16)=21+24+31+35=111$

06 답 ⑤

1단계 $\alpha+\beta$, $\alpha\beta$를 a, b에 대한 식으로 나타내기

㉮에서 방정식 $f(x)=g(x)$는

$(x-a)^2-a^2=-(x-2a)^2+4a^2+b$

$\therefore 2x^2-6ax-b=0$

이 이차방정식의 두 근이 α, β이므로 근과 계수의 관계에 의하여

$\alpha+\beta=3a$, $\alpha\beta=-\dfrac{b}{2}$

2단계 ㄱ이 옳은지 확인하기

ㄱ. ㉯에서 $\beta-\alpha=2$이므로 $(\beta-\alpha)^2=4$

$(\alpha+\beta)^2-4\alpha\beta=4$ $\therefore 9a^2+2b=4$

$a=1$을 대입하면 $9+2b=4$ $\therefore b=-\dfrac{5}{2}$

3단계 ㄴ이 옳은지 확인하기

ㄴ. 이차함수 $f(x)=(x-a)^2-a^2$은 $x=a$일 때 최소이므로 모든 실수 x에 대하여

$f(x)\geq f(a)$

이차함수 $g(x)=-(x-2a)^2+4a^2+b$는 $x=2a$일 때 최대이므로 모든 실수 x에 대하여

$g(x)\leq g(2a)$

방정식 $f(x)=g(x)$의 두 근이 α, β이므로

$f(\alpha)=g(\alpha)$, $f(\beta)=g(\beta)$

$\therefore f(\beta)-g(\alpha)=g(\beta)-f(\alpha)\leq g(2a)-f(a)$ ······ ㉠

$(\because g(\beta)\leq g(2a), -f(\alpha)\leq -f(a))$

4단계 ㄷ이 옳은지 확인하기

ㄷ. $g(\beta)=f(\alpha)+5a^2+b$에서 $g(\beta)-f(\alpha)=5a^2+b$

㉠에서 $g(\beta)-f(\alpha)\leq g(2a)-f(a)$이고

$g(2a)-f(a)=4a^2+b-(-a^2)=5a^2+b$이므로

$g(\beta)-f(\alpha)=g(2a)-f(a)$ $\therefore \beta=2a$, $\alpha=a$

㉯에서 $\beta-\alpha=2$이므로 $2a-a=2$ $\therefore a=2$

또 $\alpha\beta=-\dfrac{b}{2}$이므로 $2a^2=-\dfrac{b}{2}$, $8=-\dfrac{b}{2}$ $\therefore b=-16$

5단계 옳은 것 구하기

따라서 보기에서 옳은 것은 ㄱ, ㄴ, ㄷ이다.

07 답 $\dfrac{17}{8}$

1단계 $g(x)$의 식 세우기

$f(x)=ax^2+bx+c$ (a, b, c는 상수, $a>2$)라 하자.

㉮에서 $f(1)=-1$이므로 $a+b+c=-1$ ······ ㉠

㉯에서 $f(x)=f(-x)$이므로

$ax^2+bx+c=ax^2-bx+c$, $2bx=0$

이 식이 모든 실수 x에 대하여 성립하므로 $b=0$

이를 ㉠에 대입하면 $a+c=-1$ $\therefore c=-a-1$

따라서 $f(x)=ax^2-a-1$이므로

$g(x)=f(x-p)=a(x-p)^2-a-1$

2단계 $\overline{HT}\times\overline{QT}$를 식으로 나타내기

이차함수 $y=g(x)$의 그래프의 꼭짓점은 점

$P(p, -a-1)$이므로 $H(p, 0)$

$Q(q, r)(q>p)$라 하면 $T(q, 0)$

직선 PQ의 기울기는 2이므로

$\dfrac{r+a+1}{q-p}=2$

$\therefore r+a+1=2(q-p)$ ······ ㉤

점 Q(q, r)는 이차함수 $g(x)=a(x-p)^2-a-1$의 그래프 위의 점이므로

$r=a(q-p)^2-a-1$ ······ ㉢

㉢을 ㉤에 대입하면

$a(q-p)^2=2(q-p)$

$q\neq p$이므로 양변을 $q-p$로 나누면

$a(q-p)=2$ $\therefore q-p=\dfrac{2}{a}$

이를 ㉢에 대입하면 $r=a\times\left(\dfrac{2}{a}\right)^2-a-1=\dfrac{4}{a}-a-1$

$\therefore \overline{HT}\times\overline{QT}=(q-p)\times|r|=|(q-p)r|$

$=\left|\dfrac{2}{a}\left(\dfrac{4}{a}-a-1\right)\right|=\left|\dfrac{8}{a^2}-\dfrac{2}{a}-2\right|$

3단계 $\overline{HT}\times\overline{QT}$의 최댓값 구하기

$\dfrac{2}{a}=t$로 놓으면 $a>2$이므로 $0<t<1$

$h(t)=\overline{HT}\times\overline{QT}$라 하면

$h(t)=|2t^2-t-2|=\left|2\left(t-\dfrac{1}{4}\right)^2-\dfrac{17}{8}\right|$

$2t^2-t-2=0$에서 $t=\dfrac{1\pm\sqrt{17}}{4}$

따라서 함수 $y=h(t)$의 그래프는 그림과 같으므로 $0<t<1$에서 $h(t)$, 즉 $\overline{HT}\times\overline{QT}$는 $t=\dfrac{1}{4}$일 때 최댓값이 $\dfrac{17}{8}$이다.

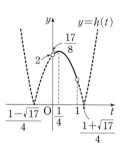

08 답 360

1단계 점 P에서 $\overline{AB}$, $\overline{BC}$에 내린 수선의 길이를 원의 반지름의 길이에 대한 식으로 나타내기

그림과 같이 점 P에서 변 AB, 변 BC에 내린 수선의 발을 각각 H_1, H_2라 하고 원 O_1의 반지름의 길이를 r $(0<r<6)$라 하자.

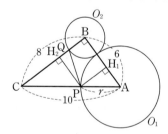

두 삼각형 AH_1P, ABC에서

$\angle PAH_1=\angle CAB$, $\angle AH_1P=\angle ABC=90°$

$\therefore \triangle AH_1P\backsim\triangle ABC$ (AA 닮음)

$\overline{AP}:\overline{AC}=\overline{H_1P}:\overline{BC}$이므로

$r:10=\overline{H_1P}:8$

$10\overline{H_1P}=8r$ $\therefore \overline{H_1P}=\dfrac{4}{5}r$

또 두 삼각형 CH_2P, CBA에서

$\angle PCH_2=\angle ACB$, $\angle CH_2P=\angle CBA=90°$

$\therefore \triangle CH_2P\backsim\triangle CBA$ (AA 닮음)

$\overline{CP}:\overline{CA}=\overline{H_2P}:\overline{BA}$이므로

$(10-r):10=\overline{H_2P}:6$

$10\overline{H_2P}=6(10-r)$ $\therefore \overline{H_2P}=\dfrac{3}{5}(10-r)$

$\overline{BQ}=\overline{AB}-r=6-r$이므로

$\overline{QH_2}=|\overline{H_1P}-\overline{BQ}|$

$=\left|\dfrac{4}{5}r-(6-r)\right|=\left|\dfrac{9}{5}r-6\right|$

직각삼각형 PH_2Q에서 피타고라스 정리에 의하여

$\overline{PQ}^2=\overline{H_2P}^2+\overline{QH_2}^2$

$=\left\{\dfrac{3}{5}(10-r)\right\}^2+\left|\dfrac{9}{5}r-6\right|^2=\left\{\dfrac{3}{5}(10-r)\right\}^2+\left|\dfrac{3}{5}(3r-10)\right|^2$

$=\dfrac{9}{25}\{(10-r)^2+(3r-10)^2\}=\dfrac{9}{25}(10r^2-80r+200)$

$=\dfrac{18}{5}(r^2-8r+20)=\dfrac{18}{5}(r-4)^2+\dfrac{72}{5}$

$0<r<6$에서 $\overline{PQ}^2$은 $r=4$일 때 최솟값이 $\dfrac{72}{5}$이다.

3단계 ab의 값 구하기

따라서 $a=5$, $b=72$이므로 $ab=360$

09 답 ④

1단계 원 O_1의 반지름의 길이를 a에 대한 식으로 나타내기

정삼각형 DEF의 넓이를 S_1이라 하면 $S_1=\dfrac{\sqrt{3}}{4}a^2$

원 O_1의 반지름의 길이를 r_1이라 하면 $S_1=\dfrac{1}{2}r_1\times3a=\dfrac{3}{2}ar_1$

즉, $\dfrac{\sqrt{3}}{4}a^2=\dfrac{3}{2}ar_1$이므로 $r_1=\dfrac{\sqrt{3}}{6}a$

2단계 원 O_2의 반지름의 길이를 a에 대한 식으로 나타내기

세 삼각형 ADF, BED, CFE에서 $\overline{DF}=\overline{ED}=\overline{FE}=a$

$\angle ADF=\theta$라 하면 $\angle BDE=120°-\theta$, $\angle BED=\theta$

$\angle CEF=120°-\theta$, $\angle CFE=\theta$, $\angle AFD=120°-\theta$

$\therefore \triangle ADF\equiv\triangle BED\equiv\triangle CFE$ (ASA 합동)

정삼각형 ABC의 넓이는 $\dfrac{\sqrt{3}}{4}\times8^2=16\sqrt{3}$이므로 삼각형 ADF의 넓이를 S_2라 하면

$S_2=\dfrac{1}{3}\left(16\sqrt{3}-\dfrac{\sqrt{3}}{4}a^2\right)=\dfrac{\sqrt{3}}{12}(64-a^2)$

삼각형 ADF에서 $\overline{AD}+\overline{AF}=8$, $\overline{DF}=a$이므로 원 O_2의 반지름의 길이를 r_2라 하면

$S_2=\dfrac{1}{2}r_2(8+a)$

즉, $\dfrac{\sqrt{3}}{12}(64-a^2)=\dfrac{1}{2}r_2(8+a)$이므로

$r_2=\dfrac{\sqrt{3}(64-a^2)}{6(8+a)}=\dfrac{\sqrt{3}(8+a)(8-a)}{6(8+a)}=\dfrac{\sqrt{3}}{6}(8-a)$

3단계 네 원의 넓이의 합이 최소가 되도록 하는 a의 값 구하기

네 원 O_1, O_2, O_3, O_4의 넓이의 합을 $S(a)$라 하면

$S(a)=\pi\left(\dfrac{\sqrt{3}}{6}a\right)^2+3\times\pi\left\{\dfrac{\sqrt{3}}{6}(8-a)\right\}^2$

$=\dfrac{\pi}{12}a^2+\dfrac{\pi}{4}(64-16a+a^2)$

$=\dfrac{\pi}{3}(a^2-12a+48)=\dfrac{\pi}{3}(a-6)^2+4\pi$

따라서 $0<a<8$에서 $S(a)$가 최소가 되도록 하는 a의 값은 6이다.

개념 NOTE

한 변의 길이가 a인 정삼각형의 넓이를 S라 하면

$S=\dfrac{\sqrt{3}}{4}a^2$

---

06 여러 가지 방정식

step ❶ 핵심 문제

| 70~71쪽

01 ①	02 ②	03 84	04 ④	05 −4	06 ②
07 ①	08 ㄱ, ㄷ		09 ②	10 4	11 7
12 ②					

01 답 ①

주어진 방정식의 좌변을 전개하면

$(1+x)(1+x^2)(1+x^4)=(1+x+x^2+x^3)(1+x^4)$

$=1+x+x^2+x^3+x^4+x^5+x^6+x^7$

이를 주어진 방정식에 대입하면

$1+x+x^2+x^3+x^4+x^5+x^6+x^7=x^7+x^6+x^5+x^4$

$x^3+x^2+x+1=0$

$x^2(x+1)+x+1=0$

$(x+1)(x^2+1)=0$

$\therefore x=-1$ 또는 $x=\pm i$

이 세 근이 α, β, γ이므로

$\alpha^4+\beta^4+\gamma^4=(-1)^4+i^4+(-i)^4=1+1+1=3$

다른 풀이

주어진 방정식의 우변을 인수분해하면

$x^7+x^6+x^5+x^4=x^4(x^3+x^2+x+1)=x^4\{x^2(x+1)+x+1\}$

$=x^4(x+1)(x^2+1)$

이를 주어진 방정식에 대입하면

$(1+x)(1+x^2)(1+x^4)=x^4(x+1)(x^2+1)$

$(1+x)(1+x^2)(1+x^4)-x^4(x+1)(x^2+1)=0$

$\{(1+x^4)-x^4\}(x+1)(x^2+1)=0$

$(x+1)(x^2+1)=0$

$\therefore x=-1$ 또는 $x=\pm i$

이 세 근이 α, β, γ이므로

$\alpha^4+\beta^4+\gamma^4=(-1)^4+i^4+(-i)^4=1+1+1=3$

02 답 ②

㈎에서 $f(x)=x^3-3x^2+9x+13$이라 하면 $f(-1)=0$이므로 조립제법을 이용하여 $f(x)$를 인수분해하면

$$
\begin{array}{r|rrrr}
-1 & 1 & -3 & 9 & 13 \\
  &   & -1 & 4 & -13 \\
\hline
  & 1 & -4 & 13 & 0 \\
\end{array}
$$

$\therefore f(x)=(x+1)(x^2-4x+13)$

삼차방정식 $(x+1)(x^2-4x+13)=0$에서

$x=-1$ 또는 $x=2\pm3i$ ····· ㉠

한편 $z=a+bi$이므로 ㈏에서

$\dfrac{z-\bar{z}}{i}=\dfrac{(a+bi)-(a-bi)}{i}=\dfrac{2bi}{i}=2b$

즉, $2b$가 음의 실수이므로 $b<0$

㉠에서 허수부분이 음수인 허근은 $2-3i$이므로 $z=2-3i$

따라서 $a=2$, $b=-3$이므로

$a+b=-1$

03 답 84

$f(x)=(x^2+8x+k)(x^2+8x+15)+15$가 $x+2$로 나누어떨어지면
$f(-2)=0$이므로
$(4-16+k)(4-16+15)+15=0$
$3k-21=0$　∴ $k=7$
따라서 $f(x)=(x^2+8x+7)(x^2+8x+15)+15$이므로 사차방정식
$f(x)=0$에서 $x^2+8x+7=t$로 놓으면
$t(t+8)+15=0$, $t^2+8t+15=0$
$(t+5)(t+3)=0$　∴ $t=-5$ 또는 $t=-3$
(i) $t=-5$일 때,
$x^2+8x+7=-5$에서 $x^2+8x+12=0$
$(x+6)(x+2)=0$　∴ $x=-6$ 또는 $x=-2$
(ii) $t=-3$일 때,
$x^2+8x+7=-3$에서 $x^2+8x+10=0$
∴ $x=-4\pm\sqrt{6}$
(i), (ii)에서 네 근이 α, β, γ, δ이므로
$\alpha^2+\beta^2+\gamma^2+\delta^2=(-6)^2+(-2)^2+(-4+\sqrt{6})^2+(-4-\sqrt{6})^2$
$=36+4+(22-8\sqrt{6})+(22+8\sqrt{6})=84$

다른 풀이

$f(x)=(x^2+8x+k)(x^2+8x+15)+15$가 $x+2$로 나누어떨어지면
$f(-2)=0$이므로
$(4-16+k)(4-16+15)+15=0$
$3k-21=0$　∴ $k=7$
따라서 $f(x)=(x^2+8x+7)(x^2+8x+15)+15$이므로 사차방정식
$f(x)=0$에서 $x^2+8x+7=t$로 놓으면
$t(t+8)+15=0$, $t^2+8t+15=0$
$(t+5)(t+3)=0$　∴ $t=-5$ 또는 $t=-3$
(i) $t=-5$일 때,
$x^2+8x+7=-5$에서 $x^2+8x+12=0$
이차방정식 $x^2+8x+12=0$의 두 근을 α, β라 하면 근과 계수의 관계에 의하여 $\alpha+\beta=-8$, $\alpha\beta=12$
∴ $\alpha^2+\beta^2=(\alpha+\beta)^2-2\alpha\beta=(-8)^2-2\times12=40$
(ii) $t=-3$일 때,
$x^2+8x+7=-3$에서 $x^2+8x+10=0$
이차방정식 $x^2+8x+10=0$의 두 근을 γ, δ라 하면 근과 계수의 관계에 의하여 $\gamma+\delta=-8$, $\gamma\delta=10$
∴ $\gamma^2+\delta^2=(\gamma+\delta)^2-2\gamma\delta=(-8)^2-2\times10=44$
(i), (ii)에서
$\alpha^2+\beta^2+\gamma^2+\delta^2=40+44=84$

04 답 ④

$x\neq0$이므로 주어진 방정식의 양변을 x^2으로 나누면
$2x^2+3x-1+\dfrac{3}{x}+\dfrac{2}{x^2}=0$
$2\left(x^2+\dfrac{1}{x^2}\right)+3\left(x+\dfrac{1}{x}\right)-1=0$
$2\left(x+\dfrac{1}{x}\right)^2+3\left(x+\dfrac{1}{x}\right)-5=0$
$x+\dfrac{1}{x}=t$로 놓으면
$2t^2+3t-5=0$, $(2t+5)(t-1)=0$
∴ $t=-\dfrac{5}{2}$ 또는 $t=1$

(i) $t=-\dfrac{5}{2}$일 때,
$x+\dfrac{1}{x}=-\dfrac{5}{2}$에서 $2x^2+5x+2=0$
이 이차방정식의 판별식을 D_1이라 하면 $D_1=25-4\times2\times2=9>0$
이므로 서로 다른 두 실근을 갖는다.
(ii) $t=1$일 때,
$x+\dfrac{1}{x}=1$에서 $x^2-x+1=0$
이 이차방정식의 판별식을 D_2라 하면 $D_2=1-4=-3<0$이므로 서로 다른 두 허근을 갖는다.
(i), (ii)에서 주어진 방정식의 허근은 이차방정식 $x^2-x+1=0$의 두 근이므로 근과 계수의 관계에 의하여 두 허근의 곱은 1이다.

05 답 -4

$f(x)=2x^3+(a-11)x^2+(a^2-2a+14)x-2a^2$이라 하면 $f(2)=0$이므로 조립제법을 이용하여 $f(x)$를 인수분해하면

2	2	$a-11$	$a^2-2a+14$	$-2a^2$
		4	$2a-14$	$2a^2$
	2	$a-7$	a^2	0

∴ $f(x)=(x-2)\{2x^2+(a-7)x+a^2\}$ ⋯⋯⋯⋯⋯⋯ 배점 **30%**
삼차방정식 $(x-2)\{2x^2+(a-7)x+a^2\}=0$에서
$x=2$ 또는 $2x^2+(a-7)x+a^2=0$
주어진 삼차방정식이 중근을 가지므로 이차방정식 $2x^2+(a-7)x+a^2=0$
이 2를 근으로 갖거나 중근을 갖는다. ⋯⋯⋯⋯⋯⋯ 배점 **30%**
(i) 이차방정식 $2x^2+(a-7)x+a^2=0$이 2를 근으로 갖는 경우
$x=2$를 대입하면 $8+2(a-7)+a^2=0$
$a^2+2a-6=0 \longrightarrow \dfrac{D_1}{4}=1+6=7>0$이므로 서로 다른 두 실근을 갖는다.
이때 이차방정식의 근과 계수의 관계에 의하여 실수 a의 값의 합은 -2이다.
(ii) 이차방정식 $2x^2+(a-7)x+a^2=0$이 중근을 갖는 경우
이 이차방정식의 판별식을 D라 하면
$D=(a-7)^2-4\times2\times a^2=0$, $-7a^2-14a+49=0$
$a^2+2a-7=0 \longrightarrow \dfrac{D_2}{4}=1+7=8>0$이므로 서로 다른 두 실근을 갖는다.
이때 이차방정식의 근과 계수의 관계에 의하여 실수 a의 값의 합은 -2이다.
(i), (ii)에서 모든 실수 a의 값의 합은 $-2+(-2)=-4$ ⋯⋯⋯ 배점 **40%**

06 답 ②

삼차방정식의 근과 계수의 관계에 의하여
$\alpha+\beta+\gamma=2$, $\alpha\beta+\beta\gamma+\gamma\alpha=3$, $\alpha\beta\gamma=4$
∴ $(\alpha+\beta+1)(\beta+\gamma+1)(\gamma+\alpha+1)$
$=(3-\gamma)(3-\alpha)(3-\beta)$
$=27-9(\alpha+\beta+\gamma)+3(\alpha\beta+\beta\gamma+\gamma\alpha)-\alpha\beta\gamma$
$=27-9\times2+3\times3-4=14$

07 답 ①

삼차방정식 $x^3+ax^2+bx-8=0$의 계수가 실수이고 $1-\sqrt{3}i$가 한 근이므로 $1+\sqrt{3}i$도 근이다.
나머지 한 근을 α라 하면 삼차방정식의 근과 계수의 관계에 의하여
세 근의 곱은 $(1-\sqrt{3}i)(1+\sqrt{3}i)\alpha=8$, $4\alpha=8$　∴ $\alpha=2$

즉, 세 근이 $1-\sqrt{3}i$, $1+\sqrt{3}i$, 2이므로
세 근의 합은 $(1-\sqrt{3}i)+(1+\sqrt{3}i)+2=-a$ $\therefore a=-4$
두 근의 곱의 합은
$(1-\sqrt{3}i)(1+\sqrt{3}i)+2(1+\sqrt{3}i)+2(1-\sqrt{3}i)=b$ $\therefore b=8$
$\therefore a+b=-4+8=4$

08 답 ㄱ, ㄷ

삼차방정식 $x^3=1$에서 $x^3-1=0$, $(x-1)(x^2+x+1)=0$
이때 ω는 삼차방정식 $x^3-1=0$의 한 허근이므로
$\omega^3=1$, $\omega^2+\omega+1=0$
이차방정식 $x^2+x+1=0$의 계수가 실수이고 한 허근이 ω이므로 다른 한 근은 $\overline{\omega}$이다.
따라서 이차방정식의 근과 계수의 관계에 의하여
$\omega+\overline{\omega}=-1$, $\omega\overline{\omega}=1$
ㄱ. $\omega^{16}=(\omega^3)^5\omega=\omega$
ㄴ. $\omega^2+\overline{\omega}^2=(\omega+\overline{\omega})^2-2\omega\overline{\omega}=(-1)^2-2\times1=-1$
ㄷ. $\omega^2+\omega+1=0$에서 $1+\omega^2=-\omega$, $1+\omega=-\omega^2$이므로
$$\frac{1}{1+\omega^2}+\frac{1}{1+\omega^4}+\frac{1}{1+\omega^6}=-\frac{1}{\omega}+\frac{1}{1+\omega^3\omega}+\frac{1}{1+(\omega^3)^2}$$
$$=-\frac{1}{\omega}+\frac{1}{1+\omega}+\frac{1}{2}$$
$$=-\frac{1}{\omega}-\frac{1}{\omega^2}+\frac{1}{2}=-\frac{\omega+1}{\omega^2}+\frac{1}{2}$$
$$=-\frac{-\omega^2}{\omega^2}+\frac{1}{2}=1+\frac{1}{2}=\frac{3}{2}$$

따라서 보기에서 옳은 것은 ㄱ, ㄷ이다.

09 답 ②

주어진 두 연립방정식의 해가 일치하므로 그 해는 연립방정식
$\begin{cases} 2x+2y=1 \\ x^2-y^2=-1 \end{cases}$ 의 해와 같다.

방정식 $2x+2y=1$에서 $2y=1-2x$ $\therefore y=\frac{1}{2}-x$ ······ ㉠
㉠을 $x^2-y^2=-1$에 대입하면
$x^2-\left(\frac{1}{2}-x\right)^2=-1$
$-\frac{1}{4}+x=-1$ $\therefore x=-\frac{3}{4}$
이를 ㉠에 대입하면 $y=\frac{1}{2}-\left(-\frac{3}{4}\right)=\frac{5}{4}$
$x=-\frac{3}{4}$, $y=\frac{5}{4}$를 $3x+y=a$에 대입하면
$a=-\frac{9}{4}+\frac{5}{4}=-1$
$x=-\frac{3}{4}$, $y=\frac{5}{4}$를 $x-y=b$에 대입하면
$b=-\frac{3}{4}-\frac{5}{4}=-2$
$\therefore ab=-1\times(-2)=2$

10 답 4

방정식 $(x+1)(y+1)=-4$에서 $xy+x+y=-5$
$x+y=u$, $xy=v$로 놓으면 주어진 연립방정식은
$\begin{cases} u+v=-5 & ······ ㉠ \\ u^2-v=7 & ······ ㉡ \end{cases}$

㉠에서 $v=-u-5$이므로 이를 ㉡에 대입하면
$u^2-(-u-5)=7$, $u^2+u-2=0$
$(u+2)(u-1)=0$ $\therefore u=-2$ 또는 $u=1$
이를 각각 $v=-u-5$에 대입하면
$u=-2$일 때 $v=-3$, $u=1$일 때 $v=-6$
(i) $u=-2$, $v=-3$, 즉 $x+y=-2$, $xy=-3$일 때,
  x, y는 이차방정식 $t^2+2t-3=0$의 두 근이므로
  $(t+3)(t-1)=0$ $\therefore t=-3$ 또는 $t=1$
  $\therefore x=-3$, $y=1$ 또는 $x=1$, $y=-3$
  $\therefore x+2y=-1$ 또는 $x+2y=-5$
(ii) $u=1$, $v=-6$, 즉 $x+y=1$, $xy=-6$일 때,
  x, y는 이차방정식 $t^2-t-6=0$의 두 근이므로
  $(t+2)(t-3)=0$ $\therefore t=-2$ 또는 $t=3$
  $\therefore x=-2$, $y=3$ 또는 $x=3$, $y=-2$
  $\therefore x+2y=4$ 또는 $x+2y=-1$
(i), (ii)에서 $x+2y$의 최댓값은 4이다.

11 답 7

방정식 $2x-y=5$에서 $y=2x-5$
이를 $x^2-2y=k$에 대입하면
$x^2-2(2x-5)=k$
$\therefore x^2-4x+10-k=0$ ······ ㉠
주어진 연립방정식이 오직 한 쌍의 해를 가지면 이차방정식 ㉠이 중근을 가지므로 판별식을 D라 하면
$\frac{D}{4}=4-10+k=0$ $\therefore k=6$
이를 ㉠에 대입하면 $x^2-4x+4=0$
$(x-2)^2=0$ $\therefore x=2$
이를 $y=2x-5$에 대입하면 $y=-1$
따라서 $\alpha=2$, $\beta=-1$이므로
$\alpha+\beta+k=2+(-1)+6=7$

12 답 ②

방정식 $2x^2+6xy+9y^2-2x+1=0$에서
$(x^2+6xy+9y^2)+(x^2-2x+1)=0$
$\therefore (x+3y)^2+(x-1)^2=0$
이때 x, y가 실수이므로
$x+3y=0$, $x-1=0$ $\therefore x=1$, $y=-\frac{1}{3}$
$\therefore x-3y=1+1=2$

다른 풀이

주어진 방정식의 좌변을 x에 대하여 내림차순으로 정리하면
$2x^2+2(3y-1)x+9y^2+1=0$ ······ ㉠
x가 실수이므로 x에 대한 이차방정식 ㉠의 판별식을 D라 하면
$\frac{D}{4}=(3y-1)^2-2(9y^2+1)\geq0$
$9y^2+6y+1\leq0$ $\therefore (3y+1)^2\leq0$
이때 y가 실수이므로
$3y+1=0$ $\therefore y=-\frac{1}{3}$
이를 ㉠에 대입하면 $2x^2-4x+2=0$
$x^2-2x+1=0$, $(x-1)^2=0$ $\therefore x=1$
$\therefore x-3y=1+1=2$

01 ③	02 ⑤	03 ⑤	04 21	05 ④	06 ①
07 4	08 $\frac{1}{2}$	09 $-\frac{3}{2}$	10 ④	11 31	12 ③
13 ⑤	14 16	15 $\frac{3}{4}$ cm		16 3	17 ①
18 5	19 $\frac{31}{8}$	20 6	21 ②	22 ②	23 39
24 3	25 12	26 ②	27 10	28 8	

01 답 ③

$g(x)=2x^3-nx^2+(n-n^2)x-n^2$이라 하면 $g(n)=0$이므로 조립제법을 이용하여 $g(x)$를 인수분해하면

$$\begin{array}{c|cccc} n & 2 & -n & n-n^2 & -n^2 \\ & & 2n & n^2 & n^2 \\ \hline & 2 & n & n & 0 \end{array}$$

$\therefore g(x)=(x-n)(2x^2+nx+n)$

삼차방정식 $(x-n)(2x^2+nx+n)=0$에서

$x=n$ 또는 $2x^2+nx+n=0$ …… ㉠

(i) $n=7$일 때,

㉠에 대입하면 $x=7$ 또는 $2x^2+7x+7=0$

이차방정식 $2x^2+7x+7=0$에서

$x=\dfrac{-7\pm\sqrt{7}i}{4}$

$\therefore f(7)=1$

(ii) $n=8$일 때,

㉠에 대입하면 $x=8$ 또는 $2x^2+8x+8=0$

이차방정식 $2x^2+8x+8=0$에서 $x^2+4x+4=0$

$(x+2)^2=0$ $\therefore x=-2$

$\therefore f(8)=2$

(iii) $n=9$일 때,

㉠에 대입하면 $x=9$ 또는 $2x^2+9x+9=0$

이차방정식 $2x^2+9x+9=0$에서

$(x+3)(2x+3)=0$

$\therefore x=-3$ 또는 $x=-\dfrac{3}{2}$

$\therefore f(9)=3$

(i), (ii), (iii)에서

$f(7)+f(8)+f(9)=1+2+3=6$

02 답 ⑤

ㄱ. $f(1)=1+(2a-1)+(b^2-2a)-b^2=0$이므로 $f(x)$는 $x-1$을 인수로 갖는다.

ㄴ. $f(1)=0$이므로 조립제법을 이용하여 $f(x)$를 인수분해하면

$$\begin{array}{c|cccc} 1 & 1 & 2a-1 & b^2-2a & -b^2 \\ & & 1 & 2a & b^2 \\ \hline & 1 & 2a & b^2 & 0 \end{array}$$

$\therefore f(x)=(x-1)(x^2+2ax+b^2)$

삼차방정식 $(x-1)(x^2+2ax+b^2)=0$에서

$x=1$ 또는 $x^2+2ax+b^2=0$

이차방정식 $x^2+2ax+b^2=0$의 판별식을 D_1이라 하면

$\dfrac{D_1}{4}=a^2-b^2$

이때 $a<b<0$이므로 $a^2>b^2$ $\therefore D_1>0$

즉, 이차방정식 $x^2+2ax+b^2=0$은 서로 다른 두 실근을 가지므로 삼차방정식 $f(x)=0$의 서로 다른 실근의 개수가 2가 되려면 이차방정식 $x^2+2ax+b^2=0$이 1을 근으로 가져야 한다.

$\therefore 1+2a+b^2=0$ …… ㉠

따라서 $a<b<0$과 ㉠을 만족시키는 어떤 두 실수 a, b를 $a=-2$, $b=-\sqrt{3}$이라 하면 └→ 조건을 만족시키는 a, b가 한 쌍이라도 존재하면 된다.

$f(x)=(x-1)(x^2-4x+3)$

$\quad =(x-1)^2(x-3)$

이때 삼차방정식 $f(x)=0$의 서로 다른 실근의 개수는 2이다.

ㄷ. 삼차방정식 $f(x)=0$, 즉 $(x-1)(x^2+2ax+b^2)=0$이 서로 다른 세 실근을 가지므로 이차방정식 $x^2+2ax+b^2=0$이 1이 아닌 서로 다른 두 실근을 가져야 한다.

이차방정식 $x^2+2ax+b^2=0$에서 근과 계수의 관계에 의하여 두 근의 합은 $-2a$이므로 삼차방정식 $f(x)=0$의 세 근의 합은

$1+(-2a)=7$ $\therefore a=-3$

이차방정식 $x^2-6x+b^2=0$의 판별식을 D_2라 하면

$\dfrac{D_2}{4}=9-b^2>0$ $\therefore b^2<9$ …… ㉡

이때 이차방정식 $x^2-6x+b^2=0$이 1을 근으로 갖지 않아야 하므로

$1-6+b^2\neq0$ $\therefore b^2\neq5$ …… ㉢

㉡, ㉢에서 정수 b의 값은 -2, -1, 0, 1, 2이다.

따라서 정수 a, b의 순서쌍 (a, b)는 $(-3, -2)$, $(-3, -1)$, $(-3, 0)$, $(-3, 1)$, $(-3, 2)$의 5개이다.

따라서 보기에서 옳은 것은 ㄱ, ㄴ, ㄷ이다.

✦idea 03 답 ⑤

$g(x)=2x^4-3x^3+4x^2-3x+2$라 하면 사차방정식 $g(x)=0$의 네 근이 α, β, γ, δ이므로

$g(x)=2(x-\alpha)(x-\beta)(x-\gamma)(x-\delta)$ …… ㉠

사차방정식 $g(x)=0$의 상수항이 2이므로

$2\alpha\beta\gamma\delta=2$ $\therefore \alpha\beta\gamma\delta=1$ …… ㉡

사차방정식 $f(x)=0$의 네 근이 α^2, β^2, γ^2, δ^2이므로 $f(x)$의 사차항의 계수를 $k(k\neq0)$라 하면

$f(x)=k(x-\alpha^2)(x-\beta^2)(x-\gamma^2)(x-\delta^2)$

이때 $f(0)=2$에서

$k\alpha^2\beta^2\gamma^2\delta^2=2$, $k(\alpha\beta\gamma\delta)^2=2$

$\therefore k=2$ ($\because$ ㉡)

따라서 $f(x)=2(x-\alpha^2)(x-\beta^2)(x-\gamma^2)(x-\delta^2)$이므로

$f(1)=2(1-\alpha^2)(1-\beta^2)(1-\gamma^2)(1-\delta^2)$

$\quad =2(1-\alpha)(1-\beta)(1-\gamma)(1-\delta)(1+\alpha)(1+\beta)(1+\gamma)(1+\delta)$

이때 $g(1)=2-3+4-3+2=2$이므로 ㉠에 $x=1$을 대입하면

$2(1-\alpha)(1-\beta)(1-\gamma)(1-\delta)=2$

$\therefore (1-\alpha)(1-\beta)(1-\gamma)(1-\delta)=1$

또 $g(-1)=2+3+4+3+2=14$이므로 ㉠에 $x=-1$을 대입하면

$2(-1-\alpha)(-1-\beta)(-1-\gamma)(-1-\delta)=14$

$\therefore (1+\alpha)(1+\beta)(1+\gamma)(1+\delta)=7$

$\therefore f(1)=2(1-\alpha)(1-\beta)(1-\gamma)(1-\delta)(1+\alpha)(1+\beta)(1+\gamma)(1+\delta)$

$\quad =2\times1\times7=14$

다른 풀이

사차방정식 $f(x)=0$의 네 근이 α^2, β^2, γ^2, δ^2이므로 $f(x)$의 사차항의 계수를 $k\,(k\ne0)$라 하면

$f(x)=k(x-\alpha^2)(x-\beta^2)(x-\gamma^2)(x-\delta^2)$

$x\ne0$이므로 사차방정식 $2x^4-3x^3+4x^2-3x+2=0$의 양변을 x^2으로 나누면

$2x^2-3x+4-\dfrac{3}{x}+\dfrac{2}{x^2}=0$

$2\left(x^2+\dfrac{1}{x^2}\right)-3\left(x+\dfrac{1}{x}\right)+4=0$

$2\left(x+\dfrac{1}{x}\right)^2-3\left(x+\dfrac{1}{x}\right)=0$

$x+\dfrac{1}{x}=t$로 놓으면

$2t^2-3t=0$, $t(2t-3)=0$ $\quad\therefore t=0$ 또는 $t=\dfrac{3}{2}$

(i) $t=0$일 때,

$x+\dfrac{1}{x}=0$에서 $x^2+1=0$

이 이차방정식의 두 근을 α, β라 하면

$\alpha^2=-1$, $\beta^2=-1$

(ii) $t=\dfrac{3}{2}$일 때,

$x+\dfrac{1}{x}=\dfrac{3}{2}$에서 $2x^2-3x+2=0$

이 이차방정식의 두 근을 γ, δ라 하면 근과 계수의 관계에 의하여

$\gamma+\delta=\dfrac{3}{2}$, $\gamma\delta=1$

$\therefore \gamma^2+\delta^2=(\gamma+\delta)^2-2\gamma\delta=\left(\dfrac{3}{2}\right)^2-2\times1=\dfrac{1}{4}$

(i), (ii)에서

$f(x)=k(x-\alpha^2)(x-\beta^2)(x-\gamma^2)(x-\delta^2)$

$\quad=k(x+1)^2\{x^2-(\gamma^2+\delta^2)x+\gamma^2\delta^2\}$

$\quad=k(x+1)^2\left(x^2-\dfrac{1}{4}x+1\right)$

이때 $f(0)=2$에서 $k=2$

따라서 $f(x)=2(x+1)^2\left(x^2-\dfrac{1}{4}x+1\right)$이므로

$f(1)=2\times4\times\dfrac{7}{4}=14$

04 답 21

사차방정식 $x^4-9x^2+k-10=0$에서 $x^2=t$로 놓으면

$t^2-9t+k-10=0$ ...... ㉠

이때 주어진 사차방정식의 모든 근이 실수이면 $t\ge0$이므로 t에 대한 이차방정식 ㉠의 두 실근이 모두 0보다 크거나 같아야 한다.

즉, 이차방정식 ㉠의 판별식을 D, 두 실근을 α, β라 하면

$D\ge0$, $\alpha+\beta\ge0$, $\alpha\beta\ge0$이어야 한다.

(i) $D\ge0$에서 $81-4(k-10)\ge0$

$121-4k\ge0$ $\quad\therefore k\le\dfrac{121}{4}$

(ii) $\alpha+\beta\ge0$에서 $9\ge0$

즉, k의 값에 관계없이 항상 성립한다.

(iii) $\alpha\beta\ge0$에서 $k-10\ge0$

$\therefore k\ge10$

(i), (ii), (iii)에서 자연수 k는 10, 11, 12, $\cdots$, 30의 21개이다.

05 답 ④

삼차방정식 $x^3-ax^2+26x+b=0$의 세 근을 $n-1$, n, $n+1$(n은 정수)이라 하면 근과 계수의 관계에 의하여 두 근의 곱의 합은

$(n-1)n+n(n+1)+(n-1)(n+1)=26$

$3n^2-1=26$, $n^2=9$ $\quad\therefore n=-3$ 또는 $n=3$

(i) $n=-3$일 때,

삼차방정식의 세 근이 -4, -3, -2이므로 근과 계수의 관계에 의하여

세 근의 합은 $-4+(-3)+(-2)=a$ $\quad\therefore a=-9$

세 근의 곱은 $-4\times(-3)\times(-2)=-b$ $\quad\therefore b=24$

$\therefore |a|+|b|=9+24=33$

(ii) $n=3$일 때,

삼차방정식의 세 근이 2, 3, 4이므로 근과 계수의 관계에 의하여

세 근의 합은 $2+3+4=a$ $\quad\therefore a=9$

세 근의 곱은 $2\times3\times4=-b$ $\quad\therefore b=-24$

$\therefore |a|+|b|=9+24=33$

(i), (ii)에서 $|a|+|b|=33$

06 답 ①

삼차방정식 $x^3-2x^2+3x-1=0$의 세 근이 $\dfrac{1}{\alpha\beta}$, $\dfrac{1}{\beta\gamma}$, $\dfrac{1}{\gamma\alpha}$이므로 근과 계수의 관계에 의하여

세 근의 곱은 $\dfrac{1}{\alpha\beta}\times\dfrac{1}{\beta\gamma}\times\dfrac{1}{\gamma\alpha}=1$

$\dfrac{1}{(\alpha\beta\gamma)^2}=1$ $\quad\therefore \alpha\beta\gamma=\pm1$

세 근의 합은 $\dfrac{1}{\alpha\beta}+\dfrac{1}{\beta\gamma}+\dfrac{1}{\gamma\alpha}=2$

$\dfrac{\alpha+\beta+\gamma}{\alpha\beta\gamma}=2$ $\quad\therefore \alpha+\beta+\gamma=\pm2$

두 근의 곱의 합은 $\dfrac{1}{\alpha\beta}\times\dfrac{1}{\beta\gamma}+\dfrac{1}{\beta\gamma}\times\dfrac{1}{\gamma\alpha}+\dfrac{1}{\gamma\alpha}\times\dfrac{1}{\alpha\beta}=3$

$\dfrac{\alpha\beta+\beta\gamma+\gamma\alpha}{(\alpha\beta\gamma)^2}=3$ $\quad\therefore \alpha\beta+\beta\gamma+\gamma\alpha=3$

삼차방정식 $x^3+ax^2+bx+c=0$의 세 근이 α, β, γ이므로 근과 계수의 관계에 의하여

세 근의 합은 $-a=\alpha+\beta+\gamma=\pm2$ $\quad\therefore a^2=4$

두 근의 곱의 합은 $b=\alpha\beta+\beta\gamma+\gamma\alpha=3$ $\quad\therefore b^2=9$

세 근의 곱은 $-c=\alpha\beta\gamma=\pm1$ $\quad\therefore c^2=1$

$\therefore a^2+b^2+c^2=4+9+1=14$

07 답 4

삼차방정식 $2x^3-mx^2+(m^3-10m)x+n=0$의 세 근이 α, β, γ이므로 근과 계수의 관계에 의하여

$\alpha+\beta+\gamma=\dfrac{m}{2}$, $\alpha\beta+\beta\gamma+\gamma\alpha=\dfrac{m^3-10m}{2}$, $\alpha\beta\gamma=-\dfrac{n}{2}$

또 $\dfrac{1}{\alpha}$, $\dfrac{1}{\beta}$, $\dfrac{1}{\gamma}$도 주어진 삼차방정식의 세 근이므로 근과 계수의 관계에 의하여 세 근의 곱은

$\dfrac{1}{\alpha\beta\gamma}=-\dfrac{n}{2}$ $\quad\therefore \alpha\beta\gamma=-\dfrac{2}{n}$

즉, $-\dfrac{2}{n}=-\dfrac{n}{2}$이므로 $n^2=4$ $\quad\therefore n=2$ ($\because n$은 자연수)

$\therefore \alpha\beta\gamma=-1$

두 근의 곱의 합은 $\dfrac{1}{\alpha\beta}+\dfrac{1}{\beta\gamma}+\dfrac{1}{\gamma\alpha}=\dfrac{m^3-10m}{2}$

$\dfrac{\alpha+\beta+\gamma}{\alpha\beta\gamma}=\dfrac{m^3-10m}{2}$

$-\dfrac{m}{2}=\dfrac{m^3-10m}{2}$, $m^3-9m=0$

$m(m+3)(m-3)=0$ $\therefore m=3$ ($\because m$은 자연수)

따라서 주어진 삼차방정식은 $2x^3-3x^2-3x+2=0$이다.

$f(x)=2x^3-3x^2-3x+2$라 하면 $f(-1)=0$, $f(2)=0$이므로 조립제법을 이용하여 $f(x)$를 인수분해하면

```
-1 | 2   -3   -3    2
   |     -2    5   -2
 2 | 2   -5    2  | 0
   |      4   -2
   | 2   -1  | 0
```

$\therefore f(x)=(x+1)(x-2)(2x-1)$

삼차방정식 $(x+1)(2x-1)(x-2)=0$에서

$x=-1$ 또는 $x=\dfrac{1}{2}$ 또는 $x=2$

따라서 $\alpha=-1$, $\beta=\dfrac{1}{2}$, $\gamma=2$이므로 $\beta\gamma-3\alpha=1+3=4$

다른 풀이

α는 삼차방정식 $2x^3-mx^2+(m^3-10m)x+n=0$의 한 근이므로

$2\alpha^3-m\alpha^2+(m^3-10m)\alpha+n=0$

$\alpha\neq0$이므로 양변을 α^3으로 나누면

$2-\dfrac{m}{\alpha}+\dfrac{m^3-10m}{\alpha^2}+\dfrac{n}{\alpha^3}=0$

$n\left(\dfrac{1}{\alpha}\right)^3+(m^3-10m)\left(\dfrac{1}{\alpha}\right)^2-m\times\dfrac{1}{\alpha}+2=0$

즉, $\dfrac{1}{\alpha}$은 삼차방정식 $nx^3+(m^3-10m)x^2-mx+2=0$의 한 근이다.

같은 방법으로 하면 $\dfrac{1}{\beta}$, $\dfrac{1}{\gamma}$도 삼차방정식

$nx^3+(m^3-10m)x^2-mx+2=0$의 근이다.

따라서 두 삼차방정식 $2x^3-mx^2+(m^3-10m)x+n=0$,

$nx^3+(m^3-10m)x^2-mx+2=0$은 서로 같은 근을 가지므로 계수의 비가 같다.

즉, $\dfrac{n}{2}=\dfrac{2}{n}$이므로 $n^2=4$ $\therefore n=2$ ($\because n$은 자연수)

또 $m^3-10m=-m$이므로

$m^3-9m=0$, $m(m+3)(m-3)=0$ $\therefore m=3$ ($\because m$은 자연수)

따라서 주어진 삼차방정식은 $2x^3-3x^2-3x+2=0$이다.

$f(x)=2x^3-3x^2-3x+2$라 하면 $f(-1)=0$, $f(2)=0$이므로 조립제법을 이용하여 $f(x)$를 인수분해하면

```
-1 | 2   -3   -3    2
   |     -2    5   -2
 2 | 2   -5    2  | 0
   |      4   -2
   | 2   -1  | 0
```

$\therefore f(x)=(x+1)(x-2)(2x-1)$

삼차방정식 $(x+1)(2x-1)(x-2)=0$에서

$x=-1$ 또는 $x=\dfrac{1}{2}$ 또는 $x=2$

따라서 $\alpha=-1$, $\beta=\dfrac{1}{2}$, $\gamma=2$이므로 $\beta\gamma-3\alpha=1+3=4$

08 답 $\dfrac{1}{2}$

삼차방정식 $f(x-3)=0$의 세 근이 α, β, γ이고 $\alpha+\beta+\gamma=12$,

$\alpha\beta+\beta\gamma+\gamma\alpha=50$이므로 삼차항의 계수를 1이라 하면

$f(x-3)=x^3-12x^2+50x+a$ (단, a는 실수)

$x-3=t$로 놓으면 $x=t+3$이므로

$f(t)=(t+3)^3-12(t+3)^2+50(t+3)+a$

$\therefore f(2x+1)=(2x+4)^3-12(2x+4)^2+50(2x+4)+a$
$\qquad\qquad=8x^3+4x+72+a$

따라서 삼차방정식 $f(2x+1)=0$, 즉 $8x^3+4x+72+a=0$의 세 근이

p, q, r이므로 근과 계수의 관계에 의하여

$pq+qr+rp=\dfrac{4}{8}=\dfrac{1}{2}$

다른 풀이

삼차방정식 $f(x-3)=0$의 세 근이 α, β, γ이므로

$f(\alpha-3)=0$, $f(\beta-3)=0$, $f(\gamma-3)=0$

따라서 삼차방정식 $f(2x+1)=0$의 세 근은

$2x+1=\alpha-3$ 또는 $2x+1=\beta-3$ 또는 $2x+1=\gamma-3$

$\therefore x=\dfrac{\alpha-4}{2}$ 또는 $x=\dfrac{\beta-4}{2}$ 또는 $x=\dfrac{\gamma-4}{2}$

이 세 근이 p, q, r이므로

$pq+qr+rp=\dfrac{\alpha-4}{2}\times\dfrac{\beta-4}{2}+\dfrac{\beta-4}{2}\times\dfrac{\gamma-4}{2}+\dfrac{\gamma-4}{2}\times\dfrac{\alpha-4}{2}$

$\qquad=\dfrac{1}{4}\{\alpha\beta-4(\alpha+\beta)+16\}+\dfrac{1}{4}\{\beta\gamma-4(\beta+\gamma)+16\}$

$\qquad\qquad\qquad\qquad\qquad+\dfrac{1}{4}\{\gamma\alpha-4(\gamma+\alpha)+16\}$

$\qquad=\dfrac{1}{4}\{\alpha\beta+\beta\gamma+\gamma\alpha-8(\alpha+\beta+\gamma)+48\}$

$\qquad=\dfrac{1}{4}\times(50-8\times12+48)=\dfrac{1}{2}$

비법 NOTE

삼차방정식 $f(x)=0$의 세 근을 α, β, γ라 하면 $f(\alpha)=0$, $f(\beta)=0$, $f(\gamma)=0$

따라서 삼차방정식 $f(ax+b)=0$의 세 근은

$\qquad ax+b=\alpha$ 또는 $ax+b=\beta$ 또는 $ax+b=\gamma$

$\qquad\therefore x=\dfrac{\alpha-b}{a}$ 또는 $x=\dfrac{\beta-b}{a}$ 또는 $x=\dfrac{\gamma-b}{a}$

09 답 $-\dfrac{3}{2}$

㈎에서 $f(x)$를 x^2-1로 나누었을 때의 몫을 $Q(x)$라 하면 나머지는 $x-1$이므로

$f(x)=(x^2-1)Q(x)+x-1$

$\therefore f(-1)=-2$, $f(1)=0$ .... 배점 30%

이때 $f(1)=0$이므로 사차방정식 $f(x)=0$의 한 근은 1이다.

또 사차방정식 $f(x)=0$의 계수가 유리수이고 ㈏에서 $-1-\sqrt{2}$가 한 근이므로 $-1+\sqrt{2}$도 근이다.

이때 사차방정식 $f(x)=0$의 나머지 한 근을 α라 하면

$f(x)=(x-1)\{x-(-1-\sqrt{2})\}\{x-(-1+\sqrt{2})\}(x-\alpha)$

$\qquad=(x-1)(x^2+2x-1)(x-\alpha)$ .... 배점 30%

$f(-1)=-2$이므로 $-2\times(1-2-1)(-1-\alpha)=-2$

$-4-4\alpha=-2$ $\therefore \alpha=-\dfrac{1}{2}$ .... 배점 20%

따라서 사차방정식 $f(x)=0$의 모든 근의 합은

$1+(-1-\sqrt{2})+(-1+\sqrt{2})+\left(-\dfrac{1}{2}\right)=-\dfrac{3}{2}$ .... 배점 20%

10 답 ④

삼차방정식 $x^3+ax^2+bx-3=0$의 계수가 실수이고 허수 α가 한 근이므로 α의 켤레복소수인 $\bar{\alpha}$도 근이다.

$\alpha=p+qi$ (p, q는 실수, $q\neq0$)라 하면

$\alpha^2=p^2-q^2+2pqi$, $\bar{\alpha}=p-qi$

$-\alpha^2=\bar{\alpha}$이므로

$-p^2+q^2-2pqi=p-qi$

복소수가 서로 같을 조건에 의하여

$-p^2+q^2=p$ ...... ㉠, $-2pq=-q$ ...... ㉡

㉡에서 $2pq-q=0$, $q(2p-1)=0$

이때 $q\neq0$이므로

$2p-1=0$ $\therefore p=\dfrac{1}{2}$

이를 ㉠에 대입하면

$-\dfrac{1}{4}+q^2=\dfrac{1}{2}$, $q^2=\dfrac{3}{4}$ $\therefore q=\pm\dfrac{\sqrt{3}}{2}$

따라서 $\dfrac{1}{2}+\dfrac{\sqrt{3}}{2}i$, $\dfrac{1}{2}-\dfrac{\sqrt{3}}{2}i$가 주어진 삼차방정식의 근이므로 나머지 한 근을 β라 하면 근과 계수의 관계에 의하여

세 근의 곱은 $\left(\dfrac{1}{2}+\dfrac{\sqrt{3}}{2}i\right)\left(\dfrac{1}{2}-\dfrac{\sqrt{3}}{2}i\right)\beta=3$

$\therefore \beta=3$

즉, 세 근이 $\dfrac{1}{2}+\dfrac{\sqrt{3}}{2}i$, $\dfrac{1}{2}-\dfrac{\sqrt{3}}{2}i$, 3이므로

세 근의 합은 $\left(\dfrac{1}{2}+\dfrac{\sqrt{3}}{2}i\right)+\left(\dfrac{1}{2}-\dfrac{\sqrt{3}}{2}i\right)+3=-a$

$\therefore a=-4$

두 근의 곱의 합은

$\left(\dfrac{1}{2}+\dfrac{\sqrt{3}}{2}i\right)\left(\dfrac{1}{2}-\dfrac{\sqrt{3}}{2}i\right)+3\left(\dfrac{1}{2}-\dfrac{\sqrt{3}}{2}i\right)+3\left(\dfrac{1}{2}+\dfrac{\sqrt{3}}{2}i\right)=b$

$\therefore b=4$

$\therefore b-a=4-(-4)=8$

11 답 31

$g(x)=x^3-2x^2-x-6$이라 하면 $g(3)=0$이므로 조립제법을 이용하여 $g(x)$를 인수분해하면

```
3 | 1  -2  -1  -6
  |     3   3   6
  ---------------
    1   1   2 | 0
```

$\therefore g(x)=(x-3)(x^2+x+2)$

삼차방정식 $(x-3)(x^2+x+2)=0$에서

$x=3$ 또는 $x^2+x+2=0$

삼차방정식 $x^3-2x^2-x-6=0$의 계수가 실수이고 허수 α가 한 근이므로 α의 켤레복소수인 $\bar{\alpha}$도 근이다.

이때 α와 $\bar{\alpha}$는 이차방정식 $x^2+x+2=0$의 두 근이므로

$\alpha^2+\alpha+2=0$, $\bar{\alpha}^2+\bar{\alpha}+2=0$

이차방정식의 근과 계수의 관계에 의하여

$\alpha+\bar{\alpha}=-1$, $\alpha\bar{\alpha}=2$

$\bar{\alpha}^2+\bar{\alpha}+2=0$에서 $\bar{\alpha}^2+2=-\bar{\alpha}$이고, $\alpha\bar{\alpha}=2$에서 $\bar{\alpha}=\dfrac{2}{\alpha}$이므로

$f(\alpha)=\dfrac{1}{\bar{\alpha}^2+2}=-\dfrac{1}{\bar{\alpha}}=-\dfrac{1}{\dfrac{2}{\alpha}}=-\dfrac{\alpha}{2}$

$\therefore f(\alpha)+\dfrac{\alpha}{2}=0$ ...... ㉠

$\alpha^2+\alpha+2=0$에서 $\alpha^2=-\alpha-2$,

$\alpha^3=\alpha(-\alpha-2)=-\alpha^2-2\alpha=-(-\alpha-2)-2\alpha=-\alpha+2$이고,

$\alpha\bar{\alpha}=2$에서 $\alpha=\dfrac{2}{\bar{\alpha}}$이므로

$f(\bar{\alpha})=\dfrac{1}{\alpha^3-2}=-\dfrac{1}{\alpha}=-\dfrac{1}{\dfrac{2}{\bar{\alpha}}}=-\dfrac{\bar{\alpha}}{2}$

$\therefore f(\bar{\alpha})+\dfrac{\bar{\alpha}}{2}=0$ ...... ㉡

㉠, ㉡에서 삼차방정식 $f(x)+\dfrac{x}{2}=0$의 두 근이 α, $\bar{\alpha}$이고 삼차항의 계수가 1이므로 나머지 한 근을 β라 하면

$f(x)+\dfrac{x}{2}=(x-\alpha)(x-\bar{\alpha})(x-\beta)$

$\qquad\qquad=(x^2+x+2)(x-\beta)$

$\therefore f(x)=(x^2+x+2)(x-\beta)-\dfrac{x}{2}$

이때 $f(0)=4$에서

$2\times(-\beta)=4$

$\therefore \beta=-2$

따라서 $f(x)=(x^2+x+2)(x+2)-\dfrac{x}{2}$이므로

$f(2)=(4+2+2)(2+2)-1=31$

12 답 ③

삼차방정식 $x^3=1$에서

$x^3-1=0$

$(x-1)(x^2+x+1)=0$

이때 ω는 이차방정식 $x^2+x+1=0$의 한 허근이므로 $\bar{\omega}$도 근이다.

$\therefore \omega^3=1$, $\bar{\omega}^3=1$, $\omega^2+\omega+1=0$, $\bar{\omega}^2+\bar{\omega}+1=0$

또 이차방정식의 근과 계수의 관계에 의하여

$\omega+\bar{\omega}=-1$, $\omega\bar{\omega}=1$

$\therefore \omega+1=-\bar{\omega}$, $\bar{\omega}+1=-\omega$

$f(n)=\dfrac{\bar{\omega}^{-2n}}{\omega^{2n}+1}+\dfrac{\omega^{2n}}{\bar{\omega}^{-2n}+1}$에서

$f(1)=\dfrac{\bar{\omega}^{-2}}{\omega^2+1}+\dfrac{\omega^2}{\bar{\omega}^{-2}+1}=\dfrac{\bar{\omega}^{-2}}{-\omega}+\dfrac{\omega^2}{-\bar{\omega}}$

$\qquad=-\dfrac{\bar{\omega}^{-3}+\omega^3}{\omega\bar{\omega}}=-\dfrac{1+1}{1}=-2$

$f(2)=\dfrac{\bar{\omega}^{-4}}{\omega^4+1}+\dfrac{\omega^4}{\bar{\omega}^{-4}+1}=\dfrac{\bar{\omega}^{-3}\bar{\omega}}{\omega^3\omega+1}+\dfrac{\omega^3\omega}{\bar{\omega}^{-3}\bar{\omega}+1}$

$\qquad=\dfrac{\bar{\omega}}{\omega+1}+\dfrac{\omega}{\bar{\omega}+1}=\dfrac{\bar{\omega}}{-\bar{\omega}}+\dfrac{\omega}{-\omega}=-1-1=-2$

$f(3)=\dfrac{\bar{\omega}^{-6}}{\omega^6+1}+\dfrac{\omega^6}{\bar{\omega}^{-6}+1}=\dfrac{(\bar{\omega}^{-3})^2}{(\omega^3)^2+1}+\dfrac{(\omega^3)^2}{(\bar{\omega}^{-3})^2+1}$

$\qquad=\dfrac{1}{1+1}+\dfrac{1}{1+1}=1$

이때 $\omega^2=\omega^8=\omega^{14}=\cdots$, $\bar{\omega}^{-2}=\bar{\omega}^{-8}=\bar{\omega}^{-14}=\cdots$, $\omega^4=\omega^{10}=\omega^{16}=\cdots$, $\bar{\omega}^{-4}=\bar{\omega}^{-10}=\bar{\omega}^{-16}=\cdots$, $\omega^6=\omega^{12}=\omega^{18}=\cdots$, $\bar{\omega}^{-6}=\bar{\omega}^{-12}=\bar{\omega}^{-18}=\cdots$이므로

$f(1)=f(4)=f(7)=\cdots$, $f(2)=f(5)=f(8)=\cdots$,

$f(3)=f(6)=f(9)=\cdots$

$\therefore f(1)+f(2)+f(3)=f(4)+f(5)+f(6)=f(7)+f(8)+f(9)$

$\qquad\qquad=\cdots=-3$

$-101=33\times(-3)+(-2)$이므로

$f(1)+f(2)+f(3)+\cdots+f(97)+f(98)+f(99)+f(100)=-101$

$\therefore k=100$

13 답 ⑤

삼차방정식 $x^3-1=0$에서 $(x-1)(x^2+x+1)=0$

이때 α는 이차방정식 $x^2+x+1=0$의 한 허근이므로

$\alpha^3=1$, $\alpha^2+\alpha+1=0$

$\alpha+1=-\alpha^2$, $\alpha^2+1=-\alpha$, $\alpha^2+\alpha=-1$이므로

$f(n)=(\alpha+1)^n+(\alpha^2+1)^n+(\alpha^2+\alpha)^n$

$\quad=(-\alpha^2)^n+(-\alpha)^n+(-1)^n$

$\quad=(-1)^n(\alpha^{2n}+\alpha^n+1)$

또 삼차방정식 $x^3+1=0$에서 $(x+1)(x^2-x+1)=0$

이때 β는 이차방정식 $x^2-x+1=0$의 한 허근이므로

$\beta^3=-1$, $\beta^2-\beta+1=0$

이때 $1-\beta=-\beta^2$, $1+\beta^2=\beta$, $\beta^2-\beta=-1$이므로

$g(n)=(1-\beta)^n+(1+\beta^2)^n+(\beta^2-\beta)^n$

$\quad=(-\beta^2)^n+\beta^n+(-1)^n$

$\quad=(-1)^n\{\beta^{2n}+(-\beta)^n+1\}$

ㄱ. $f(1)=-(\alpha^2+\alpha+1)=0$, $g(1)=-(\beta^2-\beta+1)=0$이므로

$\quad f(1)=g(1)$

ㄴ. $f(101)=-(\alpha^{202}+\alpha^{101}+1)=-\{(\alpha^3)^{67}\alpha+(\alpha^3)^{33}\alpha^2+1\}$

$\quad=-(\alpha+\alpha^2+1)=0$

$\quad g(101)=-(\beta^{202}-\beta^{101}+1)=-\{(\beta^3)^{67}\beta-(\beta^3)^{33}\beta^2+1\}$

$\quad=-(-\beta+\beta^2+1)=0$

$\quad\therefore f(101)=g(101)$

ㄷ. 음이 아닌 정수 k에 대하여

(ⅰ) $n=3k+1$일 때,

$f(3k+1)=(-1)^{3k+1}\{\alpha^{2(3k+1)}+\alpha^{3k+1}+1\}$

$\quad=(-1)^{3k+1}\{(\alpha^3)^{2k}\alpha^2+(\alpha^3)^k\alpha+1\}$

$\quad=(-1)^{3k+1}(\alpha^2+\alpha+1)=0$

$g(3k+1)=(-1)^{3k+1}\{\beta^{2(3k+1)}+(-\beta)^{3k+1}+1\}$

$\quad=(-1)^{3k+1}\{(\beta^3)^{2k}\beta^2+(-\beta^3)^k(-\beta)+1\}$

$\quad=(-1)^{3k+1}(\beta^2-\beta+1)=0$

$\quad\therefore f(3k+1)=g(3k+1)$

(ⅱ) $n=3k+2$일 때,

$f(3k+2)=(-1)^{3k+2}\{\alpha^{2(3k+2)}+\alpha^{3k+2}+1\}$

$\quad=(-1)^{3k+2}\{(\alpha^3)^{2k+1}\alpha+(\alpha^3)^k\alpha^2+1\}$

$\quad=(-1)^{3k+2}(\alpha+\alpha^2+1)=0$

$g(3k+2)=(-1)^{3k+2}\{\beta^{2(3k+2)}+(-\beta)^{3k+2}+1\}$

$\quad=(-1)^{3k+2}\{(\beta^3)^{2k+1}\beta+(-\beta^3)^k(-\beta)^2+1\}$

$\quad=(-1)^{3k+2}(-\beta+\beta^2+1)=0$

$\quad\therefore f(3k+2)=g(3k+2)$

(ⅲ) $n=3k+3$일 때,

$f(3k+3)=(-1)^{3k+3}\{\alpha^{2(3k+3)}+\alpha^{3k+3}+1\}$

$\quad=(-1)^{3k+3}\{(\alpha^3)^{2k+2}+(\alpha^3)^{k+1}+1\}$

$\quad=(-1)^{3k+3}(1+1+1)=(-1)^{3k+3}\times3$

$g(3k+3)=(-1)^{3k+3}\{\beta^{2(3k+3)}+(-\beta)^{3k+3}+1\}$

$\quad=(-1)^{3k+3}\{(\beta^3)^{2k+2}+(-\beta^3)^{k+1}+1\}$

$\quad=(-1)^{3k+3}(1+1+1)=(-1)^{3k+3}\times3$

$\quad\therefore f(3k+3)=g(3k+3)$

(ⅰ), (ⅱ), (ⅲ)에서 $f(n)=g(n)$이므로

$f(1)+f(2)+f(3)+\cdots+f(1000)$

$=g(1)+g(2)+g(3)+\cdots+g(1000)$

따라서 보기에서 옳은 것은 ㄱ, ㄴ, ㄷ이다.

14 답 16

삼차방정식 $x^3=1$에서

$x^3-1=0$, $(x-1)(x^2+x+1)=0$

이때 ω는 이차방정식 $x^2+x+1=0$의 한 허근이므로

$\omega^3=1$, $\omega^2+\omega+1=0$

또 ω가 이차방정식 $x^2+x+1=0$의 한 허근이므로 $\overline{\omega}$도 근이다.

이차방정식의 근과 계수의 관계에 의하여

$\omega+\overline{\omega}=-1$

㈎에서 $\left(\dfrac{1}{\omega}-\omega+\dfrac{1}{\omega^2}\right)^n=\left(\dfrac{\omega-\omega^3+1}{\omega^2}\right)^n=\left(\dfrac{\omega}{\omega^2}\right)^n=\dfrac{1}{\omega^n}$

즉, $\dfrac{1}{\omega^n}=1$이므로 $\omega^n=1$

따라서 n은 3의 배수이다. ...... ㉠

$\omega+\overline{\omega}=-1$에서 $\overline{\omega}=-\omega-1$이므로 ㈏의 좌변에 대입하면

$(-\omega-1)^n=\overline{\omega}^n$

㈏의 우변에서

$\left(\dfrac{\overline{\omega}}{\omega+\overline{\omega}}\right)^n=(-\overline{\omega})^n$

즉, $\overline{\omega}^n=(-\overline{\omega})^n$이므로 n은 2의 배수이다. ...... ㉡

㉠, ㉡에서 n은 6의 배수이므로 100 이하의 자연수 n은 6, 12, 18, $\cdots$, 96의 16개이다.

15 답 $\dfrac{3}{4}$ cm

상자의 세 모서리의 길이를 각각 a cm, b cm, c cm라 하자.

모든 모서리의 길이의 합이 30 cm이므로

$4(a+b+c)=30$

$\therefore a+b+c=\dfrac{15}{2}$

겉넓이가 34 cm²이므로

$2(ab+bc+ca)=34$

$\therefore ab+bc+ca=17$

부피가 12 cm³이므로

$abc=12$

이때 a, b, c를 세 근으로 하는 삼차방정식은

$x^3-\dfrac{15}{2}x^2+17x-12=0$

$\therefore 2x^3-15x^2+34x-24=0$

$f(x)=2x^3-15x^2+34x-24$라 하면 $f(2)=0$, $f(4)=0$이므로 조립제법을 이용하여 $f(x)$를 인수분해하면

2	2	−15	34	−24
		4	−22	24
4	2	−11	12	0
		8	−12	
	2	−3	0	

$\therefore f(x)=(x-2)(x-4)(2x-3)$

삼차방정식 $(2x-3)(x-2)(x-4)=0$에서

$x=\dfrac{3}{2}$ 또는 $x=2$ 또는 $x=4$

즉, 상자의 세 모서리의 길이가 $\dfrac{3}{2}$ cm, 2 cm, 4 cm이므로 상자 안에 구 모양의 물건을 넣으려면 지름의 길이가 $\dfrac{3}{2}$ cm보다 작거나 같아야 한다.

따라서 물건의 반지름의 길이의 최댓값은 $\dfrac{3}{4}$ cm이다.

16 답 3

밑면이 한 변의 길이가 a인 정삼각형이고 높이가 $a+5$인 정삼각기둥의 꼭짓점을 그림과 같이 각각 A, B, C, D, E, F 라 하고 이 정삼각기둥의 부피를 V_1이라 하면

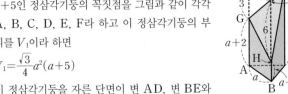

$$V_1=\frac{\sqrt{3}}{4}a^2(a+5)$$

이 정삼각기둥을 자른 단면이 변 AD, 변 BE와 만나는 점을 각각 G, H라 하면

$\overline{DG}=3$, $\overline{EH}=6$

잘려 나간 입체도형은 밑면이 사다리꼴 DGHE인 사각뿔이므로 밑면의 넓이는

$$\frac{1}{2}\times(3+6)\times a=\frac{9}{2}a$$

이 사각뿔의 높이는 꼭짓점 F에서 변 DE에 내린 수선의 길이와 같고 이는 한 변의 길이가 a인 정삼각형의 높이와 같으므로 $\frac{\sqrt{3}}{2}a$

이 사각뿔의 부피를 V_2라 하면

$$V_2=\frac{1}{3}\times\frac{9}{2}a\times\frac{\sqrt{3}}{2}a=\frac{3\sqrt{3}}{4}a^2$$

따라서 주어진 도형의 부피를 V라 하면

$$V=V_1-V_2=\frac{\sqrt{3}}{4}a^2(a+5)-\frac{3\sqrt{3}}{4}a^2=\frac{\sqrt{3}}{4}a^2(a+2)$$

이때 $V=\frac{45\sqrt{3}}{4}$이므로 $\frac{\sqrt{3}}{4}a^2(a+2)=\frac{45\sqrt{3}}{4}$

$a^2(a+2)=45$, $a^3+2a^2-45=0$

$f(a)=a^3+2a^2-45$라 하면 $f(3)=0$이므로 조립제법을 이용하여 $f(a)$를 인수분해하면

```
3 | 1   2    0   -45
  |     3   15    45
  ---------------------
    1   5   15  |  0
```

$\therefore f(a)=(a-3)(a^2+5a+15)$

삼차방정식 $(a-3)(a^2+5a+15)=0$에서

$a=3$ ($\because a$는 실수)

개념 NOTE

(1) 기둥의 밑넓이를 S, 높이를 h, 부피를 V라 하면
$V=Sh$

(2) 뿔의 밑넓이를 S, 높이를 h, 부피를 V라 하면
$V=\frac{1}{3}Sh$

17 답 ①

방정식 $|x^2-4y^2|=48$에서 $|(x+2y)(x-2y)|=48$

$\therefore |x+2y||x-2y|=48$

이때 $|x+2y|=6$이므로 $|x-2y|=8$

즉, 주어진 연립방정식의 해는 연립방정식 $\begin{cases}|x-2y|=8\\|x+2y|=6\end{cases}$의 해와 같다.

방정식 $|x-2y|=8$에서 $x-2y=-8$ 또는 $x-2y=8$

방정식 $|x+2y|=6$에서 $x+2y=-6$ 또는 $x+2y=6$

(i) $x-2y=-8$, $x+2y=-6$일 때,

두 식을 연립하여 풀면 $x=-7$, $y=\frac{1}{2}$

(ii) $x-2y=-8$, $x+2y=6$일 때,

두 식을 연립하여 풀면 $x=-1$, $y=\frac{7}{2}$

(iii) $x-2y=8$, $x+2y=-6$일 때,

두 식을 연립하여 풀면 $x=1$, $y=-\frac{7}{2}$

(iv) $x-2y=8$, $x+2y=6$일 때,

두 식을 연립하여 풀면 $x=7$, $y=-\frac{1}{2}$

(i)~(iv)에서 $xy=-\frac{7}{2}$

18 답 5

(i) $x\geq y$일 때,

주어진 연립방정식은 $\begin{cases}xy-2x+2=-x\\2xy-3x+3y-5=-x\end{cases}$

$\therefore \begin{cases}xy-x+2=0 & \cdots\cdots ㉠\\2xy-2x+3y-5=0 & \cdots\cdots ㉡\end{cases}$

$2\times㉠-㉡$을 하면 $-3y+9=0$ $\therefore y=3$

이를 ㉠에 대입하면 $3x-x+2=0$ $\therefore x=-1$

그런데 $x\geq y$이므로 $x=-1$, $y=3$은 해가 아니다. ········· 배점 **40%**

(ii) $x<y$일 때,

주어진 연립방정식은 $\begin{cases}xy-2x+2=y\\2xy-3x+3y-5=y\end{cases}$

$\therefore \begin{cases}xy-2x-y+2=0 & \cdots\cdots ㉢\\2xy-3x+2y-5=0 & \cdots\cdots ㉣\end{cases}$

$2\times㉢-㉣$을 하면 $-x-4y+9=0$

$\therefore x=-4y+9$ $\cdots\cdots ㉤$

㉤을 ㉢에 대입하면

$(-4y+9)y-2(-4y+9)-y+2=0$

$-4y^2+16y-16=0$, $y^2-4y+4=0$

$(y-2)^2=0$ $\therefore y=2$

이를 ㉤에 대입하면 $x=1$

이때 $x<y$이므로 $x=1$, $y=2$는 해이다. ········· 배점 **40%**

(i), (ii)에서 $x^2+y^2=1+4=5$ ········· 배점 **20%**

19 답 $\frac{31}{8}$

$x+y=u$, $xy=v$로 놓으면

$x^2+y^2=(x+y)^2-2xy=u^2-2v$이므로 주어진 연립방정식은

$\begin{cases}u^2-2v-u=8 & \cdots\cdots ㉠\\u^2-v=k & \cdots\cdots ㉡\end{cases}$

㉡에서 $v=u^2-k$이므로 이를 ㉠에 대입하면

$u^2-2(u^2-k)-u=8$

$\therefore u^2+u-2k+8=0$ $\cdots\cdots ㉢$

이때 $x+y$, 즉 u의 값이 항상 음수이므로 이차방정식 ㉢의 두 근이 모두 음수이다.

즉, 이차방정식 ㉢의 판별식을 D, 두 실근을 α, β라 하면

$D\geq0$, $\alpha+\beta<0$, $\alpha\beta>0$이어야 한다.

(i) $D\geq0$에서 $1-4(-2k+8)\geq0$

$8k-31\geq0$ $\therefore k\geq\frac{31}{8}$

(ii) $\alpha+\beta<0$에서 $-1<0$

즉, k의 값에 관계없이 항상 성립한다.

(iii) $\alpha\beta>0$에서 $-2k+8>0$ $\therefore k<4$

(i), (ii), (iii)에서 실수 k의 최솟값은 $\frac{31}{8}$이다.

20 답 6

두 이차방정식의 공통인 근을 α라 하면

$\alpha^2-p\alpha-q=0$ $\cdots\cdots$ ㉠

$\alpha^2-q\alpha-p=0$ $\cdots\cdots$ ㉡

㉡$-$㉠을 하면

$(p-q)\alpha-p+q=0$ $\therefore (p-q)(\alpha-1)=0$

그런데 $p=q$이면 두 이차방정식이 서로 같으므로

$\alpha-1=0$ $\therefore \alpha=1$

이차방정식 $x^2-px-q=0$의 한 근이 1이므로 다른 한 근을 β라 하면 근과 계수의 관계에 의하여 두 근의 합은

$1+\beta=p$ $\cdots\cdots$ ㉢

이때 $|1-\beta|=3$이므로

$1-\beta=-3$ 또는 $1-\beta=3$

$\therefore \beta=4$ 또는 $\beta=-2$

이차방정식 $x^2-qx-p=0$의 한 근이 1이므로 다른 한 근을 γ라 하면 근과 계수의 관계에 의하여 두 근의 곱은

$\gamma=-p$

(i) $\beta=4$일 때,

㉢에서 $p=1+\beta=5$이므로 $\gamma=-p=-5$

따라서 이차방정식 $x^2-qx-p=0$의 두 근의 차는

$|1-(-5)|=6$

(ii) $\beta=-2$일 때,

㉢에서 $p=1+\beta=-1$이므로 $\gamma=-p=1$

따라서 이차방정식 $x^2-qx-p=0$의 두 근의 차는

$|1-1|=0$

(i), (ii)에서 이차방정식 $x^2-qx-p=0$의 두 근의 차의 최댓값은 6이다.

비법 NOTE

두 방정식의 공통인 근은 다음과 같이 구한다.

(1) 인수분해가 가능한 경우

　두 방정식을 각각 인수분해하여 공통인 근을 구한다.

(2) 인수분해가 가능하지 않은 경우

　① 공통인 근을 α라 하고, $x=\alpha$를 두 방정식에 대입한다.

　② α에 대한 두 방정식을 연립하여 인수분해가 되는 식을 얻는다.

　③ ②에서 얻은 식을 인수분해하여 α의 값을 구한다.

21 답 ②

삼차방정식 $x^3+ax^2+bx+c=0$의 계수가 실수이고 $1+\sqrt{3}i$가 한 근이므로 $1-\sqrt{3}i$도 근이다.

이차방정식 $x^2+ax+2=0$에서 근과 계수의 관계에 의하여 두 근의 곱은 2이지만 $(1-\sqrt{3}i)(1+\sqrt{3}i)=4$이므로 $1-\sqrt{3}i$ 또는 $1+\sqrt{3}i$는 이차방정식 $x^2+ax+2=0$의 근이 아니다.

$\therefore m\neq1-\sqrt{3}i$, $m\neq1+\sqrt{3}i$

m이 이차방정식 $x^2+ax+2=0$의 근이므로

$m^2+am+2=0$ $\cdots\cdots$ ㉠

한편 삼차방정식 $x^3+ax^2+bx+c=0$의 세 근이 $1+\sqrt{3}i$, $1-\sqrt{3}i$, m이므로 근과 계수의 관계에 의하여 세 근의 합은

$(1+\sqrt{3}i)+(1-\sqrt{3}i)+m=-a$

$\therefore a=-m-2$

이를 ㉠에 대입하면

$m^2+(-m-2)m+2=0$

$-2m+2=0$ $\therefore m=1$

22 답 ②

사차방정식 $(x^2+2x)^2-6x(x^2+2x+m)-m^2=0$에서 $x^2+2x=t$로 놓으면

$t^2-6x(t+m)-m^2=0$

$(t+m)(t-m)-6x(t+m)=0$

$(t+m)(t-6x-m)=0$

$(x^2+2x+m)(x^2-4x-m)=0$

$\therefore x^2+2x+m=0$ 또는 $x^2-4x-m=0$

주어진 사차방정식이 서로 다른 네 실근을 가지므로 두 이차방정식 $x^2+2x+m=0$, $x^2-4x-m=0$은 각각 서로 다른 두 실근을 갖고 공통인 근을 갖지 않아야 한다.

(i) 이차방정식 $x^2+2x+m=0$의 판별식을 D_1이라 하면

$\dfrac{D_1}{4}=1-m>0$ $\therefore m<1$ $\cdots\cdots$ ㉠

(ii) 이차방정식 $x^2-4x-m=0$의 판별식을 D_2라 하면

$\dfrac{D_2}{4}=4+m>0$ $\therefore m>-4$ $\cdots\cdots$ ㉡

(iii) 두 이차방정식 $x^2+2x+m=0$, $x^2-4x-m=0$이 공통인 근을 갖는다고 하고 공통인 근을 α라 하면

$\alpha^2+2\alpha+m=0$, $\alpha^2-4\alpha-m=0$

두 식을 더하면

$2\alpha^2-2\alpha=0$, $2\alpha(\alpha-1)=0$

$\therefore \alpha=0$ 또는 $\alpha=1$

$\alpha=0$일 때 $m=0$이고, $\alpha=1$일 때 $m=-3$이다.

따라서 두 이차방정식이 공통인 근을 갖지 않으려면

$m\neq-3$, $m\neq0$ $\cdots\cdots$ ㉢

㉠, ㉡, ㉢을 모두 만족시키는 정수 m은 -2, -1의 2개이다.

23 답 39

$\overline{CD}=x$, $\overline{AB}=y$라 하면

$\overline{AC}=x-1$

두 삼각형 ABC, DBA에서

∠BCA=∠BAD,

∠ABC=∠DBA

$\therefore \triangle ABC \backsim \triangle DBA$ (AA 닮음)

$\overline{AB}:\overline{DB}=\overline{AC}:\overline{DA}$이므로

$y:8=(x-1):6$, $8(x-1)=6y$

$\therefore y=\dfrac{4}{3}(x-1)$ $\cdots\cdots$ ㉠

또 $\overline{AB}:\overline{DB}=\overline{BC}:\overline{BA}$이므로

$y:8=(8+x):y$

$\therefore y^2=8x+64$ $\cdots\cdots$ ㉡

㉠을 ㉡에 대입하면

$\dfrac{16}{9}(x-1)^2=8x+64$

$2x^2-13x-70=0$

$(2x+7)(x-10)=0$

$\therefore x=10 \ (\because x>0)$

이를 ㉠에 대입하면 $y=12$

따라서 $\overline{AB}=12$, $\overline{BC}=8+10=18$, $\overline{AC}=10-1=9$이므로 삼각형 ABC의 둘레의 길이는

$12+18+9=39$

24 답 3

그림과 같이 두 원 O_1, O_2의 중심을 각각 O_1, O_2라 하고, 반지름의 길이를 각각 r_1, r_2라 하자.
두 원의 넓이의 합이 58π이므로

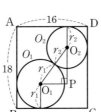

$\pi r_1^2 + \pi r_2^2 = 58\pi$

$\therefore r_1^2 + r_2^2 = 58$ ······ ㉠

점 O_1에서 변 CD에 내린 수선과 점 O_2에서 변 BC에 내린 수선의 교점을 P라 하면

$\overline{O_1P} = 16 - (r_1 + r_2)$, $\overline{O_2P} = 18 - (r_1 + r_2)$

이때 직각삼각형 O_1PO_2에서 피타고라스 정리에 의하여

$(r_1 + r_2)^2 = \{16 - (r_1 + r_2)\}^2 + \{18 - (r_1 + r_2)\}^2$

$r_1 + r_2 = X$로 놓으면

$X^2 = (16 - X)^2 + (18 - X)^2$

$X^2 - 68X + 580 = 0$, $(X - 10)(X - 58) = 0$

$\therefore X = 10$ 또는 $X = 58$

$\therefore r_1 + r_2 = 10$ 또는 $r_1 + r_2 = 58$

그런데 $r_1 + r_2 < 16$이므로

$r_1 + r_2 = 10$ $\therefore r_2 = 10 - r_1$

이를 ㉠에 대입하면

$r_1^2 + (10 - r_1)^2 = 58$

$r_1^2 - 10r_1 + 21 = 0$

$(r_1 - 3)(r_1 - 7) = 0$

$\therefore r_1 = 3$ 또는 $r_1 = 7$

따라서 $r_1 = 3$일 때 $r_2 = 7$이고, $r_1 = 7$일 때 $r_2 = 3$이므로 작은 원의 반지름의 길이는 3이다.

25 답 12

그림과 같이 직사각형 ABCD를 접었을 때, 꼭짓점 D가 이동한 점을 D′, 점 F에서 변 BC에 내린 수선의 발을 H라 하고, $\overline{AB} = x$, $\overline{BE} = y$라 하자.

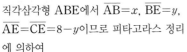

직각삼각형 ABE에서 $\overline{AB} = x$, $\overline{BE} = y$, $\overline{AE} = \overline{CE} = 8 - y$이므로 피타고라스 정리에 의하여

$(8 - y)^2 = x^2 + y^2$ $\therefore x^2 = 64 - 16y$ ······ ㉠

두 삼각형 ABE, AD′F에서

$\overline{AB} = \overline{AD'}$, $\angle ABE = \angle AD'F = 90°$,

$\angle BAE = 90° - \angle EAF = \angle D'AF$

$\therefore \triangle ABE \equiv \triangle AD'F$ (ASA 합동)

즉, $\overline{BE} = \overline{D'F}$이므로 $\overline{D'F} = \overline{DF} = y$

직각삼각형 EHF에서 $\overline{EF} = \sqrt{20}$, $\overline{EH} = 8 - y - y = 8 - 2y$, $\overline{FH} = x$이므로 피타고라스 정리에 의하여

$(\sqrt{20})^2 = (8 - 2y)^2 + x^2$

$\therefore 4y^2 + x^2 - 32y + 44 = 0$

이 식에 ㉠을 대입하면

$4y^2 + (64 - 16y) - 32y + 44 = 0$

$4y^2 - 48y + 108 = 0$, $y^2 - 12y + 27 = 0$

$(y - 3)(y - 9) = 0$ $\therefore y = 3$ ($\because y < 8$)

이를 ㉠에 대입하면

$x^2 = 64 - 48 = 16$ $\therefore x = 4$ ($\because x > 0$)

$\therefore \overline{AB} \times \overline{BE} = xy = 4 \times 3 = 12$

26 답 ②

$(2x^2 - 5xy + y^2 - 26)^2 + (xy + 2x - 3y - 8)^2 = 0$에서

$(2x^2 - 5xy + y^2 - 26)^2 \geq 0$, $(xy + 2x - 3y - 8)^2 \geq 0$이므로

$2x^2 - 5xy + y^2 - 26 = 0$ ······ ㉠

$xy + 2x - 3y - 8 = 0$ ······ ㉡

㉡에서

$x(y + 2) - 3(y + 2) - 2 = 0$

$\therefore (x - 3)(y + 2) = 2$

이때 x, y는 정수이므로 $x - 3$, $y + 2$도 정수이다.

따라서 $(x - 3)(y + 2) = 2$인 경우는

(ⅰ) $x - 3 = -2$, $y + 2 = -1$일 때,

$x = 1$, $y = -3$

이를 ㉠에 대입하면 $2 + 15 + 9 - 26 = 0$이므로 주어진 방정식을 만족시킨다.

(ⅱ) $x - 3 = -1$, $y + 2 = -2$일 때,

$x = 2$, $y = -4$

이를 ㉠에 대입하면 $8 + 40 + 16 - 26 = 38 \neq 0$이므로 주어진 방정식을 만족시키지 않는다.

(ⅲ) $x - 3 = 1$, $y + 2 = 2$일 때,

$x = 4$, $y = 0$

이를 ㉠에 대입하면 $32 - 26 = 6 \neq 0$이므로 주어진 방정식을 만족시키지 않는다.

(ⅳ) $x - 3 = 2$, $y + 2 = 1$일 때,

$x = 5$, $y = -1$

이를 ㉠에 대입하면 $50 + 25 + 1 - 26 = 50 \neq 0$이므로 주어진 방정식을 만족시키지 않는다.

(ⅰ)~(ⅳ)에서 주어진 방정식을 만족시키는 정수 x, y의 값은

$x = 1$, $y = -3$

$\therefore x - y = 4$

27 답 10

$f(x) = x^4 - kx^3 + 2(3k - 2)x^2 + 4kx - 24k$라 하면 $f(-2) = 0$, $f(2) = 0$이므로 조립제법을 이용하여 $f(x)$를 인수분해하면

	1	$-k$	$2(3k-2)$	$4k$	$-24k$
-2		-2	$2k+4$	$-16k$	$24k$
	1	$-k-2$	$8k$	$-12k$	0
2		2	$-2k$	$12k$	
	1	$-k$	$6k$	0	

$\therefore f(x) = (x + 2)(x - 2)(x^2 - kx + 6k)$

사차방정식 $(x + 2)(x - 2)(x^2 - kx + 6k) = 0$에서

$x = -2$ 또는 $x = 2$ 또는 $x^2 - kx + 6k = 0$

이때 m, n이 자연수이므로 $3m \geq 3$, $4n \geq 4$

즉, 이차방정식 $x^2 - kx + 6k = 0$의 두 근이 $3m$, $4n$이므로 근과 계수의 관계에 의하여

$3m + 4n = k$ ······ ㉠, $12mn = 6k$ ······ ㉡

㉠을 ㉡에 대입하면

$12mn = 6(3m + 4n)$, $2mn - 3m - 4n = 0$

$2n(m - 2) - 3(m - 2) = 6$

$\therefore (m - 2)(2n - 3) = 6$

이때 m, n이 자연수이므로 $m - 2$, $2n - 3$은 $m - 2 \geq -1$, $2n - 3 \geq -1$
인 정수이다.

따라서 $(m-2)(2n-3)=6$인 경우는

(ⅰ) $m-2=1$, $2n-3=6$일 때,

$m=3$, $n=\dfrac{9}{2}$

그런데 n이 자연수가 아니므로 조건을 만족시키지 않는다.

(ⅱ) $m-2=2$, $2n-3=3$일 때,

$m=4$, $n=3$

$\therefore m+n=7$

(ⅲ) $m-2=3$, $2n-3=2$일 때,

$m=5$, $n=\dfrac{5}{2}$

그런데 n이 자연수가 아니므로 조건을 만족시키지 않는다.

(ⅳ) $m-2=6$, $2n-3=1$일 때,

$m=8$, $n=2$

$\therefore m+n=10$

(ⅰ)~(ⅳ)에서 $m+n$의 최댓값은 10이다.

28 답 8

이차방정식 $x^2-2(a+2b)x+a^2+4b^2+10ab-10a-10b=0$의 판별식을 D라 하면

$\dfrac{D}{4}=(a+2b)^2-(a^2+4b^2+10ab-10a-10b)=0$

$-6ab+10a+10b=0$, $3ab-5a-5b=0$

$9ab-15a-15b=0$

$3a(3b-5)-5(3b-5)-25=0$

$\therefore (3a-5)(3b-5)=25$ ·· 배점 **40%**

이때 a, b는 정수이므로 $3a-5$, $3b-5$도 정수이다.

따라서 $(3a-5)(3b-5)=25$인 경우는

(ⅰ) $3a-5=-25$, $3b-5=-1$일 때,

$a=-\dfrac{20}{3}$, $b=\dfrac{4}{3}$

그런데 a, b가 정수가 아니므로 조건을 만족시키지 않는다.

또 $3a-5=-1$, $3b-5=-25$일 때도 조건을 만족시키지 않는다.

(ⅱ) $3a-5=-5$, $3b-5=-5$일 때,

$a=0$, $b=0$ $\therefore |a-b|=0$

(ⅲ) $3a-5=1$, $3b-5=25$일 때,

$a=2$, $b=10$ $\therefore |a-b|=|-8|=8$

(ⅳ) $3a-5=5$, $3b-5=5$일 때,

$a=\dfrac{10}{3}$, $b=\dfrac{10}{3}$

그런데 a, b가 정수가 아니므로 조건을 만족시키지 않는다.

(ⅴ) $3a-5=25$, $3b-5=1$일 때,

$a=10$, $b=2$ $\therefore |a-b|=8$ ············· 배점 **40%**

(ⅰ)~(ⅴ)에서 $|a-b|$의 최댓값은 8이다. ············· 배점 **20%**

step ③ 최고난도 문제 | 77~79쪽

01 34	02 64	03 46	04 20	05 ⑤	06 4
07 ②	08 ⑤	09 ③	10 12	11 ③	12 8

01 답 34

1단계 주어진 삼차방정식이 한 실근과 서로 다른 두 허근을 갖는 조건 알기

주어진 삼차방정식은 한 실근과 서로 다른 두 허근을 갖고, 두 허근의 합이 2이므로 $(x-a)(x^2-2x+b)=0$(a, b는 실수)으로 놓을 수 있다.

즉, $x^3+mx^2+nx-6=(x-a)(x^2-2x+b)$에서

$x^3+mx^2+nx-6=x^3-(a+2)x^2+(2a+b)x-ab$이므로

$m=-a-2$ ······ ㉠

$n=2a+b$ ······ ㉡

$6=ab$ ······ ㉢

이때 m, n은 정수이므로 a, b도 정수이다.

이차방정식 $x^2-2x+b=0$의 판별식을 D라 하면 서로 다른 두 허근을 가지므로

$\dfrac{D}{4}=1-b<0$ $\therefore b>1$

그런데 b는 정수이므로 ㉢에서 b가 될 수 있는 값은 2, 3, 6이다.

2단계 $m+2n$의 값 구하기

(ⅰ) $b=2$일 때,

㉢에서 $a=3$이므로 ㉠, ㉡에서 $m=-5$, $n=8$

$\therefore m+2n=-5+16=11$

(ⅱ) $b=3$일 때,

㉢에서 $a=2$이므로 ㉠, ㉡에서 $m=-4$, $n=7$

$\therefore m+2n=-4+14=10$

(ⅲ) $b=6$일 때,

㉢에서 $a=1$이므로 ㉠, ㉡에서 $m=-3$, $n=8$

$\therefore m+2n=-3+16=13$

3단계 $m+2n$의 값의 합 구하기

(ⅰ), (ⅱ), (ⅲ)에서 모든 $m+2n$의 값의 합은 $11+10+13=34$

02 답 64

1단계 $f(x)$, $g(x)$의 식 세우기

㈎에서 이차함수 $f(x)$의 최댓값이 0이므로 이차함수 $y=f(x)$의 그래프는 위로 볼록하고, x축에 접한다.

이때 ㈏에서 함수 $y=f(x)$의 그래프가 점 $(m, 0)$을 지나므로 $f(x)$의 이차항의 계수를 k라 하면

$f(x)=k(x-m)^2$ (단, $k<0$)

㈏에서 함수 $y=f(x)$의 그래프가 점 $(m+4, 32n)$을 지나므로

$f(m+4)=32n$에서 $16k=32n$ $\therefore k=2n$

$\therefore f(x)=2n(x-m)^2$

㈏에서 일차함수 $y=g(x)$의 그래프가 두 점 $(m, 0)$, $(m+4, 32n)$을 지나므로 직선 $y=g(x)$의 기울기는 $\dfrac{32n}{4}=8n$

$\therefore g(x)=8n(x-m)$

2단계 n의 값 구하기

㈐에서 정수 a에 대하여 $0\le a\le 4$이므로

(ⅰ) $a=0$일 때,

$g(m+a)=g(m)=0$, $f(m+a)=f(m)=0$이므로 $0\le b\le 0$을 만족시키는 정수 b의 개수는 1이다.

따라서 순서쌍 (a, b)의 개수는 1이다.

(ⅱ) $a=1$일 때,

$g(m+a)=g(m+1)=8n$, $f(m+a)=f(m+1)=2n$이므로 정수 n에 대하여 $8n\le b\le 2n$을 만족시키는 정수 b의 개수는 $2n-8n+1=-6n+1$

따라서 순서쌍 (a, b)의 개수는 $-6n+1$이다.

(iii) $a=2$일 때,

$g(m+a)=g(m+2)=16n$, $f(m+a)=f(m+2)=8n$이므로 정수 n에 대하여 $16n \leq b \leq 8n$을 만족시키는 정수 b의 개수는

$8n-16n+1=-8n+1$

따라서 순서쌍 (a, b)의 개수는 $-8n+1$이다.

(iv) $a=3$일 때,

$g(m+a)=g(m+3)=24n$, $f(m+a)=f(m+3)=18n$이므로 정수 n에 대하여 $24n \leq b \leq 18n$을 만족시키는 정수 b의 개수는

$18n-24n+1=-6n+1$

따라서 순서쌍 (a, b)의 개수는 $-6n+1$이다.

(v) $a=4$일 때,

$g(m+a)=g(m+4)=32n$, $f(m+a)=f(m+4)=32n$이므로 정수 n에 대하여 $32n \leq b \leq 32n$을 만족시키는 정수 b의 개수는 1이다.

따라서 순서쌍 (a, b)의 개수는 1이다.

(i)~(v)에서 순서쌍 (a, b)의 개수는

$1+(-6n+1)+(-8n+1)+(-6n+1)+1=-20n+5$

이때 ㈐에서 순서쌍 (a, b)의 개수가 45이므로

$-20n+5=45$ $\therefore n=-2$

3단계 m의 값 구하기

$\therefore f(x)=-4(x-m)^2$, $g(x)=-16(x-m)$

방정식 $\{f(x)\}^2-\{g(x)\}^2=0$에서

$16(x-m)^4-16^2(x-m)^2=0$

$16(x-m)^2\{(x-m)^2-16\}=0$

$16(x-m)^2(x-m+4)(x-m-4)=0$

$\therefore x=m$ 또는 $x=m-4$ 또는 $x=m+4$

이 실근 중 최댓값은 $m+4$, 최솟값은 $m-4$이고 최댓값과 최솟값의 합이 8이므로

$(m+4)+(m-4)=8$, $2m=8$

$\therefore m=4$

4단계 $f(5) \times g(5)$의 값 구하기

따라서 $f(x)=-4(x-4)^2$, $g(x)=-16(x-4)$이므로

$f(5) \times g(5)=-4 \times (-16)=64$

---

03 답 46

1단계 주어진 삼차방정식의 근 구하기

$f(x)=ax^3+2bx^2+4bx+8a$라 하면 $f(-2)=0$이므로 조립제법을 이용하여 $f(x)$를 인수분해하면

-2	a	$2b$	$4b$	$8a$
		$-2a$	$4a-4b$	$-8a$
	a	$-2a+2b$	$4a$	0

$\therefore f(x)=(x+2)\{ax^2-2(a-b)x+4a\}$

삼차방정식 $(x+2)\{ax^2-2(a-b)x+4a\}=0$에서

$x=-2$ 또는 $ax^2-2(a-b)x+4a=0$

주어진 삼차방정식이 서로 다른 세 정수를 근으로 가지므로 이차방정식 $ax^2-2(a-b)x+4a=0$이 -2가 아닌 서로 다른 두 정수를 근으로 갖는다.

즉, $4a+4(a-b)+4a \neq 0$이므로 $b \neq 3a$

이차방정식 $ax^2-2(a-b)x+4a=0$에서 근과 계수의 관계에 의하여 두 근의 곱은 $\dfrac{4a}{a}=4$이므로 서로 다른 두 정수인 근은

-1과 -4 또는 1과 4

2단계 a, b 사이의 관계식 구하기

이차방정식의 근과 계수의 관계에 의하여 두 근의 합은

$\dfrac{2(a-b)}{a}=-5$ 또는 $\dfrac{2(a-b)}{a}=5$

$2a-2b=-5a$ 또는 $2a-2b=5a$

$\therefore a=\dfrac{2}{7}b$ 또는 $a=-\dfrac{2}{3}b$

3단계 순서쌍 (a, b)의 개수 구하기

(i) $a=\dfrac{2}{7}b$일 때,   ┌→ $k=0$이면 $b \neq 3a$를 만족시키지 않는다.

$b=7k$ (k는 0이 아닌 정수) 꼴인 정수이고, $|b| \leq 50$이면

$|a| \leq \dfrac{100}{7}$이므로 $|a| \leq 50$, $|b| \leq 50$을 만족시키는 정수 a, b의 순서쌍 (a, b)는 $(-14, -49)$, $(-12, -42)$, $(-10, -35)$, $\cdots$, $(-2, -7)$, $(2, 7)$, $\cdots$, $(10, 35)$, $(12, 42)$, $(14, 49)$의 14개이다.

(ii) $a=-\dfrac{2}{3}b$일 때,

$b=3k$ (k는 0이 아닌 정수) 꼴인 정수이고, $|b| \leq 50$이면

$|a| \leq \dfrac{100}{3}$이므로 $|a| \leq 50$, $|b| \leq 50$을 만족시키는 정수 a, b의 순서쌍 (a, b)는 $(-32, 48)$, $(-30, 45)$, $(-28, 42)$, $\cdots$, $(-2, 3)$, $(2, -3)$, $\cdots$, $(28, -42)$, $(30, -45)$, $(32, -48)$의 32개이다.

(i), (ii)에서 순서쌍 (a, b)의 개수는 $14+32=46$

---

idea

04 답 20

1단계 a의 값 구하기

사차방정식 $x^4-2ax^2+a+1=0$에서 $x^2=t$로 놓으면

$t^2-2at+a+1=0$ …… ㉠

이때 주어진 사차방정식이 서로 다른 네 실근을 가지면 $t \geq 0$이므로 t에 대한 이차방정식 ㉠은 서로 다른 두 양의 실근을 가져야 한다.

이차방정식 ㉠의 서로 다른 두 양의 실근을 A, B ($A<B$)라 하면

$x^2=A$ 또는 $x^2=B$

$\therefore x=\pm\sqrt{A}$ 또는 $x=\pm\sqrt{B}$

$\therefore \alpha=-\sqrt{B}$, $\beta=-\sqrt{A}$, $\gamma=\sqrt{A}$, $\delta=\sqrt{B}$

$\beta\gamma-\alpha\delta=2$에서

$-A-(-B)=2$ $\therefore B-A=2$ …… ㉡

이차방정식 ㉠의 두 근이 A, B이므로 근과 계수의 관계에 의하여

$A+B=2a$, $AB=a+1$

㉡에서 $(B-A)^2=4$이므로

$(A+B)^2-4AB=4$

$(2a)^2-4(a+1)=4$, $a^2-a-2=0$

$(a+1)(a-2)=0$ $\therefore a=-1$ 또는 $a=2$

그런데 이차방정식 ㉠이 서로 다른 두 양의 실근을 가지면 두 근의 합이 양수이므로 근과 계수의 관계에 의하여

$2a>0$ $\therefore a>0$

$\therefore a=2$

2단계 $\alpha^4+\beta^4+\gamma^4+\delta^4$의 값 구하기

이차방정식 ㉠에서

$t^2-4t+3=0$, $(t-1)(t-3)=0$

$\therefore t=1$ 또는 $t=3$

따라서 $x^2=1$ 또는 $x^2=3$이므로

$x=\pm1$ 또는 $x=\pm\sqrt{3}$

따라서 $\alpha=-\sqrt{3}$, $\beta=-1$, $\gamma=1$, $\delta=\sqrt{3}$이므로

$\alpha^4+\beta^4+\gamma^4+\delta^4=9+1+1+9=20$

05 답 ⑤

1단계 ㄱ이 옳은지 확인하기

ㄱ. 사차방정식 $x^4+(3-2a)x^2+a^2-3a-10=0$에서 $a=1$이면
$x^4+x^2-12=0$
$x^2=t$로 놓으면
$t^2+t-12=0$, $(t+4)(t-3)=0$ ∴ $t=-4$ 또는 $t=3$
즉, $x^2=-4$ 또는 $x^2=3$이므로 $x=\pm 2i$ 또는 $x=\pm\sqrt{3}$
따라서 모든 실근의 곱은 $-\sqrt{3}\times\sqrt{3}=-3$

2단계 ㄴ이 옳은지 확인하기

ㄴ. 사차방정식 $x^4+(3-2a)x^2+a^2-3a-10=0$에서 $x^2=t$로 놓으면
$t^2+(3-2a)t+(a-5)(a+2)=0$
$\{t-(a-5)\}\{t-(a+2)\}=0$
∴ $t=a-5$ 또는 $t=a+2$
∴ $x^2=a-5$ 또는 $x^2=a+2$
이때 주어진 사차방정식이 실근과 허근을 모두 가지므로
$a-5<0$, $a+2\geq 0 \longrightarrow a-5\geq 0$. $a+2<0$이면 a의 값은 존재하지 않는다.
∴ $-2\leq a<5$ …… ㉠
그런데 $a=-2$일 때, 주어진 사차방정식의 실근은 0이고 이는 모든 실근의 곱이 -4라는 조건을 만족시키지 않으므로
$-2<a<5$
이때 주어진 사차방정식의 실근은 $\pm\sqrt{a+2}$이고, 허근은 $\pm\sqrt{5-a}\,i$ 이다.
모든 실근의 곱이 -4이므로
$-\sqrt{a+2}\times\sqrt{a+2}=-4$ ∴ $a=2$
따라서 허근은 $\pm\sqrt{3}\,i$이므로 모든 허근의 곱은 $-\sqrt{3}i\times\sqrt{3}i=3$

3단계 ㄷ이 옳은지 확인하기

ㄷ. ㉠에서 주어진 사차방정식이 실근과 허근을 모두 갖도록 하는 a의 값의 범위는 $-2\leq a<5$이므로
$0\leq a+2<7$ ∴ $0\leq\sqrt{a+2}<\sqrt{7}$
주어진 사차방정식의 실근이 $\pm\sqrt{a+2}$이므로 정수인 근을 가지려면
(i) $\sqrt{a+2}=0$일 때, $a=-2$
(ii) $\sqrt{a+2}=1$일 때, $a=-1$
(iii) $\sqrt{a+2}=2$일 때, $a=2$
(i), (ii), (iii)에서 모든 실수 a의 값의 합은 $-2+(-1)+2=-1$

4단계 옳은 것 구하기

따라서 보기에서 옳은 것은 ㄱ, ㄴ, ㄷ이다.

06 답 4

1단계 α, β에 대한 조건 알기

사차방정식 $\left(x^2-\dfrac{p}{3}x+1\right)\left(x^2+\dfrac{20}{p}x+1\right)=0$에서
$x^2-\dfrac{p}{3}x+1=0$ …… ㉠ 또는 $x^2+\dfrac{20}{p}x+1=0$ …… ㉡
이차방정식의 근과 계수의 관계에 의하여 ㉠의 두 근의 합은 $\dfrac{p}{3}$, ㉡의 두 근의 합은 $-\dfrac{20}{p}$이고, 두 근의 곱은 모두 1이다.
└ 두 근의 부호가 서로 같다.
이때 $p>0$, $\alpha>0$, $\beta<0$이므로 α는 이차방정식 ㉠의 근이고, β는 이차방정식 ㉡의 근이다.
또 두 근의 곱이 모두 1이므로 한 근이 α이면 다른 한 근은 $\dfrac{1}{\alpha}$이고, 한 근이 β이면 다른 한 근은 $\dfrac{1}{\beta}$이다.

2단계 a의 값 구하기

즉, $\alpha+\dfrac{1}{\alpha}=\dfrac{p}{3}$, $\beta+\dfrac{1}{\beta}=-\dfrac{20}{p}$이므로 각 변끼리 곱하면
$\left(\alpha+\dfrac{1}{\alpha}\right)\left(\beta+\dfrac{1}{\beta}\right)=-\dfrac{20}{3}$
이때 $3\alpha+\beta=0$에서 $\beta=-3\alpha$이므로
$\left(\alpha+\dfrac{1}{\alpha}\right)\left(-3\alpha-\dfrac{1}{3\alpha}\right)=-\dfrac{20}{3}$
$-3\alpha^2-\dfrac{10}{3}-\dfrac{1}{3\alpha^2}=-\dfrac{20}{3}$
$9\alpha^4-10\alpha^2+1=0$, $(9\alpha^2-1)(\alpha^2-1)=0$
$(3\alpha+1)(3\alpha-1)(\alpha+1)(\alpha-1)=0$
∴ $\alpha=\dfrac{1}{3}$ 또는 $\alpha=1$ (∵ $\alpha>0$)

3단계 주어진 사차방정식의 네 실근 중 가장 큰 근과 가장 작은 근의 차 구하기

(i) $\alpha=\dfrac{1}{3}$일 때,
$\dfrac{1}{\alpha}=3$이고, $3\alpha+\beta=0$에서 $\beta=-1$, $\dfrac{1}{\beta}=-1$이므로 주어진 사차방정식의 네 실근 중 가장 큰 근은 3, 가장 작은 근은 -1이다.
따라서 그 차는 $|3-(-1)|=4$
(ii) $\alpha=1$일 때,
$\dfrac{1}{\alpha}=1$이고, $3\alpha+\beta=0$에서 $\beta=-3$, $\dfrac{1}{\beta}=-\dfrac{1}{3}$이므로 주어진 사차방정식의 네 실근 중 가장 큰 근은 1, 가장 작은 근은 -3이다.
따라서 그 차는 $|1-(-3)|=4$
(i), (ii)에서 주어진 사차방정식의 네 실근 중 가장 큰 근과 가장 작은 근의 차는 4이다.

07 답 ②

1단계 α, β, γ 사이의 관계식 구하기

삼차방정식 $x^3-x^2-6x+2=0$의 세 근이 α, β, γ이므로 근과 계수의 관계에 의하여
$\alpha+\beta+\gamma=1$

2단계 $f(x)$를 이용하여 세 근이 α, β, γ이고 상수항이 2인 삼차방정식 세우기

$\beta+\gamma=1-\alpha$, $\gamma+\alpha=1-\beta$, $\alpha+\beta=1-\gamma$이므로
$f\left(\dfrac{2\beta+2\gamma}{\alpha}\right)=f\left(\dfrac{2\gamma+2\alpha}{\beta}\right)=f\left(\dfrac{2\alpha+2\beta}{\gamma}\right)=1$에서
$f\left(\dfrac{2-2\alpha}{\alpha}\right)=f\left(\dfrac{2-2\beta}{\beta}\right)=f\left(\dfrac{2-2\gamma}{\gamma}\right)=1$
$f\left(\dfrac{2}{\alpha}-2\right)=f\left(\dfrac{2}{\beta}-2\right)=f\left(\dfrac{2}{\gamma}-2\right)=1$
$f\left(\dfrac{2}{\alpha}-2\right)=1$에서
$\left(\dfrac{2}{\alpha}\right)^3+a\left(\dfrac{2}{\alpha}\right)^2+b\times\dfrac{2}{\alpha}+c=1$
$\alpha\neq 0$이므로 양변에 α^3을 곱하면
$8+4a\alpha+2b\alpha^2+c\alpha^3=\alpha^3$
$\dfrac{c-1}{4}\alpha^3+\dfrac{b}{2}\alpha^2+a\alpha+2=0$
같은 방법으로 하면 $f\left(\dfrac{2}{\beta}-2\right)=1$, $f\left(\dfrac{2}{\gamma}-2\right)=1$에서
$\dfrac{c-1}{4}\beta^3+\dfrac{b}{2}\beta^2+a\beta+2=0$
$\dfrac{c-1}{4}\gamma^3+\dfrac{b}{2}\gamma^2+a\gamma+2=0$
따라서 α, β, γ를 세 근으로 하고 상수항이 2인 삼차방정식은
$\dfrac{c-1}{4}x^3+\dfrac{b}{2}x^2+ax+2=0$

3단계 $a+b+c$의 값 구하기

즉, $x^3-x^2-6x+2=\dfrac{c-1}{4}x^3+\dfrac{b}{2}x^2+ax+2$이므로

$\dfrac{c-1}{4}=1$, $\dfrac{b}{2}=-1$, $a=-6$

따라서 $a=-6$, $b=-2$, $c=5$이므로

$a+b+c=-3$

08 답 ⑤

1단계 주어진 식을 변형하여 관계식 구하기

삼차방정식 $x^3-1=0$에서 $(x-1)(x^2+x+1)=0$

이때 a는 이차방정식 $x^2+x+1=0$의 한 허근이므로

$a^3=1$, $a^2+a+1=0$

$\therefore a^3+3a^2+aa+b=1+3(-a-1)+aa+b$

$\qquad\qquad\qquad\quad =(a-3)a+b-2$

즉, 주어진 식은

$(a-3)a+b-2+\dfrac{1}{(a-3)a+b-2}$ ...... ㉠

이때 a, b는 정수이므로 $a-3$, $b-2$도 정수이다.

$a-3=m$, $b-2=n\,(m, n$은 정수)으로 놓으면 ㉠에서

$ma+n+\dfrac{1}{ma+n}=k$ (단, k는 정수)

양변에 $ma+n$을 곱하면

$(ma+n)^2+1=k(ma+n)$

$kma+kn=m^2a^2+2mna+n^2+1$

$\qquad\qquad =m^2(-a-1)+2mna+n^2+1$

$\qquad\qquad =(2mn-m^2)a-m^2+n^2+1$

$\therefore km=2mn-m^2$ ...... ㉡, $kn=-m^2+n^2+1$ ...... ㉢

2단계 관계식을 이용하여 순서쌍 (a, b) 구하기

(i) $m=0$일 때,

　㉢에서 $kn=n^2+1$ $\therefore k=n+\dfrac{1}{n}$

n이 정수이므로 k가 정수이려면 $\dfrac{1}{n}$이 정수이어야 한다.

따라서 n의 값은 -1, 1이다.

즉, 정수 m, n의 순서쌍 (m, n)은

$(0, -1)$, $(0, 1)$

(ii) $m\neq 0$일 때,

㉡에서 $k=2n-m$

이를 ㉢에 대입하면

$(2n-m)n=-m^2+n^2+1$

$\therefore n^2-mn+m^2-1=0$

이를 n에 대한 이차방정식으로 생각하여 풀면

$n=\dfrac{m\pm\sqrt{-3m^2+4}}{2}$ ...... ㉣

n이 정수이려면 $-3m^2+4\geq 0$, 즉 $m^2\leq\dfrac{4}{3}$이어야 하므로 정수 m의

값은 -1, 0, 1이다.

그런데 $m\neq 0$이므로 $m=-1$ 또는 $m=1$

이를 각각 ㉣에 대입하면

$m=-1$일 때 $n=-1$ 또는 $n=0$

$m=1$일 때 $n=0$ 또는 $n=1$

즉, 정수 m, n의 순서쌍 (m, n)은

$(-1, -1)$, $(-1, 0)$, $(1, 0)$, $(1, 1)$

(i), (ii)에서 조건을 만족시키는 정수 m, n의 순서쌍 (m, n)은

$(-1, -1)$, $(-1, 0)$, $(0, -1)$, $(0, 1)$, $(1, 0)$, $(1, 1)$

$m=a-3$, $n=b-2$에서

$a=m+3$, $b=n+2$

따라서 정수 a, b의 순서쌍 (a, b)는

$(2, 1)$, $(2, 2)$, $(3, 1)$, $(3, 3)$, $(4, 2)$, $(4, 3)$

3단계 $a+b$의 최댓값 구하기

이때 $a+b$의 값은 3, 4, 6, 7이므로 최댓값은 7이다.

idea
09 답 ③

1단계 $\dfrac{n}{m}=t$로 놓고 이차방정식 세우기

주어진 연립방정식의 해가 $x=m$, $y=n$이므로

$\begin{cases} 3m^2+kmn-3n^2=-2 & \cdots\cdots ㉠ \\ 6m^2-5mn+2n^2=1 & \cdots\cdots ㉡ \end{cases}$

㉠$+2\times$㉡을 하면

$15m^2+(k-10)mn+n^2=0$

$m\neq 0$이므로 양변을 m^2으로 나누면

$\left(\dfrac{n}{m}\right)^2+(k-10)\dfrac{n}{m}+15=0$

이때 $\dfrac{n}{m}=t\,(t$는 정수)로 놓으면

$t^2+(k-10)t+15=0$

2단계 t에 대한 이차방정식의 정수인 해 구하기

이차방정식 $t^2+(k-10)t+15=0$의 두 근을 정수 α, β라 하면 근과 계수의 관계에 의하여 　→ t가 정수이므로 α, β도 정수이다.

$\alpha+\beta=-k+10$ ...... ㉢

$\alpha\beta=15$ ...... ㉣

따라서 정수 α, β에 대하여 ㉣을 만족시키는 순서쌍 (α, β)는

$(-15, -1)$, $(-5, -3)$, $(-3, -5)$, $(-1, -15)$,

$(1, 15)$, $(3, 5)$, $(5, 3)$, $(15, 1)$

3단계 k의 값의 합 구하기

이때 $\alpha+\beta$의 값은 -16, -8, 8, 16이고 ㉢에서 $k=10-(\alpha+\beta)$이므로

$k=26$ 또는 $k=18$ 또는 $k=2$ 또는 $k=-6$

따라서 모든 정수 k의 값의 합은

$26+18+2+(-6)=40$

10 답 12

1단계 a의 값 구하기

$f(x)=x^3+2x^2+(p^2+1)x+2p^2+2$라 하면 $f(-2)=0$이므로 조립제법을 이용하여 $f(x)$를 인수분해하면

$\begin{array}{r|rrrr} -2 & 1 & 2 & p^2+1 & 2p^2+2 \\ & & -2 & 0 & -2p^2-2 \\ \hline & 1 & 0 & p^2+1 & 0 \end{array}$

$\therefore f(x)=(x+2)(x^2+p^2+1)$

삼차방정식 $(x+2)(x^2+p^2+1)=0$에서

$x=-2$ 또는 $x^2+p^2+1=0$

이때 이차방정식 $x^2+p^2+1=0$은 실근을 갖지 않으므로

$\qquad\qquad\qquad$ → $D=-4(p^2+1)<0$

$a=-2$

2단계 x^3+4x^2+ax+b 인수분해하기

따라서 삼차방정식 $x^3+4x^2+ax+b=0$의 한 근이 -2이므로

$-8+16-2a+b=0$

$\therefore b=2a-8$ ...... ㉠

$g(x)=x^3+4x^2+ax+2a-8$이라 하면 $g(-2)=0$이므로 조립제법을 이용하여 $g(x)$를 인수분해하면

$$
\begin{array}{r|rrrr}
-2 & 1 & 4 & a & 2a-8 \\
  &   & -2 & -4 & -2a+8 \\
\hline
  & 1 & 2 & a-4 & 0
\end{array}
$$

$\therefore g(x)=(x+2)(x^2+2x+a-4)$

3단계 a, b, c의 값 구하기

$h(x)=x^3+6x^2+cx+a-6$이라 하면 두 삼차방정식 $h(x)=0$, $g(x)=0$은 -2가 아닌 서로 다른 두 근을 공통인 근으로 가지므로 삼차식 $h(x)$는 $x^2+2x+a-4$를 인수로 갖는다.

따라서 $h(x)=(x^2+2x+a-4)(x+q)$(q는 실수)로 놓으면

$x^3+6x^2+cx+a-6=(x^2+2x+a-4)(x+q)$이므로

$x^3+6x^2+cx+a-6=x^3+(q+2)x^2+(2q+a-4)x+(a-4)q$

$6=q+2$이므로 $q=4$

$a-6=(a-4)q$이므로

$a-6=4(a-4)$

$3a=10$ $\therefore a=\dfrac{10}{3}$

$c=2q+a-4$이므로

$c=2\times4+\dfrac{10}{3}-4=\dfrac{22}{3}$

$a=\dfrac{10}{3}$을 ㉠에 대입하면

$b=2\times\dfrac{10}{3}-8=-\dfrac{4}{3}$

4단계 $a-b+c$의 값 구하기

$\therefore a-b+c=\dfrac{10}{3}-\left(-\dfrac{4}{3}\right)+\dfrac{22}{3}=12$

✦idea
11 답 ③

1단계 공통인 근 사이의 관계 구하기

두 이차방정식 $x^2+x+a=0$, $x^2+bx+c=0$의 공통인 실근을 α라 하면

$\alpha^2+\alpha+a=0$ ...... ㉠

$\alpha^2+b\alpha+c=0$ ...... ㉡

㉠$-$㉡을 하면 $(1-b)\alpha+a-c=0$

$\therefore \alpha=\dfrac{a-c}{b-1}$ $(\because b\neq1)$ ...... ㉢

두 이차방정식 $x^2+ax+1=0$, $x^2+cx+b=0$의 공통인 실근을 β라 하면

$\beta^2+a\beta+1=0$ ...... ㉣

$\beta^2+c\beta+b=0$ ...... ㉤

㉣$-$㉤을 하면 $(a-c)\beta+1-b=0$

$\therefore \beta=\dfrac{b-1}{a-c}$ $(\because a\neq c)$ ...... ㉥

㉢, ㉥에서 $\alpha\beta=\dfrac{a-c}{b-1}\times\dfrac{b-1}{a-c}=1$이므로 $\alpha=\dfrac{1}{\beta}$

2단계 a, $b+c$의 값 구하기

$\alpha=\dfrac{1}{\beta}$을 ㉠에 대입하면

$\dfrac{1}{\beta^2}+\dfrac{1}{\beta}+a=0$

$\therefore a\beta^2+\beta+1=0$ ...... ㉦

㉣$-$㉦을 하면

$(1-a)\beta^2+(a-1)\beta=0$, $(1-a)\beta(\beta-1)=0$

$\therefore a=1$ 또는 $\beta=1$ $(\because \beta\neq0)$

(i) $a=1$일 때,

이차방정식 $x^2+x+a=0$, 즉 $x^2+x+1=0$이 실근을 갖지 않으므로 조건을 만족시키지 않는다. $\underset{\rightarrow D=1-4=-3<0}{}$

(ii) $\beta=1$일 때,

㉣에 대입하면 $1+a+1=0$

$\therefore a=-2$

㉤에 대입하면 $1+c+b=0$

$\therefore b+c=-1$

3단계 $b+c-2a$의 값 구하기

(i), (ii)에서

$b+c-2a=-1-2\times(-2)=3$

12 답 8

1단계 $f(x)$를 m에 대한 식으로 나타내기

이차방정식 $f(x)-4=0$의 한 근이 1이므로 $f(1)-4=0$에서

$1+m+n-4=0$

$\therefore n=3-m$

$\therefore f(x)=x^2+mx+3-m$

2단계 순서쌍 (a, b)의 개수 구하기

(i) $b=0$일 때,

이차방정식 $f(x)=0$의 한 근은 a이고, 다른 한 근을 k라 하면 근과 계수의 관계에 의하여

$a+k=-m$ ...... ㉠, $ak=3-m$ ...... ㉡

㉡$-$㉠을 하면

$ak-a-k=3$

$a(k-1)-(k-1)=4$

$\therefore (a-1)(k-1)=4$

이때 a, m이 정수이므로 ㉠에서 k도 정수이다.

즉, $a-1$, $k-1$도 정수이므로 $(a-1)(k-1)=4$를 만족시키는 순서쌍 $(a-1, k-1)$은

$(-4, -1)$, $(-2, -2)$, $(-1, -4)$, $(1, 4)$, $(2, 2)$, $(4, 1)$

따라서 a의 값은 -3, -1, 0, 2, 3, 5이므로 정수 a, b의 순서쌍 (a, b)는 $(-3, 0)$, $(-1, 0)$, $(0, 0)$, $(2, 0)$, $(3, 0)$, $(5, 0)$의 6개이다.

(ii) $b\neq0$일 때,

이차방정식 $f(x)=0$의 계수가 실수이고 $a+bi$가 한 근이므로 다른 한 근은 $a-bi$이다.

이차방정식 $x^2+mx+3-m=0$에서 근과 계수의 관계에 의하여

$(a+bi)+(a-bi)=-m$, $(a+bi)(a-bi)=3-m$

$\therefore 2a=-m$ ...... ㉢, $a^2+b^2=3-m$ ...... ㉣

㉣$-$㉢을 하면

$a^2-2a+b^2=3$

$\therefore (a-1)^2+b^2=4$

이때 a는 정수이므로 $a-1$도 정수이고, b는 0이 아닌 정수이므로

$(a-1)^2=0$, $b^2=4$

$\therefore a=1$, $b=\pm2$

따라서 정수 a, b의 순서쌍 (a, b)는 $(1, -2)$, $(1, 2)$의 2개이다.

(i), (ii)에서 순서쌍 (a, b)의 개수는

$6+2=8$

07 여러 가지 부등식

01 $x>-2$	02 9	03 16	04 ⑤	05 ⑤
06 $0\le a\le3$	07 2	08 ③	09 7	10 5
11 ③	12 ②	13 ①	14 18	

01 답 $x>-2$

부등식 $(a+b)x+3a-b\ge0$에서

$(a+b)x\ge-3a+b$

이 부등식의 해가 없으므로

$a+b=0$ ……㉠, $-3a+b>0$ ……㉡

㉠에서 $b=-a$ ……㉢

㉢을 ㉡에 대입하면

$-3a-a>0$, $-4a>0$ ∴ $a<0$

㉢을 부등식 $(2a-b)x+5a-b<0$에 대입하면

$(2a+a)x+5a+a<0$

$3ax<-6a$ ∴ $x>-2$ ($\because a<0$)

02 답 9

$3x-2y=1$에서 $y=\dfrac{3x-1}{2}$

이를 주어진 부등식에 대입하면

$\dfrac{5x-1}{3}\le\dfrac{3x-1}{2}+2\le\dfrac{5x+7}{2}$

∴ $\dfrac{5x-1}{3}\le\dfrac{3x+3}{2}\le\dfrac{5x+7}{2}$ ⸺⸺ 배점 30%

부등식 $\dfrac{5x-1}{3}\le\dfrac{3x+3}{2}$에서

$10x-2\le9x+9$ ∴ $x\le11$ ……㉠

부등식 $\dfrac{3x+3}{2}\le\dfrac{5x+7}{2}$에서

$3x+3\le5x+7$, $-2x\le4$ ∴ $x\ge-2$ ……㉡

㉠, ㉡의 공통부분을 구하면 $-2\le x\le11$ ⸺⸺ 배점 40%

따라서 $M=11$, $m=-2$이므로

$M+m=9$ ⸺⸺ 배점 30%

03 답 16

부등식 $3x-a\le-x+4$에서

$4x\le a+4$ ∴ $x\le\dfrac{a+4}{4}$ ……㉠

부등식 $-x+4\le b(x-2)$에서

$-x+4\le bx-2b$, $(b+1)x\ge2b+4$ ……㉡

이때 주어진 부등식의 해가 $3\le x\le5$이므로 ㉠에서 $\dfrac{a+4}{4}=5$이고,

㉡에서 $b+1>0$이고 $\dfrac{2b+4}{b+1}=3$이다.

$\dfrac{a+4}{4}=5$에서 $a=16$

$\dfrac{2b+4}{b+1}=3$에서 $2b+4=3b+3$ ∴ $b=1$

∴ $ab=16\times1=16$

04 답 ⑤

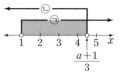

부등식 $x+2>3$에서 $x>1$ ……㉠

부등식 $3x<a+1$에서 $x<\dfrac{a+1}{3}$ ……㉡

주어진 연립부등식을 만족시키는 모든 정수 x의 값의 합이 9가 되려면

$9=2+3+4$이므로

$4<\dfrac{a+1}{3}\le5$

$12<a+1\le15$ ∴ $11<a\le14$

따라서 자연수 a의 최댓값은 14이다.

05 답 ⑤

(i) $x<\dfrac{1}{3}$일 때,

$|3x-1|=-(3x-1)$이므로

$-(3x-1)<x+a$, $-4x<a-1$ ∴ $x>\dfrac{1-a}{4}$

주어진 부등식의 해가 $-1<x<3$이므로 → $x<\dfrac{1}{3}$일 때 $-1<x<\dfrac{1}{3}$

$\dfrac{1-a}{4}=-1$, $1-a=-4$ ∴ $a=5$

(ii) $x\ge\dfrac{1}{3}$일 때,

$|3x-1|=3x-1$이므로

$3x-1<x+a$, $2x<a+1$ ∴ $x<\dfrac{a+1}{2}$

주어진 부등식의 해가 $-1<x<3$이므로 → $x\ge\dfrac{1}{3}$일 때 $\dfrac{1}{3}\le x<3$

$\dfrac{a+1}{2}=3$, $a+1=6$ ∴ $a=5$

(i), (ii)에서 $a=5$

06 답 $0\le a\le3$

$\sqrt{x^2-2x+1}=\sqrt{(x-1)^2}=|x-1|$이므로 주어진 부등식은

$|x-2|+|x-1|<4$

(i) $x<1$일 때,

$|x-2|=-(x-2)$, $|x-1|=-(x-1)$이므로

$-(x-2)-(x-1)<4$

$-2x<1$ ∴ $x>-\dfrac{1}{2}$

그런데 $x<1$이므로 $-\dfrac{1}{2}<x<1$

(ii) $1\le x<2$일 때,

$|x-2|=-(x-2)$, $|x-1|=x-1$이므로

$-(x-2)+(x-1)<4$

$0\times x<3$이므로 해는 모든 실수이다.

그런데 $1\le x<2$이므로 $1\le x<2$

(iii) $x\ge2$일 때,

$|x-2|=x-2$, $|x-1|=x-1$이므로

$(x-2)+(x-1)<4$

$2x<7$ ∴ $x<\dfrac{7}{2}$

그런데 $x\ge2$이므로 $2\le x<\dfrac{7}{2}$

(i), (ii), (iii)에서 $-\dfrac{1}{2}<x<\dfrac{7}{2}$이므로 정수 x의 값은 0, 1, 2, 3이다.

한편 부등식 $|x-a| \leq 3$에서
$-3 \leq x-a \leq 3$
$\therefore a-3 \leq x \leq a+3$
x의 값이 0, 1, 2, 3일 때, 위의 부등식
이 성립해야 하므로
$a-3 \leq 0$, $a+3 \geq 3$
$\therefore 0 \leq a \leq 3$

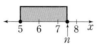

07 답 2

이차부등식 $ax^2+bx+c>0$의 해가 $-1<x<5$이므로 $a<0$

해가 $-1<x<5$이고 이차항의 계수가 1인 이차부등식은
$(x+1)(x-5)<0$ $\therefore x^2-4x-5<0$
양변에 a를 곱하면 $ax^2-4ax-5a>0$ $(\because a<0)$
이 이차부등식이 $ax^2+bx+c>0$과 같으므로
$b=-4a$, $c=-5a$
이를 부등식 $a(x-12)^2-bx(x-12)+cx^2>0$에 대입하면
$a(x-12)^2+4ax(x-12)-5ax^2>0$
양변을 a로 나누면
$(x-12)^2+4x(x-12)-5x^2<0$ $(\because a<0)$
$-72x+144<0$, $-72x<-144$ $\therefore x>2$
$\therefore a=2$

08 답 ③

이차부등식 $x^2-(n+5)x+5n \leq 0$에서 $(x-n)(x-5) \leq 0$
(i) $n<5$일 때,
　이차부등식 $(x-n)(x-5) \leq 0$에서 $n \leq x \leq 5$
　이를 만족시키는 정수 x가 3개이려면
　$2<n \leq 3$
　이때 n은 자연수이므로 $n=3$
(ii) $n=5$일 때,
　이차부등식 $(x-n)(x-5) \leq 0$에서 $(x-5)^2 \leq 0$
　이를 만족시키는 정수 x는 5뿐이므로 주어진 조건을 만족시키지 않는다.
(iii) $n>5$일 때,
　이차부등식 $(x-n)(x-5) \leq 0$에서 $5 \leq x \leq n$
　이를 만족시키는 정수 x가 3개이려면
　$7 \leq n<8$
　이때 n은 자연수이므로 $n=7$
(i), (ii), (iii)에서 모든 자연수 n의 값의 합은
$3+7=10$

09 답 7

이차부등식 $x^2-4ax+(a-1)^2<0$이 해를 갖지 않으려면 모든 실수 x에 대하여 이차부등식 $x^2-4ax+(a-1)^2 \geq 0$이 성립해야 한다.
이차방정식 $x^2-4ax+(a-1)^2=0$의 판별식을 D라 하면
$\dfrac{D}{4}=4a^2-(a-1)^2 \leq 0$
$3a^2+2a-1 \leq 0$, $(a+1)(3a-1) \leq 0$
$\therefore -1 \leq a \leq \dfrac{1}{3}$
$\therefore M=\dfrac{1}{3}$

또 $f(x)=x^2-4x-4b+3$이라 하면
$f(x)=(x-2)^2-4b-1$
$3 \leq x \leq 5$에서 $f(x) \leq 0$이어야 하므로 이차함수
$y=f(x)$의 그래프가 그림과 같아야 한다.
$3 \leq x \leq 5$에서 $f(x)$는 $x=5$일 때 최대이므로
$f(5) \leq 0$에서
$-4b+8 \leq 0$, $-4b \leq -8$ $\therefore b \geq 2$
$\therefore m=2$
$\therefore 3(M+m)=3\left(\dfrac{1}{3}+2\right)=7$

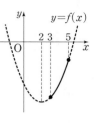

10 답 5

이차부등식 $x^2+x-6 \geq 0$에서
$(x+3)(x-2) \geq 0$ $\therefore x \leq -3$ 또는 $x \geq 2$
이때 연립부등식 $\begin{cases} x^2+x-6 \geq 0 \\ x^2-ax+b \leq 0 \end{cases}$ 의 해가 $2 \leq x \leq 3$이므로 이차방정식
$x^2-ax+b=0$의 한 근이 3이다. .... 배점 **30%**
또 이차부등식 $x^2+x-2<0$에서
$(x+2)(x-1)<0$ $\therefore -2<x<1$
이때 연립부등식 $\begin{cases} x^2-ax+b>0 \\ x^2+x-2<0 \end{cases}$ 의 해가 $-2<x<-1$이므로 이차방정식 $x^2-ax+b=0$의 한 근이 -1이다. .... 배점 **30%**
따라서 이차방정식 $x^2-ax+b=0$의 두 근이 3, -1이므로 근과 계수의 관계에 의하여
$a=3+(-1)=2$, $b=3 \times (-1)=-3$
$\therefore a-b=5$ .... 배점 **40%**

11 답 ③

이차부등식 $x^2+2x-8>0$에서
$(x+4)(x-2)>0$ $\therefore x<-4$ 또는 $x>2$ ...... ㉠
부등식 $|x-a| \leq 1$에서
$-1 \leq x-a \leq 1$ $\therefore a-1 \leq x \leq a+1$ ...... ㉡
이때 ㉠, ㉡의 공통부분이 존재하도록 수직선 위에 나타내면 그림과 같다.

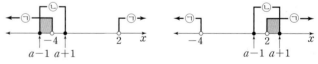

따라서 주어진 연립부등식이 항상 해를 가지려면
$a-1<-4$ 또는 $a+1>2$
$\therefore a<-3$ 또는 $a>1$

12 답 ②

$f(x)=x^2+2ax+4a+5$라 할 때, 이차방정식
$f(x)=0$의 두 근이 모두 -1보다 크려면 이차함수 $y=f(x)$의 그래프가 그림과 같아야 한다.
(i) 이차방정식 $f(x)=0$의 판별식을 D라 하면
　$\dfrac{D}{4}=a^2-4a-5 \geq 0$
　$(a+1)(a-5) \geq 0$ $\therefore a \leq -1$ 또는 $a \geq 5$
(ii) $f(-1)>0$이므로
　$1-2a+4a+5>0$
　$2a+6>0$ $\therefore a>-3$

(iii) 이차함수 $y=f(x)$의 그래프의 축이 직선 $x=-a$이므로

$-a>-1$ $\therefore a<1$

(i), (ii), (iii)에서 실수 a의 값의 범위는

$-3<a\le-1$

13 답 ①

상자의 개수를 x라 하자.

사과를 한 상자에 4개씩 담으면 사과가 15개 남으므로 사과의 개수는

$4x+15$이다.

사과를 한 상자에 5개씩 담으면 상자가 4개 남으므로 비어 있지 않은

$(x-4)$개의 상자 중에서 $(x-5)$개의 상자에는 사과가 5개씩 들어 있고,

1개의 상자에는 사과가 최소 1개에서 최대 5개까지 들어 있다.

$5(x-5)+1\le4x+15\le5(x-5)+5$이므로

$5x-24\le4x+15\le5x-20$

부등식 $5x-24\le4x+15$에서 $x\le39$ ...... ㉠

부등식 $4x+15\le5x-20$에서 $x\ge35$ ...... ㉡

㉠, ㉡의 공통부분을 구하면

$35\le x\le39$

따라서 보기 중 상자의 개수가 될 수 없는 것은 34이다.

14 답 18

$\overline{QC}=a\,(0<a<12)$이므로 $\overline{BQ}=12-a$

삼각형 APR는 직각이등변삼각형이므로 → 두 삼각형 ABC, APR에서

$\overline{PR}=\overline{AR}=a$ $\angle ACB=\angle ARP, \angle BAC=\angle PAR$

따라서 삼각형 APR의 넓이는 $\therefore \triangle ABC\circ\triangle APR$ (AA 닮음)

$\frac{1}{2}\times\overline{PR}\times\overline{AR}=\frac{1}{2}a^2$

삼각형 PBQ도 직각이등변삼각형이므로 → 두 삼각형 ABC, PBQ에서

$\overline{BQ}=\overline{PQ}=12-a$ $\angle ACB=\angle PQB, \angle ABC=\angle PBQ$

따라서 삼각형 PBQ의 넓이는 $\therefore \triangle ABC\circ\triangle PBQ$ (AA 닮음)

$\frac{1}{2}\times\overline{BQ}\times\overline{PQ}=\frac{1}{2}(12-a)^2$

직사각형 PQCR의 넓이는

$\overline{QC}\times\overline{PQ}=a(12-a)=12a-a^2$

직사각형 PQCR의 넓이가 두 삼각형 APR, PBQ의 각각의 넓이보다

크므로

$\begin{cases}12a-a^2>\dfrac{1}{2}a^2 \\ 12a-a^2>\dfrac{1}{2}(12-a)^2\end{cases}$

이차부등식 $12a-a^2>\dfrac{1}{2}a^2$에서

$-\dfrac{3}{2}a^2+12a>0$, $a^2-8a<0$

$a(a-8)<0$ $\therefore 0<a<8$ ...... ㉠

이차부등식 $12a-a^2>\dfrac{1}{2}(12-a)^2$에서

$12a-a^2>\dfrac{1}{2}a^2-12a+72$, $-\dfrac{3}{2}a^2+24a-72>0$

$a^2-16a+48<0$, $(a-4)(a-12)<0$

$\therefore 4<a<12$ ...... ㉡

㉠, ㉡의 공통부분을 구하면 $4<a<8$

따라서 자연수 a의 값은 5, 6, 7이므로 그 합은

$5+6+7=18$

01 $-\dfrac{7}{3}<k\le-\dfrac{11}{5}$		02 28	03 ②	04 -3
05 49	06 ⑤	07 ④	08 ①	09 ②	10 27
11 $a<-1$		12 30	13 ③	14 $1\le a\le2$
15 ②	16 ④	17 $2\le a<3$	18 43	19 ②
20 15	21 ①	22 $0<a\le4$

01 답 $-\dfrac{7}{3}<k\le-\dfrac{11}{5}$

부등식 $kx+9>-x+3$에서

$(k+1)x>-6$ ...... ㉠

부등식 $2(x+1)+1<4(x-1)-2$에서

$2x+3<4x-6$, $-2x<-9$

$\therefore x>\dfrac{9}{2}$ ...... ㉡

주어진 연립부등식의 해는 존재하지만 정수인 해는 존재하지 않으므로

㉠에서 $k+1<0$, 즉 $k<-1$이고

$x<-\dfrac{6}{k+1}$ ...... ㉢

㉡, ㉢의 공통부분이 조건을 만족시키도록 수직

선 위에 나타내면 그림과 같다.

따라서 정수인 해가 존재하지 않으려면

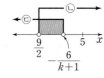

$\dfrac{9}{2}<-\dfrac{6}{k+1}\le5$

부등식 $\dfrac{9}{2}<-\dfrac{6}{k+1}$에서 $9k+9>-12\,(\because k+1<0)$

$\therefore k>-\dfrac{7}{3}$ ...... ㉣

부등식 $-\dfrac{6}{k+1}\le5$에서 $-6\ge5k+5\,(\because k+1<0)$

$\therefore k\le-\dfrac{11}{5}$ ...... ㉤

㉣, ㉤의 공통부분을 구하면 $-\dfrac{7}{3}<k\le-\dfrac{11}{5}$

이때 $k<-1$이므로 $-\dfrac{7}{3}<k\le-\dfrac{11}{5}$

02 답 28

어떤 양수를 소수점 아래 첫째 자리에서 반올림한 정수가 6보다 크거나

같으려면 그 양수는 5.5 이상이어야 한다.

즉, 부등식 $f\left(\dfrac{5}{2}x+2\right)\ge6$에서 $\dfrac{5}{2}x+2\ge5.5$

$\dfrac{5}{2}x\ge\dfrac{7}{2}$ $\therefore x\ge\dfrac{7}{5}$ ...... ㉠

또 어떤 양수를 소수점 아래 첫째 자리에서 반올림한 정수가 12보다 작

으려면 그 양수는 11.5 미만이어야 한다.

즉, 부등식 $f\left(\dfrac{3}{4}x+1\right)<12$에서 $0<\dfrac{3}{4}x+1<11.5$

$-1<\dfrac{3}{4}x<\dfrac{21}{2}$ $\therefore -\dfrac{4}{3}<x<14$ ...... ㉡

㉠, ㉡의 공통부분을 구하면 $\dfrac{7}{5}\le x<14$

따라서 $\alpha=\dfrac{7}{5}, \beta=14$이므로

$10\alpha+\beta=14+14=28$

03 답 ②

세 부등식 $x-y+1<0$, $3x-y+6>0$, $3x+y-3<0$에서

$y>x+1$, $y<3x+6$, $y<-3x+3$

$\therefore \begin{cases} x+1<y<3x+6 & \cdots\cdots \text{㉠} \\ x+1<y<-3x+3 & \cdots\cdots \text{㉡} \end{cases}$

㉠에서 $x+1<3x+6$이므로

$-2x<5$ $\therefore x>-\dfrac{5}{2}$ $\cdots\cdots$ ㉢

㉡에서 $x+1<-3x+3$이므로

$4x<2$ $\therefore x<\dfrac{1}{2}$ $\cdots\cdots$ ㉣

㉢, ㉣의 공통부분을 구하면

$-\dfrac{5}{2}<x<\dfrac{1}{2}$

따라서 주어진 세 부등식을 만족시키는 정수 x의 값은 -2, -1, 0이다.

(i) $x=-2$일 때,

㉠에서 $-1<y<0$이고, ㉡에서 $-1<y<9$이므로

$-1<y<0$

이때 정수 y는 존재하지 않는다.

(ii) $x=-1$일 때,

㉠에서 $0<y<3$이고, ㉡에서 $0<y<6$이므로

$0<y<3$

즉, 정수 y의 값은 1, 2이므로 순서쌍 $(x,\,y)$는 $(-1,\,1)$, $(-1,\,2)$의 2개이다.

(iii) $x=0$일 때,

㉠에서 $1<y<6$이고, ㉡에서 $1<y<3$이므로

$1<y<3$

즉, 정수 y의 값은 2이므로 순서쌍 $(x,\,y)$는 $(0,\,2)$의 1개이다.

(i), (ii), (iii)에서 순서쌍 $(x,\,y)$의 개수는

$2+1=3$

04 답 -3

$|2x-9|\geq 0$이므로

$|2x-9|+\dfrac{1}{3}\geq \dfrac{1}{3}$

부등식 $\left||2x-9|+\dfrac{1}{3}\right|<\dfrac{4}{3}$에서

$\dfrac{1}{3}\leq |2x-9|+\dfrac{1}{3}<\dfrac{4}{3}$

$0\leq |2x-9|<1$

$-1<2x-9<1$

$8<2x<10$

$\therefore 4<x<5$ $\cdots\cdots$ ㉠   ········· 배점 **30%**

부등식 $2a+5b-5<(a+2b)x<a+b-1$에서

(i) $a+2b>0$일 때,

$\dfrac{2a+5b-5}{a+2b}<x<\dfrac{a+b-1}{a+2b}$이고 이는 ㉠과 같으므로

$\dfrac{2a+5b-5}{a+2b}=4$, $\dfrac{a+b-1}{a+2b}=5$

$\therefore 2a+3b=-5$, $4a+9b=-1$

두 식을 연립하여 풀면

$a=-7$, $b=3$

이때 $a+2b=-1<0$이므로 조건을 만족시키지 않는다.   ···· 배점 **30%**

(ii) $a+2b<0$일 때,

$\dfrac{a+b-1}{a+2b}<x<\dfrac{2a+5b-5}{a+2b}$이고 이는 ㉠과 같으므로

$\dfrac{a+b-1}{a+2b}=4$, $\dfrac{2a+5b-5}{a+2b}=5$

$3a+7b=-1$, $3a+5b=-5$

두 식을 연립하여 풀면 $a=-5$, $b=2$

이때 $a+2b=-1<0$이므로 조건을 만족시킨다.   ········· 배점 **30%**

(i), (ii)에서 $a=-5$, $b=2$이므로

$a+b=-3$ ·································· 배점 **10%**

05 답 49

(i) $x<0$일 때,

$|x-m|=-(x-m)$, $|x|=-x$이므로

$-(x-m)-x<n$, $-2x<-m+n$

$\therefore x>\dfrac{m-n}{2}$

그런데 $x<0$이므로 $\dfrac{m-n}{2}<x<0$ ($\because m<n$)

(ii) $0\leq x<m$일 때,

$|x-m|=-(x-m)$, $|x|=x$이므로

$-(x-m)+x<n$

$0\times x<n-m$이고 $n-m>0$이므로 해는 모든 실수이다.

그런데 $0\leq x<m$이므로 $0\leq x<m$

(iii) $x\geq m$일 때,

$|x-m|=x-m$, $|x|=x$이므로

$(x-m)+x<n$, $2x<m+n$

$\therefore x<\dfrac{m+n}{2}$

그런데 $x\geq m$이고, $m=\dfrac{m+m}{2}<\dfrac{m+n}{2}$이므로

$m\leq x<\dfrac{m+n}{2}$

(i), (ii), (iii)에서 $\dfrac{m-n}{2}<x<\dfrac{m+n}{2}$ $\cdots\cdots$ ㉠

$m=1$, $n=5$일 때, ㉠에서 $-2<x<3$이므로 $f(1,\,5)=4$ → 정수 x는 -1, 0, 1, 2의 4개이다.

$m=2$, $n=6$일 때, ㉠에서 $-2<x<4$이므로 $f(2,\,6)=5$

$m=3$, $n=7$일 때, ㉠에서 $-2<x<5$이므로 $f(3,\,7)=6$

$\vdots$

$m=7$, $n=11$일 때, ㉠에서 $-2<x<9$이므로 $f(7,\,11)=10$

$\therefore f(1,\,5)+f(2,\,6)+f(3,\,7)+\cdots+f(7,\,11)=4+5+6+\cdots+10$

$=49$

06 답 ⑤

그림과 같이 두 이차함수 $y=f(x)$, $y=g(x)$의 그래프의 두 교점의 x좌표를 α, β $(\alpha<\beta)$라 하면

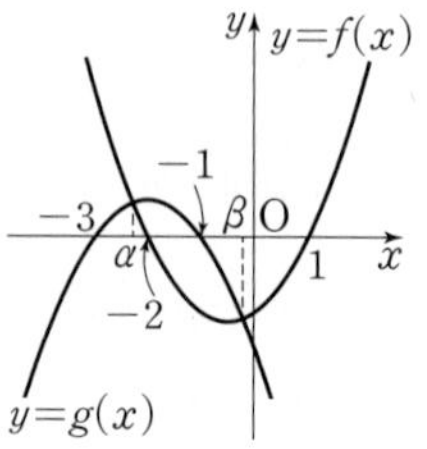

$-3<\alpha<-2$, $-1<\beta<0$

부등식 $\{f(x)\}^2\geq f(x)g(x)$에서

$f(x)\{f(x)-g(x)\}\geq 0$

(i) $f(x)\geq 0$, $f(x)-g(x)\geq 0$일 때,

부등식 $f(x)\geq 0$의 해는 이차함수 $y=f(x)$의 그래프가 x축보다 위쪽에 있거나 만나는 부분의 x의 값의 범위와 같으므로

$x\leq -2$ 또는 $x\geq 1$ $\cdots\cdots$ ㉠

부등식 $f(x)-g(x)\geq0$, 즉 $f(x)\geq g(x)$의 해는 이차함수 $y=f(x)$의 그래프가 이차함수 $y=g(x)$의 그래프보다 위쪽에 있거나 만나는 부분의 x의 값의 범위와 같으므로

$x\leq\alpha$ 또는 $x\geq\beta$ ...... ㉡

㉠, ㉡의 공통부분을 구하면 $x\leq\alpha$ 또는 $x\geq1$

그런데 $-5<x<5$이므로

$-5<x\leq\alpha$ 또는 $1\leq x<5$

즉, 정수 x는 -4, -3, 1, 2, 3, 4의 6개이다.

(ii) $f(x)\leq0$, $f(x)-g(x)\leq0$일 때,

부등식 $f(x)\leq0$의 해는 이차함수 $y=f(x)$의 그래프가 x축보다 아래쪽에 있거나 만나는 부분의 x의 값의 범위와 같으므로

$-2\leq x\leq1$ ...... ㉢

부등식 $f(x)-g(x)\leq0$, 즉 $f(x)\leq g(x)$의 해는 이차함수 $y=f(x)$의 그래프가 이차함수 $y=g(x)$의 그래프보다 아래쪽에 있거나 만나는 부분의 x의 값의 범위와 같으므로

$\alpha\leq x\leq\beta$ ...... ㉣

㉢, ㉣의 공통부분을 구하면 $-2\leq x\leq\beta$

그런데 $-5<x<5$이므로 $-2\leq x\leq\beta$

즉, 정수 x는 -2, -1의 2개이다.

(i), (ii)에서 정수 x의 개수는 $6+2=8$

개념 NOTE

두 함수 $f(x)$, $g(x)$에 대하여

(1) 부등식 $f(x)>g(x)$의 해는 함수 $y=f(x)$의 그래프가 함수 $y=g(x)$의 그래프보다 위쪽에 있는 부분의 x의 값의 범위와 같다.

(2) 부등식 $f(x)<g(x)$의 해는 함수 $y=f(x)$의 그래프가 함수 $y=g(x)$의 그래프보다 아래쪽에 있는 부분의 x의 값의 범위와 같다.

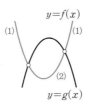

---

07 답 ④

함수 $y=f(x)$의 그래프에서 $x\leq-1$ 또는 $x\geq3$일 때 $f(x)\geq0$이고, $-1<x<3$일 때 $f(x)<0$이므로

$$|f(x)|=\begin{cases}f(x) & (x\leq-1 \text{ 또는 } x\geq3)\\-f(x) & (-1<x<3)\end{cases}$$

$$\therefore g(x)=\begin{cases}\dfrac{f(x)+f(x)}{2} & (x\leq-1 \text{ 또는 } x\geq3)\\\dfrac{f(x)-f(x)}{2} & (-1<x<3)\end{cases}$$

$$=\begin{cases}f(x) & (x\leq-1 \text{ 또는 } x\geq3)\\0 & (-1<x<3)\end{cases}$$

따라서 함수 $y=g(x)$의 그래프는 그림과 같다.

ㄱ. $f(x)=x^2-2x-3=(x-1)^2-4$

따라서 함수 $y=f(x)$의 그래프는 직선 $x=1$에 대하여 대칭이므로 함수 $y=g(x)$의 그래프도 직선 $x=1$에 대하여 대칭이다.

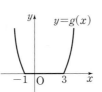

ㄴ. 방정식 $g(x)=1$의 서로 다른 실근의 개수는 함수 $y=g(x)$의 그래프와 직선 $y=1$의 교점의 개수와 같다.

그림과 같이 함수 $y=g(x)$의 그래프는 직선 $y=1$과 서로 다른 두 점에서 만나므로 방정식 $g(x)=1$은 서로 다른 두 실근을 갖는다.

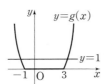

ㄷ. 부등식 $g(x)\leq0$의 해는 함수 $y=g(x)$의 그래프가 x축보다 아래쪽에 있거나 만나는 부분의 x의 값의 범위와 같으므로

$-1\leq x\leq3$ → 아래쪽에 있는 부분은 없고 만나는 부분만 존재한다.

따라서 보기에서 옳은 것은 ㄴ, ㄷ이다.

08 답 ①

$[x-2]=n$ (n은 정수)이라 하면

$n\leq x-2<n+1$ ...... ㉠

$\therefore n+3\leq x+1<n+4$

$[x+1]=n+3$이므로 부등식 $[x-2]^2-3[x+1]+9\leq0$에서

$n^2-3(n+3)+9\leq0$

$n^2-3n\leq0$, $n(n-3)\leq0$

$\therefore 0\leq n\leq3$

이때 정수 n의 값은 0, 1, 2, 3이므로 ㉠에서

$0\leq x-2<4$ → $n=0$일 때 $0\leq x-2<1$, $n=1$일 때 $1\leq x-2<2$, $n=2$일 때 $2\leq x-2<3$, $n=3$일 때 $3\leq x-2<4$

$\therefore 2\leq x<6$

즉, $\alpha=2$, $\beta=6$이므로 주어진 이차함수 $f(x)$에서

$f(x)=(x-2)(x-6)=x^2-8x+12$

$=(x-4)^2-4$

따라서 이차함수 $f(x)$는 $x=4$일 때 최솟값이 -4이다.

비법 NOTE

$[x]$는 x보다 크지 않은 최대의 정수일 때, 정수 n에 대하여

(1) $n\leq x<n+1$이면 $[x]=n$

(2) $[x]=n$이면 $n\leq x<n+1$

---

09 답 ②

이차함수 $y=f(x)$의 그래프가 x축과 두 점 $(a, 0)$, $(a+3, 0)$에서 만나므로 최고차항의 계수를 k $(k>0)$라 하면

$f(x)=k(x-a)(x-a-3)$

부등식 $f\left(\dfrac{x+b}{2}\right)\leq0$에서

$k\left(\dfrac{x+b}{2}-a\right)\left(\dfrac{x+b}{2}-a-3\right)\leq0$

$\dfrac{k}{4}(x+b-2a)(x+b-2a-6)\leq0$

$(x+b-2a)(x+b-2a-6)\leq0$ $(\because k>0)$

$\therefore 2a-b\leq x\leq2a-b+6$

이 부등식의 해가 $-3\leq x\leq3$이므로

$2a-b=-3$ ...... ㉠

부등식 $f\left(\dfrac{b-x}{4}\right)\leq0$에서

$k\left(\dfrac{b-x}{4}-a\right)\left(\dfrac{b-x}{4}-a-3\right)\leq0$

$\dfrac{k}{16}(x-b+4a)(x-b+4a+12)\leq0$

$(x-b+4a)(x-b+4a+12)\leq0$ $(\because k>0)$

$\therefore -4a+b-12\leq x\leq-4a+b$

이 부등식의 해가 $-8\leq x\leq4$이므로

$-4a+b=4$ ...... ㉡

㉠, ㉡을 연립하여 풀면

$a=-\dfrac{1}{2}$, $b=2$

$\therefore 2ab=-2$

이차함수 $y=f(x)$의 그래프가 x축과 두 점 $(a, 0)$, $(a+3, 0)$에서 만나고 최고차항의 계수가 양수이므로 부등식 $f(x)\leq 0$의 해는

$a\leq x\leq a+3$

부등식 $f\left(\dfrac{x+b}{2}\right)\leq 0$에서 $\dfrac{x+b}{2}=t$로 놓으면 부등식 $f(t)\leq 0$의 해는

$a\leq t\leq a+3$이므로

$a\leq\dfrac{x+b}{2}\leq a+3$, $2a\leq x+b\leq 2a+6$

$\therefore 2a-b\leq x\leq 2a-b+6$

이 부등식의 해가 $-3\leq x\leq 3$이므로

$2a-b=-3$ $\cdots\cdots$ ㉠

부등식 $f\left(\dfrac{b-x}{4}\right)\leq 0$에서 $\dfrac{b-x}{4}=s$로 놓으면 부등식 $f(s)\leq 0$의 해는

$a\leq s\leq a+3$이므로

$a\leq\dfrac{b-x}{4}\leq a+3$, $4a\leq b-x\leq 4a+12$

$4a-b\leq -x\leq 4a-b+12$

$\therefore -4a+b-12\leq x\leq -4a+b$

이 부등식의 해가 $-8\leq x\leq 4$이므로

$-4a+b=4$ $\cdots\cdots$ ㉡

㉠, ㉡을 연립하여 풀면

$a=-\dfrac{1}{2}$, $b=2$ $\therefore 2ab=-2$

10 답 27

㈎에서 두 함수 $y=f(x)$, $y=g(x)$의 그래프의 축이 직선 $x=p$이므로

$f(x)=\dfrac{1}{2}(x-p)^2+a$, $g(x)=2(x-p)^2+b$ $(a, b$는 상수$)$라 하면

$f(x)-g(x)=-\dfrac{3}{2}(x-p)^2+a-b$ $\cdots\cdots$ ㉠

㈏에서 부등식 $f(x)\geq g(x)$, 즉 $f(x)-g(x)\geq 0$의 해가 $-1\leq x\leq 5$이고 $f(x)-g(x)$의 최고차항의 계수는 $-\dfrac{3}{2}$이므로

$f(x)-g(x)=-\dfrac{3}{2}(x+1)(x-5)$

$=-\dfrac{3}{2}(x^2-4x-5)$

$=-\dfrac{3}{2}(x-2)^2+\dfrac{27}{2}$ $\cdots\cdots$ ㉡

㉠, ㉡에서 $p=2$

㉡에서 $f(2)-g(2)=\dfrac{27}{2}$

$\therefore p\times\{f(2)-g(2)\}=2\times\dfrac{27}{2}=27$

11 답 $a<-1$

부등식 $x^2>a|x|+a+1$에서

$|x|^2-a|x|-a-1>0$

이때 $|x|=t$ $(t\geq 0)$로 놓으면 주어진 부등식은

$t^2-at-a-1>0$

$f(t)=t^2-at-a-1$이라 할 때 이차방정식 $f(t)=0$의 판별식을 D라 하면

$D=a^2-4(-a-1)=a^2+4a+4=(a+2)^2\geq 0$

따라서 이차방정식 $f(t)=0$은 실근을 갖는다.

$t\geq 0$에서 이차부등식 $f(t)>0$이 항상 성립하려면 이차방정식 $f(t)=0$의 두 실근이 모두 음수이어야 하므로 두 실근을 α, β라 하면

$\alpha+\beta<0$, $\alpha\beta>0$

$\alpha+\beta<0$에서 $a<0$ $\cdots\cdots$ ㉠

$\alpha\beta>0$에서 $-a-1>0$ $\therefore a<-1$ $\cdots\cdots$ ㉡

㉠, ㉡의 공통부분을 구하면 $a<-1$

12 답 30

이차부등식 $x^2-10x+21\leq 0$에서

$(x-3)(x-7)\leq 0$

$\therefore 3\leq x\leq 7$ $\cdots\cdots$ ㉠

이를 만족시키는 정수 x의 값은 3, 4, 5, 6, 7이다.

이차부등식 $x^2-2(n-1)x+n^2-2n\geq 0$에서

$x^2-2(n-1)x+n(n-2)\geq 0$

$\{x-(n-2)\}(x-n)\geq 0$

$\therefore x\leq n-2$ 또는 $x\geq n$ $\cdots\cdots$ ㉡

n이 자연수이므로 이를 만족시키는 정수 x의 값은 $n-1$을 제외한 모든 정수이다.

㉠, ㉡을 모두 만족시키는 정수 x가 4개이려면 $n-1$의 값이 3, 4, 5, 6, 7이어야 한다.

따라서 자연수 n의 값은 4, 5, 6, 7, 8이므로 그 합은

$4+5+6+7+8=30$

13 답 ③

이차부등식 $x^2-5x+4<0$에서

$(x-1)(x-4)<0$

$\therefore 1<x<4$

이때 이차부등식 $x^2-2[x]x+3<0$의 해를 구하면

(ⅰ) $1<x<2$일 때,

$[x]=1$이므로 $x^2-2x+3<0$

그런데 $x^2-2x+3=(x-1)^2+2>0$이므로 해는 존재하지 않는다.

(ⅱ) $2\leq x<3$일 때,

$[x]=2$이므로 $x^2-4x+3<0$

$(x-1)(x-3)<0$

$\therefore 1<x<3$

그런데 $2\leq x<3$이므로 $2\leq x<3$

(ⅲ) $3\leq x<4$일 때,

$[x]=3$이므로 $x^2-6x+3<0$

$\therefore \underset{0.5\cdots}{3-\sqrt{6}}<x<\underset{5.4\cdots}{3+\sqrt{6}}$

그런데 $3\leq x<4$이므로 $3\leq x<4$

(ⅰ), (ⅱ), (ⅲ)에서 $2\leq x<4$

따라서 $\alpha=2$, $\beta=4$이므로

$\alpha+\beta=6$

14 답 $1\leq a\leq 2$

이차부등식 $x^2-(a^2-1)x-a^2\leq 0$에서

$(x+1)(x-a^2)\leq 0$

$\therefore -1\leq x\leq a^2$ $(\because a^2>0)$ $\cdots\cdots$ ㉠

이차부등식 $x^2+(a-4)x-4a>0$에서

$(x+a)(x-4)>0$ $\cdots\cdots$ ㉡

이때 ㉠, ㉡의 공통부분이 존재하지 않도록
수직선 위에 나타내면 그림과 같다.
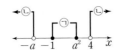
따라서 주어진 연립부등식이 해를 갖지 않으
려면
$-a \leq -1$, $a^2 \leq 4$
$-a \leq -1$에서 $a \geq 1$ …… ㉢
$a^2 \leq 4$에서 $a^2 - 4 \leq 0$
$(a+2)(a-2) \leq 0$
$\therefore -2 \leq a \leq 2$ …… ㉣
㉢, ㉣의 공통부분을 구하면 $1 \leq a \leq 2$

15 답 ②

이차부등식 $-x^2 + 3x + 2 \leq mx + n$에서
$x^2 + (m-3)x + n - 2 \geq 0$
이 이차부등식이 모든 실수 x에 대하여 성립하므로 이차방정식
$x^2 + (m-3)x + n - 2 = 0$의 판별식을 D_1이라 하면
$D_1 = (m-3)^2 - 4(n-2) \leq 0$
$\therefore 4n \geq m^2 - 6m + 17$ …… ㉠
또 이차부등식 $mx + n \leq x^2 - x + 4$에서
$x^2 - (m+1)x + 4 - n \geq 0$
이 이차부등식이 모든 실수 x에 대하여 성립하므로 이차방정식
$x^2 - (m+1)x + 4 - n = 0$의 판별식을 D_2라 하면
$D_2 = (m+1)^2 - 4(4-n) \leq 0$
$\therefore 4n \leq -m^2 - 2m + 15$ …… ㉡
㉠, ㉡에서
$m^2 - 6m + 17 \leq 4n \leq -m^2 - 2m + 15$ …… ㉢
즉, $m^2 - 6m + 17 \leq -m^2 - 2m + 15$이므로
$2m^2 - 4m + 2 \leq 0$
$2(m-1)^2 \leq 0$
이때 $(m-1)^2 \geq 0$이므로 $m = 1$
이를 ㉢에 대입하면 $12 \leq 4n \leq 12$이므로
$4n = 12$ $\therefore n = 3$
$\therefore m^2 + n^2 = 1 + 9 = 10$

16 답 ④

부등식 $|x+b| \leq 1$에서 $-1 \leq x + b \leq 1$
$\therefore -b - 1 \leq x \leq -b + 1$ …… ㉠
이때 $-b+1-(-b-1) = 2$이므로 ㉠은 연립부등식의 해인 $2 \leq x \leq 3$
과 같지 않다.
또 이차부등식 $x^2 + x + a \geq 0$에서 이차항의 계수가 양수이므로 이 부등
식의 해는 연립부등식의 해인 $2 \leq x \leq 3$과 같지 않다.
(i) $-b-1 = 2$, 즉 $b = -3$인 경우
  부등식 $|x+b| \leq 1$의 해는 ㉠에서
  $2 \leq x \leq 4$ …… ㉡
  이때 주어진 연립부등식의 해가 $2 \leq x \leq 3$이므로 이차방정식
  $x^2 + x + a = 0$의 한 근이 3이다.
  따라서 $9 + 3 + a = 0$이므로 $a = -12$
  이차부등식 $x^2 + x - 12 \geq 0$에서 $(x+4)(x-3) \geq 0$
  $\therefore x \leq -4$ 또는 $x \geq 3$ …… ㉢
  ㉡, ㉢의 공통부분을 구하면 $3 \leq x \leq 4$
  이는 조건을 만족시키지 않는다.

(ii) $-b+1 = 3$, 즉 $b = -2$인 경우
  부등식 $|x+b| \leq 1$의 해는 ㉠에서
  $1 \leq x \leq 3$ …… ㉣
  이때 주어진 연립부등식의 해가 $2 \leq x \leq 3$이므로 이차방정식
  $x^2 + x + a = 0$의 한 근이 2이다.
  따라서 $4 + 2 + a = 0$이므로 $a = -6$
  이차부등식 $x^2 + x - 6 \geq 0$에서 $(x+3)(x-2) \geq 0$
  $\therefore x \leq -3$ 또는 $x \geq 2$ …… ㉤
  ㉣, ㉤의 공통부분을 구하면 $2 \leq x \leq 3$
  이는 조건을 만족시킨다.
(i), (ii)에서 $a = -6$, $b = -2$
이차부등식 $x^2 + ax + 3 - b \leq 0$에서
$x^2 - 6x + 5 \leq 0$, $(x-1)(x-5) \leq 0$
$\therefore 1 \leq x \leq 5$
이를 만족시키는 정수 x는 1, 2, 3, 4, 5의 5개이다.

17 답 $2 \leq a < 3$

$f(x) = x^2 - 2(a-1)x - a + 3$이라 하자.
(i) 이차방정식 $f(x) = 0$의 실근이 모두 0과 3 사이에 있는 경우
  ⓘ 이차방정식 $f(x) = 0$의 판별식을 D라
   하면
   $\dfrac{D}{4} = (a-1)^2 + a - 3 \geq 0$
   $a^2 - a - 2 \geq 0$, $(a+1)(a-2) \geq 0$
   $\therefore a \leq -1$ 또는 $a \geq 2$
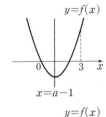
  ⓙ $f(0) > 0$이므로
   $-a + 3 > 0$ $\therefore a < 3$
  ⓚ $f(3) > 0$이므로
   $9 - 6a + 6 - a + 3 > 0$
   $-7a + 18 > 0$ $\therefore a < \dfrac{18}{7}$
  ⓛ 이차함수 $y = f(x)$의 그래프의 축이 직선 $x = a-1$이므로
   $0 < a - 1 < 3$ $\therefore 1 < a < 4$
  ⓘ~ⓛ에서 $2 \leq a < \dfrac{18}{7}$

(ii) 이차방정식 $f(x) = 0$의 한 실근이 0 또는 3이고 다른 한 근이 0과 3
사이에 있는 경우
  ⓘ $f(0) = 0$, 즉 $a = 3$인 경우
   $f(3) > 0$이므로 $a < \dfrac{18}{7}$
   그런데 $a = 3$은 이를 만족시키지 않는다.

  ⓙ $f(3) = 0$, 즉 $a = \dfrac{18}{7}$인 경우
   $f(0) > 0$이므로 $a < 3$
   이차함수 $y = f(x)$의 그래프의 축이 직
   선 $x = a-1$이므로
   $0 < a - 1 < 3$
   $\therefore 1 < a < 4$
   이때 $a = \dfrac{18}{7}$은 이를 모두 만족시킨다.
  ⓘ, ⓙ에서 $a = \dfrac{18}{7}$

(iii) 이차방정식 $f(x)=0$의 한 실근만이 0과 3 사이에 있는 경우

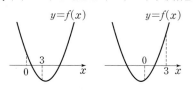

$f(0)f(3)<0$이므로

$(-a+3)(-7a+18)<0$

$(a-3)(7a-18)<0$ $\therefore \dfrac{18}{7}<a<3$

(i), (ii), (iii)에서 실수 a의 값의 범위는

$2\leq a<3$

다른 풀이

이차방정식 $x^2-2(a-1)x-a+3=0$에서

$x^2+2x+3=a(2x+1)$

주어진 이차방정식의 실근은 이차함수 $y=x^2+2x+3$의 그래프와 직선 $y=a(2x+1)$의 교점의 x좌표와 같으므로 $0<x<3$에서 교점이 존재해야 한다.

$f(x)=x^2+2x+3$이라 하면

$f(x)=(x+1)^2+2$, $f(0)=3$, $f(3)=18$

직선 $y=a(2x+1)$은 a의 값에 관계없이 항상 점 $\left(-\dfrac{1}{2},\ 0\right)$을 지나므로 $0<x<3$에서 이 직선과 이차함수 $y=f(x)$의 그래프가 만나려면 그림과 같이 직선이 이차함수 $y=f(x)$의 그래프에 접하거나 점 $(0,\ 3)$을 지나는 직선 사이에 있어야 한다.

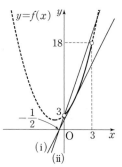

또 직선 $y=a(2x+1)$의 기울기가 양수이어야 하므로 $a>0$

(i) 이차함수 $y=x^2+2x+3$의 그래프와 직선 $y=a(2x+1)$이 접할 때,

$x^2+2x+3=a(2x+1)$에서 $x^2-2(a-1)x-a+3=0$

이 이차방정식의 판별식을 D라 하면

$\dfrac{D}{4}=(a-1)^2+a-3=0$

$a^2-a-2=0$, $(a+1)(a-2)=0$

$\therefore a=2\ (\because a>0)$

(ii) 직선 $y=a(2x+1)$이 점 $(0,\ 3)$을 지날 때,

$a=3$

(i), (ii)에서 실수 a의 값의 범위는

$2\leq a<3$

18 답 43

$f(x)=x^3-3ax^2+(2a^2+a+6)x-a^2-6a$라 하면 $f(a)=0$이므로 조립제법을 이용하여 $f(x)$를 인수분해하면

a	1	$-3a$	$2a^2+a+6$	$-a^2-6a$
		a	$-2a^2$	a^2+6a
	1	$-2a$	$a+6$	0

$\therefore f(x)=(x-a)(x^2-2ax+a+6)$

삼차방정식 $(x-a)(x^2-2ax+a+6)=0$에서

$x=a$ 또는 $x^2-2ax+a+6=0$

이때 세 근이 모두 4보다 작아야 하므로

$a<4$ ...... ㉠   ········· 배점 **30%**

또 이차방정식 $x^2-2ax+a+6=0$의 근이 모두 4보다 작아야 한다.

$g(x)=x^2-2ax+a+6$이라 하자.

(i) 이차방정식 $g(x)=0$의 판별식을 D라 하면

$\dfrac{D}{4}=a^2-a-6\geq0$

$(a+2)(a-3)\geq0$

$\therefore a\leq-2$ 또는 $a\geq3$

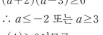

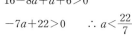

(ii) $g(4)>0$이므로

$16-8a+a+6>0$

$-7a+22>0$ $\therefore a<\dfrac{22}{7}$

(iii) 이차함수 $y=g(x)$의 그래프의 축이 직선 $x=a$이므로

$a<4$

(i), (ii), (iii)에서

$a\leq-2$ 또는 $3\leq a<\dfrac{22}{7}$ ...... ㉡ ································ 배점 **40%**

㉠, ㉡의 공통부분을 구하면

$a\leq-2$ 또는 $3\leq a<\dfrac{22}{7}$

그런데 $a>0$이므로

$3\leq a<\dfrac{22}{7}$ ·································· 배점 **20%**

따라서 $p=3$, $q=\dfrac{22}{7}$이므로

$7(p+q)=7\left(3+\dfrac{22}{7}\right)=43$ ············ 배점 **10%**

19 답 ②

그림과 같이 점 A에서 변 CD에 내린 수선의 발을 E라 하자.

사각형 ACDB는 등변사다리꼴이고,

$\angle BAC=120°$이므로

$\angle CAE=30°$, $\angle ACE=60°$

$\overline{AB}=d\,(\text{m})$이므로

$\overline{CE}=10-\dfrac{1}{2}d\,(\text{m})$

$\therefore \overline{AE}=\overline{CE}\tan60°=\sqrt{3}\left(10-\dfrac{1}{2}d\right)=10\sqrt{3}-\dfrac{\sqrt{3}}{2}d\,(\text{m})$,

$\overline{AC}=\dfrac{\overline{CE}}{\sin30°}=2\left(10-\dfrac{1}{2}d\right)=20-d\,(\text{m})$

이때 $\overline{AB}\leq4\overline{AC}$이므로

$d\leq4(20-d)$

$d\leq80-4d$ $\therefore d\leq16$ ...... ㉠

또 사다리꼴 ACDB의 넓이는 $75\sqrt{3}\,\text{m}^2$ 이하이므로

$\dfrac{1}{2}\times(\overline{AB}+\overline{CD})\times\overline{AE}\leq75\sqrt{3}$

$\dfrac{1}{2}(d+20)\left(10\sqrt{3}-\dfrac{\sqrt{3}}{2}d\right)\leq75\sqrt{3}$

$100-\dfrac{1}{4}d^2\leq75$, $d^2-100\geq0$

$(d+10)(d-10)\geq0$

$\therefore d\leq-10$ 또는 $d\geq10$

그런데 $d>0$이므로 $d\geq10$ ...... ㉡

㉠, ㉡의 공통부분을 구하면

$10\leq d\leq16$

따라서 d의 최댓값은 16, 최솟값은 10이므로 그 합은 26이다.

20 답 15

점 A는 y축 위의 점이므로

$A(0, k^2+4)$

점 A를 지나고 x축에 평행한 직선의 방정식은 $y=k^2+4$

이차함수 $y=-x^2+2kx+k^2+4$의 그래프와 직선 $y=k^2+4$의 교점의 x좌표를 구하면

$-x^2+2kx+k^2+4=k^2+4$

$x^2-2kx=0$

$x(x-2k)=0$

$\therefore x=0$ 또는 $x=2k$

이때 $x=0$인 점은 A이므로

$B(2k, k^2+4)$, $C(2k, 0)$

사각형 OCBA의 둘레의 길이가 $g(k)$이므로

$g(k)=2(\overline{OC}+\overline{BC})$

$\qquad=2(2k+k^2+4)$

$\qquad=2k^2+4k+8$

부등식 $14 \leq g(k) \leq 78$에서

$14 \leq 2k^2+4k+8 \leq 78$

$\therefore 7 \leq k^2+2k+4 \leq 39$

이차부등식 $7 \leq k^2+2k+4$에서

$k^2+2k-3 \geq 0$

$(k+3)(k-1) \geq 0$

$\therefore k \leq -3$ 또는 $k \geq 1$ ...... ㉠

이차부등식 $k^2+2k+4 \leq 39$에서

$k^2+2k-35 \leq 0$

$(k+7)(k-5) \leq 0$

$\therefore -7 \leq k \leq 5$ ...... ㉡

㉠, ㉡의 공통부분을 구하면

$-7 \leq k \leq -3$ 또는 $1 \leq k \leq 5$

그런데 $k>0$이므로

$1 \leq k \leq 5$

따라서 자연수 k의 값은 1, 2, 3, 4, 5이므로 그 합은

$1+2+3+4+5=15$

21 답 ①

$\overline{AB}$, $\overline{BC}$, $\frac{1}{2}\overline{AC}$를 세 변의 길이로 하는 삼각형이 존재하려면 삼각형의 두 변의 길이의 합이 나머지 한 변의 길이보다 커야 한다.

(i) $x<1$일 때,

$\overline{BC}=\overline{AB}+\overline{AC}>\overline{AB}+\frac{1}{2}\overline{AC}$이므로 삼각형

이 존재하지 않는다.

(ii) $x=1$ 또는 $x=5$일 때,

$\frac{1}{2}\overline{AC}=0$ 또는 $\overline{BC}=0$이므로 삼각형이 존재하지 않는다.

(iii) $1<x<5$일 때,

$\overline{AB}=\overline{AC}+\overline{BC}>\frac{1}{2}\overline{AC}+\overline{BC}$이므로 삼각형이

존재하지 않는다.

(iv) $x>5$일 때,

$\overline{AB}=4$, $\overline{BC}=x-5$, $\frac{1}{2}\overline{AC}=\frac{1}{2}(x-1)$

$\overline{BC}+\frac{1}{2}\overline{AC}>\overline{AB}$에서

$x-5+\frac{1}{2}(x-1)>4$

$\frac{3}{2}x>\frac{19}{2}$ $\quad\therefore x>\frac{19}{3}$ ...... ㉠

$\overline{AB}+\frac{1}{2}\overline{AC}>\overline{BC}$에서

$4+\frac{1}{2}(x-1)>x-5$

$-\frac{1}{2}x>-\frac{17}{2}$ $\quad\therefore x<17$ ...... ㉡

$\overline{AB}+\overline{BC}>\frac{1}{2}\overline{AC}$에서

$4+x-5>\frac{1}{2}(x-1)$

$\frac{1}{2}x>\frac{1}{2}$ $\quad\therefore x>1$ ...... ㉢

㉠, ㉡, ㉢의 공통부분을 구하면

$\frac{19}{3}<x<17$

그런데 $x>5$이므로 $\frac{19}{3}<x<17$

(i)~(iv)에서 $\frac{19}{3}<x<17$

따라서 $\alpha=\frac{19}{3}$, $\beta=17$이므로

$3\alpha-\beta=19-17=2$

22 답 $0<a \leq 4$

처음 $a\,\mathrm{g}$의 설탕물을 덜어 내어도 설탕물의 농도는 변하지 않으므로 남은 10 %의 설탕물 $(80-a)\,\mathrm{g}$의 설탕의 양은

$\frac{10}{100}(80-a)=8-\frac{1}{10}a(\mathrm{g})$

또 물 $a\,\mathrm{g}$을 부은 후의 설탕물의 농도는

$\frac{8-\frac{1}{10}a}{80}\times 100=10-\frac{1}{8}a(\%)$

다시 설탕물 $10a\,\mathrm{g}$을 덜어 낼 때, 덜어 낸 설탕물의 설탕의 양은

$\frac{10-\frac{1}{8}a}{100}\times 10a=a-\frac{1}{80}a^2(\mathrm{g})$

이때 남아 있는 설탕물의 설탕의 양은

$\left(8-\frac{1}{10}a\right)-\left(a-\frac{1}{80}a^2\right)=\frac{1}{80}a^2-\frac{11}{10}a+8(\mathrm{g})$

남아 있는 설탕의 양이 $\frac{19}{5}\,\mathrm{g}$ 이상이 되어야 하므로

$\frac{1}{80}a^2-\frac{11}{10}a+8 \geq \frac{19}{5}$, $a^2-88a+640 \geq 304$

$a^2-88a+336 \geq 0$, $(a-4)(a-84) \geq 0$

$\therefore a \leq 4$ 또는 $a \geq 84$

그런데 $0<a<80$이므로

$0<a \leq 4$

개념 NOTE

(1) 농도가 $a\,\%$인 설탕물 $m\,\mathrm{g}$에 있는 설탕의 양은 $\frac{a}{100}m\,\mathrm{g}$

(2) 설탕물 $m\,\mathrm{g}$에 설탕이 $x\,\mathrm{g}$ 있을 때 설탕물의 농도는 $\left(\frac{x}{m}\times 100\right)\%$

01 ②	02 ④	03 6	04 2	05 ①	06 −15
07 $a \geq 3+2\sqrt{2}$		08 $\sqrt{5}-\sqrt{10}$			

^{+idea}
01 답 ②

1단계 주어진 부등식의 좌변을 절댓값이 없는 식으로 나타내기

$b-a=8$에서 $b=a+8$이므로 주어진 부등식에서

$f(x)=|4x-3a-b|+|4x-5a+b|$라 하면

$f(x)=|4x-4a-8|+|4x-4a+8|$

$\quad\;\;=4|x-(a+2)|+4|x-(a-2)|$

$x<a-2$일 때,

$f(x)=-4(x-a-2)-4(x-a+2)=-8x+8a$

$a-2 \leq x < a+2$일 때,

$f(x)=-4(x-a-2)+4(x-a+2)=16$

$x \geq a+2$일 때,

$f(x)=4(x-a-2)+4(x-a+2)=8x-8a$

$\therefore f(x)=\begin{cases} -8x+8a & (x<a-2) \\ 16 & (a-2 \leq x < a+2) \\ 8x-8a & (x \geq a+2) \end{cases}$

2단계 주어진 부등식의 해를 함수의 그래프와 직선의 위치 관계로 파악하기

이때 a가 정수이므로 $a-2 \leq x \leq a+2$를 만족시키는 정수 x는 $a-2$, $a-1$, a, $a+1$, $a+2$의 5개이다.

부등식 $f(x) \leq k$의 해는 함수 $y=f(x)$의 그래프가 직선 $y=k$보다 아래쪽에 있거나 만나는 부분의 x의 값의 범위와 같다.

즉, 부등식 $f(x) \leq k$를 만족시키는 정수 x가 9개이려면 그림과 같이 직선 $y=k$는 함수 $y=f(x)$의 그래프와 서로 다른 두 점에서 만나야 하므로 $k>16$

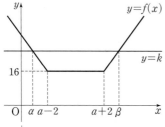

└ y축의 위치는 임의로 정한 것이고
반드시 $a-2>0$인 것은 아니다.

3단계 정수 k의 개수 구하기

$x<a-2$에서 함수 $y=f(x)$의 그래프와 직선 $y=k$의 교점의 x좌표를 α라 하면

$-8\alpha+8a=k$ $\quad \therefore \alpha=\dfrac{8a-k}{8}$

또 $x \geq a+2$에서 함수 $y=f(x)$의 그래프와 직선 $y=k$의 교점의 x좌표를 β라 하면

$8\beta-8a=k$ $\quad \therefore \beta=\dfrac{8a+k}{8}$

따라서 부등식 $f(x) \leq k$의 해는 $\dfrac{8a-k}{8} \leq x \leq \dfrac{8a+k}{8}$

이때 주어진 부등식을 만족시키는 정수 x가 9개이려면

$8 \leq \dfrac{8a+k}{8}-\dfrac{8a-k}{8}<10,\ 8 \leq \dfrac{k}{4}<10$

$\therefore 32 \leq k < 40$

따라서 정수 k는 32, 33, 34, $\cdots$, 39의 8개이다.

02 답 ④

1단계 b의 값 구하기

부등식 $\{x+a(1-[a])\}^2-b^2 \leq 0$에서

$(x+a-a[a]+b)(x+a-a[a]-b) \leq 0$

$\therefore -a+a[a]-b \leq x \leq -a+a[a]+b\ (\because a>0,\ b>0)$

이때 주어진 부등식의 해가 $9 \leq x \leq 19$이므로

$-a+a[a]-b=9$ $\cdots\cdots$ ㉠, $-a+a[a]+b=19$ $\cdots\cdots$ ㉡

㉠+㉡을 하면

$2(-a+a[a])=28$ $\quad \therefore -a+a[a]=14$

㉠−㉡을 하면

$-2b=-10$ $\quad \therefore b=5$

2단계 a의 값 구하기

이때 $-a+a[a]=14$에서

$a([a]-1)=14$ $\cdots\cdots$ ㉢

$[a]=n\ (n$은 음이 아닌 정수)라 하면 $n \leq a < n+1$이므로

$n(n-1) \leq a([a]-1)<(n+1)(n-1)$

$\therefore n(n-1) \leq 14 <(n+1)(n-1)\ (\because ㉢)$

이차부등식 $n(n-1) \leq 14$에서 n의 값은 0, 1, 2, 3, 4이고

이차부등식 $(n+1)(n-1)>14$에서 n의 값은 4, 5, 6, $\cdots$이므로

$n=4$

따라서 $[a]=4$이므로 이를 ㉢에 대입하면

$3a=14$

$\therefore a=\dfrac{14}{3}$

3단계 $a+b$의 값 구하기

$\therefore a+b=\dfrac{14}{3}+5=\dfrac{29}{3}$

03 답 6

1단계 $\beta-\alpha$가 될 수 있는 값 구하기

㈎에서 $\beta-\alpha$는 자연수이므로 α, β는 모두 정수이거나 α, β는 모두 정수가 아닌 실수이다.

㈏에서 $\alpha \leq x \leq \beta$를 만족시키는 정수 x가 3개이므로 α, β가 모두 정수인 경우에는 $\beta-\alpha=2$이고 α, β가 모두 정수가 아닌 실수인 경우에는 $\beta-\alpha=3$이다.

2단계 a의 값 구하기

이차부등식 $(2x-a^2+2a)(2x-3a) \leq 0$에서

$4\left(x-\dfrac{a^2-2a}{2}\right)\left(x-\dfrac{3}{2}a\right) \leq 0$ $\cdots\cdots$ ㉠

(i) $\dfrac{a^2-2a}{2}>\dfrac{3}{2}a$일 때,

$a^2-5a>0$, $a(a-5)>0$

$\therefore a<0$ 또는 $a>5$ $\cdots\cdots$ ㉡

이때 이차부등식 ㉠의 해는

$\dfrac{3}{2}a \leq x \leq \dfrac{a^2-2a}{2}$

$\therefore \alpha=\dfrac{3}{2}a,\ \beta=\dfrac{a^2-2a}{2}$

ⓘ α, β가 모두 정수인 경우

$\beta-\alpha=2$이므로

$\dfrac{a^2-2a}{2}-\dfrac{3}{2}a=2$

$a^2-5a-4=0$

$\therefore a=\dfrac{5 \pm \sqrt{41}}{2}\ (\because ㉡)$

그런데 $a=\dfrac{5\pm\sqrt{41}}{2}$이면 α, β가 모두 정수가 아니므로 조건을 만족시키지 않는다.

ⓘ α, β가 모두 정수가 아닌 실수인 경우

$\beta-\alpha=3$이므로

$\dfrac{a^2-2a}{2}-\dfrac{3}{2}a=3$

$a^2-5a-6=0$

$(a+1)(a-6)=0$

$\therefore a=-1$ 또는 $a=6$ ($\because$ ㉡)

$a=-1$이면 $\alpha=-\dfrac{3}{2}$, $\beta=\dfrac{3}{2}$이므로 α, β는 모두 정수가 아닌 실수이다.

$a=6$이면 $\alpha=9$, $\beta=12$이므로 α, β는 모두 정수이다.

즉, $a=-1$일 때 주어진 조건을 만족시킨다.

ⓘ, ⓘ에서 조건을 만족시키는 a의 값은

$a=-1$

(ii) $\dfrac{a^2-2a}{2}<\dfrac{3}{2}a$일 때,

$a^2-5a<0$

$a(a-5)<0$

$\therefore 0<a<5$ ...... ㉢

이때 이차부등식 ㉠의 해는

$\dfrac{a^2-2a}{2}\le x\le\dfrac{3}{2}a$

$\therefore \alpha=\dfrac{a^2-2a}{2}$, $\beta=\dfrac{3}{2}a$

ⓘ α, β가 모두 정수인 경우

$\beta-\alpha=2$이므로

$\dfrac{3}{2}a-\dfrac{a^2-2a}{2}=2$

$a^2-5a+4=0$

$(a-1)(a-4)=0$

$\therefore a=1$ 또는 $a=4$ ($\because$ ㉢)

$a=1$이면 $\alpha=-\dfrac{1}{2}$, $\beta=\dfrac{3}{2}$이므로 α, β는 모두 정수가 아닌 실수이다.

$a=4$이면 $\alpha=4$, $\beta=6$이므로 α, β는 모두 정수이다.

즉, $a=4$일 때 주어진 조건을 만족시킨다.

ⓘ α, β가 모두 정수가 아닌 실수인 경우

$\beta-\alpha=3$이므로

$\dfrac{3}{2}a-\dfrac{a^2-2a}{2}=3$

$a^2-5a+6=0$

$(a-2)(a-3)=0$

$\therefore a=2$ 또는 $a=3$ ($\because$ ㉢)

$a=2$이면 $\alpha=0$, $\beta=3$이므로 α, β는 모두 정수이다.

$a=3$이면 $\alpha=\dfrac{3}{2}$, $\beta=\dfrac{9}{2}$이므로 α, β는 모두 정수가 아닌 실수이다.

즉, $a=3$일 때 주어진 조건을 만족시킨다.

ⓘ, ⓘ에서 조건을 만족시키는 a의 값은

$a=3$ 또는 $a=4$

3단계 a의 값의 합 구하기

(i), (ii)에서 조건을 만족시키는 모든 실수 a의 값의 합은

$-1+3+4=6$

04 답 2

1단계 주어진 부등식의 좌변을 절댓값이 없는 식으로 나타내기

주어진 부등식에서 $g(x)=\dfrac{|f(x)|}{3}-f(x)$라 하자.

$f(x)\ge 0$에서

$x^2+2x-8\ge 0$, $(x+4)(x-2)\ge 0$ $\quad\therefore x\le -4$ 또는 $x\ge 2$

따라서 $f(x)<0$이면 $-4<x<2$이므로

$|f(x)|=\begin{cases} f(x) & (x\le -4 \text{ 또는 } x\ge 2) \\ -f(x) & (-4<x<2) \end{cases}$

$\therefore g(x)=\begin{cases} \dfrac{f(x)}{3}-f(x) & (x\le -4 \text{ 또는 } x\ge 2) \\ -\dfrac{f(x)}{3}-f(x) & (-4<x<2) \end{cases}$

$=\begin{cases} -\dfrac{2}{3}f(x) & (x\le -4 \text{ 또는 } x\ge 2) \\ -\dfrac{4}{3}f(x) & (-4<x<2) \end{cases}$

2단계 주어진 부등식의 해를 함수의 그래프와 직선의 위치 관계로 파악하기

이때 직선 $y=m(x-2)$는 m의 값에 관계없이 항상 점 $(2, 0)$을 지나고 기울기 m은 양수이다.

또 $g(-4)=0$, $g(2)=0$이므로 함수 $y=g(x)$의 그래프와 직선 $y=m(x-2)$는 그림과 같다.

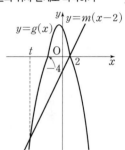

함수 $y=g(x)$의 그래프와 직선 $y=m(x-2)$의 교점 중 점 $(2, 0)$이 아닌 다른 한 점의 x좌표를 $t\,(t<-4)$라 하면 주어진 부등식의 해는 함수 $y=g(x)$의 그래프가 직선 $y=m(x-2)$보다 위쪽에 있거나 만나는 부분의 x의 값의 범위와 같으므로

$t\le x\le 2$

이를 만족시키는 정수 x가 10개이려면

$-8<t\le -7$

3단계 양수 m의 최솟값 구하기

즉, 조건을 만족시키는 m의 값은 점 $(-7, g(-7))$을 지나는 직선 $y=m(x-2)$의 기울기보다 크거나 같고, 점 $(-8, g(-8))$을 지나는 직선 $y=m(x-2)$의 기울기보다 작다.

(i) 직선 $y=m(x-2)$가 점 $(-7, g(-7))$을 지날 때,

$g(-7)=-\dfrac{2}{3}f(-7)=-\dfrac{2}{3}(49-14-8)=-18$

즉, 점 $(-7, -18)$이 직선 $y=m(x-2)$ 위의 점이므로

$-18=-9m$

$\therefore m=2$

(ii) 직선 $y=m(x-2)$가 점 $(-8, g(-8))$을 지날 때,

$g(-8)=-\dfrac{2}{3}f(-8)=-\dfrac{2}{3}(64-16-8)=-\dfrac{80}{3}$

즉, 점 $\left(-8, -\dfrac{80}{3}\right)$이 직선 $y=m(x-2)$ 위의 점이므로

$-\dfrac{80}{3}=-10m$

$\therefore m=\dfrac{8}{3}$

(i), (ii)에서 조건을 만족시키는 m의 값의 범위는

$2\le m<\dfrac{8}{3}$

따라서 양수 m의 최솟값은 2이다.

05 답 ①

1단계 주어진 연립부등식 풀기

이차부등식 $x^2-a^2x\geq0$에서

$x(x-a^2)\geq0$

$\therefore$ $x\leq0$ 또는 $x\geq a^2$ ($\because$ $a^2>0$) ······ ㉠

이차부등식 $x^2-4ax+4a^2-1<0$에서

$\{x-(2a-1)\}\{x-(2a+1)\}<0$

$\therefore$ $2a-1<x<2a+1$ ······ ㉡

2단계 a의 값의 범위에 따라 정수 x의 개수 구하기

$0<a<\sqrt{2}$에서 a^2, $2a-1$, $2a+1$ 중 적어도 하나는 양의 정수가 되도록 하는 a의 값은

$a=\dfrac{1}{2}$ 또는 $a=1$

또 $a^2-(2a-1)=(a-1)^2\geq0$이므로 $a^2\geq2a-1$

따라서 다음과 같이 a의 값의 범위를 나누어 주어진 연립부등식을 만족시키는 정수 x의 개수를 구한다.

(i) $0<a<\dfrac{1}{2}$일 때,

$0<a^2<\dfrac{1}{4}$, $-1<2a-1<0$, $1<2a+1<2$

이때 ㉠, ㉡의 공통부분은 그림과 같다.

즉, 주어진 연립부등식을 만족시키는 정수 x는 0, 1의 2개이므로 조건을 만족시키지 않는다.

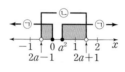

(ii) $a=\dfrac{1}{2}$일 때,

㉠에서 $x\leq0$ 또는 $x\geq\dfrac{1}{4}$

㉡에서 $0<x<2$

따라서 주어진 연립부등식의 해는 $\dfrac{1}{4}\leq x<2$

즉, 정수 x는 1의 1개이므로 조건을 만족시킨다.

(iii) $\dfrac{1}{2}<a<1$일 때,

$\dfrac{1}{4}<a^2<1$, $0<2a-1<1$, $2<2a+1<3$

이때 ㉠, ㉡의 공통부분은 그림과 같다.

즉, 주어진 연립부등식을 만족시키는 정수 x는 1, 2의 2개이므로 조건을 만족시키지 않는다.

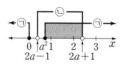

(iv) $a=1$일 때,

㉠에서 $x\leq0$ 또는 $x\geq1$

㉡에서 $1<x<3$

따라서 주어진 연립부등식의 해는 $1<x<3$

즉, 정수 x는 2의 1개이므로 조건을 만족시킨다.

(v) $1<a<\sqrt{2}$일 때,

$1<a^2<2$, $1<2a-1<2\sqrt{2}-1$, $3<2a+1<2\sqrt{2}+1$

이때 ㉠, ㉡의 공통부분은 그림과 같다.

즉, 주어진 연립부등식을 만족시키는 정수 x는 2, 3의 2개이므로 조건을 만족시키지 않는다.

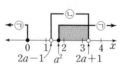

3단계 a의 값의 합 구하기

(i)~(v)에서 조건을 만족시키는 모든 실수 a의 값의 합은

$\dfrac{1}{2}+1=\dfrac{3}{2}$

◆idea

06 답 -15

1단계 조건을 만족시키는 m, p에 대한 부등식 세우기

이차부등식 $-x^2+px+p\leq(m-1)x+n$에서

$x^2+(m-p-1)x+n-p\geq0$

이 이차부등식이 모든 실수 x에 대하여 성립하므로 이차방정식

$x^2+(m-p-1)x+n-p=0$의 판별식을 D_1이라 하면

$D_1=(m-p-1)^2-4(n-p)\leq0$

$\therefore$ $\dfrac{(m-p-1)^2}{4}+p\leq n$ ······ ㉠

또 이차부등식 $x^2\geq(m-1)x+n$에서 $x^2-(m-1)x-n\geq0$

이 이차부등식이 모든 실수 x에 대하여 성립하므로 이차방정식

$x^2-(m-1)x-n=0$의 판별식을 D_2라 하면

$D_2=(m-1)^2+4n\leq0$ $\therefore$ $n\leq-\dfrac{(m-1)^2}{4}$ ······ ㉡

㉠, ㉡에서 $\dfrac{(m-p-1)^2}{4}+p\leq-\dfrac{(m-1)^2}{4}$

2단계 p의 값 구하기

$m-1=t$로 놓으면 $\dfrac{(t-p)^2}{4}+p\leq-\dfrac{t^2}{4}$

$2t^2-2pt+p^2+4p\leq0$ ······ ㉢

이때 t의 값이 유일하게 존재하므로 t에 대한 이차방정식

$2t^2-2pt+p^2+4p=0$이 중근을 가져야 한다.

이 이차방정식의 판별식을 D_3이라 하면

$\dfrac{D_3}{4}=p^2-2(p^2+4p)=0$, $-p^2-8p=0$

$p(p+8)=0$ $\therefore$ $p=-8$ ($\because$ $p\neq0$)

3단계 m, n의 값 구하기

$p=-8$을 ㉢에 대입하면 $2t^2+16t+32\leq0$, $2(t+4)^2\leq0$

따라서 $t=-4$이므로 $m-1=-4$ $\therefore$ $m=-3$

$m=-3$, $p=-8$을 ㉠, ㉡에 각각 대입하면

$n\geq-4$, $n\leq-4$이므로 $n=-4$

4단계 $p+m+n$의 값 구하기

$\therefore$ $p+m+n=-8+(-3)+(-4)=-15$

---

07 답 $a\geq3+2\sqrt{2}$

1단계 주어진 방정식을 $x+\dfrac{1}{x}$에 대한 식으로 나타내기

$x\neq0$이므로 주어진 방정식의 양변을 x^2으로 나누면

$x^2-2ax+6a+1-\dfrac{2a}{x}+\dfrac{1}{x^2}=0$

$\left(x^2+\dfrac{1}{x^2}\right)-2a\left(x+\dfrac{1}{x}\right)+6a+1=0$

$\left(x+\dfrac{1}{x}\right)^2-2a\left(x+\dfrac{1}{x}\right)+6a-1=0$

$x+\dfrac{1}{x}=t$로 놓으면 $t^2-2at+6a-1=0$ ······ ㉠

2단계 $x+\dfrac{1}{x}$의 값의 범위 구하기

이때 $x+\dfrac{1}{x}=t$에서 $x^2-tx+1=0$

즉, 이차방정식 $x^2-tx+1=0$의 근이 모두 양수이어야 하므로 판별식을 D_1이라 하면

$D_1=t^2-4\geq0$, $(t+2)(t-2)\geq0$ $\therefore$ $t\leq-2$ 또는 $t\geq2$

또 (두 근의 합)$=t>0$, (두 근의 곱)$=1>0$이므로 조건을 만족시키는 t의 값의 범위는

$t\geq2$

3단계 a의 값의 범위 구하기

따라서 이차방정식 ㉠이 $t\geq 2$에서 실근을 가져야 한다.

$f(t)=t^2-2at+6a-1$이라 하자.

(i) 이차방정식 $f(t)=0$의 판별식을 D_2라 하면

$$\frac{D_2}{4}=a^2-6a+1\geq 0$$

$$\therefore a\leq 3-2\sqrt{2} \text{ 또는 } a\geq 3+2\sqrt{2}$$

(ii) $f(2)\geq 0$이므로

$$4-4a+6a-1\geq 0, \ 2a+3\geq 0$$

$$\therefore a\geq -\frac{3}{2}$$

(iii) 이차함수 $y=f(t)$의 그래프의 축이 직선 $t=a$이므로 $a\geq 2$

(i), (ii), (iii)에서 실수 a의 값의 범위는

$$a\geq 3+2\sqrt{2}$$

08 답 $\sqrt{5}-\sqrt{10}$

1단계 k에 대한 부등식 세우기

을의 속력을 v라 하면 갑의 속력은 $kv\,(k>1)$이다.

트랙 한 바퀴의 길이를 a라 하고 두 사람이 처음 만날 때까지 걸린 시간을 t_1이라 하자.

두 사람이 같은 방향으로 달려서 만나면 갑이 을보다 한 바퀴만큼 더 달렸으므로

$$kvt_1-vt_1=a \qquad \therefore t_1=\frac{a}{(k-1)v}$$

또 두 사람이 처음 만날 때부터 두 번째 만날 때까지 걸린 시간을 t_2라 하자.

두 사람이 반대 방향으로 달려서 만나면 움직인 거리의 합이 트랙의 한 바퀴만큼이므로

$$kvt_2+vt_2=a \qquad \therefore t_2=\frac{a}{(k+1)v}$$

두 사람이 두 번째 만날 때, 을은 두 바퀴를 지나 세 바퀴째를 돌고 있으므로

$$2a<(t_1+t_2)v<3a$$

$$2a<\left\{\frac{a}{(k-1)v}+\frac{a}{(k+1)v}\right\}v<3a$$

$$2<\frac{1}{k-1}+\frac{1}{k+1}<3, \ 2<\frac{2k}{k^2-1}<3$$

각 변에 k^2-1을 곱하면

$$2k^2-2<2k<3k^2-3 \ (\because k^2-1>0)$$

2단계 k의 값의 범위 구하기

(i) 이차부등식 $2k^2-2<2k$에서 $2k^2-2k-2<0$

$$k^2-k-1<0 \qquad \therefore \frac{1-\sqrt{5}}{2}<k<\frac{1+\sqrt{5}}{2}$$

그런데 $k>1$이므로 $1<k<\frac{1+\sqrt{5}}{2} \rightarrow \frac{1+\sqrt{5}}{2}=1.6\cdots$

(ii) 이차부등식 $2k<3k^2-3$에서 $3k^2-2k-3>0$

$$\therefore k<\frac{1-\sqrt{10}}{3} \text{ 또는 } k>\frac{1+\sqrt{10}}{3}$$

그런데 $k>1$이므로 $k>\frac{1+\sqrt{10}}{3} \rightarrow \frac{1+\sqrt{10}}{3}=1.3\cdots$

(i), (ii)에서 $\frac{1+\sqrt{10}}{3}<k<\frac{1+\sqrt{5}}{2}$

3단계 $2\beta-3\alpha$의 값 구하기

즉, $\alpha=\frac{1+\sqrt{10}}{3}$, $\beta=\frac{1+\sqrt{5}}{2}$이므로

$$2\beta-3\alpha=(1+\sqrt{5})-(1+\sqrt{10})=\sqrt{5}-\sqrt{10}$$

01 21	**02** 165	**03** 12	**04** ②	**05** 15	**06** ⑤
07 23	**08** ②	**09** 6	**10** 42	**11** ㄱ, ㄴ, ㄷ	
12 1	**13** 2	**14** ④			

01 답 21

$-240=-2^4\times 3\times 5$이므로 3, 5는 반드시 한 번 나와야 하고 0은 나오지 않아야 한다.

이때 $2i$, $1+i$에 대하여

$$(2i)^2=-4$$

$$(1+i)^2=2i, \ (1+i)^4=(2i)^2=-4$$

$$2i(1+i)^2=2i\times 2i=-4$$

(i) $2i$가 2번 나오는 경우

2가 2번, 3이 1번, 5가 1번 나와야

$(2i)^2\times 2^2\times 3\times 5=-4\times 60=-240$이므로 주사위를 6번 던져야 한다.

(ii) $1+i$가 4번 나오는 경우

2가 2번, 3이 1번, 5가 1번 나와야

$(1+i)^4\times 2^2\times 3\times 5=-4\times 60=-240$이므로 주사위를 8번 던져야 한다.

(iii) $2i$가 1번, $1+i$가 2번 나오는 경우

2가 2번, 3이 1번, 5가 1번 나와야

$2i(1+i)^2\times 2^2\times 3\times 5=-4\times 60=-240$이므로 주사위를 7번 던져야 한다.

(i), (ii), (iii)에서 n의 값은 6, 7, 8이므로 그 합은

$$6+7+8=21$$

02 답 165

$$\left\{i^n-\left(-\frac{1}{i}\right)^{2n}\right\}^m=(i^n-i^{2n})^m$$
$$=\{i^n-(-1)^n\}^m$$

$f(n)=i^n-(-1)^n$이라 하면 음이 아닌 정수 k에 대하여

(i) $n=4k+1$일 때,

$f(n)=f(4k+1)=i^{4k+1}-(-1)^{4k+1}=i-(-1)=i+1$이므로

$\{f(n)\}^2=(i+1)^2=2i$, $\{f(n)\}^4=(2i)^2=-4$,

$\{f(n)\}^8=4^2$, $\{f(n)\}^{16}=4^4$, $\cdots$

즉, $n=4k+1$일 때 $\{f(n)\}^m$의 값이 양의 실수가 되도록 하는 30 이하의 자연수 m은 8, 16, 24의 3개이다.

또 $n=4k+1$ 꼴인 30 이하의 자연수 n은 1, 5, 9, $\cdots$, 29의 8개이다.

따라서 순서쌍 (m, n)의 개수는 $3\times 8=24$

(ii) $n=4k+2$일 때,

$f(n)=f(4k+2)=i^{4k+2}-(-1)^{4k+2}=i^2-1=-1-1=-2$이므로

$\{f(n)\}^2=(-2)^2=4$, $\{f(n)\}^4=4^2$, $\{f(n)\}^6=4^3$, $\cdots$

즉, $n=4k+2$일 때 $\{f(n)\}^m$의 값이 양의 실수가 되도록 하는 30 이하의 자연수 m은 2, 4, 6, $\cdots$, 30의 15개이다.

또 $n=4k+2$ 꼴인 30 이하의 자연수 n은 2, 6, 10, $\cdots$, 30의 8개이다.

따라서 순서쌍 (m, n)의 개수는 $15\times 8=120$

(iii) $n=4k+3$일 때,

$f(n)=f(4k+3)=i^{4k+3}-(-1)^{4k+3}=i^3-(-1)=-i+1$이므로

$\{f(n)\}^2=(-i+1)^2=-2i$, $\{f(n)\}^4=(-2i)^2=-4$,

$\{f(n)\}^8=4^2$, $\{f(n)\}^{16}=4^4$, $\cdots$

즉, $n=4k+3$일 때 $\{f(n)\}^m$의 값이 양의 실수가 되도록 하는 30 이하의 자연수 m은 8, 16, 24의 3개이다.

또 $n=4k+3$ 꼴인 30 이하의 자연수 n은 3, 7, 11, $\cdots$, 27의 7개이다.

따라서 순서쌍 (m, n)의 개수는 $3\times7=21$

(iv) $n=4k+4$일 때,

$f(n)=f(4k+4)=i^{4k+4}-(-1)^{4k+4}=1-1=0$이므로 $\{f(n)\}^m$의 값은 양의 실수가 될 수 없다.

(i)~(iv)에서 순서쌍 (m, n)의 개수는 $24+120+21=165$

03 답 12

이차방정식 $x^2-x+1=0$의 두 근이 α, β이므로

$\alpha^2-\alpha+1=0$, $\beta^2-\beta+1=0$ ……㉠

또 이차방정식의 근과 계수의 관계에 의하여 $\alpha+\beta=1$ ……㉡

$\therefore -\alpha+1=\beta$, $-\beta+1=\alpha$

이를 ㉠에 대입하면

$\alpha^2+\beta=0$, $\beta^2+\alpha=0$ $\therefore -\alpha^2=\beta$, $-\beta^2=\alpha$

㉡에서 $\alpha=1-\beta$이므로

$f(-\alpha^2)=5\alpha$에서 $f(\beta)=5(1-\beta)$

$\therefore f(\beta)+5\beta-5=0$

㉡에서 $\beta=1-\alpha$이므로

$f(-\beta^2)=5\beta$에서 $f(\alpha)=5(1-\alpha)$

$\therefore f(\alpha)+5\alpha-5=0$

즉, 이차방정식 $f(x)+5x-5=0$의 두 근이 α, β이고 이차항의 계수가 1이므로

$f(x)+5x-5=(x-\alpha)(x-\beta)$

$f(x)+5x-5=x^2-x+1$ $\therefore f(x)=x^2-6x+6$

따라서 $p=-6$, $q=6$이므로 $q-p=12$

04 답 ②

이차방정식 $x^2+px+2p+5=0$의 계수가 실수이고 한 허근 α를 가지므로 $\alpha=a+bi$ (a, b는 실수, $b\neq0$)라 하면 다른 한 근은 $a-bi$이다.

이차방정식의 근과 계수의 관계에 의하여

두 근의 합은 $(a+bi)+(a-bi)=-p$

$\therefore 2a=-p$ ……㉠

두 근의 곱은 $(a+bi)(a-bi)=2p+5$

$\therefore a^2+b^2=2p+5$ ……㉡

$\alpha=a+bi$에서

$\alpha^3+\alpha=(a+bi)^3+a+bi$

$=a^3+3a^2bi+3a(bi)^2+(bi)^3+a+bi$

$=a^3+3a^2bi-3ab^2-b^3i+a+bi$

$=(a^3-3ab^2+a)+(3a^2b-b^3+b)i$

이때 $\alpha^3+\alpha$가 실수이려면

$3a^2b-b^3+b=0$, $b(3a^2-b^2+1)=0$

$\therefore 3a^2-b^2+1=0$ ($\because b\neq0$) ……㉢

㉢에서 $b^2=3a^2+1$이므로 이를 ㉡에 대입하면

$a^2+3a^2+1=2p+5$ $\therefore 4a^2=2p+4$ ……㉣

㉠에서 $a=-\dfrac{1}{2}p$이므로 이를 ㉣에 대입하면

$4\left(-\dfrac{1}{2}p\right)^2=2p+4$ $\therefore p^2-2p-4=0$

따라서 이차방정식의 근과 계수의 관계에 의하여 모든 실수 p의 값의 곱은 -4이다.

다른 풀이

이차방정식 $x^2+px+2p+5=0$의 한 허근이 α이므로

$\alpha^2+p\alpha+2p+5=0$, $\alpha^2+p\alpha=-2p-5$

$\therefore \alpha^2+p\alpha+p^2=p^2-2p-5$

양변에 $\alpha-p$를 곱하면

$(\alpha-p)(\alpha^2+p\alpha+p^2)=(\alpha-p)(p^2-2p-5)$

$\alpha^3-p^3=(p^2-2p-5)\alpha-p^3+2p^2+5p$

$\therefore \alpha^3=(p^2-2p-5)\alpha+2p^2+5p$

$\therefore \alpha^3+\alpha=(p^2-2p-4)\alpha+2p^2+5p$

이때 $\alpha^3+\alpha$가 실수이려면

$p^2-2p-4=0$

따라서 이차방정식의 근과 계수의 관계에 의하여 모든 실수 p의 값의 곱은 -4이다.

05 답 15

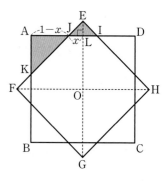

두 정사각형의 대각선이 모두 한 점 O에서 만나고 정사각형 EFGH의 대각선이 정사각형 ABCD의 한 변을 이등분하므로 주어진 도형은 각각의 대각선에 대하여 대칭이다.

꼭짓점 E에서 변 AD에 내린 수선의 발을 L이라 하고, $\overline{JL}=x$라 하면 삼각형 EJL은 직각이등변삼각형이므로 $\overline{EL}=x$

따라서 삼각형 EJI의 넓이는

$\dfrac{1}{2}\times\overline{JI}\times\overline{EL}=\dfrac{1}{2}\times2x\times x=x^2$

삼각형 AKJ도 직각이등변삼각형이고 $\overline{AJ}=1-x$이므로 삼각형 AKJ의 넓이는

$\dfrac{1}{2}\times\overline{AJ}\times\overline{AK}=\dfrac{1}{2}(1-x)^2$

삼각형 AKJ의 넓이가 삼각형 EJI의 넓이의 $\dfrac{4}{3}$배이면

$\dfrac{1}{2}(1-x)^2=\dfrac{4}{3}x^2$, $3-6x+3x^2=8x^2$

$5x^2+6x-3=0$ $\therefore x=\dfrac{-3\pm2\sqrt{6}}{5}$

그런데 $x>0$이므로 $x=\dfrac{-3+2\sqrt{6}}{5}$

직각이등변삼각형 EJL에서 $\overline{EJ}=\sqrt{2}x$, 직각이등변삼각형 AKJ에서 $\overline{KJ}=\sqrt{2}(1-x)$이므로

$\overline{EF}=2\overline{EJ}+\overline{KJ}$

$2k=2\sqrt{2}x+\sqrt{2}(1-x)$

$\therefore k=\dfrac{\sqrt{2}}{2}(x+1)=\dfrac{\sqrt{2}}{2}\left(\dfrac{-3+2\sqrt{6}}{5}+1\right)$

$=\dfrac{\sqrt{2}}{2}\times\dfrac{2+2\sqrt{6}}{5}=\dfrac{\sqrt{2}}{5}+\dfrac{2\sqrt{3}}{5}$

따라서 $p=\dfrac{1}{5}$, $q=\dfrac{2}{5}$이므로 $25(p+q)=25\left(\dfrac{1}{5}+\dfrac{2}{5}\right)=15$

06 답 ⑤

(가)에서 방정식 $f(x)=g(x)$는

$(x-a)^2-a^2=-(x-3a)^2+9a^2+b$

$\therefore 2x^2-8ax-b=0$

이 이차방정식의 두 근이 α, β이므로 근과 계수의 관계에 의하여

$\alpha+\beta=4a$, $\alpha\beta=-\dfrac{b}{2}$

ㄱ. (나)에서 $\beta-\alpha=3$이므로 $(\beta-\alpha)^2=9$

$(\alpha+\beta)^2-4\alpha\beta=9$

$\therefore 16a^2+2b=9$

$a=\dfrac{1}{4}$을 대입하면 $1+2b=9$ $\therefore b=4$

ㄴ. 이차함수 $f(x)=(x-a)^2-a^2$은 $x=a$일 때 최소이므로 모든 실수 x에 대하여

$f(x)\geq f(a)$

이차함수 $g(x)=-(x-3a)^2+9a^2+b$는 $x=3a$일 때 최대이므로 모든 실수 x에 대하여

$g(x)\leq g(3a)$

방정식 $f(x)=g(x)$의 두 근이 α, β이므로

$f(\alpha)=g(\alpha)$, $f(\beta)=g(\beta)$

$\therefore f(\alpha)-g(\beta)=g(\alpha)-f(\beta)\leq g(3a)-f(a)$ …… ㉠

$(\because g(\alpha)\leq g(3a), -f(\beta)\leq -f(a))$

ㄷ. $g(\alpha)=f(\beta)+10a^2+b$에서 $g(\alpha)-f(\beta)=10a^2+b$

㉠에서 $g(\alpha)-f(\beta)\leq g(3a)-f(a)$이고

$g(3a)-f(a)=(9a^2+b)-(-a^2)=10a^2+b$이므로

$g(\alpha)-f(\beta)=g(3a)-f(a)$

$\therefore \alpha=3a$, $\beta=a$

(나)에서 $\beta-\alpha=3$이므로 $a-3a=3$ $\therefore a=-\dfrac{3}{2}$

또 $\alpha\beta=-\dfrac{b}{2}$이므로 $3a^2=-\dfrac{b}{2}$ $\therefore b=-\dfrac{27}{2}$

따라서 보기에서 옳은 것은 ㄱ, ㄴ, ㄷ이다.

07 답 23

그림과 같이 점 P에서 변 AB, 변 BC에 내린 수선의 발을 각각 H_1, H_2라 하고 원 O_1의 반지름의 길이를 $r(0<r<3)$라 하자.

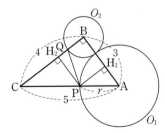

두 삼각형 AH_1P, ABC에서

$\angle PAH_1=\angle CAB$, $\angle AH_1P=\angle ABC=90\degree$

$\therefore \triangle AH_1P\backsim\triangle ABC$ (AA 닮음)

$\overline{AP}:\overline{AC}=\overline{H_1P}:\overline{BC}$이므로

$r:5=\overline{H_1P}:4$

$5\overline{H_1P}=4r$ $\therefore \overline{H_1P}=\dfrac{4}{5}r$

또 두 삼각형 CH_2P, CBA에서

$\angle PCH_2=\angle ACB$, $\angle CH_2P=\angle CBA=90\degree$

$\therefore \triangle CH_2P\backsim\triangle CBA$ (AA 닮음)

$\overline{CP}:\overline{CA}=\overline{H_2P}:\overline{BA}$이므로

$(5-r):5=\overline{H_2P}:3$

$5\overline{H_2P}=3(5-r)$ $\therefore \overline{H_2P}=\dfrac{3}{5}(5-r)$

$\overline{BQ}=\overline{AB}-r=3-r$이므로

$\overline{QH_2}=|\overline{H_1P}-\overline{BQ}|$

$=\left|\dfrac{4}{5}r-(3-r)\right|=\left|\dfrac{9}{5}r-3\right|$

직각삼각형 PH_2Q에서 피타고라스 정리에 의하여

$\overline{PQ}^2=\overline{H_2P}^2+\overline{QH_2}^2$

$=\left\{\dfrac{3}{5}(5-r)\right\}^2+\left|\dfrac{9}{5}r-3\right|^2=\left\{\dfrac{3}{5}(5-r)\right\}^2+\left|\dfrac{3}{5}(3r-5)\right|^2$

$=\dfrac{9}{25}\{(5-r)^2+(3r-5)^2\}=\dfrac{9}{25}(10r^2-40r+50)$

$=\dfrac{18}{5}(r^2-4r+5)=\dfrac{18}{5}(r-2)^2+\dfrac{18}{5}$

$0<r<3$에서 $\overline{PQ}^2$은 $r=2$일 때 최솟값 $\dfrac{18}{5}$이다.

따라서 $a=5$, $b=18$이므로

$a+b=23$

08 답 ②

ㄱ. $f(-1)=-1+(1-2a)-(b^2-2a)+b^2=0$이므로 $f(x)$는 $x+1$을 인수로 갖는다.

ㄴ. $f(-1)=0$이므로 조립제법을 이용하여 $f(x)$를 인수분해하면

$$
\begin{array}{r|rrrr}
-1 & 1 & 1-2a & b^2-2a & b^2 \\
& & -1 & 2a & -b^2 \\
\hline
& 1 & -2a & b^2 & 0
\end{array}
$$

$\therefore f(x)=(x+1)(x^2-2ax+b^2)$

삼차방정식 $(x+1)(x^2-2ax+b^2)=0$에서

$x=-1$ 또는 $x^2-2ax+b^2=0$

이차방정식 $x^2-2ax+b^2=0$의 판별식을 D_1이라 하면

$\dfrac{D_1}{4}=a^2-b^2=(a+b)(a-b)$

이때 $b<a<0$에서 $a+b<0$, $a-b>0$이므로 $D_1<0$

즉, 이차방정식 $x^2-2ax+b^2=0$은 서로 다른 두 허근을 갖는다.

따라서 $b<a<0$인 임의의 실수 a, b에 대하여 방정식 $f(x)=0$의 서로 다른 실근은 -1의 1개이다.

ㄷ. 삼차방정식 $f(x)=0$, 즉 $(x+1)(x^2-2ax+b^2)=0$이 서로 다른 세 실근을 가지므로 이차방정식 $x^2-2ax+b^2=0$이 -1이 아닌 서로 다른 두 실근을 가져야 한다.

이차방정식 $x^2-2ax+b^2=0$에서 근과 계수의 관계에 의하여 두 근의 합은 $2a$이므로 삼차방정식 $f(x)=0$의 세 근의 합은

$-1+2a=-11$ $\therefore a=-5$

이차방정식 $x^2+10x+b^2=0$의 판별식을 D_2라 하면

$\dfrac{D_2}{4}=25-b^2>0$ $\therefore b^2<25$ …… ㉠

이때 이차방정식 $x^2+10x+b^2=0$이 -1을 근으로 갖지 않아야 하므로

$1-10+b^2\neq 0$ $\therefore b^2\neq 9$ …… ㉡

㉠, ㉡에서 정수 b의 값은 -4, -2, -1, 0, 1, 2, 4이다.

따라서 정수 a, b의 순서쌍 (a, b)는 $(-5, -4)$, $(-5, -2)$, $(-5, -1)$, $(-5, 0)$, $(-5, 1)$, $(-5, 2)$, $(-5, 4)$의 7개이다.

따라서 보기에서 옳은 것은 ㄱ, ㄴ이다.

09 답 6

㉮에서 이차함수 $f(x)$의 최댓값이 0이므로 이차함수 $y=f(x)$의 그래프는 위로 볼록하고, x축에 접한다.

이때 ㉯에서 이차함수 $y=f(x)$의 그래프가 점 $(m, 0)$을 지나므로 $f(x)$의 최고차항의 계수를 k라 하면

$f(x)=k(x-m)^2$ (단, $k<0$)

㉯에서 이차함수 $y=f(x)$의 그래프가 점 $(m+4, 16n)$을 지나므로

$f(m+4)=16n$에서

$16k=16n$　∴ $k=n$

∴ $f(x)=n(x-m)^2$

㉯에서 일차함수 $y=g(x)$의 그래프가 두 점 $(m, 0)$, $(m+4, 16n)$을 지나므로 직선 $y=g(x)$의 기울기는 $\dfrac{16n}{4}=4n$

∴ $g(x)=4n(x-m)$

㉰에서 정수 a에 대하여 $-3 \le a \le 0$이므로

(i) $a=-3$일 때,

$f(m+a)=f(m-3)=9n$, $g(m+a)=g(m-3)=-12n$이므로 정수 n에 대하여 $9n \le b \le -12n$을 만족시키는 정수 b의 개수는

$-12n-9n+1=-21n+1$

따라서 순서쌍 (a, b)의 개수는 $-21n+1$이다.

(ii) $a=-2$일 때,

$f(m+a)=f(m-2)=4n$, $g(m+a)=g(m-2)=-8n$이므로 정수 n에 대하여 $4n \le b \le -8n$을 만족시키는 정수 b의 개수는

$-8n-4n+1=-12n+1$

따라서 순서쌍 (a, b)의 개수는 $-12n+1$이다.

(iii) $a=-1$일 때,

$f(m+a)=f(m-1)=n$, $g(m+a)=g(m-1)=-4n$이므로 정수 n에 대하여 $n \le b \le -4n$을 만족시키는 정수 b의 개수는

$-4n-n+1=-5n+1$

따라서 순서쌍 (a, b)의 개수는 $-5n+1$이다.

(iv) $a=0$일 때,

$f(m+a)=f(m)=0$, $g(m+a)=g(m)=0$이므로 $0 \le b \le 0$을 만족시키는 정수 b의 개수는 1이다.

따라서 순서쌍 (a, b)의 개수는 1이다.

(i)~(iv)에서 순서쌍 (a, b)의 개수는

$(-21n+1)+(-12n+1)+(-5n+1)+1=-38n+4$

이때 ㉰에서 순서쌍 (a, b)의 개수가 80이므로

$-38n+4=80$

∴ $n=-2$

∴ $f(x)=-2(x-m)^2$, $g(x)=-8(x-m)$

방정식 $\{f(x)\}^2-\{g(x)\}^2=0$에서

$4(x-m)^4-64(x-m)^2=0$

$4(x-m)^2\{(x-m)^2-16\}=0$

$4(x-m)^2(x-m+4)(x-m-4)=0$

∴ $x=m$ 또는 $x=m-4$ 또는 $x=m+4$

이 실근 중 최댓값은 $m+4$, 최솟값은 $m-4$이고 최댓값과 최솟값의 합이 6이므로

$(m+4)+(m-4)=6$

$2m=6$

∴ $m=3$

따라서 $f(x)=-2(x-3)^2$, $g(x)=-8(x-3)$이므로

$f(4)+g(2)=-2+8=6$

10 답 42

$f(x)=ax^3+3bx^2+9bx+27a$라 하면 $f(-3)=0$이므로 조립제법을 이용하여 $f(x)$를 인수분해하면

$$
\begin{array}{r|cccc}
-3 & a & 3b & 9b & 27a \\
  &   & -3a & 9a-9b & -27a \\
\hline
  & a & -3a+3b & 9a & 0
\end{array}
$$

∴ $f(x)=(x+3)\{ax^2-3(a-b)x+9a\}$

삼차방정식 $(x+3)\{ax^2-3(a-b)x+9a\}=0$에서

$x=-3$ 또는 $ax^2-3(a-b)x+9a=0$

주어진 삼차방정식이 서로 다른 세 정수를 근으로 가지므로 이차방정식 $ax^2-3(a-b)x+9a=0$이 -3이 아닌 서로 다른 두 정수를 근으로 갖는다.

즉, $9a+9(a-b)+9a \ne 0$이므로 $b \ne 3a$

이차방정식 $ax^2-3(a-b)x+9a=0$에서 근과 계수의 관계에 의하여 두 근의 곱은 $\dfrac{9a}{a}=9$이므로 서로 다른 두 정수인 근은

-1과 -9 또는 1과 9

이차방정식의 근과 계수의 관계에 의하여 두 근의 합은

$\dfrac{3(a-b)}{a}=-10$ 또는 $\dfrac{3(a-b)}{a}=10$

$3a-3b=-10a$ 또는 $3a-3b=10a$

∴ $a=\dfrac{3}{13}b$ 또는 $a=-\dfrac{3}{7}b$

(i) $a=\dfrac{3}{13}b$일 때,　┌→ $k=0$이면 $b \ne 3a$를 만족시키지 않는다.

$b=13k$(k는 0이 아닌 정수) 꼴인 정수이고, $|b| \le 100$이면 $|a| \le \dfrac{300}{13}$이므로 $|a| \le 100$, $|b| \le 100$을 만족시키는 정수 a, b의 순서쌍 (a, b)는 $(-21, -91)$, $(-18, -78)$, $(-15, -65)$, $\cdots$, $(-3, -13)$, $(3, 13)$, $\cdots$, $(15, 65)$, $(18, 78)$, $(21, 91)$의 14개이다.

(ii) $a=-\dfrac{3}{7}b$일 때,

$b=7k$(k는 0이 아닌 정수) 꼴인 정수이고, $|b| \le 100$이면 $|a| \le \dfrac{300}{7}$이므로 $|a| \le 100$, $|b| \le 100$을 만족시키는 정수 a, b의 순서쌍 (a, b)는 $(-42, 98)$, $(-39, 91)$, $(-36, 84)$, $\cdots$, $(-3, 7)$, $(3, -7)$, $\cdots$, $(36, -84)$, $(39, -91)$, $(42, -98)$의 28개이다.

(i), (ii)에서 순서쌍 (a, b)의 개수는

$14+28=42$

11 답 ㄱ, ㄴ, ㄷ

ㄱ. 사차방정식 $x^4+(3-4a)x^2+4a^2-6a-18=0$에서 $a=1$이면

$x^4-x^2-20=0$

$x^2=t$로 놓으면

$t^2-t-20=0$

$(t+4)(t-5)=0$

∴ $t=-4$ 또는 $t=5$

즉, $x^2=-4$ 또는 $x^2=5$이므로

$x=\pm 2i$ 또는 $x=\pm\sqrt{5}$

따라서 모든 실근의 곱은

$-\sqrt{5} \times \sqrt{5}=-5$

ㄴ. 사차방정식 $x^4+(3-4a)x^2+4a^2-6a-18=0$에서 $x^2=t$로 놓으면

$t^2+(3-4a)t+(2a-6)(2a+3)=0$

$\{t-(2a-6)\}\{t-(2a+3)\}=0$

$\therefore t=2a-6$ 또는 $t=2a+3$

$\therefore x^2=2a-6$ 또는 $x^2=2a+3$

이때 주어진 사차방정식이 실근과 허근을 모두 가지므로

$2a-6<0$, $2a+3\geq0$ → $2a-6\geq0$, $2a+3<0$이면 a의 값은 존재하지 않는다.

$\therefore -\dfrac{3}{2}\leq a<3$ ...... ㉠

그런데 $a=-\dfrac{3}{2}$일 때, 주어진 사차방정식의 실근은 0이고 이는 모든 실근의 곱이 -6이라는 조건을 만족시키지 않으므로

$-\dfrac{3}{2}<a<3$

이때 주어진 사차방정식의 실근은 $\pm\sqrt{2a+3}$이고, 허근은 $\pm\sqrt{6-2a}i$이다.

모든 실근의 곱이 -6이므로

$-\sqrt{2a+3}\times\sqrt{2a+3}=-6$

$\therefore a=\dfrac{3}{2}$

따라서 허근은 $\pm\sqrt{3}i$이므로 모든 허근의 곱은

$-\sqrt{3}i\times\sqrt{3}i=3$

ㄷ. ㉠에서 주어진 사차방정식이 실근과 허근을 모두 갖도록 하는 a의 값의 범위는 $-\dfrac{3}{2}\leq a<3$이므로

$-3\leq2a<6$, $0\leq2a+3<9$

$\therefore 0\leq\sqrt{2a+3}<3$

주어진 사차방정식의 실근이 $\pm\sqrt{2a+3}$이므로 정수인 근을 가지려면

(i) $\sqrt{2a+3}=0$일 때, $a=-\dfrac{3}{2}$

(ii) $\sqrt{2a+3}=1$일 때, $a=-1$

(iii) $\sqrt{2a+3}=2$일 때, $a=\dfrac{1}{2}$

(i), (ii), (iii)에서 모든 실수 a의 값의 합은

$-\dfrac{3}{2}+(-1)+\dfrac{1}{2}=-2$

따라서 보기에서 옳은 것은 ㄱ, ㄴ, ㄷ이다.

12 답 1

㉮에서 $\beta-\alpha$는 자연수이므로 α, β는 모두 정수이거나 α, β는 모두 정수가 아닌 실수이다.

㉯에서 $\alpha\leq x\leq\beta$를 만족시키는 정수 x가 2개이므로 α, β가 모두 정수인 경우에는 $\beta-\alpha=1$이고 α, β가 모두 정수가 아닌 실수인 경우에는 $\beta-\alpha=2$이다.

이차부등식 $(3x-a^2+3a)(3x-2a)\leq0$에서

$9\left(x-\dfrac{a^2-3a}{3}\right)\left(x-\dfrac{2}{3}a\right)\leq0$ ...... ㉠

(i) $\dfrac{a^2-3a}{3}>\dfrac{2}{3}a$일 때,

$a^2-5a>0$, $a(a-5)>0$

$\therefore a<0$ 또는 $a>5$ ...... ㉡

이때 이차부등식 ㉠의 해는

$\dfrac{2}{3}a\leq x\leq\dfrac{a^2-3a}{3}$

$\therefore \alpha=\dfrac{2}{3}a$, $\beta=\dfrac{a^2-3a}{3}$

ⓘ α, β가 모두 정수인 경우

$\beta-\alpha=1$이므로

$\dfrac{a^2-3a}{3}-\dfrac{2}{3}a=1$

$a^2-5a-3=0$

$\therefore a=\dfrac{5\pm\sqrt{37}}{2}$ (∵ ㉡)

그런데 $a=\dfrac{5\pm\sqrt{37}}{2}$이면 α, β가 모두 정수가 아니므로 조건을 만족시키지 않는다.

ⓘⓘ α, β가 모두 정수가 아닌 실수인 경우

$\beta-\alpha=2$이므로

$\dfrac{a^2-3a}{3}-\dfrac{2}{3}a=2$

$a^2-5a-6=0$

$(a+1)(a-6)=0$

$\therefore a=-1$ 또는 $a=6$ (∵ ㉡)

$a=-1$이면 $\alpha=-\dfrac{2}{3}$, $\beta=\dfrac{4}{3}$이므로 α, β는 모두 정수가 아닌 실수이다.

$a=6$이면 $\alpha=4$, $\beta=6$이므로 α, β는 모두 정수이다.

즉, $a=-1$일 때 주어진 조건을 만족시킨다.

ⓘ, ⓘⓘ에서 조건을 만족시키는 a의 값은 $a=-1$

(ii) $\dfrac{a^2-3a}{3}<\dfrac{2}{3}a$일 때,

$a^2-5a<0$, $a(a-5)<0$

$\therefore 0<a<5$ ...... ㉢

이때 이차부등식 ㉠의 해는

$\dfrac{a^2-3a}{3}\leq x\leq\dfrac{2}{3}a$

$\therefore \alpha=\dfrac{a^2-3a}{3}$, $\beta=\dfrac{2}{3}a$

ⓘ α, β가 모두 정수인 경우

$\beta-\alpha=1$이므로

$\dfrac{2}{3}a-\dfrac{a^2-3a}{3}=1$

$a^2-5a+3=0$

$\therefore a=\dfrac{5\pm\sqrt{13}}{2}$ (∵ ㉢)

그런데 $a=\dfrac{5\pm\sqrt{13}}{2}$이면 α, β가 모두 정수가 아니므로 조건을 만족시키지 않는다.

ⓘⓘ α, β가 모두 정수가 아닌 실수인 경우

$\beta-\alpha=2$이므로

$\dfrac{2}{3}a-\dfrac{a^2-3a}{3}=2$

$a^2-5a+6=0$

$(a-2)(a-3)=0$

$\therefore a=2$ 또는 $a=3$ (∵ ㉢)

$a=2$이면 $\alpha=-\dfrac{2}{3}$, $\beta=\dfrac{4}{3}$이므로 α, β는 모두 정수가 아닌 실수이다.

$a=3$이면 $\alpha=0$, $\beta=2$이므로 α, β는 모두 정수이다.

즉, $a=2$일 때 주어진 조건을 만족시킨다.

ⓘ, ⓘⓘ에서 조건을 만족시키는 a의 값은 $a=2$

(i), (ii)에서 조건을 만족시키는 모든 실수 a의 값의 합은

$-1+2=1$

13 답 2

주어진 부등식에서 $g(x)=\dfrac{|f(x)|}{2}-f(x)$라 하자.

$f(x)\geq0$에서

$x^2+2x-3\geq0$

$(x+3)(x-1)\geq0$ $\therefore x\leq-3$ 또는 $x\geq1$

따라서 $f(x)<0$이면 $-3<x<1$이므로

$$|f(x)|=\begin{cases} f(x) & (x\leq-3 \text{ 또는 } x\geq1) \\ -f(x) & (-3<x<1) \end{cases}$$

$$\therefore g(x)=\begin{cases} \dfrac{f(x)}{2}-f(x) & (x\leq-3 \text{ 또는 } x\geq1) \\ -\dfrac{f(x)}{2}-f(x) & (-3<x<1) \end{cases}$$

$$=\begin{cases} -\dfrac{1}{2}f(x) & (x\leq-3 \text{ 또는 } x\geq1) \\ -\dfrac{3}{2}f(x) & (-3<x<1) \end{cases}$$

이때 직선 $y=m(x-1)$은 m의 값에 관계없이 항상 점 $(1, 0)$을 지나고 기울기 m은 양수이다.

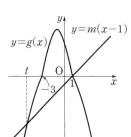

또 $g(-3)=0$, $g(1)=0$이므로 함수 $y=g(x)$의 그래프와 직선 $y=m(x-1)$은 그림과 같다.

함수 $y=g(x)$의 그래프와 직선 $y=m(x-1)$의 교점 중 점 $(1, 0)$이 아닌 다른 한 점의 x좌표를 $t\,(t<-3)$라 하면 주어진 부등식의 해는 함수 $y=g(x)$의 그래프가 직선 $y=m(x-1)$보다 위쪽에 있거나 만나는 부분의 x의 값의 범위와 같으므로

$t\leq x\leq1$

이를 만족시키는 정수 x가 7개이려면

$-6<t\leq-5$

즉, 조건을 만족시키는 m의 값은 점 $(-5, g(-5))$를 지나는 직선 $y=m(x-1)$의 기울기보다 크거나 같고, 점 $(-6, g(-6))$을 지나는 직선 $y=m(x-1)$의 기울기보다 작다.

(i) 직선 $y=m(x-1)$이 점 $(-5, g(-5))$를 지날 때,

$g(-5)=-\dfrac{1}{2}f(-5)$

$=-\dfrac{1}{2}(25-10-3)=-6$

즉, 점 $(-5, -6)$이 직선 $y=m(x-1)$ 위의 점이므로

$-6=-6m$ $\therefore m=1$

(ii) 직선 $y=m(x-1)$이 점 $(-6, g(-6))$을 지날 때,

$g(-6)=-\dfrac{1}{2}f(-6)$

$=-\dfrac{1}{2}(36-12-3)=-\dfrac{21}{2}$

즉, 점 $\left(-6, -\dfrac{21}{2}\right)$이 직선 $y=m(x-1)$ 위의 점이므로

$-\dfrac{21}{2}=-7m$ $\therefore m=\dfrac{3}{2}$

(i), (ii)에서 조건을 만족시키는 m의 값의 범위는

$1\leq m<\dfrac{3}{2}$

따라서 $\alpha=1$, $\beta=\dfrac{3}{2}$이므로

$2\beta-\alpha=3-1=2$

14 답 ④

이차부등식 $x^2-a^2x>0$에서

$x(x-a^2)>0$

$\therefore x<0$ 또는 $x>a^2$ $(\because a^2>0)$ …… ㉠

이차부등식 $x^2-6ax+9a^2-1\leq0$에서

$\{x-(3a-1)\}\{x-(3a+1)\}\leq0$

$\therefore 3a-1\leq x\leq3a+1$ …… ㉡

$0<a<1$에서 a^2, $3a-1$, $3a+1$ 중 적어도 하나는 양의 정수가 되도록 하는 a의 값은

$a=\dfrac{1}{3}$ 또는 $a=\dfrac{2}{3}$

따라서 다음과 같이 a의 값의 범위를 나누어 주어진 연립부등식을 만족시키는 정수 x의 개수를 구한다.

(i) $0<a<\dfrac{1}{3}$일 때,

$0<a^2<\dfrac{1}{9}$, $-1<3a-1<0$, $1<3a+1<2$

이때 ㉠, ㉡의 공통부분은 그림과 같다.

즉, 주어진 연립부등식을 만족시키는 정수 x는 1의 1개이므로 조건을 만족시키지 않는다.

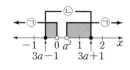

(ii) $a=\dfrac{1}{3}$일 때,

㉠에서 $x<0$ 또는 $x>\dfrac{1}{9}$

㉡에서 $0\leq x\leq2$

따라서 주어진 연립부등식의 해는 $\dfrac{1}{9}<x\leq2$

즉, 정수 x는 1, 2의 2개이므로 조건을 만족시키지 않는다.

(iii) $\dfrac{1}{3}<a<\dfrac{2}{3}$일 때,

$\dfrac{1}{9}<a^2<\dfrac{4}{9}$, $0<3a-1<1$, $2<3a+1<3$

이때 ㉠, ㉡의 공통부분은 그림과 같다.

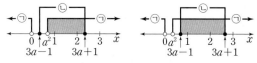

즉, 주어진 연립부등식을 만족시키는 정수 x는 1, 2의 2개이므로 조건을 만족시키지 않는다.

(iv) $a=\dfrac{2}{3}$일 때,

㉠에서 $x<0$ 또는 $x>\dfrac{4}{9}$

㉡에서 $1\leq x\leq3$

따라서 주어진 연립부등식의 해는 $1\leq x\leq3$

즉, 정수 x는 1, 2, 3의 3개이므로 조건을 만족시킨다.

(v) $\dfrac{2}{3}<a<1$일 때,

$\dfrac{4}{9}<a^2<1$, $1<3a-1<2$, $3<3a+1<4$

이때 ㉠, ㉡의 공통부분은 그림과 같다.

즉, 주어진 연립부등식을 만족시키는 정수 x는 2, 3의 2개이므로 조건을 만족시키지 않는다.

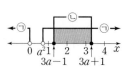

(i)~(v)에서 조건을 만족시키는 a의 값은 $a=\dfrac{2}{3}$

08 평면좌표와 직선의 방정식

step ❶ 핵심 문제 | 94~95쪽

$01 \dfrac{5}{4}$	$02\ 25\pi$	$03\ ⑤$	$04\ \dfrac{3}{5}<t<1$
$05\ (6,\ 3),\ (18,\ 27)$		$06\ ②$	$07\ 14$ $08\ ④$
$09\ (15\sqrt{3},\ 0)$	$10\ ⑤$	$11\ -\dfrac{1}{12}$	
$12\ 3x-4y+17=0,\ x=-3$			

01 답 $\dfrac{5}{4}$

삼각형 ABC의 세 변 AB, BC, CA의 길이는

$\overline{AB}=\sqrt{(3-2)^2+2^2}=\sqrt{5}$

$\overline{BC}=\sqrt{(4-3)^2+(k-2)^2}=\sqrt{k^2-4k+5}$

$\overline{CA}=\sqrt{(2-4)^2+(-k)^2}=\sqrt{k^2+4}$

(i) $\overline{AB}=\overline{BC}$이면 $\overline{AB}^2=\overline{BC}^2$이므로

　$5=k^2-4k+5$

　$k^2-4k=0,\ k(k-4)=0$

　$\therefore k=4\ (\because k>0)$

이때 C$(4,\ 4)$이면 세 점 A, B, C가 한 직선 위에 있으므로 삼각형이 만들어지지 않는다.

(ii) $\overline{BC}=\overline{CA}$이면 $\overline{BC}^2=\overline{CA}^2$이므로

　$k^2-4k+5=k^2+4,\ -4k=-1$

　$\therefore k=\dfrac{1}{4}$

(iii) $\overline{CA}=\overline{AB}$이면 $\overline{CA}^2=\overline{AB}^2$이므로

　$k^2+4=5,\ k^2=1$

　$\therefore k=1\ (\because k>0)$

(i), (ii), (iii)에서 모든 양수 k의 값의 합은

$\dfrac{1}{4}+1=\dfrac{5}{4}$

02 답 25π

삼각형 ABC의 외심을 P$(a,\ b)$라 하면 점 P에서 세 꼭짓점 A$(6,\ 2)$, B$(4,\ -2)$, C$(-2,\ 6)$에 이르는 거리가 같으므로

$\overline{AP}=\overline{BP}=\overline{CP}$ → $\overline{AP},\ \overline{BP},\ \overline{CP}$는 외접원의 반지름이다.

$\overline{AP}=\overline{BP}$에서 $\overline{AP}^2=\overline{BP}^2$이므로

$(a-6)^2+(b-2)^2=(a-4)^2+(b+2)^2$

$a^2-12a+36+b^2-4b+4=a^2-8a+16+b^2+4b+4$

$4a+8b=20$　$\therefore a+2b=5$　……㉠ — 배점 30%

$\overline{AP}=\overline{CP}$에서 $\overline{AP}^2=\overline{CP}^2$이므로

$(a-6)^2+(b-2)^2=(a+2)^2+(b-6)^2$

$a^2-12a+36+b^2-4b+4=a^2+4a+4+b^2-12b+36$

$16a-8b=0$　$\therefore 2a-b=0$　……㉡ — 배점 30%

㉠, ㉡을 연립하여 풀면

$a=1,\ b=2$　$\therefore$ P$(1,\ 2)$ — 배점 20%

따라서 $\overline{AP}=|1-6|=5$이므로 삼각형 ABC의 외접원의 넓이는

$\pi\times5^2=25\pi$ — 배점 20%

03 답 ⑤

직선 $y=x+1$ 위의 점 P의 좌표를 $(a,\ a+1)$이라 하면

$\overline{AP}=\sqrt{\{a-(-1)\}^2+(a+1-3)^2}$

$\overline{BP}=\sqrt{(a-4)^2+(a+1-k)^2}$

$\overline{AP}=\overline{BP}=\dfrac{\sqrt{26}}{2}$이므로 $\overline{AP}^2=\overline{BP}^2=\dfrac{13}{2}$

$\overline{AP}^2=\dfrac{13}{2}$에서 $(a+1)^2+(a-2)^2=\dfrac{13}{2}$

$2a^2-2a+5=\dfrac{13}{2}$

$4a^2-4a-3=0,\ (2a+1)(2a-3)=0$

$\therefore a=-\dfrac{1}{2}$ 또는 $a=\dfrac{3}{2}$

(i) $a=-\dfrac{1}{2}$일 때,

　$\overline{BP}^2=\dfrac{13}{2}$에서 $\dfrac{81}{4}+\left(\dfrac{1}{2}-k\right)^2=\dfrac{13}{2}$

　$\left(k-\dfrac{1}{2}\right)^2=-\dfrac{55}{4}$

　이때 실수 k의 값은 존재하지 않는다.

(ii) $a=\dfrac{3}{2}$일 때,

　$\overline{BP}^2=\dfrac{13}{2}$에서 $\dfrac{25}{4}+\left(\dfrac{5}{2}-k\right)^2=\dfrac{13}{2}$

　$\left(k-\dfrac{5}{2}\right)^2=\dfrac{1}{4},\ k-\dfrac{5}{2}=\pm\dfrac{1}{2}$

　$\therefore k=2$ 또는 $k=3$

(i), (ii)에서 모든 실수 k의 값의 곱은

$2\times3=6$

04 답 $\dfrac{3}{5}<t<1$

선분 AB를 $t:(1-t)$로 내분하는 점의 좌표는

$\left(\dfrac{t\times6+(1-t)\times(-2)}{t+(1-t)},\ \dfrac{t\times(-2)+(1-t)\times3}{t+(1-t)}\right)$

$\therefore (8t-2,\ -5t+3)$

이 점이 제4사분면 위에 있으므로

$8t-2>0$에서 $t>\dfrac{1}{4},\ -5t+3<0$에서 $t>\dfrac{3}{5}$

$\therefore t>\dfrac{3}{5}$

그런데 $0<t<1$이므로 $\dfrac{3}{5}<t<1$

05 답 $(6,\ 3),\ (18,\ 27)$

$S_1:S_2=9:4$에서 $\overline{AP}^2:\overline{BP}^2=9:4$이므로

$\overline{AP}:\overline{BP}=3:2$

(i) 점 P가 선분 AB 위에 있을 때,

　점 P는 선분 AB를 $3:2$로 내분하는 점이므로 점 P의 좌표는

　$\left(\dfrac{3\times8+2\times3}{3+2},\ \dfrac{3\times7+2\times(-3)}{3+2}\right)$

　$\therefore (6,\ 3)$

(ii) 점 P가 선분 AB의 연장선 위에 있을 때,

　점 P는 선분 AB를 $3:2$로 외분하는 점이므로 점 P의 좌표는

　$\left(\dfrac{3\times8-2\times3}{3-2},\ \dfrac{3\times7-2\times(-3)}{3-2}\right)$

　$\therefore (18,\ 27)$

(i), (ii)에서 구하는 점 P의 좌표는 $(6,\ 3),\ (18,\ 27)$

06 답 ②

사각형 ABCD가 마름모이므로 두 대각선 AC, BD의 중점이 같다.

대각선 AC의 중점의 좌표는

$$\left(\frac{a+5}{2}, \frac{0+2}{2}\right) \quad \therefore \left(\frac{a+5}{2}, 1\right)$$

대각선 BD의 중점의 좌표는

$$\left(\frac{b+1}{2}, \frac{-2+4}{2}\right) \quad \therefore \left(\frac{b+1}{2}, 1\right)$$

즉, $\frac{a+5}{2}=\frac{b+1}{2}$이므로

$a+5=b+1$

$\therefore a-b=-4 \quad \cdots\cdots$ ㉠

또 마름모는 네 변의 길이가 같으므로

$\overline{\mathrm{CD}}=\overline{\mathrm{DA}}$에서 $\overline{\mathrm{CD}}^2=\overline{\mathrm{DA}}^2$

$(1-5)^2+(4-2)^2=(1-a)^2+4^2$

$16+4=1-2a+a^2+16$

$a^2-2a-3=0, (a+1)(a-3)=0$

$\therefore a=3 \ (\because a>0)$

이를 ㉠에 대입하여 풀면 $b=7$

$\therefore ab=3\times7=21$

07 답 14

함수 $y=x^2-8x+1$의 그래프와 직선 $y=2x+6$이 만나는 두 점 A, B의 x좌표를 각각 α, β라 하면

$\mathrm{A}(\alpha, 2\alpha+6), \mathrm{B}(\beta, 2\beta+6)$

이차방정식 $x^2-8x+1=2x+6$, 즉 $x^2-10x-5=0$의 서로 다른 두 실근이 α, β이므로 이차방정식의 근과 계수의 관계에 의하여

$\alpha+\beta=10$

삼각형 OAB의 무게중심의 좌표가 (a, b)이므로

$a=\frac{\alpha+\beta+0}{3}=\frac{10}{3}$

$b=\frac{2\alpha+6+2\beta+6+0}{3}=\frac{2(\alpha+\beta)+12}{3}=\frac{32}{3}$

$\therefore a+b=14$

08 답 ④

두 직선 $x-2y+2=0$, $2x+y-6=0$의 교점을 지나는 직선의 방정식은

$x-2y+2+k(2x+y-6)=0$ (단, k는 실수) $\quad\cdots\cdots$ ㉠

이 직선이 점 $(4, 0)$을 지나므로

$4+2+k(8-6)=0$

$2k+6=0 \quad \therefore k=-3$

이를 ㉠에 대입하면

$x-2y+2-3(2x+y-6)=0$

$\therefore x+y-4=0$

따라서 구하는 y절편은 4이다.

다른 풀이

두 식 $x-2y+2=0$, $2x+y-6=0$을 연립하여 풀면

$x=2, y=2$

두 직선의 교점 $(2, 2)$와 점 $(4, 0)$을 지나는 직선의 방정식은

$y=\frac{0-2}{4-2}(x-4)$

$\therefore y=-x+4$

따라서 구하는 y절편은 4이다.

09 답 $(15\sqrt{3}, 0)$

점 P에서 선분 AB에 내린 수선의 발을 H라 하면 직선 PH는 선분 AB의 수직이등분선이다.

함수 $y=x^2$의 그래프와 직선 $y=2\sqrt{3}x+1$이 만나는 두 점 A, B의 x좌표를 각각 α, $\beta \ (\alpha<\beta)$라 하면

$\mathrm{A}(\alpha, 2\sqrt{3}\alpha+1), \mathrm{B}(\beta, 2\sqrt{3}\beta+1)$

이차방정식 $x^2=2\sqrt{3}x+1$, 즉 $x^2-2\sqrt{3}x-1=0$의 서로 다른 두 실근이 α, β이므로 이차방정식의 근과 계수의 관계에 의하여

$\alpha+\beta=2\sqrt{3}$

선분 AB의 중점 H의 좌표는

$\left(\frac{\alpha+\beta}{2}, \frac{2\sqrt{3}\alpha+1+2\sqrt{3}\beta+1}{2}\right)$

이때 $\frac{\alpha+\beta}{2}=\frac{2\sqrt{3}}{2}=\sqrt{3}$, $\frac{2\sqrt{3}(\alpha+\beta)+2}{2}=\frac{2\sqrt{3}\times2\sqrt{3}+2}{2}=7$이므로

$\mathrm{H}(\sqrt{3}, 7)$ $\quad$ ┌ 두 점 A, B는 직선 $y=2\sqrt{3}x+1$ 위에 있다.

한편 직선 AB의 기울기는 $2\sqrt{3}$이므로 기울기가 $-\frac{1}{2\sqrt{3}}$이고 점 $(\sqrt{3}, 7)$을 지나는 직선 PH의 방정식은

$y-7=-\frac{1}{2\sqrt{3}}(x-\sqrt{3})$

$\therefore y=-\frac{1}{2\sqrt{3}}x+\frac{15}{2}$

이 직선의 x절편은

$0=-\frac{1}{2\sqrt{3}}x+\frac{15}{2} \quad \therefore x=15\sqrt{3}$

따라서 점 P의 좌표는 $(15\sqrt{3}, 0)$

다른 풀이

함수 $y=x^2$의 그래프와 직선 $y=2\sqrt{3}x+1$이 만나는 두 점 A, B의 x좌표를 각각 α, $\beta \ (\alpha<\beta)$라 하면

$\mathrm{A}(\alpha, 2\sqrt{3}\alpha+1), \mathrm{B}(\beta, 2\sqrt{3}\beta+1)$

이차방정식 $x^2=2\sqrt{3}x+1$, 즉 $x^2-2\sqrt{3}x-1=0$의 서로 다른 두 실근이 α, β이므로 이차방정식의 근과 계수의 관계에 의하여

$\alpha+\beta=2\sqrt{3}, \alpha\beta=-1$

$\therefore (\alpha-\beta)^2=(\alpha+\beta)^2-4\alpha\beta$

$\qquad\qquad =(2\sqrt{3})^2-4\times(-1)=16$

$\therefore \alpha-\beta=-4 \ (\because \alpha<\beta)$

점 P에서 선분 AB에 내린 수선의 발이 선분 AB를 이등분하므로

$\overline{\mathrm{AP}}=\overline{\mathrm{BP}}$

점 P의 좌표를 $(p, 0)$이라 하면 $\overline{\mathrm{AP}}=\overline{\mathrm{BP}}$에서 $\overline{\mathrm{AP}}^2=\overline{\mathrm{BP}}^2$이므로

$(p-\alpha)^2+(2\sqrt{3}\alpha+1)^2=(p-\beta)^2+(2\sqrt{3}\beta+1)^2$

$13(\alpha^2-\beta^2)+(4\sqrt{3}-2p)\alpha-(4\sqrt{3}-2p)\beta=0$

$13(\alpha+\beta)(\alpha-\beta)+(4\sqrt{3}-2p)(\alpha-\beta)=0$

$13\times2\sqrt{3}\times(-4)+(4\sqrt{3}-2p)\times(-4)=0$

$4\sqrt{3}-2p=-26\sqrt{3}$

$\therefore p=15\sqrt{3}$

따라서 점 P의 좌표는 $(15\sqrt{3}, 0)$

10 답 ⑤

직선 $x-y-2=0$, 즉 $y=x-2$는 기울기가 1이고 x절편은 2, y절편은 -2이다.

또 직선 $ax+y-a-2=0$, 즉 $y=-a(x-1)+2$는 기울기가 $-a$이고 a의 값에 관계없이 항상 점 $(1, 2)$를 지난다.

그림과 같이 두 점 $(1, 2)$, $(2, 0)$을 지나는 직선을 ㉠, 점 $(1, 2)$를 지나고 직선 $y=x-2$에 평행한 직선을 ㉡이라 하자.
두 직선 $x-y-2=0$, $ax+y-a-2=0$이 제1사분면 위의 한 점에서 만나려면 직선 $y=-a(x-1)+2$가 ㉠과 ㉡ 사이에 있어야 한다.

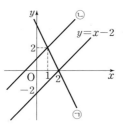

이때 직선 ㉠의 기울기는 $\dfrac{0-2}{2-1}=-2$, 직선 ㉡의 기울기는 1이므로
$-2<-a<1$　$\therefore -1<a<2$

11 답 $-\dfrac{1}{12}$

세 직선을 $l: 2x-y-2=0$, $m: x+2y-6=0$, $n: ax+(a-1)y+1=0$이라 하면 두 직선 l과 m은 평행하지 않으므로 세 직선이 삼각형을 이루지 않는 경우는 다음과 같다.

(i) 두 직선 l과 n이 평행할 때,
$\dfrac{2}{a}=\dfrac{-1}{a-1}\ne\dfrac{-2}{1}$, $-a=2a-2$　$\therefore a=\dfrac{2}{3}$

(ii) 두 직선 m과 n이 평행할 때,
$\dfrac{1}{a}=\dfrac{2}{a-1}\ne\dfrac{-6}{1}$, $2a=a-1$　$\therefore a=-1$

(iii) 직선 n이 두 직선 l과 m의 교점을 지날 때,
두 식 $2x-y-2=0$, $x+2y-6=0$을 연립하여 풀면 $x=2$, $y=2$
즉, 두 직선 l과 m의 교점의 좌표는 $(2, 2)$이므로 직선 n이 점 $(2, 2)$를 지나면
$2a+2(a-1)+1=0$, $4a-1=0$　$\therefore a=\dfrac{1}{4}$

(i), (ii), (iii)에서 세 직선이 삼각형을 이루지 않도록 하는 모든 상수 a의 값의 합은
$\dfrac{2}{3}+(-1)+\dfrac{1}{4}=-\dfrac{1}{12}$

12 답 $3x-4y+17=0$, $x=-3$

(i) 직선 l이 x축 또는 y축에 평행하지 않을 때,
직선 l의 기울기를 m이라 하면 이 직선이 점 $(-3, 2)$를 지나므로 직선 l의 방정식은
$y=m(x+3)+2$
$\therefore mx-y+3m+2=0$
점 $(1, 0)$과 직선 l 사이의 거리가 4이므로
$\dfrac{|m+3m+2|}{\sqrt{m^2+(-1)^2}}=4$
$|4m+2|=4\sqrt{m^2+1}$
양변을 제곱하면
$16m^2+16m+4=16(m^2+1)$
$16m=12$　$\therefore m=\dfrac{3}{4}$
따라서 직선 l의 방정식은 $\dfrac{3}{4}x-y+\dfrac{9}{4}+2=0$
$\therefore 3x-4y+17=0$

(ii) 직선 l이 x축 또는 y축에 평행할 때,
점 $(-3, 2)$를 지나는 직선 $x=-3$은 점 $(1, 0)$에서의 거리가 4이다.

(i), (ii)에서 구하는 직선 l의 방정식은
$3x-4y+17=0$, $x=-3$

01 10	02 25	03 ④	04 $\dfrac{2}{3}$	05 ⑤	06 $\dfrac{8}{3}$
07 $\dfrac{1}{2}$	08 ④	09 $\dfrac{21}{2}$	10 ②	11 330	12 ①
13 2	14 ②	15 $\dfrac{11}{6}$	16 ①	17 ④	
18 $\left(\dfrac{9}{2}, \dfrac{5}{2}\right)$	19 $\sqrt{2}<a<2$	20 15	21 ①		
22 ③	23 4	24 8			

01 답 10

점 P의 좌표를 (x, y)라 하면
$\overline{AP}^2+\overline{BP}^2+\overline{CP}^2$
$=(x-1)^2+(y-1)^2+(x-2)^2+(y-5)^2+(x-3)^2+(y-3)^2$
$=3x^2+3y^2-12x-18y+49$
$=3(x-2)^2+3(y-3)^2+10$
이때 x, y가 실수이므로 $(x-2)^2\ge0$, $(y-3)^2\ge0$
$\therefore \overline{AP}^2+\overline{BP}^2+\overline{CP}^2\ge10$
따라서 $x=2$, $y=3$일 때 $\overline{AP}^2+\overline{BP}^2+\overline{CP}^2$의 최솟값은 10이다.

02 답 25

그림과 같이 직선 AB를 x축으로 하고, 직선 AC를 y축으로 하는 좌표평면을 잡으면 점 A는 원점이 된다.
$B(a, 0)(a>0)$이라 하면 $\overline{AB}=\overline{AC}$이므로 $C(0, a)$
점 P의 좌표를 (x, y)라 하면
$\overline{AP}=\sqrt{10}$에서 $\overline{AP}^2=10$이므로 $x^2+y^2=10$　……㉠
$\overline{BP}=2\sqrt{5}$에서 $\overline{BP}^2=20$이므로
$(x-a)^2+y^2=20$　$\therefore x^2+y^2-2ax+a^2=20$　……㉡
$\overline{CP}=2\sqrt{10}$에서 $\overline{CP}^2=40$이므로
$x^2+(y-a)^2=40$　$\therefore x^2+y^2-2ay+a^2=40$　……㉢
㉠-㉡을 하면 $2ax-a^2=-10$　$\therefore x=\dfrac{a^2-10}{2a}$
㉠-㉢을 하면 $2ay-a^2=-30$　$\therefore y=\dfrac{a^2-30}{2a}$
$x=\dfrac{a^2-10}{2a}$, $y=\dfrac{a^2-30}{2a}$을 ㉠에 대입하면
$\left(\dfrac{a^2-10}{2a}\right)^2+\left(\dfrac{a^2-30}{2a}\right)^2=10$
$(a^2-10)^2+(a^2-30)^2=40a^2$
$a^4-60a^2+500=0$, $(a^2-10)(a^2-50)=0$
$\therefore a^2=10$ 또는 $a^2=50$
이때 $a>0$이므로 $a=\sqrt{10}$ 또는 $a=5\sqrt{2}$
$a=\sqrt{10}$일 때, 점 P의 좌표는 $(0, -\sqrt{10})$이므로 점 P는 삼각형 ABC의 내부에 있지 않다.
따라서 $a=5\sqrt{2}$이므로 삼각형 ABC의 넓이는
$\dfrac{1}{2}\times5\sqrt{2}\times5\sqrt{2}=25$

03 답 ④

삼각형 OAQ의 넓이가 16이고 삼각형
OAB의 넓이는 $\dfrac{1}{2} \times 4 \times 2 = 4$이므로

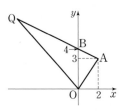

$\overline{AQ} : \overline{AB} = 16 : 4 = 4 : 1$

따라서 점 Q는 선분 AB를 $4 : 3$으로 외분
하는 점이므로

$m : n = 4 : 3$ $\therefore \dfrac{n}{m} = \dfrac{3}{4}$

04 답 $\dfrac{2}{3}$

$\overline{AP} : \overline{PC} = \overline{BQ} : \overline{QC} = m : n$ (m, n은 자연수)
이라 하자.

점 P는 선분 AC를 $m : n$으로 내분하는 점이므
로 점 P의 좌표는

$\left(\dfrac{ma - 2n}{m+n}, \dfrac{mb + 2n}{m+n} \right)$

이때 점 P는 y축 위에 있으므로

$\dfrac{ma - 2n}{m+n} = 0$ $\therefore a = \dfrac{2n}{m}$

점 Q는 선분 BC를 $m : n$으로 내분하는 점이므로 점 Q의 좌표는

$\left(\dfrac{ma + 3n}{m+n}, \dfrac{mb - 3n}{m+n} \right)$

이때 점 Q는 x축 위에 있으므로

$\dfrac{mb - 3n}{m+n} = 0$ $\therefore b = \dfrac{3n}{m}$

$\therefore \dfrac{a}{b} = \dfrac{\dfrac{2n}{m}}{\dfrac{3n}{m}} = \dfrac{2}{3}$

05 답 ⑤

함수 $y = x^2$의 그래프 위의 점 P의 좌표를 (t, t^2)이라 하면 선분 AP를
$2 : 1$로 내분하는 점의 좌표는

$\left(\dfrac{2t+3}{2+1}, \dfrac{2t^2-1}{2+1} \right)$ $\therefore \left(\dfrac{2t+3}{3}, \dfrac{2t^2-1}{3} \right)$

$x = \dfrac{2t+3}{3}$, $y = \dfrac{2t^2-1}{3}$로 놓으면 $x = \dfrac{2t+3}{3}$에서 $t = \dfrac{3x-3}{2}$이므로

$y = \dfrac{2}{3} \left(\dfrac{3x-3}{2} \right)^2 - \dfrac{1}{3} = \dfrac{3}{2}x^2 - 3x + \dfrac{7}{6}$

이때 함수 $y = \dfrac{3}{2}x^2 - 3x + \dfrac{7}{6}$의 그래프와 직선 $y = x - k$가 접하므로 이

차방정식 $\dfrac{3}{2}x^2 - 3x + \dfrac{7}{6} = x - k$, 즉 $\dfrac{3}{2}x^2 - 4x + \dfrac{7}{6} + k = 0$의 판별식을

D라 하면

$\dfrac{D}{4} = (-2)^2 - \dfrac{3}{2} \left(\dfrac{7}{6} + k \right) = 0$, $\dfrac{9}{4} - \dfrac{3}{2}k = 0$

$\therefore k = \dfrac{3}{2}$

06 답 $\dfrac{8}{3}$

선분 AD가 $\angle A$의 이등분선이므로

$\overline{AB} : \overline{AC} = \overline{BD} : \overline{CD}$

$\overline{AB} = \sqrt{(-1-2)^2 + (2-6)^2} = 5$

$\overline{AC} = \sqrt{(8-2)^2 + (a-6)^2} = \sqrt{a^2 - 12a + 72}$

$\overline{AC} = t$로 놓으면 $\overline{BD} : \overline{CD} = 5 : t$

점 D는 선분 BC를 $5 : t$로 내분하는 점이므로 점 D의 좌표는

$\left(\dfrac{5 \times 8 + t \times (-1)}{5+t}, \dfrac{5 \times a + t \times 2}{5+t} \right)$

$\therefore \left(\dfrac{40-t}{5+t}, \dfrac{5a+2t}{5+t} \right)$

$D(2, b)$에서 $\dfrac{40-t}{5+t} = 2$이므로

$40 - t = 10 + 2t$ $\therefore t = 10$

$\overline{AC} = t$에서 $\sqrt{a^2 - 12a + 72} = 10$

$a^2 - 12a - 28 = 0$

$(a+2)(a-14) = 0$

$\therefore a = -2$ ($\because a < 0$)

$\therefore b = \dfrac{5a+2t}{5+t} = \dfrac{5 \times (-2) + 2 \times 10}{5+10} = \dfrac{2}{3}$

$\therefore b - a = \dfrac{8}{3}$

07 답 $\dfrac{1}{2}$

그림과 같이 직선 AB를 x축으로 하고,
직선 AD를 y축으로 하는 좌표평면을
잡으면 점 A는 원점이 된다.

정사각형 ABCD의 한 변의 길이를 a라
하면

$B(a, 0)$, $C(a, a)$, $D(0, a)$

(ⅰ) 선분 AB를 $t : 1$로 외분하는 점을
P라 하면

$P\left(\dfrac{at}{t-1}, 0 \right)$

선분 BC를 $t : 1$로 외분하는 점을 Q라 하면 $\overline{AP} = \overline{BQ} = \dfrac{at}{1-t}$이므

로 삼각형 BPQ의 넓이는

$\dfrac{1}{2} \times \overline{PB} \times \overline{BQ} = \dfrac{1}{2} \left(a + \dfrac{at}{1-t} \right) \times \dfrac{at}{1-t} = \dfrac{a^2 t}{2(1-t)^2}$

따라서 S_1은 정사각형 ABCD의 넓이와 삼각형 BPQ의 넓이의 4배
의 합이므로

$S_1 = a^2 + 4 \times \dfrac{a^2 t}{2(1-t)^2} = \dfrac{a^2(1+t^2)}{(1-t)^2}$ ⋯⋯⋯⋯⋯⋯⋯ 배점 **40%**

(ⅱ) 선분 AB를 $t : 1$로 내분하는 점을 R라 하면

$R\left(\dfrac{at}{t+1}, 0 \right)$

선분 BC를 $t : 1$로 내분하는 점을 S라 하면 $\overline{AR} = \overline{BS} = \dfrac{at}{t+1}$이므

로 삼각형 BSR의 넓이는

$\dfrac{1}{2} \times \overline{RB} \times \overline{SB} = \dfrac{1}{2} \left(a - \dfrac{at}{t+1} \right) \times \dfrac{at}{t+1} = \dfrac{a^2 t}{2(t+1)^2}$

따라서 S_2는 정사각형 ABCD의 넓이와 삼각형 BSR의 넓이의 4배
의 차이므로

$S_2 = a^2 - 4 \times \dfrac{a^2 t}{2(t+1)^2} = \dfrac{a^2(1+t^2)}{(t+1)^2}$ ⋯⋯⋯⋯⋯⋯⋯ 배점 **40%**

(ⅰ), (ⅱ)에서 $\dfrac{S_1}{S_2} = \dfrac{(t+1)^2}{(1-t)^2}$

$\dfrac{S_1}{S_2} = 9$에서 $\dfrac{(t+1)^2}{(1-t)^2} = 9$이므로

$(t+1)^2 = 9(1-t)^2$, $2t^2 - 5t + 2 = 0$

$(t-2)(2t-1) = 0$

$\therefore t = \dfrac{1}{2}$ ($\because 0 < t < 1$) ⋯⋯⋯⋯⋯⋯⋯ 배점 **20%**

08 답 ④

두 점 A, B의 좌표를 각각 (a_1, b_1), (a_2, b_2)라 하면 삼각형 OAB의 무게중심의 좌표가 $(5, 4)$이므로

$$\frac{0+a_1+a_2}{3}=5, \quad \frac{0+b_1+b_2}{3}=4$$

$$\therefore a_1+a_2=15, \quad b_1+b_2=12$$

선분 OA를 $2:1$로 외분하는 점 C의 좌표는

$$\left(\frac{2a_1-0}{2-1}, \frac{2b_1-0}{2-1}\right) \quad \therefore (2a_1, 2b_1)$$

선분 OB를 $2:1$로 외분하는 점 D의 좌표는

$$\left(\frac{2a_2-0}{2-1}, \frac{2b_2-0}{2-1}\right) \quad \therefore (2a_2, 2b_2)$$

이때 두 선분 AD, BC는 각각 삼각형 OCD의 중선이므로 두 선분 AD와 BC의 교점 E는 삼각형 OCD의 무게중심이다.

즉, 점 E의 좌표는 $\left(\dfrac{0+2a_1+2a_2}{3}, \dfrac{0+2b_1+2b_2}{3}\right)$

이때 $\dfrac{2a_1+2a_2}{3}=\dfrac{2(a_1+a_2)}{3}=\dfrac{2\times15}{3}=10$,

$\dfrac{2b_1+2b_2}{3}=\dfrac{2(b_1+b_2)}{3}=\dfrac{2\times12}{3}=8$이므로 $E(10, 8)$

따라서 $p=10$, $q=8$이므로 $p+q=18$

09 답 $\dfrac{21}{2}$

그림과 같이 점 A를 원점으로 하고, 직선 AB를 x축으로 하면 $B(8, 0)$, $C(8, 6)$이므로 삼각형 ABC의 무게중심의 좌표는

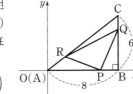

$$\left(\frac{0+8+8}{3}, \frac{0+0+6}{3}\right) \quad \therefore \left(\frac{16}{3}, 2\right)$$

선분 AB를 $3:1$로 내분하는 점 P의 좌표는

$$\left(\frac{3\times8+0}{3+1}, 0\right) \quad \therefore (6, 0)$$

직선 BC의 방정식은 $x=8$, 직선 AC의 방정식은 $y=\dfrac{3}{4}x$이므로

$Q(8, a)$, $R\left(b, \dfrac{3}{4}b\right)$라 하면 삼각형 PQR의 무게중심의 좌표는

$$\left(\frac{6+8+b}{3}, \frac{0+a+\frac{3}{4}b}{3}\right)$$

$$\therefore \left(\frac{b+14}{3}, \frac{4a+3b}{12}\right)$$

이때 삼각형 PQR의 무게중심이 삼각형 ABC의 무게중심과 같으므로

$$\frac{b+14}{3}=\frac{16}{3}, \quad \frac{4a+3b}{12}=2$$

$$\therefore a=\frac{9}{2}, \quad b=2$$

$$\therefore Q\left(8, \frac{9}{2}\right), \quad R\left(2, \frac{3}{2}\right)$$

삼각형 ABC의 넓이는 $\dfrac{1}{2}\times8\times6=24$,

삼각형 APR의 넓이는 $\dfrac{1}{2}\times6\times\dfrac{3}{2}=\dfrac{9}{2}$,

삼각형 PBQ의 넓이는 $\dfrac{1}{2}\times(8-6)\times\dfrac{9}{2}=\dfrac{9}{2}$,

삼각형 QCR의 넓이는 $\dfrac{1}{2}\times\left(6-\dfrac{9}{2}\right)\times(8-2)=\dfrac{9}{2}$

따라서 삼각형 PQR의 넓이는

$$24-3\times\frac{9}{2}=\frac{21}{2}$$

✦idea 10 답 ②

삼각형 PQR의 무게중심을 G라 하면 점 G의 좌표는

$$\left(\frac{3+6+3}{3}, \frac{2+1+6}{3}\right) \quad \therefore (4, 3)$$

이때

$\overline{PG}=\sqrt{(4-3)^2+(3-2)^2}=\sqrt{2}$,

$\overline{QG}=\sqrt{(4-6)^2+(3-1)^2}=2\sqrt{2}$,

$\overline{PQ}=\sqrt{(6-3)^2+(1-2)^2}=\sqrt{10}$

에서 $\overline{PG}^2+\overline{QG}^2=\overline{PQ}^2$이므로 삼각형 PQG는 $\angle G=90°$인 직각삼각형이다.

따라서 삼각형 PQR와 합동인 삼각형 ABC에서 점 A가 x축 위에 있고 삼각형 ABC의 무게중심이 원점이므로 $\angle AOB=90°$를 만족시키려면 점 B는 y축 위에 있어야 한다.

이때 점 C가 제3사분면 위에 있으므로 그림과 같이 점 A의 x좌표는 양수, 점 B의 y좌표는 양수이다.

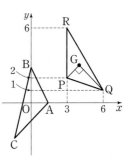

$\overline{AO}=\overline{PG}=\sqrt{2}$이므로 점 A의 좌표는 $(\sqrt{2}, 0)$

$\overline{BO}=\overline{QG}=2\sqrt{2}$이므로 점 B의 좌표는 $(0, 2\sqrt{2})$

이때 삼각형 ABC의 무게중심이 원점이므로

$$\frac{\sqrt{2}+0+a}{3}=0, \quad \frac{0+2\sqrt{2}+b}{3}=0$$

$$\therefore a=-\sqrt{2}, \quad b=-2\sqrt{2}$$

$$\therefore ab=4$$

다른 풀이

삼각형 PQR의 무게중심을 G라 하면 점 G의 좌표는

$$\left(\frac{3+6+3}{3}, \frac{2+1+6}{3}\right) \quad \therefore (4, 3)$$

이때 삼각형 PQR와 삼각형 ABC가 합동이므로 $\overline{PG}=\overline{AO}$

$\therefore \overline{AO}=\overline{PG}=\sqrt{(4-3)^2+(3-2)^2}=\sqrt{2}$

㈏에서 점 A는 x축 위의 점이므로

$A(-\sqrt{2}, 0)$ 또는 $A(\sqrt{2}, 0)$

$\overline{GR}=\overline{OC}$에서 $\overline{GR}^2=\overline{OC}^2$이므로

$(3-4)^2+(6-3)^2=a^2+b^2$

$\therefore a^2+b^2=10$ $\quad\cdots\cdots$ ㉠

$\overline{PR}=\overline{AC}$에서 $\overline{PR}^2=\overline{AC}^2$

(i) $A(-\sqrt{2}, 0)$일 때,

$(6-2)^2=\{a-(-\sqrt{2})\}^2+b^2$

$\therefore a^2+b^2+2\sqrt{2}a=14$ $\quad\cdots\cdots$ ㉡

㉡-㉠을 하면

$2\sqrt{2}a=4$ $\quad\therefore a=\sqrt{2}$

(ii) $A(\sqrt{2}, 0)$일 때,

$(6-2)^2=(a-\sqrt{2})^2+b^2$

$\therefore a^2+b^2-2\sqrt{2}a=14$ $\quad\cdots\cdots$ ㉢

㉢-㉠을 하면

$-2\sqrt{2}a=4$ $\quad\therefore a=-\sqrt{2}$

(i), (ii)에서 $a=-\sqrt{2}$ $(\because a<0)$이므로 이를 ㉠에 대입하면

$2+b^2=10$, $b^2=8$ $\quad\therefore b=-2\sqrt{2}$ $(\because b<0)$

$\therefore ab=-\sqrt{2}\times(-2\sqrt{2})=4$

11 답 330

삼각형 ABC의 무게중심이 점 G이므로

$\overline{AG}:\overline{GQ}=\overline{BG}:\overline{GR}=\overline{CG}:\overline{GP}=2:1$

$\therefore \overline{AG}=12, \overline{BG}=10, \overline{CG}=14$

그림과 같이 삼각형 GBC에서 직선 BC를 x축으로 하고, 점 Q를 지나고 직선 BC에 수직인 직선을 y축으로 하는 좌표평면을 잡으면 점 Q는 원점이 된다.

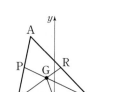

$G(a, b)$, $C(c, 0)$이라 하면 $B(-c, 0)$

$\begin{aligned}\overline{GB}^2 &=(-c-a)^2+(-b)^2 \\ &=a^2+2ac+c^2+b^2 \quad\cdots\cdots ㉠\end{aligned}$

$\begin{aligned}\overline{GC}^2 &=(c-a)^2+(-b)^2 \\ &=a^2-2ac+c^2+b^2 \quad\cdots\cdots ㉡\end{aligned}$

$\overline{GQ}^2=a^2+b^2 \quad\cdots\cdots ㉢$

$\overline{BQ}^2=c^2 \quad\cdots\cdots ㉣$

㉠+㉡을 하면 $\overline{GB}^2+\overline{GC}^2=2(a^2+b^2+c^2)$

㉢+㉣을 하면 $\overline{GQ}^2+\overline{BQ}^2=a^2+b^2+c^2$

$\therefore \overline{GB}^2+\overline{GC}^2=2(\overline{GQ}^2+\overline{BQ}^2)$

즉, $10^2+14^2=2(6^2+\overline{BQ}^2)$에서

$296=72+2\overline{BQ}^2 \quad \therefore \overline{BQ}^2=112$

같은 방법으로 하면 삼각형 GCA에서

$14^2+12^2=2(5^2+\overline{CR}^2)$

$340=50+2\overline{CR}^2 \quad \therefore \overline{CR}^2=145$

같은 방법으로 하면 삼각형 GAB에서

$12^2+10^2=2(7^2+\overline{AP}^2)$

$244=98+2\overline{AP}^2 \quad \therefore \overline{AP}^2=73$

$\therefore \overline{AP}^2+\overline{BQ}^2+\overline{CR}^2=73+112+145=330$

개념 NOTE

삼각형 ABC에서 변 BC의 중점을 M이라 할 때,

$\overline{AB}^2+\overline{AC}^2=2(\overline{AM}^2+\overline{BM}^2)$

이를 중선 정리(파푸스 정리)라 한다.

12 답 ①

㈎에서 직선 l이 삼각형 OAB의 점 O를 지나고, ㈏, ㈐에서 점 P는 선분 AB를 2 : 1 또는 1 : 2로 내분하는 점이어야 한다.

(i) 점 P가 선분 AB를 2 : 1로 내분하는 점일 때,

점 P의 좌표는

$\left(\dfrac{2\times 0+1\times 2}{2+1}, \dfrac{2\times 6+1\times 0}{2+1}\right)$

$\therefore \left(\dfrac{2}{3}, 4\right)$

즉, 직선 l의 기울기는 $\dfrac{4-0}{\frac{2}{3}-0}=6$

㈐에서 직선 m은 삼각형 OAP의 넓이를 이등분하므로 선분 OA의 중점 $(1, 0)$을 지난다.

즉, 직선 m의 기울기는 $\dfrac{4-0}{\frac{2}{3}-1}=-12$

따라서 두 직선 l, m의 기울기의 합은 $6+(-12)=-6$

(ii) 점 P가 선분 AB를 1 : 2로 내분하는 점일 때,

점 P의 좌표는

$\left(\dfrac{1\times 0+2\times 2}{1+2}, \dfrac{1\times 6+2\times 0}{1+2}\right)$

$\therefore \left(\dfrac{4}{3}, 2\right)$

즉, 직선 l의 기울기는 $\dfrac{2-0}{\frac{4}{3}-0}=\dfrac{3}{2}$

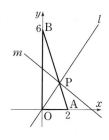

㈐에서 직선 m은 삼각형 OPB의 넓이를 이등분하므로 선분 OB의 중점 $(0, 3)$을 지난다.

즉, 직선 m의 기울기는 $\dfrac{2-3}{\frac{4}{3}-0}=-\dfrac{3}{4}$

따라서 두 직선 l, m의 기울기의 합은

$\dfrac{3}{2}+\left(-\dfrac{3}{4}\right)=\dfrac{3}{4}$

(i), (ii)에서 두 직선 l, m의 기울기의 합의 최댓값은 $\dfrac{3}{4}$이다.

13 답 2

직사각형 OCDE의 넓이를 이등분하는 직선 l은 직사각형의 두 대각선의 교점을 지나야 한다.

직사각형의 두 대각선의 교점은 두 점 $(0, 0)$, $(-2, -4)$를 이은 선분의 중점이므로

$\left(\dfrac{0-2}{2}, \dfrac{0-4}{2}\right) \quad \therefore (-1, -2)$

즉, 기울기가 m이고 점 $(-1, -2)$를 지나는 직선 l의 방정식은

$y+2=m(x+1)$

$\therefore y=mx+m-2$

직선 l이 x축과 만나는 점을 P라 하면 점 P의 x좌표는

$mx+m-2=0$

$\therefore x=\dfrac{2-m}{m}$

한편 직선 AB의 방정식은 $y=-x+2$이므로 직선 AB와 직선 l의 교점을 Q라 하면 점 Q의 y좌표는

$\dfrac{y-m+2}{m}=2-y$

$y-m+2=2m-my$

$(m+1)y=3m-2$

$\therefore y=\dfrac{3m-2}{m+1}$

삼각형 AQP의 넓이는

$\dfrac{1}{2}\left(2-\dfrac{2-m}{m}\right)\times\dfrac{3m-2}{m+1}=\dfrac{(3m-2)^2}{2m(m+1)}$

이때 삼각형 OAB의 넓이가 $\dfrac{1}{2}\times 2\times 2=2$이므로 삼각형 AQP의 넓이는 1이어야 한다.

즉, $\dfrac{(3m-2)^2}{2m(m+1)}=1$이므로

$(3m-2)^2=2m(m+1)$

$\therefore 7m^2-14m+4=0$

따라서 이차방정식의 근과 계수의 관계에 의하여 모든 m의 값의 합은

$-\dfrac{-14}{7}=2$

14 답 ②

그림과 같이 사각형 ABCD에서 두 대각선
AC, BD의 교점을 P'이라 하고, 사각형
ABCD의 내부에 한 점 P를 잡으면

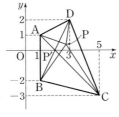

$$\overline{PA}+\overline{PC}\geq\overline{AC}$$
$$=\overline{P'A}+\overline{P'C}\qquad\cdots\cdots\ \bigcirc$$
$$\overline{PB}+\overline{PD}\geq\overline{BD}$$
$$=\overline{P'B}+\overline{P'D}\qquad\cdots\cdots\ \bigcirc$$

$\bigcirc+\bigcirc$을 하면

$$\overline{PA}+\overline{PB}+\overline{PC}+\overline{PD}\geq\overline{P'A}+\overline{P'B}+\overline{P'C}+\overline{P'D}$$

즉, $\overline{PA}+\overline{PB}+\overline{PC}+\overline{PD}$의 값이 최소일 때, 점 P는 두 대각선 AC, BD의 교점이다.

이때 직선 AC의 방정식은

$$y-1=\frac{-3-1}{5-1}(x-1)$$

$$\therefore y=-x+2\qquad\cdots\cdots\ \bigcirc$$

직선 BD의 방정식은

$$y+2=\frac{2-(-2)}{3-1}(x-1)$$

$$\therefore y=2x-4\qquad\cdots\cdots\ \bigcirc$$

$\bigcirc$, $\bigcirc$을 연립하여 풀면 $x=2$, $y=0$

따라서 구하는 점 P의 좌표는 $(2,\ 0)$

15 답 $\dfrac{11}{6}$

$A\left(\dfrac{1}{a},\ 1\right)$, $B(1,\ b)$이고, 두 점 A, B를 지나는 직선 l이 직선 $y=bx$와 수직이므로

$$\frac{b-1}{1-\dfrac{1}{a}}\times b=-1$$

$$\therefore b(b-1)=\frac{1}{a}-1\qquad\cdots\cdots\ \bigcirc$$

그림과 같이 직선 $y=bx$와 직선 $y=1$의
교점을 C라 하면 점 C의 좌표는
$\left(\dfrac{1}{b},\ 1\right)$

직선 l이 x축과 만나는 점을 P라 하면
$\angle AOB=\angle COP=\angle OCA$이므로 삼각형 AOC는 이등변삼각형이다.

따라서 $\overline{OB}=\overline{BC}$, 즉 점 B는 선분 OC의 중점이므로

$$\frac{0+\dfrac{1}{b}}{2}=1\qquad\therefore b=\frac{1}{2}$$

이를 $\bigcirc$에 대입하면

$$\frac{1}{2}\times\left(-\frac{1}{2}\right)=\frac{1}{a}-1$$

$$\therefore a=\frac{4}{3}$$

$$\therefore a+b=\frac{4}{3}+\frac{1}{2}=\frac{11}{6}$$

개념 NOTE

서로 다른 두 직선 l, m이 다른 한 직선 n과 만날 때, 두 직선 l, m이 평행하면 엇각의 크기는 서로 같다.

16 답 ①

두 직선 $y=2x$, $y=-\dfrac{1}{2}x$의 기울기의
곱이 -1이므로 두 직선은 서로 수직이다. 즉, 직선 $y=mx+5$가 두 직선
$y=-\dfrac{1}{2}x$, $y=2x$와 만나는 점을 각각

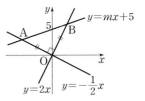

A, B라 하면 삼각형 AOB는
$\angle AOB=90°$인 직각이등변삼각형이다.

$-\dfrac{1}{2}x=mx+5$에서 $x=-\dfrac{10}{2m+1}$

이를 $y=-\dfrac{1}{2}x$에 대입하면 $y=\dfrac{5}{2m+1}$

$$\therefore A\left(-\frac{10}{2m+1},\ \frac{5}{2m+1}\right)$$

$2x=mx+5$에서 $x=\dfrac{5}{2-m}$

이를 $y=2x$에 대입하면 $y=\dfrac{10}{2-m}$

$$\therefore B\left(\frac{5}{2-m},\ \frac{10}{2-m}\right)$$

이때 $\overline{OA}=\overline{OB}$에서 $\overline{OA}^2=\overline{OB}^2$이므로

$$\left(-\frac{10}{2m+1}\right)^2+\left(\frac{5}{2m+1}\right)^2=\left(\frac{5}{2-m}\right)^2+\left(\frac{10}{2-m}\right)^2$$

$$\frac{125}{4m^2+4m+1}=\frac{125}{m^2-4m+4}$$

$m^2-4m+4=4m^2+4m+1$, $3m^2+8m-3=0$

$(m+3)(3m-1)=0\qquad\therefore m=\dfrac{1}{3}\ (\because\ m>0)$

다른 풀이

두 직선 $y=2x$, $y=-\dfrac{1}{2}x$의 기울기의
곱이 -1이므로 두 직선은 서로 수직이다. 즉, 직선 $y=mx+5$가 두 직선
$y=-\dfrac{1}{2}x$, $y=2x$와 만나는 점을 각각

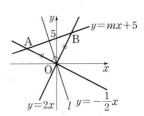

A, B라 하면 삼각형 AOB는
$\angle AOB=90°$인 직각이등변삼각형이다.

원점을 지나고 $\angle AOB$를 이등분하는 직선을 l이라 하면 직선 l은 직선
$y=mx+5$와 수직이고, 직선 l 위의 점 $(x,\ y)$에서 두 직선 $y=2x$,
$y=-\dfrac{1}{2}x$, 즉 $2x-y=0$, $x+2y=0$에 이르는 거리는 같다.

$$\frac{|2x-y|}{\sqrt{2^2+(-1)^2}}=\frac{|x+2y|}{\sqrt{1^2+2^2}}$$에서 $|2x-y|=|x+2y|$

$2x-y=\pm(x+2y)\qquad\therefore y=\dfrac{1}{3}x$ 또는 $y=-3x$

이때 $m>0$에서 직선 l의 기울기가 음수이므로

$$y=-3x\qquad\therefore m=\frac{1}{3}$$

17 답 ④

두 점 $A(-2,\ -1)$, $B(4,\ 2)$를 지나는 직선의 방정식은

$$y-2=\frac{2-(-1)}{4-(-2)}(x-4)\qquad\therefore x-2y=0$$

ㄱ. 직선 AB와 직선 l이 평행하려면

$$\frac{1}{2k+1}=\frac{-2}{k-1}\neq\frac{0}{-5k+2},\ -4k-2=k-1\qquad\therefore k=-\frac{1}{5}$$

따라서 직선 AB와 평행한 직선 l이 존재한다.

Ⅲ. 도형의 방정식

ㄴ. $k=-\dfrac{2}{3}$일 때, 직선 l의 방정식은

$$-\dfrac{1}{3}x-\dfrac{5}{3}y+\dfrac{16}{3}=0 \quad \therefore x+5y-16=0$$

두 식 $x+5y-16=0$, $x-2y=0$을 연립하여 풀면

$$x=\dfrac{32}{7},\ y=\dfrac{16}{7}$$

즉, 점 $\left(\dfrac{32}{7},\ \dfrac{16}{7}\right)$은 선분 AB 위에 있지 않으므로 $k=-\dfrac{2}{3}$일 때,

선분 AB와 직선 l은 만나지 않는다.

ㄷ. 직선 l은 $x-y+2+k(2x+y-5)=0$이므로 직선 $2x+y-5=0$이

될 수 없다.

두 식 $2x+y-5=0$, $x-2y=0$을 연립하여 풀면

$$x=2,\ y=1$$

따라서 선분 AB 위의 점 $(2, 1)$은 직선 l이 지날 수 없다.

따라서 보기에서 옳은 것은 ㄱ, ㄷ이다.

18 답 $\left(\dfrac{9}{2},\ \dfrac{5}{2}\right)$

점 R를 지나고 직선 PQ와 평행한 직선
이 선분 OA, BC와 만나는 점을 각각 T,
S라 하자.

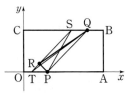

$\overline{TS}\ /\!/\ \overline{PQ}$이므로 ┌두 삼각형의 밑변이
$\triangle QRP=\triangle QTP$ └$\overline{PQ}$이고 높이는 $\overline{PQ}$와
$\overline{TS}$ 사이의 거리이다.

즉, 선분 QT를 경계로 하면 두 부분의 넓이가 변하지 않는다.

직선 PQ의 기울기는 $\dfrac{5-0}{8-3}=1$이므로 점 R를 지나면서 직선 PQ와 평

행한 직선 TS의 방정식은

$$y-1=x-2 \quad \therefore y=x-1$$

이때 점 T의 좌표는 $(1, 0)$이므로 직선 QT의 방정식은

$$y=\dfrac{0-5}{1-8}(x-1),\ y=\dfrac{5}{7}(x-1)$$

$\therefore 5x-7y-5=0$ ······ ㉠ ─────────── 배점 **40%**

또 $\overline{TS}\ /\!/\ \overline{PQ}$이므로 $\triangle QRP=\triangle QSP$

즉, 선분 PS를 경계로 하면 두 부분의 넓이가 변하지 않는다.

점 S의 좌표를 구하면 $x-1=5$에서 $x=6$

$\therefore S(6, 5)$

직선 PS의 방정식은

$$y=\dfrac{5-0}{6-3}(x-3),\ y=\dfrac{5}{3}(x-3)$$

$\therefore 5x-3y-15=0$ ······ ㉡ ─────────── 배점 **40%**

㉠, ㉡을 연립하여 풀면 $x=\dfrac{9}{2}$, $y=\dfrac{5}{2}$

따라서 구하는 교점의 좌표는 $\left(\dfrac{9}{2},\ \dfrac{5}{2}\right)$ ────── 배점 **20%**

19 답 $\sqrt{2}<a<2$

$a\{x-(a^2+a-2)\}+y+2=0$에서

$y=-ax+a^3+a^2-2a-2$

$\therefore y=-ax+(a+1)(a^2-2)$

이 직선의 x절편은 $\dfrac{(a+1)(a^2-2)}{a}$이므로 ㈎에서

$$\dfrac{(a+1)(a^2-2)}{a}>0$$

이때 $a>0$이므로 $a^2-2>0$

$\therefore a>\sqrt{2}$ ······ ㉠

그림과 같이 직선
$y=-ax+(a+1)(a^2-2)$의 기울기는 0
보다 작고, 직선 $y=\dfrac{1}{2}x$의 기울기는 0보
다 크므로 $\angle OAB$, $\angle AOB$는 모두 예각
이다.

즉, ㈏에서 $\angle OBA$는 둔각이어야 한다.

두 직선 $y=-ax+(a+1)(a^2-2)$, $y=\dfrac{1}{2}x$가 서로 수직일 때, $a=2$

이므로 $\angle OBA$가 둔각이려면 a의 값의 범위는

$0<a<2$ ······ ㉡

따라서 ㉠, ㉡에서 구하는 a의 값의 범위는

$\sqrt{2}<a<2$

20 답 15

그림과 같이 직선 $y=2x+k$와 평행하고 곡
선 $y=-x^2+4$에 접하는 직선의 방정식을
$y=2x+a$(a는 상수)라 하자.

이차방정식 $-x^2+4=2x+a$, 즉
$x^2+2x+a-4=0$의 판별식을 D라 하면

$$\dfrac{D}{4}=1^2-(a-4)=0 \quad \therefore a=5$$

이때 곡선 $y=-x^2+4$ 위의 점과 직선
$y=2x+k$ 사이의 거리의 최솟값은 직선 $y=2x+5$ 위의 점 $(0, 5)$와
직선 $y=2x+k$, 즉 $2x-y+k=0$ 사이의 거리와 같으므로

$$\dfrac{|-5+k|}{\sqrt{2^2+(-1)^2}}=2\sqrt{5}$$

$|k-5|=10$, $k-5=\pm 10$

$\therefore k=15$ 또는 $k=-5$

그런데 $k=-5$이면 곡선 $y=-x^2+4$와 직선 $y=2x-5$가 만나므로

$k=15$

21 답 ①

원점과 직선 $3x+2y-5+a(y-1)=0$, 즉
$3x+(2+a)y-5-a=0$ 사이의 거리를 d(d는 자연수)라 하면

$$d=\dfrac{|-5-a|}{\sqrt{3^2+(2+a)^2}}$$

$|a+5|=d\sqrt{a^2+4a+13}$

양변을 제곱하면

$a^2+10a+25=d^2(a^2+4a+13)$

$\therefore (d^2-1)a^2+2(2d^2-5)a+13d^2-25=0$ ······ ㉠

(ⅰ) $d^2-1=0$, 즉 $d=1$일 때,

  $-6a-12=0 \quad \therefore a=-2$

(ⅱ) $d^2-1\neq 0$, 즉 $d\neq 1$일 때,

  이차방정식 ㉠이 실근을 가져야 하므로 ㉠의 판별식을 D라 하면

  $$\dfrac{D}{4}=(2d^2-5)^2-(d^2-1)(13d^2-25)\geq 0$$

  $-9d^4+18d^2\geq 0$, $9d^2(d^2-2)\leq 0$

  $d^2-2\leq 0 \quad \therefore 0<d\leq\sqrt{2}$ ($\because d$는 자연수)

  $\therefore 0<d<1$ 또는 $1<d\leq\sqrt{2}$

  이때 이를 만족시키는 자연수 d의 값은 존재하지 않는다.

(ⅰ), (ⅱ)에서 구하는 a의 값은 -2이다.

22 답 ③

선분 PQ의 길이는 직선 $y=2x+4$ 위의 한 점 $(0, 4)$와 직선 $y=2x-2$, 즉 $2x-y-2=0$ 사이의 거리와 같으므로

$$\overline{PQ}=\frac{|-4-2|}{\sqrt{2^2+(-1)^2}}=\frac{6}{\sqrt{5}}$$

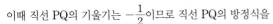

원점 O에서 직선 PQ에 내린 수선의 발을 H라 하면 삼각형 OPQ의 넓이는

$$\frac{1}{2}\times\frac{6}{\sqrt{5}}\times\overline{OH}=8 \qquad \therefore \overline{OH}=\frac{8\sqrt{5}}{3}$$

이때 직선 PQ의 기울기는 $-\frac{1}{2}$이므로 직선 PQ의 방정식을 $y=-\frac{1}{2}x+k\,(k>0)$라 하면 원점 O와 직선 $y=-\frac{1}{2}x+k$, 즉 $x+2y-2k=0$ 사이의 거리가 $\frac{8\sqrt{5}}{3}$이므로

$$\frac{|-2k|}{\sqrt{1^2+2^2}}=\frac{8\sqrt{5}}{3}$$

$$\frac{2k}{\sqrt{5}}=\frac{8\sqrt{5}}{3} \qquad \therefore k=\frac{20}{3}$$

따라서 직선 PQ의 방정식은 $y=-\frac{1}{2}x+\frac{20}{3}$이므로 구하는 x절편은 $\frac{40}{3}$이다.

23 답 4

두 점 R, S의 좌표를 각각 (p, q), (r, s)라 하면 사각형 PQRS가 평행사변형이고, 평행사변형의 대각선의 교점은 선분 PR의 중점이면서 선분 QS의 중점이므로

$$\frac{a+p}{2}=\frac{b+r}{2}=0,\ \frac{a+q}{2}=\frac{b+1+s}{2}=0$$

$$\therefore p=-a,\ q=-a,\ r=-b,\ s=-b-1$$

$$\therefore R(-a, -a),\ S(-b, -b-1)$$

즉, 두 점 P, R는 직선 $y=x$ 위의 점이다.
점 Q와 직선 $y=x$, 즉 $x-y=0$ 사이의 거리는

$$\frac{|b-(b+1)|}{\sqrt{1^2+(-1)^2}}=\frac{\sqrt{2}}{2}$$

$$\overline{PR}=\sqrt{(-a-a)^2+(-a-a)^2}=2\sqrt{2}a$$

삼각형 PQR의 넓이는 $\frac{1}{2}\times2\sqrt{2}a\times\frac{\sqrt{2}}{2}=a$

이때 평행사변형의 대각선은 그 넓이를 이등분하므로 평행사변형 PQRS의 넓이는 $2a$이다.
따라서 $2a=8$에서 $a=4$

24 답 8

직선 OA의 방정식은 $y=\frac{5}{3}x$이므로 점 P의 좌표를 (m, n) $(m, n$은 정수$)$이라 하면 점 P와 직선 $y=\frac{5}{3}x$, 즉 $5x-3y=0$ 사이의 거리는

$$\frac{|5m-3n|}{\sqrt{5^2+(-3)^2}}=\frac{|5m-3n|}{\sqrt{34}}$$

이때 $\overline{OA}=\sqrt{3^2+5^2}=\sqrt{34}$이므로 두 선분 OA, OP를 두 변으로 하는 평행사변형의 넓이는

$$\sqrt{34}\times\frac{|5m-3n|}{\sqrt{34}}=|5m-3n|$$

평행사변형의 넓이가 최소이려면 $|5m-3n|$이 최소이어야 한다.
이때 m, n이 정수이므로 $5m-3n$도 정수이고, $5m-3n\neq0$이므로 최솟값은 $|5m-3n|=1$일 때이다.
즉, $5m-3n=1$ 또는 $5m-3n=-1$이므로 점 $P(m, n)$은 직선 $-5x+3y+1=0$ 또는 직선 $5x-3y+1=0$ 위의 점이다.
따라서 $a=-5$, $b=3$ 또는 $a=5$, $b=-3$이므로

$$|a|+|b|=8$$

step ③ 최고난도 문제 | 101~103쪽

| 01 ① | 02 55 | 03 $-9\sqrt{2}$ | 04 ⑤ | 05 $\frac{1}{3}$ |
| 06 ④ | 07 $\left(\frac{4}{9}, \frac{1}{9}\right)$ | | 08 ④ | 09 43 |

01 답 ①

1단계 점 A의 좌표 구하기

그림과 같이 직선 BC를 x축으로 하고 점 D를 원점으로 하는 좌표평면을 잡으면
$B(-1, 0)$, $C(1, 0)$
점 A의 좌표를 $(p, q)\,(p>0, q>0)$라 하면

$\overline{AB}=2\sqrt{3}$에서 $\overline{AB}^2=12$이므로
$(p+1)^2+q^2=12$

$\therefore p^2+q^2+2p=11$ ...... ㉠

$\overline{AD}=\sqrt{7}$에서 $\overline{AD}^2=7$이므로
$p^2+q^2=7$ ...... ㉡

㉠-㉡을 하면 $2p=4$ $\therefore p=2$
이를 ㉡에 대입하면
$4+q^2=7$, $q^2=3$ $\therefore q=\sqrt{3}\ (\because q>0)$

$\therefore A(2, \sqrt{3})$

2단계 S_1의 값 구하기

$\overline{AC}=\sqrt{(2-1)^2+(\sqrt{3})^2}=2$이므로 삼각형 ABC는 이등변삼각형이고 선분 CE는 선분 AB의 수직이등분선이다.
따라서 직각삼각형 CEB에서 $\overline{CE}=\sqrt{\overline{BC}^2-\overline{BE}^2}=\sqrt{2^2-(\sqrt{3})^2}=1$
이때 점 P는 삼각형 ABC의 무게중심이므로
$\overline{AP}:\overline{PD}=2:1$에서 $\overline{AP}=\frac{2}{3}\overline{AD}=\frac{2\sqrt{7}}{3}$, $\overline{PD}=\frac{1}{3}\overline{AD}=\frac{\sqrt{7}}{3}$
$\overline{CP}:\overline{PE}=2:1$에서 $\overline{CP}=\frac{2}{3}\overline{CE}=\frac{2}{3}$, $\overline{PE}=\frac{1}{3}\overline{CE}=\frac{1}{3}$
삼각형 EPA에서 선분 PR가 $\angle APE$의 이등분선이므로
$\overline{AR}:\overline{ER}=\overline{PA}:\overline{PE}=\frac{2\sqrt{7}}{3}:\frac{1}{3}=2\sqrt{7}:1$
즉, $\overline{AR}:\overline{ER}=2\sqrt{7}:1$이므로 $\triangle ARP:\triangle REP=2\sqrt{7}:1$
이때 삼각형 ABC의 넓이를 S라 하면
$S=\frac{1}{2}\times\overline{AB}\times\overline{CE}=\frac{1}{2}\times2\sqrt{3}\times1=\sqrt{3}$
따라서 삼각형 AEP의 넓이는 삼각형 ABC의 넓이의 $\frac{1}{6}$이므로
$S_1=S\times\frac{1}{6}\times\frac{1}{2\sqrt{7}+1}=\sqrt{3}\times\frac{1}{6}\times\frac{1}{2\sqrt{7}+1}=\frac{\sqrt{3}}{6(2\sqrt{7}+1)}$

3단계 S_2의 값 구하기

삼각형 CPD에서 <u>선분 PQ가 ∠DPC의 이등분선</u>이므로
└→ ∠APE의 이등분선은
$$\overline{DQ}:\overline{CQ}=\overline{PD}:\overline{PC}=\frac{\sqrt{7}}{3}:\frac{2}{3}=\sqrt{7}:2$$
∠DPC의 이등분선과 같다.

즉, $\overline{DQ}:\overline{CQ}=\sqrt{7}:2$이므로 $\triangle PDQ:\triangle PQC=\sqrt{7}:2$

따라서 삼각형 PDC의 넓이는 삼각형 ABC의 넓이의 $\frac{1}{6}$이므로

$$S_2=S\times\frac{1}{6}\times\frac{2}{\sqrt{7}+2}=\sqrt{3}\times\frac{1}{6}\times\frac{2}{\sqrt{7}+2}=\frac{\sqrt{3}}{3(\sqrt{7}+2)}$$

4단계 ab의 값 구하기

$$\therefore \frac{S_2}{S_1}=\frac{\frac{\sqrt{3}}{3(\sqrt{7}+2)}}{\frac{\sqrt{3}}{6(2\sqrt{7}+1)}}=\frac{2(2\sqrt{7}+1)}{\sqrt{7}+2}$$
$$=\frac{2(2\sqrt{7}+1)(\sqrt{7}-2)}{(\sqrt{7}+2)(\sqrt{7}-2)}=8-2\sqrt{7}$$

따라서 $a=8$, $b=-2$이므로 $ab=-16$

idea
02 답 55

1단계 b, d의 값 구하기

(나)에서 $\overline{BD}=1$이고 점 D는 y축 위에 있으므로
D$(0, 1-b)$

점 D가 선분 AC의 중점이므로
$$\frac{-a+c}{2}=0,\ \frac{0+d}{2}=1-b$$
$$\therefore a=c,\ 2b+d=2$$

(가)에서 x축이 ∠BAC를 이등분하고, x축과
직선 BD는 수직으로 만나므로
$$\overline{OB}=\overline{OD}$$
$$b=1-b\quad\therefore b=\frac{1}{2}$$

이를 $2b+d=2$에 대입하여 풀면 $d=1$

2단계 a, c의 값 구하기

(다)에서 $\overline{AE}=1$이고 점 E는 x축 위에 있으므로
E$(1-a, 0)$

이때 B$\left(0, -\frac{1}{2}\right)$, C$(a, 1)$이므로 직선 BC의 방정식은
$$y+\frac{1}{2}=\frac{1-\left(-\frac{1}{2}\right)}{a-0}x\quad\therefore y=\frac{3}{2a}x-\frac{1}{2}$$

점 E가 이 직선 위에 있으므로
$$\frac{3}{2a}(1-a)-\frac{1}{2}=0$$
$$3-3a-a=0\quad\therefore a=\frac{3}{4}$$
$$\therefore c=\frac{3}{4}$$

3단계 $8(\overline{AB}^2+\overline{BC}^2+\overline{CA}^2)$의 값 구하기

따라서 A$\left(-\frac{3}{4}, 0\right)$, B$\left(0, -\frac{1}{2}\right)$, C$\left(\frac{3}{4}, 1\right)$이므로
$$\overline{AB}^2=\left(\frac{3}{4}\right)^2+\left(-\frac{1}{2}\right)^2=\frac{13}{16}$$
$$\overline{BC}^2=\left(\frac{3}{4}\right)^2+\left\{1-\left(-\frac{1}{2}\right)\right\}^2=\frac{45}{16}$$
$$\overline{CA}^2=\left(-\frac{3}{4}-\frac{3}{4}\right)^2+(-1)^2=\frac{13}{4}$$
$$\therefore 8(\overline{AB}^2+\overline{BC}^2+\overline{CA}^2)=8\left(\frac{13}{16}+\frac{45}{16}+\frac{13}{4}\right)=55$$

03 답 $-9\sqrt{2}$

1단계 b의 값 구하기

그림과 같이 직선 AB와 x축의 교점을 P′이
라 하면
$$\overline{BP}\leq\overline{AB}+\overline{AP}$$
$$\overline{BP}-\overline{AP}\leq\overline{AB}$$
$$=\overline{BP'}-\overline{AP'}$$

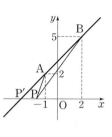

즉, 점 P가 직선 AB와 x축의 교점일 때,
$\overline{BP}-\overline{AP}$의 값이 최대이다.

따라서 $\overline{BP}-\overline{AP}$의 최댓값은 선분 AB의 길이이므로
$$\sqrt{\{2-(-1)\}^2+(5-2)^2}=3\sqrt{2}$$
$$\therefore b=3\sqrt{2}$$

2단계 a의 값 구하기

두 점 A$(-1, 2)$, B$(2, 5)$를 지나는 직선의 방정식은
$$y-5=\frac{5-2}{2-(-1)}(x-2)\quad\therefore y=x+3$$

직선 $y=x+3$의 x절편은 -3이므로 $\overline{BP}-\overline{AP}$의 값이 최대가 될 때,
점 P의 x좌표는 -3이다.
$$\therefore a=-3$$

3단계 ab의 값 구하기

$$\therefore ab=-3\times3\sqrt{2}=-9\sqrt{2}$$

04 답 ⑤

1단계 점 O′의 좌표 구하기

점 D는 선분 OC를 2 : 1로 내분하는
점이므로
$$\overline{CD}=12\times\frac{1}{3}=4$$

점 F′에서 선분 BC에 내린 수선의 발을
H라 하면
$$\overline{F'H}=\overline{CD}=4,\ \overline{O'F'}=\overline{OF}=5$$
이므로 직각삼각형 F′HO′에서
$$\overline{O'H}=\sqrt{\overline{O'F'}^2-\overline{F'H}^2}=\sqrt{5^2-4^2}=3$$

이때 $\overline{CO'}=a$라 하면 O′$(a, 12)$, F′$(a+3, 8)$

두 직선 OO′, FF′은 각각 직선 PQ와 수직이므로 $\overrightarrow{OO'}/\!/\overrightarrow{FF'}$

즉, 두 직선 OO′과 FF′의 기울기가 같으므로
$$\frac{12-0}{a-0}=\frac{8-0}{a+3-5}$$
$$12a-24=8a\quad\therefore a=6$$
$$\therefore O'(6, 12)$$

2단계 직선 PQ의 방정식 구하기

직선 OO′의 기울기가 $\frac{12}{6}=2$이므로 직선 PQ의 기울기는 $-\frac{1}{2}$이다.

선분 OO′의 중점의 좌표는
$$\left(\frac{0+6}{2},\ \frac{0+12}{2}\right)\quad\therefore (3, 6)$$

즉, 기울기가 $-\frac{1}{2}$이고 점 $(3, 6)$을 지나는 직선 PQ의 방정식은
$$y-6=-\frac{1}{2}(x-3)\quad\therefore y=-\frac{1}{2}x+\frac{15}{2}$$

3단계 $m+n$의 값 구하기

따라서 $m=-\frac{1}{2}$, $n=\frac{15}{2}$이므로
$$m+n=7$$

05 답 $\dfrac{1}{3}$

1단계 $a-b$의 값 구하기

직선 $y=mx+a$가 직선 $x=6$과 만나는
점을 R, 직선 $y=mx+b$가 y축과 만나
는 점을 S라 하면 사각형 PSQR는 평
행사변형이다.

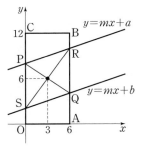

이때 $P(0, a)$, $S(0, b)$이고 평행사변
형 PSQR의 넓이는 직사각형 OABC
의 넓이의 $\dfrac{1}{3}$이므로

$(a-b)\times6=\dfrac{1}{3}\times6\times12$ $\quad\therefore a-b=4$ …… ㉠

2단계 직선 PQ의 방정식 구하기

$\triangle PQR\equiv\triangle PSQ$이므로 두 점 P, Q를 지나는 직선은 직사각형 OABC
의 넓이를 이등분한다.

직사각형 OABC의 두 대각선의 교점은 두 점 $(6, 0)$, $(0, 12)$를 이은
선분의 중점이므로 교점의 좌표는

$\left(\dfrac{6+0}{2}, \dfrac{0+12}{2}\right)$ $\quad\therefore (3, 6)$

점 Q의 좌표는 $(6, 6m+b)$이므로 직선 PQ의 기울기는

$\dfrac{6m+b-a}{6-0}=\dfrac{6m-4}{6}=\dfrac{3m-2}{3}$ $(\because ㉠)$

즉, 직선 PQ는 기울기가 $\dfrac{3m-2}{3}$이고 직사각형 OABC의 두 대각선의

교점 $(3, 6)$을 지나므로 직선 PQ의 방정식은

$y-6=\dfrac{3m-2}{3}(x-3)$ $\quad\therefore y=\dfrac{3m-2}{3}x-3m+8$

3단계 m의 값 구하기

직선 PQ의 x절편은 $0=\dfrac{3m-2}{3}x-3m+8$

$\dfrac{3m-2}{3}x=3m-8$ $\quad\therefore x=\dfrac{9m-24}{3m-2}$

주어진 조건에서 이 직선의 x절편이 $3m+5(a-b)=3m+20$이므로

$\dfrac{9m-24}{3m-2}=3m+20$, $9m^2+45m-16=0$

$(3m+16)(3m-1)=0$ $\quad\therefore m=\dfrac{1}{3}$ $(\because 0<m<1)$

06 답 ④

1단계 선분 AB의 수직이등분선을 이용하여 a, b 사이의 관계식 구하기

$\overline{AC}=\overline{BC}$이므로 점 C는 선분 AB의 수직이등분선 위에 있다.

직선 AB의 기울기는 $\dfrac{0-6}{18-0}=-\dfrac{1}{3}$이므로 직선 AB와 수직인 직선의

기울기는 3이고, 선분 AB의 중점을 M이라 하면 점 M의 좌표는

$\left(\dfrac{0+18}{2}, \dfrac{6+0}{2}\right)$, 즉 $(9, 3)$이므로 선분 AB의 수직이등분선의 방정식은

$y-3=3(x-9)$ $\quad\therefore y=3x-24$

이때 점 $C(a, b)$가 이 직선 위의 점이므로

$b=3a-24$ …… ㉠

2단계 무게중심을 이용하여 a, b 사이의 관계식 구하기

삼각형 CAB의 무게중심을 G′라 하면 $\overline{CP}:\overline{CA}=3:4$이므로

$\overline{CG}:\overline{CG'}=3:4$ $\quad\therefore \overline{CG'}=\dfrac{4}{3}\overline{CG}=\dfrac{4\sqrt{10}}{3}$

$\overline{CG'}:\overline{CM}=2:3$이므로 $\overline{CM}=\dfrac{3}{2}\overline{CG'}=2\sqrt{10}$

즉, $\overline{CM}^2=40$이므로 $(a-9)^2+(b-3)^2=40$

$\quad\therefore a^2+b^2-18a-6b+50=0$ …… ㉡

3단계 $a+b$의 값 구하기

㉠을 ㉡에 대입하면

$a^2+(3a-24)^2-18a-6(3a-24)+50=0$

$10a^2-180a+770=0$

$a^2-18a+77=0$

$(a-7)(a-11)=0$

$\quad\therefore a=7$ 또는 $a=11$

이를 ㉠에 대입하여 풀면

$a=7$일 때 $b=-3$, $a=11$일 때 $b=9$

이때 점 C는 제1사분면 위의 점이므로

$a=11$, $b=9$ $\quad\therefore a+b=20$

07 답 $\left(\dfrac{4}{9}, \dfrac{1}{9}\right)$

1단계 점 A의 좌표 구하기

점 A는 두 직선 $y=2x-1$, $y=\dfrac{5}{2}x-1$

의 교점이므로

$A(0, -1)$

2단계 점 B의 좌표 구하기

점 B의 좌표를 $(a, 1)$이라 하면 선분
AB의 중점의 좌표는 $\left(\dfrac{a}{2}, 0\right)$이고, 이
점은 직선 $y=-x+2$ 위에 있으므로

$-\dfrac{a}{2}+2=0$ $\quad\therefore a=4$

$\quad\therefore B(4, 1)$

3단계 점 C의 좌표 구하기

점 C의 좌표를 $(b, -b+2)$라 하면 선분 AC의 중점의 좌표는
$\left(\dfrac{0+b}{2}, \dfrac{-1-b+2}{2}\right)$, 즉 $\left(\dfrac{b}{2}, \dfrac{-b+1}{2}\right)$이고 이 점은 직선 $y=1$ 위에

있으므로

$\dfrac{-b+1}{2}=1$ $\quad\therefore b=-1$

$\quad\therefore C(-1, 3)$

4단계 삼각형 ABC의 수심의 좌표 구하기

직선 AB의 기울기는 $\dfrac{1-(-1)}{4-0}=\dfrac{1}{2}$이므로 점 $C(-1, 3)$을 지나고 직

선 AB에 수직인 직선의 방정식은

$y-3=-2(x+1)$ $\quad\therefore y=-2x+1$

두 식 $y=\dfrac{5}{2}x-1$, $y=-2x+1$을 연립하여 풀면

$x=\dfrac{4}{9}$, $y=\dfrac{1}{9}$

따라서 삼각형 ABC의 수심의 좌표는 $\left(\dfrac{4}{9}, \dfrac{1}{9}\right)$이다.

08 답 ④

1단계 $(a-b)^2+(2a-2b^2-3)^2$의 의미 파악하기

$P(b, 2b^2+3)$, $Q(a, 2a)$라 하면 점 P는 함수 $y=2x^2+3$의 그래프 위
의 점이고, 점 Q는 직선 $y=2x$ 위의 점이다.

이때 $\overline{PQ}=\sqrt{(a-b)^2+\{2a-(2b^2+3)\}^2}$이므로

$\overline{PQ}^2=(a-b)^2+(2a-2b^2-3)^2$

즉, 선분 PQ의 길이가 최소일 때, $(a-b)^2+(2a-2b^2-3)^2$의 값이 최
소이다.

따라서 그림과 같이 직선 $y=2x+k$와
함수 $y=2x^2+3$의 그래프가 접할 때,
선분 PQ의 길이는 최소이다.

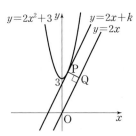

2단계 $(a-b)^2+(2a-2b^2-3)^2$의 **최솟값 구하기**

이차방정식 $2x+k=2x^2+3$, 즉 $2x^2-2x+3-k=0$의 판별식을 D라
하면

$$\frac{D}{4}=(-1)^2-2(3-k)=0 \qquad \therefore k=\frac{5}{2}$$

이때 선분 PQ의 길이는 직선 $y=2x+\dfrac{5}{2}$ 위의 점 $\left(0, \dfrac{5}{2}\right)$와 직선

$y=2x$, 즉 $2x-y=0$ 사이의 거리와 같으므로

$$\overline{PQ}=\frac{\left|-\dfrac{5}{2}\right|}{\sqrt{2^2+(-1)^2}}=\frac{\sqrt{5}}{2}$$

따라서 $(a-b)^2+(2a-2b^2-3)^2$의 최솟값은 $\overline{PQ}^2=\dfrac{5}{4}$

3단계 $p+q$의 값 **구하기**

즉, $p=4$, $q=5$이므로 $p+q=9$

---

09 답 43

1단계 사다리꼴 PRSQ의 높이 구하기

직선 AB의 방정식은 $-\dfrac{x}{3}+\dfrac{y}{4}=1$, 즉 $4x-3y+12=0$이므로

점 $C(4, -3)$과 직선 AB 사이의 거리는

$$\frac{|16+9+12|}{\sqrt{4^2+(-3)^2}}=\frac{37}{5} \qquad \cdots\cdots \ \boxdot$$

삼각형 ABC와 삼각형 PQC는 닮음이고 $\overline{AB}=\sqrt{(-3)^2+(-4)^2}=5$이

므로 $\overline{PQ}=a$라 하면 두 삼각형 ABC와 PQC의 닮음비는 $5 : a$

따라서 점 C와 직선 PQ 사이의 거리는

$$\frac{37}{5}\times\frac{a}{5}=\frac{37}{25}a \qquad \cdots\cdots \ \boxdot$$

$\boxdot$, $\boxdot$에서 사다리꼴 PRSQ의 높이는 $\dfrac{37}{5}-\dfrac{37}{25}a$

2단계 사다리꼴 PRSQ의 넓이의 최댓값 구하기

두 사각형 BQPR와 SQPA는 각각 평행사변형이므로

$\overline{PQ}=\overline{BS}+\overline{SR}=\overline{AR}+\overline{SR}$에서 $\overline{BS}=\overline{AR}$

$\overline{AB}=\overline{BS}+\overline{AS}=\overline{BS}+\overline{PQ}=\overline{BS}+a$이므로 $\overline{BS}=5-a$

$\therefore \overline{SR}=5-2\overline{BS}=5-2(5-a)=2a-5$

사다리꼴 PRSQ의 넓이를 S라 하면

$$S=\frac{1}{2}\{(2a-5)+a\}\left(\frac{37}{5}-\frac{37}{25}a\right)$$

$$=-\frac{111}{50}\left(a^2-\frac{20}{3}a+\frac{25}{3}\right)$$

$$=-\frac{111}{50}\left(a-\frac{10}{3}\right)^2+\frac{37}{6}$$

이때 사각형 PRSQ는 사다리꼴이고 $\overline{AP}<\overline{PC}$이므로 $\dfrac{5}{2}<a<5$

따라서 $\dfrac{5}{2}<a<5$에서 $a=\dfrac{10}{3}$일 때, S는 최댓값 $\dfrac{37}{6}$을 갖는다.

3단계 $p+q$의 값 **구하기**

즉, $p=6$, $q=37$이므로 $p+q=43$

---

09 원의 방정식

step ① 핵심 문제 | 104~105쪽

01 ③	02 10	03 ②	04 $\dfrac{5\sqrt{2}}{2}$	05 ②	06 $2\sqrt{5}$
07 ③	08 $a<-\dfrac{3}{4}$		09 50	10 ④	
11 $(25, -25)$		12 ③			

01 답 ③

$x^2+y^2-8kx+4ky-20k-7=0$에서

$(x-4k)^2+(y+2k)^2=20k^2+20k+7$

즉, 원의 중심의 좌표는 $(4k, -2k)$이고, 반지름의 길이는

$\sqrt{20k^2+20k+7}$이다.

원의 넓이가 최소이려면 반지름의 길이가 최소이어야 하므로

$20k^2+20k+7=20\left(k+\dfrac{1}{2}\right)^2+2$

따라서 $k=-\dfrac{1}{2}$일 때, 반지름의 길이는 최소이고 그때의 원의 중심의

좌표는 $(-2, 1)$이므로 원점과 원의 중심 사이의 거리는

$\sqrt{(-2)^2+1^2}=\sqrt{5}$

02 답 10

세 점 $(0, 0)$, $(6, 0)$, $(-4, 4)$를 지나는 원의 방정식을

$x^2+y^2+Ax+By+C=0$ (A, B, C는 상수)라 하면 이 원이 점

$(0, 0)$을 지나므로

$C=0$

즉, 원의 방정식은 $x^2+y^2+Ax+By=0$ $\qquad \cdots\cdots \ \boxdot$

원 $\boxdot$이 점 $(6, 0)$을 지나므로

$36+6A=0 \qquad \therefore A=-6$

또 원 $\boxdot$이 점 $(-4, 4)$를 지나므로

$16+16-4A+4B=0$

$A-B=8 \qquad \therefore B=-14 \ (\because A=-6)$

즉, 원의 방정식은 $x^2+y^2-6x-14y=0$

$\therefore (x-3)^2+(y-7)^2=58$

따라서 원의 중심의 좌표는 $(3, 7)$이므로

$p=3$, $q=7 \qquad \therefore p+q=10$

다른 풀이

주어진 세 점을 $A(0, 0)$, $B(6, 0)$, $C(-4, 4)$라 하고 원의 중심을

$P(p, q)$라 하면

$\overline{AP}=\overline{BP}=\overline{CP}$

$\overline{AP}=\overline{BP}$에서 $\overline{AP}^2=\overline{BP}^2$이므로

$p^2+q^2=(p-6)^2+q^2$

$-12p+36=0 \qquad \therefore p=3$

$\overline{AP}=\overline{CP}$에서 $\overline{AP}^2=\overline{CP}^2$이므로

$p^2+q^2=\{p-(-4)\}^2+(q-4)^2$

$8p-8q=-32 \qquad \therefore p-q=-4$

$\therefore q=7 \ (\because p=3)$

$\therefore p+q=10$

03 답 ②

원의 중심이 직선 $y=x+1$ 위에 있으므로 원의 중심의 좌표를
$(a, a+1)$이라 하면 원의 반지름의 길이는 $|a|$이므로
$(x-a)^2+(y-a-1)^2=a^2$ ↳ y축에 접하므로 반지름의 길이는
                                      |(중심의 x좌표)|이다.
이 원이 점 $(1, 3)$을 지나므로
$(1-a)^2+(3-a-1)^2=a^2$
$a^2-6a+5=0$, $(a-1)(a-5)=0$
$\therefore a=1$ 또는 $a=5$
즉, 두 원의 중심의 좌표는 각각 $(1, 2)$, $(5, 6)$이므로
$\overline{PQ}=\sqrt{(5-1)^2+(6-2)^2}=4\sqrt{2}$
원점과 직선 $y=x+1$, 즉 $x-y+1=0$ 사이의 거리는
$\dfrac{|1|}{\sqrt{1^2+(-1)^2}}=\dfrac{\sqrt{2}}{2}$
따라서 삼각형 POQ의 넓이는
$\dfrac{1}{2}\times 4\sqrt{2}\times\dfrac{\sqrt{2}}{2}=2$

04 답 $\dfrac{5\sqrt{2}}{2}$

두 원의 교점을 지나는 원의 방정식은
$x^2+y^2+ax-2y-7+k(x^2+y^2-8x+8y-9)=0$ (단, $k\neq -1$)
                                                  ⋯⋯ ㉠
원 ㉠이 점 $(1, 2)$를 지나므로
$1+4+a-4-7+k(1+4-8+16-9)=0$
$\therefore a+4k=6$ ⋯⋯ ㉡
또 원 ㉠이 점 $(2, 2)$를 지나므로
$4+4+2a-4-7+k(4+4-16+16-9)=0$
$\therefore 2a-k=3$ ⋯⋯ ㉢
㉡, ㉢을 연립하여 풀면 $a=2$, $k=1$
이를 ㉠에 대입하면
$x^2+y^2+2x-2y-7+x^2+y^2-8x+8y-9=0$
$x^2+y^2-3x+3y-8=0$
$\therefore \left(x-\dfrac{3}{2}\right)^2+\left(y+\dfrac{3}{2}\right)^2=\dfrac{25}{2}$
따라서 구하는 원의 반지름의 길이는 $\dfrac{5\sqrt{2}}{2}$이다.

05 답 ②

두 원 C_1, C_2의 교점을 지나는 직선의 방정식은
$x^2+y^2+4x-6y+9-(x^2+y^2+2x-8y+a)=0$
$\therefore 2x+2y+9-a=0$ ⋯⋯ ㉠
$x^2+y^2+4x-6y+9=0$에서 $(x+2)^2+(y-3)^2=4$
따라서 직선 ㉠이 원 C_1의 넓이를 이등분하려면 원 C_1의 중심 $(-2, 3)$
을 지나야 하므로
$-4+6+9-a=0$ $\therefore a=11$

06 답 $2\sqrt{5}$

두 원의 교점을 지나는 직선의 방정식은
$x^2+y^2+4x-2y-4-(x^2+y^2-4x-8y+6)=0$
$\therefore 4x+3y-5=0$ ⋯⋯ ㉠ ⋯⋯⋯⋯⋯⋯⋯⋯⋯ 배점 **30%**
$x^2+y^2+4x-2y-4=0$에서
$(x+2)^2+(y-1)^2=9$ ⋯⋯ ㉡

두 원의 교점을 각각 A, B, 원 ㉡의 중심을
P라 하고, 점 $P(-2, 1)$에서 직선 ㉠에 내
린 수선의 발을 H라 하면

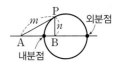

$\overline{PH}=\dfrac{|-8+3-5|}{\sqrt{4^2+3^2}}=2$ ⋯⋯⋯⋯ 배점 **40%**
이때 $\overline{AP}=3$이므로 직각삼각형 APH에서
$\overline{AH}=\sqrt{3^2-2^2}=\sqrt{5}$
$\therefore \overline{AB}=2\overline{AH}=2\sqrt{5}$ ⋯⋯⋯⋯⋯⋯⋯⋯⋯⋯⋯⋯ 배점 **30%**

07 답 ③

$P(x, y)$라 하면 $\overline{OP}:\overline{AP}=2:1$이므로
$\overline{OP}=2\overline{AP}$에서 $\overline{OP}^2=4\overline{AP}^2$
$x^2+y^2=4\{(x-6)^2+(y-3)^2\}$
$x^2+y^2-16x-8y+60=0$
$\therefore (x-8)^2+(y-4)^2=20$
따라서 점 P가 나타내는 도형은 반지름의 길이가 $2\sqrt{5}$인 원이므로 구하
는 넓이는
$\pi\times(2\sqrt{5})^2=20\pi$

개념 NOTE
두 점 A, B에 대하여
$\overline{AP}:\overline{BP}=m:n\,(m>0, n>0, m\neq n)$
인 점 P가 나타내는 도형은 선분 AB를 $m:n$으로
내분하는 점과 $m:n$으로 외분하는 점을 지름의 양
끝 점으로 하는 원이다. 이와 같은 원을 아폴로니오스의 원이라 한다.

08 답 $a<-\dfrac{3}{4}$

원의 반지름의 길이를 r라 하면 중심의 좌표가 $(r, -r)$이므로
$(x-r)^2+(y+r)^2=r^2$
원의 중심 $(r, -r)$가 직선 $x-y-2=0$ 위에 있으므로
$r+r-2=0$ $\therefore r=1$
즉, 원 $(x-1)^2+(y+1)^2=1$이 직선 $y=ax+1$과 서로 다른 두 점에서
만나려면 이차방정식 $(x-1)^2+(ax+1+1)^2=1$, 즉
$(a^2+1)x^2+2(2a-1)x+4=0$이 서로 다른 두 실근을 가져야 하므로
이 이차방정식의 판별식을 D라 하면
$\dfrac{D}{4}=(2a-1)^2-4(a^2+1)>0$
$-4a-3>0$ $\therefore a<-\dfrac{3}{4}$

다른 풀이

원의 반지름의 길이를 r라 하면 중심의 좌표가 $(r, -r)$이므로
$(x-r)^2+(y+r)^2=r^2$
원의 중심 $(r, -r)$가 직선 $x-y-2=0$ 위에 있으므로
$r+r-2=0$ $\therefore r=1$
원 $(x-1)^2+(y+1)^2=1$과 직선 $y=ax+1$이 서로 다른 두 점에서 만
나려면 원의 중심의 좌표가 $(1, -1)$이고, 원의 중심과 직선 $y=ax+1$,
즉 $ax-y+1=0$ 사이의 거리가 반지름의 길이 1보다 작아야 하므로
$\dfrac{|a+1+1|}{\sqrt{a^2+(-1)^2}}<1$, $|a+2|<\sqrt{a^2+1}$
양변을 제곱하면 $a^2+4a+4<a^2+1$
$4a<-3$ $\therefore a<-\dfrac{3}{4}$

09 답 50

원의 중심의 좌표를 (a, a)라 하면 점 (a, a)와 직선 $3x-4y+12=0$ 사이의 거리는 원의 반지름의 길이 $|a|$와 같으므로

$$\frac{|3a-4a+12|}{\sqrt{3^2+(-4)^2}}=|a|$$

$$|-a+12|=5|a|$$

양변을 제곱하면 $a^2-24a+144=25a^2$

$a^2+a-6=0$, $(a+3)(a-2)=0$

$\therefore a=-3$ 또는 $a=2$

따라서 두 원의 중심의 좌표는 $(-3, -3)$, $(2, 2)$이므로

$$\overline{AB}^2=\{2-(-3)\}^2+\{2-(-3)\}^2=50$$

10 답 ④

원의 중심 $(-3, 2)$와 직선 $5x-12y-26=0$ 사이의 거리는

$$\frac{|-15-24-26|}{\sqrt{5^2+(-12)^2}}=5$$

원의 반지름의 길이는 2이므로 원 위의 점과 직선 사이의 거리의 최댓값은 $5+2=7$, 최솟값은 $5-2=3$

이때 원 위의 점과 직선 사이의 거리 중 자연수인 것은 3, 4, 5, 6, 7의 5개이고 거리가 3, 7일 때만 점이 1개이고 나머지 거리일 때는 점이 2개씩 있으므로 구하는 점의 개수는

$5\times2-2=8$

11 답 $(25, -25)$

점 $(a, a-1)$이 원 $x^2+y^2=25$ 위의 점이므로

$a^2+(a-1)^2=25$

$a^2-a-12=0$, $(a+3)(a-4)=0$

$\therefore a=-3$ 또는 $a=4$

원 $x^2+y^2=25$ 위의 점 $(-3, -4)$에서의 접선의 방정식은

$-3x-4y=25$ ...... ㉠

원 $x^2+y^2=25$ 위의 점 $(4, 3)$에서의 접선의 방정식은

$4x+3y=25$ ...... ㉡

㉠, ㉡을 연립하여 풀면 $x=25$, $y=-25$

따라서 구하는 교점의 좌표는 $(25, -25)$

12 답 ③

점 $(0, 4)$를 지나는 직선의 기울기를 m이라 하면 직선의 방정식은

$y=mx+4$ ...... ㉠

직선 ㉠이 원 $x^2+y^2=4$에 접하면 원의 중심 $(0, 0)$과 직선 $y=mx+4$,

즉 $mx-y+4=0$ 사이의 거리는 2이므로

$$\frac{|4|}{\sqrt{m^2+(-1)^2}}=2, \sqrt{m^2+1}=2$$

$m^2+1=4$ $\therefore m^2=3$ ...... ㉡

또 직선 ㉠이 원 $x^2+(y-a)^2=9$에 접하면 원의 중심 $(0, a)$와 직선 $y=mx+4$, 즉 $mx-y+4=0$ 사이의 거리는 3이므로

$$\frac{|-a+4|}{\sqrt{m^2+(-1)^2}}=3, \frac{|-a+4|}{2}=3 \ (\because ㉡)$$

$|-a+4|=6$, $-a+4=\pm6$

$\therefore a=-2$ 또는 $a=10$

따라서 모든 상수 a의 값의 합은

$-2+10=8$

---

01 ②	02 ⑤	03 16	04 ③	05 $\frac{15}{4}$	06 $\sqrt{5}\pi$
07 108	08 256	09 ⑤	10 $\frac{3}{4}$	11 ②	12 ④
13 2	14 9	15 $\sqrt{15}<k<7$	16 31	17 ②	
18 80	19 2	20 87	21 -20	22 π	23 $-\frac{4}{3}$
24 ①					

01 답 ②

$x^2+y^2-6x-4y+1=0$에서 $(x-3)^2+(y-2)^2=12$

두 직선 $y=ax$, $y=bx+c$가 원의 넓이를 4등분하려면 두 직선은 원의 중심 $(3, 2)$를 지나고 서로 수직이어야 한다.

직선 $y=ax$가 점 $(3, 2)$를 지나므로

$3a=2$ $\therefore a=\frac{2}{3}$

직선 $y=bx+c$가 점 $(3, 2)$를 지나므로

$3b+c=2$ ...... ㉠

또 두 직선 $y=ax$, $y=bx+c$가 서로 수직이므로

$ab=-1$ $\therefore b=-\frac{3}{2}\left(\because a=\frac{2}{3}\right)$

이를 ㉠에 대입하면 $-\frac{9}{2}+c=2$ $\therefore c=\frac{13}{2}$

$\therefore a+b+c=\frac{2}{3}+\left(-\frac{3}{2}\right)+\frac{13}{2}=\frac{17}{3}$

02 답 ⑤

호 BQ와 두 선분 PB, PQ에 접하는 원을 C라 하고, 원 C의 반지름의 길이를 r, 중심을 M이라 하면

$M(r+1, r)$

$\therefore \overline{OM}=\sqrt{(r+1)^2+r^2}$

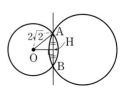

원 C와 호 BQ의 접점을 R라 하면

$\overline{OM}=\overline{OR}-\overline{MR}=8-r \longrightarrow$ 세 점 O, M, R가 일직선 위에 있다.

즉, $\sqrt{(r+1)^2+r^2}=8-r$이므로 양변을 제곱하면

$(r+1)^2+r^2=(8-r)^2$

$r^2+18r-63=0$, $(r+21)(r-3)=0$

$\therefore r=3 \ (\because r>0)$

중심의 좌표가 $(4, 3)$이고 반지름의 길이가 3인 원 C의 방정식은

$(x-4)^2+(y-3)^2=9$

$\therefore x^2+y^2-8x-6y+16=0$

따라서 $a=-8$, $b=-6$, $c=16$이므로 $a+b+c=2$

03 답 16

그림과 같이 두 원 $x^2+y^2-8=0$, $x^2+y^2+3x-4y-k=0$의 두 교점을 A, B라 하면 두 점 A, B를 지나는 원의 넓이가 최소가 되는 경우는 선분 AB를 지름으로 할 때이다.

직선 AB의 방정식은
$$x^2+y^2-8-(x^2+y^2+3x-4y-k)=0$$
$$\therefore 3x-4y-k+8=0 \quad \cdots\cdots \text{㉠}$$
원 $x^2+y^2-8=0$, 즉 $x^2+y^2=8$의 중심 $O(0, 0)$에서 직선 ㉠에 내린 수선의 발을 H라 하면
$$\overline{OH}=\frac{|-k+8|}{\sqrt{3^2+(-4)^2}}=\frac{|k-8|}{5}$$
원 $x^2+y^2=8$의 반지름의 길이가 $2\sqrt{2}$이므로
$$\overline{OA}=2\sqrt{2}$$
직각삼각형 AOH에서
$$\overline{AH}=\sqrt{\overline{OA}^2-\overline{OH}^2}=\sqrt{(2\sqrt{2})^2-\left(\frac{|k-8|}{5}\right)^2}$$
$$=\sqrt{8-\frac{(k-8)^2}{25}}$$
$$\therefore \overline{AB}=2\overline{AH}=2\sqrt{8-\frac{(k-8)^2}{25}}$$
따라서 두 교점 A, B를 지나는 원의 넓이의 최솟값은
$$\left\{8-\frac{(k-8)^2}{25}\right\}\pi$$
즉, $\left\{8-\frac{(k-8)^2}{25}\right\}\pi=4\pi$이므로
$$\frac{(k-8)^2}{25}=4, \ (k-8)^2=100$$
$$k-8=\pm10 \quad \therefore k=-2 \ \text{또는} \ k=18$$
따라서 구하는 모든 k의 값의 합은
$$-2+18=16$$

04 답 ③

두 원 C_1, C_2의 중심을 각각 P, Q라 하면 $P(7, a)$, $Q(3, b)$
$\overline{OP}=6+2=8$에서
→ 두 원 C, C_1의 반지름의 길이의 합과 같다.
$$\sqrt{7^2+a^2}=8, \ 49+a^2=64$$
$$a^2=15 \quad \therefore a=\sqrt{15} \ (\because a>0)$$
또 $\overline{OQ}=6-1=5$에서
→ 두 원 C, C_2의 반지름의 길이의 차와 같다.
$$\sqrt{3^2+b^2}=5, \ 9+b^2=25$$
$$b^2=16 \quad \therefore b=4 \ (\because b>0)$$
$\therefore C_1: (x-7)^2+(y-\sqrt{15})^2=4$, $C_2: (x-3)^2+(y-4)^2=1$
두 원 $C: x^2+y^2-36=0$, $C_1: x^2+y^2-14x-2\sqrt{15}y+60=0$의 접점에서의 접선은 두 원 C, C_1의 교점을 지나는 직선이므로
$$x^2+y^2-36-(x^2+y^2-14x-2\sqrt{15}y+60)=0$$
$$14x+2\sqrt{15}y-96=0$$
$$\therefore 7x+\sqrt{15}y-48=0$$
따라서 이 직선의 y절편이 $\frac{16\sqrt{15}}{5}$이므로 점 A의 좌표는 $\left(0, \frac{16\sqrt{15}}{5}\right)$
두 원 $C: x^2+y^2-36=0$, $C_2: x^2+y^2-6x-8y+24=0$의 접점에서의 접선은 두 원 C, C_2의 교점을 지나는 직선이므로
$$x^2+y^2-36-(x^2+y^2-6x-8y+24)=0$$
$$6x+8y-60=0$$
$$\therefore 3x+4y-30=0$$
따라서 이 직선의 x절편이 10이므로 점 B의 좌표는 $(10, 0)$
즉, 삼각형 AOB의 넓이는
$$\frac{1}{2}\times\overline{OB}\times\overline{OA}=\frac{1}{2}\times10\times\frac{16\sqrt{15}}{5}=16\sqrt{15}$$

05 답 $\dfrac{15}{4}$

호 AB를 포함하는 원은 원 $x^2+y^2=36$과 합동이므로 반지름의 길이가 6이고, 점 $(3, 0)$에서 x축에 접하므로 중심의 좌표가 $(3, 6)$이다.

따라서 호 AB를 포함하는 원의 방정식은
$$(x-3)^2+(y-6)^2=36 \quad \cdots\cdots \text{배점 40\%}$$
이때 선분 AB는 두 원 $x^2+y^2=36$, $(x-3)^2+(y-6)^2=36$의 공통인 현이므로 두 원 $x^2+y^2-36=0$, $x^2+y^2-6x-12y+9=0$의 교점을 지나는 직선 AB의 방정식은
$$x^2+y^2-36-(x^2+y^2-6x-12y+9)=0$$
$$2x+4y-15=0 \quad \therefore y=-\frac{1}{2}x+\frac{15}{4} \quad \cdots\cdots \text{배점 40\%}$$
따라서 직선 AB의 y절편은 $\frac{15}{4}$이다. $\quad\cdots\cdots$ 배점 20%

idea
06 답 $\sqrt{5}\pi$

두 원 C_1, C_2의 중심을 각각 P, Q라 하면 t초 후 $P(-5+t, 0)$, $Q(0, 5-2t)$이므로 두 원 C_1, C_2의 방정식은
$$C_1: (x-t+5)^2+y^2=1 \quad \cdots\cdots \text{㉠}$$
$$C_2: x^2+(y+2t-5)^2=4 \quad \cdots\cdots \text{㉡}$$
한편 두 원 C_1, C_2의 내부의 공통부분의 넓이가 최대일 때, 두 원 C_1, C_2의 중심 사이의 거리가 최소이다.
중심 P, Q 사이의 거리는
$$\overline{PQ}=\sqrt{(5-t)^2+(5-2t)^2}$$
$$=\sqrt{5t^2-30t+50}$$
$$=\sqrt{5(t-3)^2+5}$$
따라서 $t=3$일 때, 선분 PQ의 길이가 최소이므로 공통부분의 넓이는 최대이다.
$t=3$을 ㉠, ㉡에 대입하여 정리하면
$$C_1: x^2+y^2+4x+3=0$$
$$C_2: x^2+y^2+2y-3=0$$
이때 두 원 C_1, C_2의 교점을 지나는 원의 방정식은
$$x^2+y^2+4x+3+k(x^2+y^2+2y-3)=0 \quad \cdots\cdots \text{㉢}$$
이 원이 점 $(0, -1)$을 지나므로
$$1+3+k(1-2-3)=0$$
$$4-4k=0 \quad \therefore k=1$$
이를 ㉢에 대입하면
$$x^2+y^2+4x+3+x^2+y^2+2y-3=0$$
$$x^2+y^2+2x+y=0$$
$$\therefore (x+1)^2+\left(y+\frac{1}{2}\right)^2=\frac{5}{4}$$
따라서 구하는 원의 둘레의 길이는 $2\pi\times\frac{\sqrt{5}}{2}=\sqrt{5}\pi$

07 답 108

$\overline{PA}^2=(x-5)^2+y^2$, $\overline{PB}^2=(x-1)^2+y^2$, $\overline{PC}^2=x^2+(y-\sqrt{3})^2$이므로
$\overline{PA}^2+\overline{PB}^2=\overline{PC}^2$에서
$$(x-5)^2+y^2+(x-1)^2+y^2=x^2+(y-\sqrt{3})^2$$
$$x^2+y^2-12x+2\sqrt{3}y+23=0 \quad \cdots\cdots \text{㉠}$$
$$\therefore (x-6)^2+(y+\sqrt{3})^2=16$$

즉, 점 P가 나타내는 도형은 중심의 좌표가 $(6, -\sqrt{3})$이고, 반지름의 길이가 4인 원이므로 x의 값의 범위는

$6-4 \leq x \leq 6+4$ $\qquad \therefore 2 \leq x \leq 10$

이때 ㉠에서 $y^2+2\sqrt{3}y=-x^2+12x-23$이므로

$$x^2-y^2-2\sqrt{3}y=x^2-(-x^2+12x-23)$$
$$=2x^2-12x+23=2(x-3)^2+5$$

따라서 $2 \leq x \leq 10$에서 $x=10$일 때 최댓값은 103, $x=3$일 때 최솟값은 5이므로 그 합은 $103+5=108$

08 답 256

선분 AB의 길이가 3이므로

$\sqrt{(a-5)^2+(b-12)^2}=3$

$\therefore (a-5)^2+(b-12)^2=9$

따라서 점 B가 나타내는 도형은 원 $(x-5)^2+(y-12)^2=9$이다.

한편 원점 O에 대하여 $a^2+b^2=\overline{OB}^2$이므로 선분 OB의 길이가 최대일 때, a^2+b^2이 최댓값을 갖는다.

직선 OA가 원과 만나는 두 점 중 원점에서 멀리 떨어져 있는 점을 B'이라 하면 선분 OB의 길이의 최댓값은 선분 OB'의 길이와 같으므로

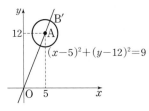

$$\overline{OB'}=\overline{OA}+\overline{AB'}$$
$$=\sqrt{5^2+12^2}+3=16$$

따라서 선분 OB의 길이의 최댓값은 16이므로 a^2+b^2의 최댓값은 $16^2=256$

09 답 ⑤

$P(a, b)$라 하고, 원 C 위의 점 P에 대하여 삼각형 PAB의 무게중심의 좌표를 (x, y)라 하면

$x=\dfrac{a+4+1}{3}$, $y=\dfrac{b+3+7}{3}$

$\therefore a=3x-5$, $b=3y-10$ $\qquad$ …… ㉠

또 점 P는 원 C 위의 점이므로

$(a-1)^2+(b-2)^2=4$ $\qquad$ …… ㉡

㉠을 ㉡에 대입하면

$(3x-6)^2+(3y-12)^2=4$

$\therefore (x-2)^2+(y-4)^2=\dfrac{4}{9}$

즉, 삼각형 PAB의 무게중심이 나타내는 도형은 중심의 좌표가 $(2, 4)$이고, 반지름의 길이가 $\dfrac{2}{3}$인 원이다.

한편 직선 AB의 기울기는 $\dfrac{7-3}{1-4}=-\dfrac{4}{3}$이므로 직선 AB의 방정식은

$y-3=-\dfrac{4}{3}(x-4)$

$\therefore 4x+3y-25=0$

이때 삼각형 PAB의 무게중심이 나타내는 원의 중심 $(2, 4)$와 직선 AB 사이의 거리는

$\dfrac{|8+12-25|}{\sqrt{4^2+3^2}}=1$

따라서 구하는 거리의 최솟값은

$1-\dfrac{2}{3}=\dfrac{1}{3}$

10 답 $\dfrac{3}{4}$

점 $(2, t)$를 중심으로 하고 원점을 지나는 원의 반지름의 길이는 $\sqrt{4+t^2}$이므로 원의 방정식은

$(x-2)^2+(y-t)^2=4+t^2$

$\therefore x^2+y^2-4x-2ty=0$

두 원 $x^2+y^2-4x-2ty=0$, $x^2+y^2-4=0$의 두 교점 P, Q를 지나는 직선의 방정식은

$x^2+y^2-4x-2ty-(x^2+y^2-4)=0$

$\therefore 2x+ty=2$ $\qquad$ …… ㉠

두 원 $x^2+y^2-4x-2ty=0$,
$x^2+y^2-4=0$의 중심을 지나는 직선의 방정식은 $y=\dfrac{t}{2}x$

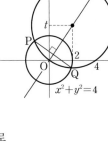

선분 PQ의 중점은 직선 $y=\dfrac{t}{2}x$ 위에 있으므로 $y=\dfrac{t}{2}x$를 ㉠에 대입하여 풀면

$x=\dfrac{4}{4+t^2}$, $y=\dfrac{2t}{4+t^2}$

이때 $x^2+y^2=\dfrac{4(4+t^2)}{(4+t^2)^2}=\dfrac{4}{4+t^2}=x$이므로

$x^2-x+y^2=0$ $\qquad \therefore \left(x-\dfrac{1}{2}\right)^2+y^2=\dfrac{1}{4}$

따라서 $a=\dfrac{1}{2}$, $b=0$, $r^2=\dfrac{1}{4}$이므로

$a+b+r^2=\dfrac{3}{4}$

11 답 ②

원점에서 직선 l에 내린 수선의 발을 H라 하자.

이때 $\overline{OP}=\sqrt{10}$, $\overline{OA}=\sqrt{4^2+3^2}=5$이고, $\overline{OH}=a$, $\overline{HP}=b$라 하면 두 삼각형 OHP, OHA는 모두 직각삼각형이므로

$a^2+b^2=10$ $\qquad$ …… ㉠

$a^2+(b+3)^2=25$ $\qquad \therefore a^2+b^2+6b=16$ …… ㉡

㉡-㉠을 하면

$6b=6$ $\qquad \therefore b=1$

이를 ㉠에 대입하여 풀면 $a=3$ ($\because a>0$)

직선 l의 기울기를 $m (m>0)$이라 하면 직선 l의 방정식은

$y-3=m(x-4)$

$\therefore mx-y-4m+3=0$

원의 중심 $(0, 0)$과 직선 $mx-y-4m+3=0$ 사이의 거리가 3이므로

$\dfrac{|-4m+3|}{\sqrt{m^2+(-1)^2}}=3$

$|-4m+3|=3\sqrt{m^2+1}$

양변을 제곱하면

$16m^2-24m+9=9(m^2+1)$

$7m^2-24m=0$

$m(7m-24)=0$

$\therefore m=\dfrac{24}{7}$ ($\because m>0$)

12 답 ④

$x^2+y^2-2x-4y-31=0$에서
$(x-1)^2+(y-2)^2=36$
원의 중심을 $C(1, 2)$라 하고, $P(4, 6)$이라
하면 $\overline{CP}=\sqrt{(4-1)^2+(6-2)^2}=5$이므로 점
P는 원 내부의 점이다.

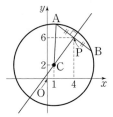

선분 AB의 길이는 선분 AB가 직선 CP와
수직일 때 최소이므로 최솟값은
$$\overline{AB}=2\overline{AP}=2\sqrt{\overline{AC}^2-\overline{PC}^2}$$
$$=2\sqrt{6^2-5^2}=2\sqrt{11}$$
또 선분 AB의 길이는 선분 AB가 원의 중심을 지날 때, 즉 지름일 때
최대이므로 최댓값은
$\overline{AB}=12$ $\therefore 2\sqrt{11}\leq\overline{AB}\leq12$
따라서 자연수인 선분 AB의 길이는 7, 8, 9, 10, 11, 12이므로 그 합은
$7+8+9+10+11+12=57$

13 답 2

직선 $y=mx-m+1$, 즉 $y=m(x-1)+1$
은 m의 값에 관계없이 항상 점 $(1, 1)$을 지
나고 점 P의 x좌표는 점 Q의 x좌표보다 크므
로
$P(1, 1)$
$S_1=S_2$이므로 $\overline{PQ}=\overline{OQ}$

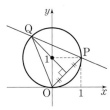

따라서 삼각형 PQO가 이등변삼각형이므로 선분 OP의 수직이등분선
은 점 Q를 지난다.
이때 직선 OP의 기울기는 1이고 선분 OP의 중점의 좌표는 $\left(\dfrac{1}{2}, \dfrac{1}{2}\right)$이
므로 선분 OP의 수직이등분선의 방정식은
$$y-\frac{1}{2}=-\left(x-\frac{1}{2}\right) \quad \therefore y=-x+1 \quad \cdots\cdots \text{㉠}$$
이를 $x^2+(y-1)^2=1$에 대입하면
$x^2+(-x+1-1)^2=1, 2x^2=1$
$x^2=\dfrac{1}{2}$ $\therefore x=-\dfrac{\sqrt{2}}{2}$ 또는 $x=\dfrac{\sqrt{2}}{2}$
이를 ㉠에 대입하여 풀면
$x=-\dfrac{\sqrt{2}}{2}$일 때 $y=1+\dfrac{\sqrt{2}}{2}$, $x=\dfrac{\sqrt{2}}{2}$일 때 $y=1-\dfrac{\sqrt{2}}{2}$
즉, $Q\left(-\dfrac{\sqrt{2}}{2}, 1+\dfrac{\sqrt{2}}{2}\right)$ 또는 $Q\left(\dfrac{\sqrt{2}}{2}, 1-\dfrac{\sqrt{2}}{2}\right)$이므로 직선 PQ의 기울기는
$$\frac{\dfrac{\sqrt{2}}{2}}{-\dfrac{\sqrt{2}}{2}-1}=1-\sqrt{2} \text{ 또는 } \frac{-\dfrac{\sqrt{2}}{2}}{\dfrac{\sqrt{2}}{2}-1}=1+\sqrt{2}$$
따라서 m은 직선 PQ의 기울기이므로 모든 실수 m의 값의 합은
$(1-\sqrt{2})+(1+\sqrt{2})=2$

14 답 9

$\angle APB=\angle AQB=90°$이므로 그림과 같이
두 점 P, Q는 선분 AB를 지름으로 하는 원
위에 있다.

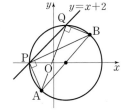

원의 중심은 선분 AB의 중점이므로 원의
중심의 좌표는
$$\left(\frac{-1+3}{2}, \frac{-\sqrt{5}+\sqrt{5}}{2}\right) \quad \therefore (1, 0)$$

원의 지름의 길이는 선분 AB의 길이이므로
$$\overline{AB}=\sqrt{\{3-(-1)\}^2+\{\sqrt{5}-(-\sqrt{5})\}^2}=6$$
즉, 중심의 좌표가 $(1, 0)$이고 반지름의 길이가 3인 원의 방정식은
$(x-1)^2+y^2=9$
$y=x+2$를 대입하면
$(x-1)^2+(x+2)^2=9$
$x^2+x-2=0, (x+2)(x-1)=0$
$\therefore x=-2$ 또는 $x=1$
이를 $y=x+2$에 대입하여 풀면
$x=-2$일 때 $y=0$, $x=1$일 때 $y=3$
즉, $P(-2, 0)$, $Q(1, 3)$이므로
$\overline{PQ}=\sqrt{\{1-(-2)\}^2+3^2}=3\sqrt{2}$
점 $A(-1, -\sqrt{5})$와 직선 $y=x+2$, 즉 $x-y+2=0$ 사이의 거리를 d_1
이라 하면
$$d_1=\frac{|-1+\sqrt{5}+2|}{\sqrt{1^2+(-1)^2}}=\frac{1+\sqrt{5}}{\sqrt{2}}=\frac{\sqrt{2}+\sqrt{10}}{2}$$
이므로 삼각형 PAQ의 넓이는
$$\frac{1}{2}\times\overline{PQ}\times d_1=\frac{1}{2}\times3\sqrt{2}\times\frac{\sqrt{2}+\sqrt{10}}{2}=\frac{6+6\sqrt{5}}{4}$$
점 $B(3, \sqrt{5})$와 직선 $x-y+2=0$ 사이의 거리를 d_2라 하면
$$d_2=\frac{|3-\sqrt{5}+2|}{\sqrt{1^2+(-1)^2}}=\frac{5-\sqrt{5}}{\sqrt{2}}=\frac{5\sqrt{2}-\sqrt{10}}{2}$$
이므로 삼각형 PBQ의 넓이는
$$\frac{1}{2}\times\overline{PQ}\times d_2=\frac{1}{2}\times3\sqrt{2}\times\frac{5\sqrt{2}-\sqrt{10}}{2}=\frac{30-6\sqrt{5}}{4}$$
따라서 두 삼각형 PAQ와 PBQ의 넓이의 합은
$$\frac{6+6\sqrt{5}}{4}+\frac{30-6\sqrt{5}}{4}=9$$

15 답 $\sqrt{15}<k<7$

그림과 같이 함수 $y=k|x|$의 그래프가 원
$x^2+(y-8)^2=4$와 접할 때, 두 원과 만나는 점의
개수는 4이고, 원 $(x-1)^2+(y-3)^2=2$와 접할 때,
두 원과 만나는 점의 개수는 7이다. ⋯⋯⋯ 배점 20%

(i) 원 $x^2+(y-8)^2=4$와 접할 때,
점 $(0, 8)$과 직선 $y=kx$, 즉 $kx-y=0$ 사이
의 거리가 2이므로
$$\frac{|-8|}{\sqrt{k^2+(-1)^2}}=2, 4=\sqrt{k^2+1}$$
양변을 제곱하면 $16=k^2+1$
$k^2=15$ $\therefore k=\sqrt{15}$ $(\because k>0)$ ⋯⋯⋯ 배점 30%

(ii) 원 $(x-1)^2+(y-3)^2=2$와 접할 때,
점 $(1, 3)$과 직선 $y=-kx$, 즉 $kx+y=0$ 사이의 거리가 $\sqrt{2}$이므로
$$\frac{|k+3|}{\sqrt{k^2+1^2}}=\sqrt{2}, |k+3|=\sqrt{2}\sqrt{k^2+1}$$
양변을 제곱하면 $k^2+6k+9=2(k^2+1)$
$k^2-6k-7=0, (k+1)(k-7)=0$
$\therefore k=7$ $(\because k>0)$ ⋯⋯⋯ 배점 30%
따라서 함수 $y=k|x|$의 그래프가 (i), (ii) 사이에 있을 때, 두 원과 만나
는 점의 개수는 6이므로 구하는 k의 값의 범위는
$\sqrt{15}<k<7$ ⋯⋯⋯ 배점 20%

16 답 31

원 C: $x^2+y^2-5x=0$, 즉 $\left(x-\dfrac{5}{2}\right)^2+y^2=\dfrac{25}{4}$의 중심을 C라 하면

$C\left(\dfrac{5}{2},\ 0\right)$

원 C가 x축과 만나는 점 중 원점이 아닌 점을 A라 하면 점 P가 원 C 위의 점이고 선분 OA가 원 C의 지름이므로

$\angle OPA=90°$

직각삼각형 OAP에서 $\overline{OP}=3$이고

$\overline{OA}=2\times\dfrac{5}{2}=5$이므로

$\overline{AP}=\sqrt{\overline{OA}^2-\overline{OP}^2}=\sqrt{5^2-3^2}=4$

점 P에서 x축에 내린 수선의 발을 H라 하면 삼각형 OAP와 삼각형 OPH에서 $\angle OPA=\angle OHP=90°$, $\angle POA=\angle HOP$이므로

$\triangle OAP\backsim\triangle OPH$ (AA 닮음)

따라서 $\overline{OA}:\overline{OP}=\overline{OP}:\overline{OH}$이므로

$5:3=3:\overline{OH}$ $\quad\therefore\overline{OH}=\dfrac{9}{5}$

또 $\overline{OA}:\overline{OP}=\overline{AP}:\overline{PH}$이므로

$5:3=4:\overline{PH}$ $\quad\therefore\overline{PH}=\dfrac{12}{5}$

즉, 점 P의 좌표는 $\left(\dfrac{9}{5},\ \dfrac{12}{5}\right)$이므로 직선 CP의 기울기는

$\dfrac{\dfrac{12}{5}}{\dfrac{9}{5}-\dfrac{5}{2}}=-\dfrac{24}{7}$

이때 점 P에서의 접선과 직선 CP가 서로 수직이므로 점 P에서의 접선의 기울기는 $\dfrac{7}{24}$

따라서 $p=24$, $q=7$이므로 $p+q=31$

17 답 ②

삼각형 ABP의 밑변을 선분 AB라 하면 점 P와 직선 AB 사이의 거리가 최대일 때 삼각형의 넓이가 최대이므로 그림과 같이 직선 AB에 평행한 원의 접선 중 제1사분면에서 원과 접하는 접선의 접점이 P가 될 때 삼각형 ABP의 넓이가 최대이다.

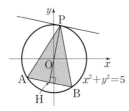

점 P에서 직선 AB에 내린 수선의 발을 H라 하면 직선 PH는 점 P에서의 접선과 수직이므로 원의 중심인 원점을 지난다.

이때 점 H는 선분 AB의 중점이므로 점 H의 좌표는 → 원의 중심에서 현에 내린 수선은 그 현을 수직이등분한다.

$\left(\dfrac{-2+1}{2},\ \dfrac{-1+(-2)}{2}\right)$ $\quad\therefore\left(-\dfrac{1}{2},\ -\dfrac{3}{2}\right)$

$\overline{OH}=\sqrt{\left(-\dfrac{1}{2}\right)^2+\left(-\dfrac{3}{2}\right)^2}=\dfrac{\sqrt{10}}{2}$이므로

$\overline{PH}=\overline{OP}+\overline{OH}=\sqrt{5}+\dfrac{\sqrt{10}}{2}$

이때 $\overline{AB}=\sqrt{\{1-(-2)\}^2+\{-2-(-1)\}^2}=\sqrt{10}$이므로 삼각형 ABP의 넓이의 최댓값은

$\dfrac{1}{2}\times\overline{AB}\times\overline{PH}=\dfrac{1}{2}\times\sqrt{10}\times\left(\sqrt{5}+\dfrac{\sqrt{10}}{2}\right)=\dfrac{5}{2}(1+\sqrt{2})$

따라서 $p=2$, $q=5$이므로 $pq=10$

18 답 80

원의 중심의 좌표를 $(a,\ b)$라 하면 원의 중심과 두 직선 $x-3y=0$, $3x-y=0$ 사이의 거리가 같으므로

$\dfrac{|a-3b|}{\sqrt{1^2+(-3)^2}}=\dfrac{|3a-b|}{\sqrt{3^2+(-1)^2}}$

$a-3b=\pm(3a-b)$ $\quad\therefore b=-a$ 또는 $b=a$

즉, 원의 중심은 직선 $y=x$ 또는 직선 $y=-x$ 위에 있다.

(i) 원의 중심이 직선 $y=x$ 위에 있을 때,

원의 중심 $(a,\ a)$와 직선 $3x-y=0$ 사이의 거리는 4이므로

$\dfrac{|3a-a|}{\sqrt{3^2+(-1)^2}}=4$, $\dfrac{|2a|}{\sqrt{10}}=4$

$|a|=2\sqrt{10}$ $\quad\therefore a=\pm2\sqrt{10}$

$\therefore$ A$(2\sqrt{10},\ 2\sqrt{10})$, C$(-2\sqrt{10},\ -2\sqrt{10})$

(ii) 원의 중심이 직선 $y=-x$ 위에 있을 때,

원의 중심 $(a,\ -a)$와 직선 $3x-y=0$ 사이의 거리는 4이므로

$\dfrac{|3a+a|}{\sqrt{3^2+(-1)^2}}=4$, $\dfrac{|4a|}{\sqrt{10}}=4$

$|a|=\sqrt{10}$ $\quad\therefore a=\pm\sqrt{10}$

$\therefore$ B$(-\sqrt{10},\ \sqrt{10})$, D$(\sqrt{10},\ -\sqrt{10})$

이때 네 점 A, B, C, D를 꼭짓점으로 하는 사각형은 두 선분 AC, BD를 대각선으로 하는 마름모이다.

$\overline{AC}=\sqrt{(-2\sqrt{10}-2\sqrt{10})^2+(-2\sqrt{10}-2\sqrt{10})^2}=8\sqrt{5}$

$\overline{BD}=\sqrt{\{\sqrt{10}-(-\sqrt{10})\}^2+(-\sqrt{10}-\sqrt{10})^2}=4\sqrt{5}$

따라서 사각형 ABCD의 넓이는

$\dfrac{1}{2}\times\overline{AC}\times\overline{BD}=\dfrac{1}{2}\times8\sqrt{5}\times4\sqrt{5}=80$

19 답 2

두 점 $(0,\ 1)$, $(a,\ 0)$을 지나는 직선의 방정식은

$\dfrac{x}{a}+y=1$ $\quad\therefore y=1-\dfrac{x}{a}$

이를 $x^2+y^2=1$에 대입하면

$x^2+\left(1-\dfrac{x}{a}\right)^2=1$

$\left(1+\dfrac{1}{a^2}\right)x^2-\dfrac{2}{a}x=0$, $x\left(\dfrac{a^2+1}{a^2}x-\dfrac{2}{a}\right)=0$

$\dfrac{a^2+1}{a^2}x=\dfrac{2}{a}$ $\quad\therefore x=\dfrac{2a}{a^2+1}$

이를 $y=1-\dfrac{x}{a}$에 대입하면

$y=1-\dfrac{\dfrac{2a}{a^2+1}}{a}=\dfrac{a^2-1}{a^2+1}$

$\therefore$ P$\left(\dfrac{2a}{a^2+1},\ \dfrac{a^2-1}{a^2+1}\right)$

원 $x^2+y^2=1$ 위의 점 P에서의 접선의 방정식은

$\dfrac{2a}{a^2+1}x+\dfrac{a^2-1}{a^2+1}y=1$

이때 점 Q의 x좌표는 $\dfrac{2a}{a^2+1}x=1$ $\quad\therefore x=\dfrac{a^2+1}{2a}$

삼각형 POQ의 넓이는

$\dfrac{1}{2}\times\dfrac{a^2+1}{2a}\times\dfrac{a^2-1}{a^2+1}=\dfrac{a^2-1}{4a}$

즉, $\dfrac{a^2-1}{4a}=\dfrac{3}{8}$이므로

$2a^2-2=3a$, $2a^2-3a-2=0$

$(2a+1)(a-2)=0$ $\quad\therefore a=2\ (\because a>1)$

20 답 87

두 원 C_1, C_2의 중심을 각각 A, B라 하면 A$(-7, 2)$, B$(0, b)$

그림과 같이 두 원 C_1, C_2와 직선 l_1의 접점을 각각 H, I라 하면

$\angle AHP = \angle BIP = 90°$

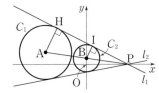

이때 $\overline{AH} = 2\sqrt{5}$, $\overline{BI} = \sqrt{5}$이므로 $\overline{AH} : \overline{BI} = 2 : 1$

따라서 점 B는 선분 AP의 중점이므로 ── 삼각형 PHA와 삼각형 PIB의 닮음비는 2 : 1이다.

$\dfrac{-7+a}{2} = 0$, $\dfrac{2+0}{2} = b$ $\quad \therefore a = 7, b = 1$

접선의 기울기를 m이라 하면 점 P$(7, 0)$을 지나는 접선의 방정식은

$y = m(x-7)$ $\quad \therefore mx - y - 7m = 0$

이때 점 B$(0, 1)$과 직선 $mx - y - 7m = 0$ 사이의 거리가 $\sqrt{5}$이므로

$\dfrac{|-1-7m|}{\sqrt{m^2 + (-1)^2}} = \sqrt{5}$

$|-7m-1| = \sqrt{5}\sqrt{m^2+1}$

양변을 제곱하면

$49m^2 + 14m + 1 = 5(m^2+1)$

$\therefore 22m^2 + 7m - 2 = 0$

따라서 이 이차방정식의 두 근이 두 직선 l_1, l_2의 기울기이므로 근과 계수의 관계에 의하여 두 직선 l_1, l_2의 기울기의 곱은

$\dfrac{-2}{22} = -\dfrac{1}{11}$ $\quad \therefore c = -\dfrac{1}{11}$

$\therefore 11(a+b+c) = 11\left\{7+1+\left(-\dfrac{1}{11}\right)\right\} = 87$

21 답 -20

A$(1, 2)$라 하면 점 O$(0, 0)$에 대하여 $\overline{OA} = \sqrt{1^2 + 2^2} = \sqrt{5}$이므로 원 C_1의 반지름의 길이는

$\sqrt{5} - 1$ ············· 배점 **10%**

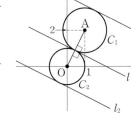

두 점 O, A를 지나는 직선의 기울기는 2이고 직선 l과 직선 OA가 서로 수직이므로 직선 l의 기울기는 $-\dfrac{1}{2}$이다.

즉, 두 직선 l_1, l_2의 기울기도 $-\dfrac{1}{2}$이다. ············· 배점 **20%**

직선 l_1의 방정식을 $x + 2y + a = 0$이라 하면 점 A$(1, 2)$와 직선 l_1 사이의 거리가 $\sqrt{5} - 1$이므로

$\dfrac{|1+4+a|}{\sqrt{1^2+2^2}} = \sqrt{5}-1$, $\dfrac{|a+5|}{\sqrt{5}} = \sqrt{5}-1$

$|a+5| = 5 - \sqrt{5}$, $a+5 = \pm(5-\sqrt{5})$

$\therefore a = -\sqrt{5}$ 또는 $a = -10 + \sqrt{5}$

이때 직선 l_1은 직선 l과 다르므로 직선 l_1의 방정식은

$x + 2y - 10 + \sqrt{5} = 0$ ············· 배점 **30%**

또 직선 l_2의 방정식을 $x + 2y + b = 0$이라 하면 원점과 직선 l_2 사이의 거리가 1이므로

$\dfrac{|b|}{\sqrt{1^2+2^2}} = 1$, $|b| = \sqrt{5}$

$\therefore b = \pm\sqrt{5}$

이때 직선 l_2는 직선 l과 다르므로 직선 l_2의 방정식은

$x + 2y + \sqrt{5} = 0$ ············· 배점 **30%**

따라서 점 P(x_1, y_1)에 대하여 $x_1 + 2y_1 - 10 + \sqrt{5} = 0$이고, 점 Q$(x_2, y_2)$에 대하여 $x_2 + 2y_2 + \sqrt{5} = 0$이므로

$(x_1 + 2y_1 - 5)(x_2 + 2y_2 - 5) = (5 - \sqrt{5})(-5 - \sqrt{5}) = -20$ ············· 배점 **10%**

22 답 π

두 점 A, B의 좌표를 각각 (x_1, y_1), (x_2, y_2)라 하면 원 $x^2 + y^2 = 1$ 위의 두 점 A, B에서의 접선의 방정식은 각각

$x_1x + y_1y = 1$, $x_2x + y_2y = 1$

이때 점 P의 좌표를 (a, b) $(a > 0, b > 0)$라 하면 점 P는 두 접선의 교점이므로

$ax_1 + by_1 = 1$ ······ ㉠

$ax_2 + by_2 = 1$ ······ ㉡

한편 두 점 A(x_1, y_1), B(x_2, y_2)를 지나는 직선을 l이라 하면 직선 l의 방정식은

$y - y_1 = \dfrac{y_2 - y_1}{x_2 - x_1}(x - x_1)$ ······ ㉢

㉡$-$㉠을 하면

$a(x_2 - x_1) + b(y_2 - y_1) = 0$

$b(y_2 - y_1) = -a(x_2 - x_1)$ $\quad \therefore \dfrac{y_2 - y_1}{x_2 - x_1} = -\dfrac{a}{b}$

이를 ㉢에 대입하면

$y - y_1 = -\dfrac{a}{b}(x - x_1)$

$b(y - y_1) = -a(x - x_1)$, $ax + by = ax_1 + by_1$

$\therefore ax + by = 1$ $(\because$ ㉠$)$

이때 삼각형 PAB는 정삼각형이므로 $\angle PAB = 60°$

$\therefore \angle BAO = 90° - 60° = 30°$

따라서 직선 l, 즉 $ax + by - 1 = 0$과 원점 O 사이의 거리는 $\overline{OA}\sin 30° = \dfrac{1}{2}$이므로

$\dfrac{|-1|}{\sqrt{a^2 + b^2}} = \dfrac{1}{2}$ $\quad \therefore a^2 + b^2 = 4$

따라서 점 P는 원 $x^2 + y^2 = 4$의 제1사분면 위의 점이므로 이 도형의 길이는

$\dfrac{1}{4} \times 2\pi \times 2 = \pi$

23 답 $-\dfrac{4}{3}$

접선의 기울기를 m이라 하면 점 P$(-1, -3)$을 지나는 접선의 방정식은

$y + 3 = m(x+1)$

$\therefore mx - y + m - 3 = 0$ ······ ㉠

이때 원 $x^2 + y^2 = 2$의 중심 $(0, 0)$과 직선 ㉠ 사이의 거리가 원의 반지름의 길이 $\sqrt{2}$와 같아야 하므로

$\dfrac{|m-3|}{\sqrt{m^2 + (-1)^2}} = \sqrt{2}$

$|m-3| = \sqrt{2}\sqrt{m^2+1}$

양변을 제곱하면

$m^2 - 6m + 9 = 2(m^2+1)$

$m^2 + 6m - 7 = 0$, $(m+7)(m-1) = 0$

$\therefore m = -7$ 또는 $m = 1$

이를 ㉠에 대입하여 정리하면 접선의 방정식은

$y=-7x-10, \ y=x-2$

이때 $A\left(-\dfrac{10}{7}, \ 0\right)$, $B(2, \ 0)$이라 하면 삼각형 PAB의 넓이는

$\dfrac{1}{2} \times \dfrac{24}{7} \times 3 = \dfrac{36}{7}$

한편 직선 $y=ax+a$는 a의 값에 관계없이 항상 점 $Q(-1, \ 0)$을 지나므로 삼각형 PAB의 넓이를 이등분하려면 직선 $y=x-2$와 제4사분면에서 만나야 한다.

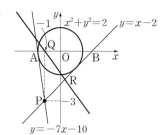

두 직선 $y=ax+a$, $y=x-2$의 교점을 R라 하면 $ax+a=x-2$에서

$x=\dfrac{a+2}{1-a}$

이를 $y=x-2$에 대입하면

$y=\dfrac{3a}{1-a}$

$\therefore \ R\left(\dfrac{a+2}{1-a}, \ \dfrac{3a}{1-a}\right)$

따라서 삼각형 BQR의 넓이는 삼각형 PAB의 넓이의 $\dfrac{1}{2}$이므로

$\dfrac{1}{2} \times 3 \times \dfrac{3a}{a-1} = \dfrac{1}{2} \times \dfrac{36}{7} \to \left|\dfrac{3a}{1-a}\right| = \dfrac{3a}{a-1}$

$7a=4a-4 \quad \therefore \ a=-\dfrac{4}{3}$

idea
24 답 ①

$C_1 : x^2+y^2+6x+4y+9=0$, 즉 $(x+3)^2+(y+2)^2=4$에서 원 C_1은 중심의 좌표가 $(-3, \ -2)$이고 반지름의 길이가 2인 원이다.

$C_2 : x^2+y^2-10x-8y+37=0$, 즉 $(x-5)^2+(y-4)^2=4$에서 원 C_2는 중심의 좌표가 $(5, \ 4)$이고 반지름의 길이가 2인 원이다.

그림과 같이 원 C_1 위의 점 P와 원 C_2 위의 점 Q를 지나는 직선이 ㉠과 같이 접할 때 최댓값, ㉡과 같이 접할 때 최솟값을 갖는다.

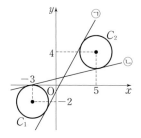

두 원 C_1, C_2의 반지름의 길이가 같으므로 두 접선 ㉠, ㉡은 두 원의 중심을 이은 선분의 중점 $(1, \ 1)$을 지난다.

점 $(1, \ 1)$을 지나고 두 원에 접하는 직선의 기울기를 a라 하면 접선의 방정식은

$y-1=a(x-1)$

$\therefore \ ax-y-a+1=0$

점 $(5, \ 4)$와 직선 $ax-y-a+1=0$ 사이의 거리가 2이므로

$\dfrac{|5a-4-a+1|}{\sqrt{a^2+(-1)^2}}=2$

$|4a-3|=2\sqrt{a^2+1}$

양변을 제곱하면

$16a^2-24a+9=4(a^2+1)$

$\therefore \ 12a^2-24a+5=0$

따라서 이 이차방정식의 두 근이 M, m이므로 근과 계수의 관계에 의하여

$M+m=-\dfrac{-24}{12}=2$

01 $\dfrac{3}{5}$	**02** ②	**03** $\left(\dfrac{16}{5}, \ -\dfrac{12}{5}\right)$	**04** 13π	**05** ③
06 ⑤	**07** $\sqrt{6}$	**08** ④	**09** ③	**10** $7\sqrt{21}$

01 답 $\dfrac{3}{5}$

1단계 삼각형 OPQ의 넓이 구하기

선분 OP의 중점을 M이라 하면

$\overline{OM}=\dfrac{1}{2}\overline{OP}=\dfrac{1}{2}$

점 Q의 좌표를 $\left(t, \ t^2-\dfrac{11}{4}\right)$이라 하면 직각삼각형 OQM에서

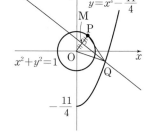

$\overline{QM}=\sqrt{\overline{OQ}^2-\overline{OM}^2}$

$=\sqrt{\left\{t^2+\left(t^2-\dfrac{11}{4}\right)^2\right\}-\left(\dfrac{1}{2}\right)^2}$

$=\sqrt{t^4-\dfrac{9}{2}t^2+\dfrac{117}{16}}$

따라서 삼각형 OPQ의 넓이는

$\dfrac{1}{2} \times \overline{OP} \times \overline{QM} = \dfrac{1}{2}\sqrt{t^4-\dfrac{9}{2}t^2+\dfrac{117}{16}}$

2단계 점 Q의 좌표 구하기

이때 $t^4-\dfrac{9}{2}t^2+\dfrac{117}{16}=\left(t^2-\dfrac{9}{4}\right)^2+\dfrac{9}{4}$에서 $t^2=\dfrac{9}{4}$, 즉 $t=\dfrac{3}{2}$일 때 삼각형 OPQ의 넓이가 최소가 된다.

따라서 점 Q의 좌표는 $\left(\dfrac{3}{2}, \ -\dfrac{1}{2}\right)$

3단계 점 P의 x좌표 구하기

점 P의 좌표를 $(a, \ b)(a>0, \ b>0)$라 하면 점 P는 원 $x^2+y^2=1$ 위의 점이므로

$a^2+b^2=1 \qquad \cdots\cdots$ ㉠

또 $\overline{OQ}=\sqrt{\left(\dfrac{3}{2}\right)^2+\left(-\dfrac{1}{2}\right)^2}=\sqrt{\dfrac{5}{2}}$이므로 $\overline{PQ}=\overline{OQ}$, 즉 $\overline{PQ}^2=\overline{OQ}^2$에서

$\left(a-\dfrac{3}{2}\right)^2+\left(b+\dfrac{1}{2}\right)^2=\dfrac{5}{2}$

$\therefore \ a^2+b^2-3a+b=0 \qquad \cdots\cdots$ ㉡

㉠-㉡을 하면 $3a-b=1 \quad \therefore \ b=3a-1$

이를 ㉠에 대입하면 $a^2+(3a-1)^2=1$

$5a^2-3a=0, \ a(5a-3)=0$

$\therefore \ a=\dfrac{3}{5} \ (\because \ a>0)$

따라서 점 P의 x좌표는 $\dfrac{3}{5}$이다.

02 답 ②

1단계 $a=0$일 때, 선분 OC의 길이 구하기

(i) $a=0$일 때,

$\overline{AC}=\overline{BC}$이므로 점 C는 선분 AB의 수직이등분선 위에 있고, 삼각형 ABC는 $\angle ACB=90°$인 직각삼각형이므로 점 C는 선분 AB를 지름으로 하는 원 위에 있다.

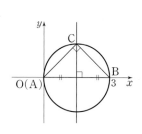

$\therefore \ \overline{OC}=\dfrac{3\sqrt{2}}{2}$

2단계 $a \neq 0$일 때, 선분 OC의 길이 구하기

(ii) $a \neq 0$일 때,

$\angle AOB = \angle ACB = 90°$이므로 네 점 A, O, B, C가 한 원 위에 있고 선분 AB는 이 원의 지름이다.

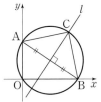

이때 선분 AB의 중점의 좌표는 $\left(\dfrac{3}{2}, \dfrac{a}{2}\right)$이고 반지름의 길이는

$\sqrt{\left(\dfrac{3}{2}\right)^2 + \left(\dfrac{a}{2}\right)^2} = \sqrt{\dfrac{a^2+9}{4}}$이므로 원의 방정식은

$\left(x - \dfrac{3}{2}\right)^2 + \left(y - \dfrac{a}{2}\right)^2 = \dfrac{a^2+9}{4}$ ...... ㉠

선분 AB의 수직이등분선을 l이라 하면 $\overline{AC} = \overline{BC}$이므로 점 C는 직선 l과 원이 만나는 점이다.

이때 직선 AB의 기울기는 $-\dfrac{a}{3}$이므로 직선 l의 기울기는 $\dfrac{3}{a}$이다.

따라서 직선 l의 방정식은

$y - \dfrac{a}{2} = \dfrac{3}{a}\left(x - \dfrac{3}{2}\right)$ ...... ㉡

이를 ㉠에 대입하면

$\left(x - \dfrac{3}{2}\right)^2 + \dfrac{9}{a^2}\left(x - \dfrac{3}{2}\right)^2 = \dfrac{a^2+9}{4}$

$\left(x - \dfrac{3}{2}\right)^2 = \dfrac{a^2}{4}, \quad x - \dfrac{3}{2} = \pm\dfrac{a}{2}$

$\therefore x = \dfrac{a+3}{2}$ 또는 $x = \dfrac{3-a}{2}$

이를 ㉡에 대입하여 풀면

$x = \dfrac{a+3}{2}$일 때 $y = \dfrac{a+3}{2}$, $x = \dfrac{3-a}{2}$일 때 $y = \dfrac{a-3}{2}$

즉, 점 C의 좌표는

$\left(\dfrac{a+3}{2}, \dfrac{a+3}{2}\right)$ 또는 $\left(\dfrac{3-a}{2}, \dfrac{a-3}{2}\right)$

① C$\left(\dfrac{a+3}{2}, \dfrac{a+3}{2}\right)$일 때,

$\overline{OC} = \sqrt{\left(\dfrac{a+3}{2}\right)^2 + \left(\dfrac{a+3}{2}\right)^2} = \sqrt{2}\left|\dfrac{a+3}{2}\right|$

이때 $-1 \leq a < 0$, $0 < a \leq 2$이므로

$\sqrt{2} \leq \overline{OC} < \dfrac{3\sqrt{2}}{2}$ 또는 $\dfrac{3\sqrt{2}}{2} < \overline{OC} \leq \dfrac{5\sqrt{2}}{2}$

② C$\left(\dfrac{3-a}{2}, \dfrac{a-3}{2}\right)$일 때,

$\overline{OC} = \sqrt{\left(\dfrac{3-a}{2}\right)^2 + \left(\dfrac{a-3}{2}\right)^2} = \sqrt{2}\left|\dfrac{a-3}{2}\right|$

이때 $-1 \leq a < 0$, $0 < a \leq 2$이므로

$\dfrac{\sqrt{2}}{2} \leq \overline{OC} < \dfrac{3\sqrt{2}}{2}$ 또는 $\dfrac{3\sqrt{2}}{2} < \overline{OC} \leq 2\sqrt{2}$

3단계 $\dfrac{M}{m}$의 값 구하기

(i), (ii)에서 $M = \dfrac{5\sqrt{2}}{2}$, $m = \dfrac{\sqrt{2}}{2}$이므로 $\dfrac{M}{m} = 5$

03 답 $\left(\dfrac{16}{5}, -\dfrac{12}{5}\right)$

1단계 점 C가 나타내는 도형의 방정식 구하기

C(x, y)라 하면 $\overline{AC} : \overline{BC} = 1 : 2$이므로

$2\overline{AC} = \overline{BC}$에서 $4\overline{AC}^2 = \overline{BC}^2$

$4\{(x-2)^2 + (y-1)^2\} = \{x - (-4)\}^2 + \{y - (-2)\}^2$

$x^2 + y^2 - 8x - 4y = 0$

$\therefore (x-4)^2 + (y-2)^2 = 20$ ...... ㉠

2단계 점 P와 점 Q의 좌표 구하기

한편 직선 AB의 방정식은

$y - 1 = \dfrac{-2-1}{-4-2}(x-2)$ $\therefore y = \dfrac{1}{2}x$

이를 ㉠에 대입하면 $(x-4)^2 + \left(\dfrac{1}{2}x - 2\right)^2 = 20$

$x^2 - 8x + 16 + \dfrac{1}{4}x^2 - 2x + 4 = 20$

$x^2 - 8x = 0, \; x(x-8) = 0$ $\therefore x = 0$ 또는 $x = 8$

그런데 점 P는 원점이 아니므로 점 P의 좌표는 $(8, 4)$

또 $x = 0$을 ㉠에 대입하여 풀면

$(y-2)^2 = 4, \; y - 2 = \pm 2$ $\therefore y = 0$ 또는 $y = 4$

그런데 점 Q는 원점이 아니므로 점 Q의 좌표는 $(0, 4)$

3단계 점 R의 좌표 구하기

이때 $\overline{PQ} = \overline{PR}$를 만족시키는 점 R$(a, b)$에 대하여 선분 QR의 중점 $\left(\dfrac{a}{2}, \dfrac{b+4}{2}\right)$가 직선 $y = \dfrac{1}{2}x$ 위에 있으므로

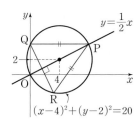

$\dfrac{b+4}{2} = \dfrac{1}{2} \times \dfrac{a}{2}$

$\therefore a - 2b = 8$ ...... ㉡

또 선분 QR는 직선 $y = \dfrac{1}{2}x$와 수직이고, 직선 QR의 기울기는 $\dfrac{b-4}{a}$이므로

$\dfrac{b-4}{a} \times \dfrac{1}{2} = -1$

$\therefore 2a + b = 4$ ...... ㉢

㉡, ㉢을 연립하여 풀면 $a = \dfrac{16}{5}$, $b = -\dfrac{12}{5}$

따라서 점 R의 좌표는 $\left(\dfrac{16}{5}, -\dfrac{12}{5}\right)$

04 답 13π

1단계 두 직선 l, m의 위치 관계 파악하기

두 원 C_1, C_2가 서로 만나지 않고 직선 l에 수직인 직선 m이 원 C_1의 중심을 지나려면 직선 l이 그림과 같이 두 원 C_1, C_2에 접해야 한다.

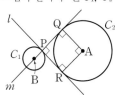

2단계 점 (a, b)가 나타내는 도형의 방정식 구하기

직선 l과 직선 m의 교점을 P, 직선 m과 원 C_2의 교점을 Q, 직선 l과 원 C_2의 교점을 R, 원 C_2의 중심을 A$(2, -3)$이라 하면 사각형 PRAQ는 한 변의 길이가 2인 정사각형이다. → 원 C_2의 반지름의 길이가 2이다.

즉, 원 $(x-a)^2 + (y-b)^2 = 1$의 중심을 B(a, b)라 하면

$\overline{BQ} = \overline{BP} + \overline{PQ} = 1 + 2 = 3$

이때 $\overline{QA} = 2$이고 $\angle AQB = 90°$이므로

$\overline{AB} = \sqrt{3^2 + 2^2} = \sqrt{13}$ $\therefore \overline{AB}^2 = 13$

따라서 $(a-2)^2 + (b+3)^2 = 13$이므로 점 (a, b)는 중심의 좌표가 $(2, -3)$이고 반지름의 길이가 $\sqrt{13}$인 원 위의 점이다.

3단계 점 (a, b)가 나타내는 도형의 넓이 구하기

따라서 반지름의 길이가 $\sqrt{13}$인 원의 넓이는

$\pi \times (\sqrt{13})^2 = 13\pi$

idea
05 답 ③

1단계 $(a-1)^2+(b-2)^2$이 최댓값과 최솟값을 갖는 경우 파악하기

$(a-1)^2+(b-2)^2=k\,(k>0)$라 하면 점 $P(a, b)$는 중심의 좌표가 $(1, 2)$이고 반지름의 길이가 $\sqrt{k}$인 원 $(x-1)^2+(y-2)^2=k$ 위의 점이다.
따라서 이 원의 반지름의 길이가 가장 짧을 때 최솟값, 가장 길 때 최댓값을 갖는다.

2단계 $(a-1)^2+(b-2)^2$의 최솟값 구하기

원의 중심을 $D(1, 2)$라 하면 점 D와 직선 $x+y=7$, 즉 $x+y-7=0$ 사이의 거리는

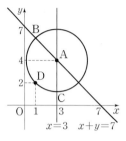

$$\frac{|1+2-7|}{\sqrt{1^2+1^2}}=2\sqrt{2}$$

점 D와 직선 $x=3$ 사이의 거리는 2
따라서 점 P가 점 D에서 직선 $x=3$에 내린 수선의 발일 때 $(a-1)^2+(b-2)^2$의 값은 최소이고, 그 최솟값은 $2^2=4$

3단계 $(a-1)^2+(b-2)^2$의 최댓값 구하기

반지름의 길이가 가장 길 때는 점 P가 두 점 D, A를 지나는 직선과 원 $(x-3)^2+(y-4)^2=8$의 교점일 때이다.
따라서 점 P가 직선 DA와 원의 교점 중 D가 아닌 점일 때, $(a-1)^2+(b-2)^2$의 값은 최대이고, 그 최댓값은 원의 지름의 길이의 제곱과 같으므로 $(2\times2\sqrt{2})^2=32$

4단계 $(a-1)^2+(b-2)^2$의 최댓값과 최솟값의 합 구하기

따라서 $(a-1)^2+(b-2)^2$의 최댓값은 32, 최솟값은 4이므로 그 합은
$32+4=36$

06 답 ⑤

1단계 점 R의 y좌표 구하기

두 점 $A(-1, 0)$, $B(1, 0)$을 지름의 양 끝 점으로 하는 원 C의 방정식은
$x^2+y^2=1$
선분 AP의 중점을 S라 하면 $\angle PSO=90°$이고 점 Q는 선분 AP를 $3:1$로 외분하므로
$\overline{AS}=\overline{SP}=\overline{PQ}$
이때 $\angle APB=90°$이므로 두 삼각형 QSO, QPR는 닮음이고 닮음비는 $2:1$이다.
즉, 점 R는 선분 OQ의 중점이므로 점 R의 y좌표를 a라 하면 삼각형 OBR의 넓이는
$\dfrac{1}{2}\times1\times a=\dfrac{9}{26}$ $\therefore a=\dfrac{9}{13}$

2단계 점 P의 좌표 구하기

점 R의 y좌표가 $\dfrac{9}{13}$이므로 점 Q의 y좌표는 $\dfrac{18}{13}$
이때 점 P는 선분 AQ를 $2:1$로 내분하는 점이므로 점 P의 y좌표는
$$\frac{2\times\frac{18}{13}+1\times0}{2+1}=\frac{12}{13}$$
점 P의 좌표를 $\left(b, \dfrac{12}{13}\right)(b>0)$라 하면 점 P는 원 $x^2+y^2=1$ 위의 점
이므로 〔→ $0<m<1$이므로 점 P의 x좌표는 양수이다.〕
$b^2+\left(\dfrac{12}{13}\right)^2=1$, $b^2=\dfrac{25}{169}$
$\therefore b=\dfrac{5}{13}$ ($\because b>0$)
$\therefore P\left(\dfrac{5}{13}, \dfrac{12}{13}\right)$

3단계 m의 값 구하기

따라서 두 점 $A(-1, 0)$, $P\left(\dfrac{5}{13}, \dfrac{12}{13}\right)$를 지나는 직선의 기울기는

$$\frac{\frac{12}{13}-0}{\frac{5}{13}-(-1)}=\frac{2}{3}$$

$\therefore m=\dfrac{2}{3}$

idea
07 답 $\sqrt{6}$

1단계 직선 OP와 직선 OQ의 위치 관계 파악하기

원점 O와 점 $P(a, b)$에 대하여 $\dfrac{b}{a}$는 직선 OP의 기울기이고 원점 O와
점 $Q(c, d)$에 대하여 $\dfrac{d}{c}$는 직선 OQ의 기울기이므로 $\dfrac{b}{a}\times\dfrac{d}{c}=-1$이면 직선 OP와 직선 OQ는 서로 수직이다.

2단계 점 Q가 나타내는 도형 파악하기

그림과 같이 원점을 지나고 원 $(x-2)^2+y^2=1$에 접하는 두 직선을 l_1, l_2라 하자.

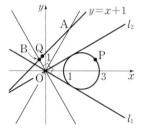

접선의 방정식을 $y=mx$라 하면 점 $(2, 0)$과 직선 $y=mx$, 즉 $mx-y=0$ 사이의 거리는 1이므로

$$\frac{|2m|}{\sqrt{m^2+(-1)^2}}=1$$

$|2m|=\sqrt{m^2+1}$
양변을 제곱하면
$4m^2=m^2+1$, $m^2=\dfrac{1}{3}$
$\therefore m=\pm\dfrac{\sqrt{3}}{3}$
따라서 두 직선 l_1, l_2의 방정식은
$l_1: y=-\dfrac{\sqrt{3}}{3}x$, $l_2: y=\dfrac{\sqrt{3}}{3}x$
이때 원점을 지나면서 두 직선 l_1, l_2에 수직인 직선이 직선 $y=x+1$과 만나는 점을 각각 A, B라 하면 점 Q가 나타내는 도형은 선분 AB이다.

3단계 점 Q가 나타내는 도형의 길이 구하기

원점을 지나면서 직선 l_1에 수직인 직선의 방정식은
$y=\sqrt{3}x$
즉, 직선 $y=\sqrt{3}x$와 직선 $y=x+1$의 교점의 좌표는
$\sqrt{3}x=x+1$에서 $(\sqrt{3}-1)x=1$
$\therefore x=\dfrac{1}{\sqrt{3}-1}=\dfrac{\sqrt{3}+1}{2}$
이를 $y=x+1$에 대입하면
$y=\dfrac{3+\sqrt{3}}{2}$
$\therefore A\left(\dfrac{\sqrt{3}+1}{2}, \dfrac{3+\sqrt{3}}{2}\right)$
또 원점을 지나면서 직선 l_2에 수직인 직선의 방정식은
$y=-\sqrt{3}x$

즉, 직선 $y=-\sqrt{3}x$와 직선 $y=x+1$의 교점의 좌표는
$-\sqrt{3}x=x+1$에서 $(\sqrt{3}+1)x=-1$

$\therefore x=\dfrac{-1}{\sqrt{3}+1}=\dfrac{1-\sqrt{3}}{2}$

이를 $y=x+1$에 대입하면

$y=\dfrac{3-\sqrt{3}}{2}$

$\therefore \mathrm{B}\left(\dfrac{1-\sqrt{3}}{2},\ \dfrac{3-\sqrt{3}}{2}\right)$

따라서 점 Q가 나타내는 도형의 길이는

$\overline{\mathrm{AB}}=\sqrt{\left(\dfrac{1-\sqrt{3}}{2}-\dfrac{\sqrt{3}+1}{2}\right)^2+\left(\dfrac{3-\sqrt{3}}{2}-\dfrac{3+\sqrt{3}}{2}\right)^2}$

$\qquad =\sqrt{6}$

08 답 ④

1단계 m의 값 구하기

직선 AB의 기울기는 $\dfrac{5-7}{7-5}=-1$이므로 직선 AB의 방정식은

$y-7=-(x-5)$ $\therefore y=-x+12$

두 원 C_1, C_2의 중심을 지나는 직선의 방정식은 직선 $y=-x+12$와 서로 수직이므로 기울기가 1이고, 두 점 A, B를 이은 선분의 중점인 $(6, 6)$을 지나므로

$y-6=x-6$ $\therefore y=x$

이때 원의 중심의 좌표를 (a, a)라 하면 점 (a, a)와 두 직선 $y=mx$, $y=4mx$, 즉 $mx-y=0$, $4mx-y=0$ 사이의 거리가 같으므로

$\dfrac{|ma-a|}{\sqrt{m^2+(-1)^2}}=\dfrac{|4ma-a|}{\sqrt{(4m)^2+(-1)^2}}$

양변을 제곱하면

$\dfrac{m^2a^2-2ma^2+a^2}{m^2+1}=\dfrac{16m^2a^2-8ma^2+a^2}{16m^2+1}$

$a^2-\dfrac{2ma^2}{m^2+1}=a^2-\dfrac{8ma^2}{16m^2+1}$

$\dfrac{1}{m^2+1}=\dfrac{4}{16m^2+1}$

$16m^2+1=4m^2+4$

$m^2=\dfrac{1}{4}$ $\therefore m=\dfrac{1}{2}\ (\because m>0)$

2단계 $a+b$의 값 구하기

점 (a, a)와 직선 $y=\dfrac{1}{2}x$, 즉 $x-2y=0$ 사이의 거리는 점 (a, a)와 점 A 사이의 거리와 같으므로 ——▶ 원의 중심과 접선 사이의 거리는 반지름의 길이와 같다.

$\dfrac{|a-2a|}{\sqrt{1^2+(-2)^2}}=\sqrt{(a-5)^2+(a-7)^2}$

양변을 제곱하면

$\dfrac{a^2}{5}=(a-5)^2+(a-7)^2$

$\therefore 9a^2-120a+370=0$

따라서 이 이차방정식의 두 근이 a, b이므로 근과 계수의 관계에 의하여

$a+b=-\dfrac{-120}{9}=\dfrac{40}{3}$

3단계 $\dfrac{3(a+b)}{m}$의 값 구하기

$\therefore \dfrac{3(a+b)}{m}=\dfrac{3\times\dfrac{40}{3}}{\dfrac{1}{2}}=80$

09 답 ③

1단계 m의 값 구하기

직선 $y=x+7$에 평행하고 이차함수 $y=\dfrac{1}{2}x^2+\dfrac{7}{2}$의 그래프에 접하는 직선을 l, 직선 $y=x+7$과 직선 l 사이의 거리를 d라 하자.

(i) $r>d$일 때, $m=2$

그림과 같이 직선 $y=x+7$의 위쪽에서 접하는 원이 2개이다.

$\therefore m=2$

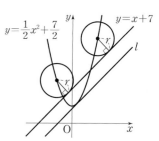

(ii) $r=d$일 때, $m=3$

그림과 같이 직선 $y=x+7$의 위쪽에서 접하는 원이 2개, 아래쪽에서 접하는 원이 1개이다.

$\therefore m=3$

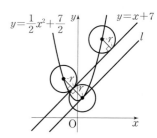

(iii) $r<d$일 때, $m=4$

그림과 같이 직선 $y=x+7$의 위쪽에서 접하는 원이 2개, 아래쪽에서 접하는 원이 2개이다.

$\therefore m=4$

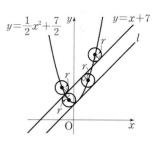

(i), (ii), (iii)에서 m이 홀수인 경우는 $m=3$

2단계 r의 값 구하기

직선 $y=x+7$에 접하는 원 중 직선 $y=x+7$의 아래쪽에 위치한 원을 C_1이라 하면 원 C_1의 반지름의 길이 r는 이차함수 $y=\dfrac{1}{2}x^2+\dfrac{7}{2}$의 그래프에 접하고 기울기가 1인 직선과 직선 $y=x+7$ 사이의 거리와 같다.

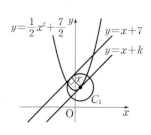

이차함수 $y=\dfrac{1}{2}x^2+\dfrac{7}{2}$의 그래프에 접하고 기울기가 1인 직선의 방정식을 $y=x+k$라 하면 $\dfrac{1}{2}x^2+\dfrac{7}{2}=x+k$에서

$x^2-2x+7-2k=0$

이 이차방정식이 중근을 가져야 하므로 이차방정식의 판별식을 D라 하면

$\dfrac{D}{4}=(-1)^2-(7-2k)=0$

$\therefore k=3$

두 직선 $y=x+7$과 $y=x+3$ 사이의 거리는 직선 $y=x+3$ 위의 점 $(0, 3)$과 직선 $y=x+7$, 즉 $x-y+7=0$ 사이의 거리와 같으므로

$\dfrac{|-3+7|}{\sqrt{1^2+(-1)^2}}=2\sqrt{2}$

$\therefore r=2\sqrt{2}$

3단계 n의 값 구하기

직선 $y=x$와 직선 $y=x+3$ 사이의 거리는 직선 $y=x$ 위의 점 $(0, 0)$과 직선 $y=x+3$, 즉 $x-y+3=0$ 사이의 거리와 같으므로

$\dfrac{|3|}{\sqrt{1^2+(-1)^2}}=\dfrac{3\sqrt{2}}{2}$

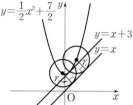

따라서 $2\sqrt{2}>\dfrac{3\sqrt{2}}{2}$이므로 $n=2$ → 원의 반지름의 길이가 두 직선 사이의 거리보다 크므로 직선 $y=x$에 접하는 원은 두 개이다.

4단계 $m+n+r^2$의 값 구하기

$\therefore m+n+r^2=3+2+(2\sqrt{2})^2=13$

10 답 $7\sqrt{21}$

1단계 점 P의 위치 파악하기

그림과 같이 점 P를 중심으로 하는 원 C가 두 직선 $y=0$, $y=\sqrt{3}x$와 모두 접하므로 점 P는 두 직선 $y=0$, $y=\sqrt{3}x$가 이루는 각의 이등분선 위에 있어야 한다.

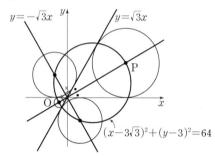

2단계 서로 다른 모든 r의 값의 곱 구하기

이때 직선 $y=\sqrt{3}x$가 x축과 이루는 예각의 크기가 $60°$이므로 원점을 지나고 기울기가 $\tan 30°=\dfrac{1}{\sqrt{3}}$인 직선의 방정식은

$y=\dfrac{1}{\sqrt{3}}x=\dfrac{\sqrt{3}}{3}x$

또 직선 $y=\dfrac{1}{\sqrt{3}}x$에 수직이고 원점을 지나는 직선의 방정식은

$y=-\sqrt{3}x$

(i) 점 P가 직선 $y=\dfrac{\sqrt{3}}{3}x$ 위에 있을 때,

$(x-3\sqrt{3})^2+\left(\dfrac{\sqrt{3}}{3}x-3\right)^2=64$

$\dfrac{4}{3}(x-3\sqrt{3})^2=64$, $(x-3\sqrt{3})^2=48$

$x-3\sqrt{3}=\pm 4\sqrt{3}$ $\therefore x=-\sqrt{3}$ 또는 $x=7\sqrt{3}$

이를 $y=\dfrac{\sqrt{3}}{3}x$에 대입하면

$x=-\sqrt{3}$일 때 $y=-1$, $x=7\sqrt{3}$일 때 $y=7$

따라서 점 P의 좌표는 $(-\sqrt{3}, -1)$ 또는 $(7\sqrt{3}, 7)$이므로 원 C의 반지름의 길이는 점 P의 y좌표의 절댓값인 1 또는 7이다.

(ii) 점 P가 직선 $y=-\sqrt{3}x$ 위에 있을 때,

$(x-3\sqrt{3})^2+(-\sqrt{3}x-3)^2=64$

$4x^2+36=64$, $x^2=7$ $\therefore x=-\sqrt{7}$ 또는 $x=\sqrt{7}$

이를 $y=-\sqrt{3}x$에 대입하면

$x=-\sqrt{7}$일 때 $y=\sqrt{21}$, $x=\sqrt{7}$일 때 $y=-\sqrt{21}$

따라서 점 P의 좌표는 $(-\sqrt{7}, \sqrt{21})$ 또는 $(\sqrt{7}, -\sqrt{21})$이므로 원 C의 반지름의 길이는 점 P의 y좌표의 절댓값인 $\sqrt{21}$이다.

(i), (ii)에서 서로 다른 모든 r의 값의 곱은 $1\times 7\times\sqrt{21}=7\sqrt{21}$

---

10 도형의 이동

step ❶ 핵심 문제

| 114~115쪽

01 ⑤	02 $-\dfrac{3}{4}$	03 6	04 $(2, 5)$	05 ②
06 36	07 4	08 ③	09 3	10 ①	11 12

01 답 ⑤

점 A$(a, 3)$을 점 A′$(-2, -2)$로, 점 B$(1, b)$를 점 B′$(3, -2)$로 옮기는 평행이동은 x축의 방향으로 2만큼, y축의 방향으로 -5만큼 평행이동한 것이다.

즉, $a+2=-2$, $b-5=-2$이므로 $a=-4$, $b=3$

따라서 점 $(3, -4)$가 이 평행이동에 의하여 옮겨지는 점의 좌표는

$(3+2, -4-5)$ $\therefore (5, -9)$

02 답 $-\dfrac{3}{4}$

직선 $y=2x+3$을 x축의 방향으로 m만큼, y축의 방향으로 n만큼 평행이동한 직선의 방정식은

$y-n=2(x-m)+3$ $\therefore y=2x-2m+n+3$

이 직선이 $y=2x$와 같으므로

$-2m+n+3=0$ $\therefore 2m-n=3$ ⋯⋯ ㉠

또 직선 $y=3x+2$를 x축의 방향으로 m만큼, y축의 방향으로 n만큼 평행이동한 직선의 방정식은

$y-n=3(x-m)+2$ $\therefore y=3x-3m+n+2$

이 직선이 $y=3x-2$와 같으므로

$-3m+n+2=-2$ $\therefore 3m-n=4$ ⋯⋯ ㉡

㉠, ㉡을 연립하여 풀면 $m=1$, $n=-1$

따라서 직선 $2x-3y-1=0$을 x축의 방향으로 1만큼, y축의 방향으로 -1만큼 평행이동한 직선의 방정식은

$2(x-1)-3(y+1)-1=0$ $\therefore 2x-3y-6=0$

이때 직선 $2x-3y-6=0$이 원 $(x-a)^2+(y-2a+1)^2=1$의 넓이를 이등분하려면 이 직선이 원의 중심 $(a, 2a-1)$을 지나야 한다.

따라서 $2a-3(2a-1)-6=0$이므로

$4a=-3$ $\therefore a=-\dfrac{3}{4}$

03 답 6

원 $(x-a)^2+(y-a)^2=b^2$의 중심의 좌표는 (a, a)이므로 y축의 방향으로 -2만큼 평행이동한 도형은 중심의 좌표가 $(a, a-2)$, 반지름의 길이가 b인 원이다.

이 원이 직선 $y=x$와 x축에 동시에 접하려면 원의 중심 $(a, a-2)$와 직선 $y=x$, 즉 $x-y=0$ 사이의 거리가 중심의 y좌표인 $a-2$와 같아야 하므로

$\dfrac{|a-(a-2)|}{\sqrt{1^2+(-1)^2}}=a-2$

$\dfrac{2}{\sqrt{2}}=a-2$ $\therefore a=2+\sqrt{2}$

이때 원의 반지름의 길이 b는 $a-2$와 같으므로

$b=a-2=(2+\sqrt{2})-2=\sqrt{2}$

$\therefore a^2-4b=(2+\sqrt{2})^2-4\sqrt{2}=6$

04 <u>답</u> (2, 5)

점 A의 좌표를 $(a, a+3)$ $(a>0)$이라 하면 점 A를 직선 $y=x$에 대하여 대칭이동한 점 B의 좌표는

$(a+3, a)$

점 B를 원점에 대하여 대칭이동한 점 C의 좌표는

$(-a-3, -a)$

이때 $-a=(-a-3)+3$이므로 점 C는 직선 $y=x+3$ 위의 점이고 삼각형 ABC는 $\angle A=90°$인 직각삼각형이므로 삼각형 ABC의 넓이는

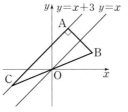

$\dfrac{1}{2}\times\overline{AB}\times\overline{AC}=21$

$\overline{AB}=\sqrt{(a+3-a)^2+\{a-(a+3)\}^2}=3\sqrt{2}$,

$\overline{AC}=\sqrt{\{(-a-3)-a\}^2+\{-a-(a+3)\}^2}=\sqrt{2}(2a+3)$

이므로

$\dfrac{1}{2}\times3\sqrt{2}\times\sqrt{2}(2a+3)=21$, $2a+3=7$ ∴ $a=2$

따라서 점 A의 좌표는 (2, 5)이다.

05 <u>답</u> ②

직선 $l: y=ax+2$의 x절편은 $-\dfrac{2}{a}$, y절편은 2

이고, 직선 l을 x축, y축, 원점에 대하여 각각 대칭이동한 직선의 방정식은

$l_1: y=-ax-2$,

$l_2: y=-ax+2$,

$l_3: y=ax-2$

즉, 네 직선 l, l_1, l_2, l_3으로 둘러싸인 도형은

한 변의 길이가 $\sqrt{\left(\dfrac{2}{a}\right)^2+2^2}=\sqrt{\dfrac{4}{a^2}+4}$인 마름모이다.

이때 이 도형의 둘레의 길이가 10이므로

$4\sqrt{\dfrac{4}{a^2}+4}=10$, $\dfrac{4}{a^2}+4=\dfrac{25}{4}$

$\dfrac{4}{a^2}=\dfrac{9}{4}$, $a^2=\dfrac{16}{9}$ ∴ $a=\dfrac{4}{3}$ (∵ $a>0$)

06 <u>답</u> 36

$x^2+y^2-4x+8y+19=0$에서 $(x-2)^2+(y+4)^2=1$

이 원을 x축에 대하여 대칭이동한 원 C_1의 방정식은

$(x-2)^2+(-y+4)^2=1$

∴ $(x-2)^2+(y-4)^2=1$ ·································· 배점 **30%**

또 원 $(x-2)^2+(y+4)^2=1$을 직선 $y=x$에 대하여 대칭이동한 원 C_2의 방정식은

$(x+4)^2+(y-2)^2=1$ ·································· 배점 **30%**

따라서 선분 PQ의 길이의 최댓값은 두 원 C_1, C_2의 중심 $(2, 4)$, $(-4, 2)$를 이은 선분의 길이에 두 원 C_1, C_2의 반지름의 길이의 합을 더한 것과 같고, 선분 PQ의 길이의 최솟값은 두 원 C_1, C_2의 중심을 이은 선분의 길이에서 두 원 C_1, C_2의 반지름의 길이의 합을 뺀 것과 같으므로

$M=\sqrt{(-4-2)^2+(2-4)^2}+(1+1)=2\sqrt{10}+2$

$m=\sqrt{(-4-2)^2+(2-4)^2}-(1+1)=2\sqrt{10}-2$ ···· 배점 **30%**

∴ $Mm=(2\sqrt{10}+2)(2\sqrt{10}-2)=36$ ·········· 배점 **10%**

07 <u>답</u> 4

포물선 $y=x^2-ax+3$을 x축의 방향으로 2만큼, y축의 방향으로 1만큼 평행이동한 포물선의 방정식은

$y-1=(x-2)^2-a(x-2)+3$

∴ $y=x^2-(a+4)x+2a+8$

이 포물선을 x축에 대하여 대칭이동한 포물선의 방정식은

$y=-x^2+(a+4)x-2a-8$

이때 이 포물선이 직선 $y=4x-12$와 접하므로 이차방정식 $-x^2+(a+4)x-2a-8=4x-12$, 즉 $x^2-ax+2a-4=0$의 판별식을 D라 하면

$D=(-a)^2-4(2a-4)=0$

$a^2-8a+16=0$, $(a-4)^2=0$

∴ $a=4$

08 <u>답</u> ③

방정식 $f(y+1, x)=0$이 나타내는 도형은 방정식 $f(x, y)=0$이 나타내는 도형을 직선 $y=x$에 대하여 대칭이동한 후 y축의 방향으로 -1만큼 평행이동한 것이므로 ③과 같다.

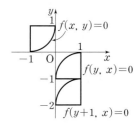

다른 풀이

방정식 $f(y+1, x)=0$이 나타내는 도형은 방정식 $f(x, y)=0$이 나타내는 도형을 x축의 방향으로 -1만큼 평행이동한 후 직선 $y=x$에 대하여 대칭이동한 것이므로 ③과 같다.

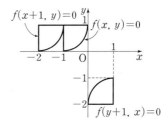

09 <u>답</u> 3

삼각형 ABC의 무게중심 G의 좌표는

$\left(\dfrac{0-1+1}{3}, \dfrac{1+2+6}{3}\right)$ ∴ $(0, 3)$

점 A′의 좌표를 (x_1, y_1)이라 하면 점 $(0, 3)$은 두 점 A, A′을 이은 선분의 중점이므로

$\dfrac{x_1+0}{2}=0$, $\dfrac{y_1+1}{2}=3$ ∴ $x_1=0$, $y_1=5$

∴ A′(0, 5)

점 B′의 좌표를 (x_2, y_2)라 하면 점 $(0, 3)$은 두 점 B, B′을 이은 선분의 중점이므로

$\dfrac{x_2-1}{2}=0$, $\dfrac{y_2+2}{2}=3$ ∴ $x_2=1$, $y_2=4$

∴ B′(1, 4)

점 C′의 좌표를 (x_3, y_3)이라 하면 점 $(0, 3)$은 두 점 C, C′을 이은 선분의 중점이므로

$\dfrac{x_3+1}{2}=0$, $\dfrac{y_3+6}{2}=3$ ∴ $x_3=-1$, $y_3=0$

∴ C′(-1, 0)

두 점 B′, C′을 지나는 직선의 방정식은
$$y=\frac{4-0}{1-(-1)}(x+1) \quad \therefore y=2x+2$$
따라서 직선 B′C′이 y축과 만나는 점의 좌표는
$(0, 2)$이므로 삼각형 A′B′C′이 y축과 만나는 두
점 사이의 거리는
$$5-2=3$$

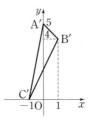

10 답 ①

점 $P(0, 1)$을 점 $(-2, 3)$에 대하여 대칭이동한 점을 $R(a, b)$라 하면
점 $(-2, 3)$은 두 점 P, R를 이은 선분의 중점이므로
$$\frac{a+0}{2}=-2, \frac{b+1}{2}=3 \quad \therefore a=-4, b=5$$
$\therefore R(-4, 5)$
점 $R(-4, 5)$를 점 $(1, 2)$에 대하여 대칭이동한 점을 $Q(c, d)$라 하면
점 $(1, 2)$는 두 점 R, Q를 이은 선분의 중점이므로
$$\frac{c-4}{2}=1, \frac{d+5}{2}=2 \quad \therefore c=6, d=-1$$
$\therefore Q(6, -1)$
이때 두 점 P, Q를 이은 선분의 중점 $\left(\frac{6+0}{2}, \frac{-1+1}{2}\right)$, 즉 $(3, 0)$이
직선 $y=mx+n$ 위의 점이므로
$$0=3m+n \qquad \cdots\cdots \text{㉠}$$
또 두 점 P, Q를 지나는 직선과 직선 $y=mx+n$은 서로 수직이므로
$$\frac{-1-1}{6-0}\times m=-1 \quad \therefore m=3$$
이를 ㉠에 대입하여 풀면 $n=-9$
$$\therefore m+n=3+(-9)=-6$$

11 답 12

삼각형 ABC의 둘레의 길이는
$$\overline{AC}+\overline{CB}+\overline{BA}$$
점 $B(2, 1)$을 x축에 대하여 대칭이동한
점을 B′이라 하면 $B′(2, -1)$이므로
$$\overline{AC}+\overline{CB}+\overline{BA}$$
$$=\overline{AC}+\overline{CB′}+\overline{BA}\geq\overline{AB′}+\overline{BA}$$
$$=\sqrt{(2-1)^2+(-1-2)^2}+\sqrt{(2-1)^2+(1-2)^2}$$
$$=\sqrt{10}+\sqrt{2}$$
따라서 $a=10, b=2$ 또는 $a=2, b=10$이므로
$$a+b=12$$

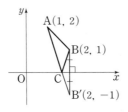

step ② 고난도 문제 | 116~119쪽

01 11	02 ㄴ, ㄷ	03 64	04 $\left(\frac{9}{2}, \frac{3}{2}\right)$
05 ③	06 ㄴ, ㄷ	07 ②	08 $(1, 2)$
09 $\frac{2}{3}$	10 4	11 $\frac{1}{2}<a<\frac{4}{3}$	12 $\sqrt{34}$ 13 ①
14 3	15 −66	16 $4\sqrt{2}$	17 ④ 18 ⑤

01 답 11

원 C의 중심의 좌표는 $(2, 3)$이므로 원
C_1의 중심의 좌표는 $(2+m, 3)$이고 반
지름의 길이는 3이다.
㈎에서 원 C_1이 직선 l과 서로 다른 두 점
에서 만나려면 원 C_1의 중심 $(2+m, 3)$
과 직선 $4x-3y=0$ 사이의 거리는 원의
반지름의 길이인 3보다 작아야 하므로

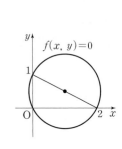

$$\frac{|4(2+m)-9|}{\sqrt{4^2+(-3)^2}}<3$$
$$|4m-1|<15$$
$$-15<4m-1<15$$
$$-14<4m<16$$
$$\therefore -\frac{7}{2}<m<4$$
따라서 자연수 m의 값은 1, 2, 3이다.
원 C_2의 중심의 좌표는 $(2+m, 3+n)$이고 반지름의 길이는 3이다.
㈏에서 원 C_2가 직선 l과 서로 다른 두 점에서 만나려면 원 C_2의 중심
$(2+m, 3+n)$과 직선 $4x-3y=0$ 사이의 거리는 원의 반지름의 길이
인 3보다 작아야 하므로
$$\frac{|4(2+m)-3(3+n)|}{\sqrt{4^2+(-3)^2}}<3$$
$$|4m-3n-1|<15$$
$$-15<4m-3n-1<15$$
$$\therefore -14<4m-3n<16$$
(i) $m=1$일 때,
 $-14<4m-3n<16$에서 $-14<4-3n<16$
 $-18<-3n<12 \quad \therefore -4<n<6$
 따라서 자연수 n의 값은 1, 2, 3, 4, 5이므로 $m+n$의 최댓값은
 $1+5=6$
(ii) $m=2$일 때,
 $-14<4m-3n<16$에서 $-14<8-3n<16$
 $-22<-3n<8 \quad \therefore -\frac{8}{3}<n<\frac{22}{3}$
 따라서 자연수 n의 값은 1, 2, 3, 4, 5, 6, 7이므로 $m+n$의 최댓값
 은 $2+7=9$
(iii) $m=3$일 때,
 $-14<4m-3n<16$에서 $-14<12-3n<16$
 $-26<-3n<4 \quad \therefore -\frac{4}{3}<n<\frac{26}{3}$
 따라서 자연수 n의 값은 1, 2, 3, 4, 5, 6, 7, 8이므로 $m+n$의 최댓
 값은 $3+8=11$
(i), (ii), (iii)에서 $m+n$의 최댓값은 11이다.

02 답 ㄴ, ㄷ

두 점 $(2, 0)$, $(0, 1)$을 이은 선분이 원 C의
지름이므로 원 C의 중심의 좌표는 두 점
$(2, 0)$, $(0, 1)$을 이은 선분의 중점인
$\left(1, \frac{1}{2}\right)$
따라서 원 C의 반지름의 길이는
$$\sqrt{(1-0)^2+\left(\frac{1}{2}-1\right)^2}=\frac{\sqrt{5}}{2}$$

이때 원 C'은 원 C를 x축의 방향으로 m만큼, y축의 방향으로 n만큼 평행이동한 것이므로 원 C'의 중심의 좌표는 $\left(1+m, \frac{1}{2}+n\right)$이고 반지름의 길이는 $\frac{\sqrt{5}}{2}$이다.

ㄱ. 원 C'이 x축에 접하려면 원 C'의 중심의 y좌표의 절댓값이 반지름의 길이와 같아야 하므로

$$\left|\frac{1}{2}+n\right|=\frac{\sqrt{5}}{2}, \ \frac{1}{2}+n=\pm\frac{\sqrt{5}}{2}$$

$$\therefore n=-\frac{1}{2}-\frac{\sqrt{5}}{2} \text{ 또는 } n=-\frac{1}{2}+\frac{\sqrt{5}}{2}$$

따라서 모든 n의 값의 합은

$$\left(-\frac{1}{2}-\frac{\sqrt{5}}{2}\right)+\left(-\frac{1}{2}+\frac{\sqrt{5}}{2}\right)=-1$$

ㄴ. 두 원 C, C'이 서로 외접하려면 두 원의 중심 $\left(1, \frac{1}{2}\right)$,

$\left(1+m, \frac{1}{2}+n\right)$ 사이의 거리가 두 원의 반지름의 길이의 합과 같아야

하므로

$$\sqrt{(1+m-1)^2+\left(\frac{1}{2}+n-\frac{1}{2}\right)^2}=\frac{\sqrt{5}}{2}+\frac{\sqrt{5}}{2}$$

$$\sqrt{m^2+n^2}=\sqrt{5}$$

$$\therefore m^2+n^2=5$$

ㄷ. 두 원 C, C'의 넓이를 모두 이등분하는 직선은 두 원의 중심 $\left(1, \frac{1}{2}\right)$, $\left(1+m, \frac{1}{2}+n\right)$을 모두 지나야 하므로 두 원의 중심을 모두 지나는 직선의 방정식은

$$y-\frac{1}{2}=\frac{\frac{1}{2}+n-\frac{1}{2}}{1+m-1}(x-1)$$

$$y=\frac{n}{m}(x-1)+\frac{1}{2}$$

$$\therefore 2nx-2my+m-2n=0$$

따라서 보기에서 옳은 것은 ㄴ, ㄷ이다.

03 답 64

두 직선 AB, OD의 교점을 E, 직선 AB와 직선 $y=x$의 교점을 F라 하자.

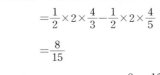

직선 AB의 방정식은

$$y=\frac{2-0}{1-2}(x-2)$$

$$\therefore y=-2x+4 \quad\cdots\cdots\ \bigcirc$$

점 B$(1, 2)$를 직선 $y=x$에 대하여 대칭이동한 점 D의 좌표는 $(2, 1)$이므로 직선 OD의 방정식은

$$y=\frac{1}{2}x \quad\cdots\cdots\ \bigcirc$$

$\bigcirc$, $\bigcirc$에서

$$-2x+4=\frac{1}{2}x, \ \frac{5}{2}x=4 \quad \therefore x=\frac{8}{5}$$

이를 $\bigcirc$에 대입하면

$$y=\frac{4}{5} \quad \therefore \text{E}\left(\frac{8}{5}, \frac{4}{5}\right)$$

$\bigcirc$에 $y=x$를 대입하면

$$x=-2x+4, \ 3x=4 \quad \therefore x=\frac{4}{3}$$

이를 $y=x$에 대입하면 $y=\frac{4}{3}$ $\quad \therefore \text{F}\left(\frac{4}{3}, \frac{4}{3}\right)$

$$\triangle\text{OEF}=\triangle\text{OAF}-\triangle\text{OAE}$$

$$=\frac{1}{2}\times2\times\frac{4}{3}-\frac{1}{2}\times2\times\frac{4}{5}$$

$$=\frac{8}{15}$$

따라서 $S=2\triangle\text{OEF}=2\times\frac{8}{15}=\frac{16}{15}$이므로

$$60S=60\times\frac{16}{15}=64$$

04 답 $\left(\frac{9}{2}, \frac{3}{2}\right)$

㈎에서 점 C는 점 B를 직선 $y=x$에 대하여 대칭이동한 점이므로 두 점 B, C를 지나는 원의 중심은 직선 $y=x$ 위에 있다.

㈏에서 이 원의 반지름의 길이가 3이 므로 원의 둘레의 길이는 6π이고, 호 BC의 길이가 $\frac{3}{2}\pi$이므로 원의 중심을 M이라 하면

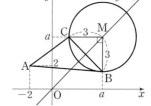

$$\angle\text{BMC}=360°\times\frac{\frac{3}{2}\pi}{6\pi}=90°$$

$$\therefore \overline{\text{BC}}=3\sqrt{2}$$

이때 점 M의 좌표를 (a, a) $(a>0)$라 하면

B$(a, a-3)$, C$(a-3, a)$

두 점 B, C를 지나는 직선의 방정식은

$$y-(a-3)=\frac{a-(a-3)}{a-3-a}(x-a)$$

$$\therefore y=-x+2a-3$$

점 A$(-2, 2)$와 직선 $y=-x+2a-3$, 즉 $x+y-2a+3=0$ 사이의 거리는

$$\frac{|-2+2-2a+3|}{\sqrt{1^2+1^2}}=\frac{|-2a+3|}{\sqrt{2}}$$

㈐에서 삼각형 ABC의 넓이는 9이므로

$$\frac{1}{2}\times3\sqrt{2}\times\frac{|-2a+3|}{\sqrt{2}}=9$$

$$|-2a+3|=6$$

$$-2a+3=\pm6$$

$$\therefore a=\frac{9}{2} \ (\because a>0)$$

따라서 점 B의 좌표는 $\left(\frac{9}{2}, \frac{3}{2}\right)$이다.

다른 풀이

㈎에서 점 C는 점 B를 직선 $y=x$에 대하여 대칭이동한 점이므로 두 점 B, C를 지나는 원의 중심은 직선 $y=x$ 위에 있다.

㈏에서 이 원의 반지름의 길이가 3이 므로 원의 둘레의 길이는 6π이고, 호 BC의 길이가 $\frac{3}{2}\pi$이므로 원의 중심을 M이라 하면

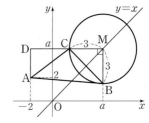

$$\angle\text{BMC}=360°\times\frac{\frac{3}{2}\pi}{6\pi}=90°$$

$$\therefore \overline{\text{BC}}=3\sqrt{2}$$

이때 점 M의 좌표를 (a, a) $(a>0)$라 하면

B$(a, a-3)$

점 D의 좌표를 $(-2, a)$라 하면

(삼각형 ABC의 넓이)

=(사다리꼴 ABMD의 넓이)−(삼각형 ACD의 넓이)

$\qquad\qquad$−(삼각형 BMC의 넓이)

$$=\frac{1}{2}\times\{(a-2)+3\}\times(a+2)-\frac{1}{2}\times(a+2-3)\times(a-2)-\frac{1}{2}\times3\times3$$

$$=\frac{1}{2}a^2+\frac{3}{2}a+1-\frac{1}{2}a^2+\frac{3}{2}a-1-\frac{9}{2}$$

$$=3a-\frac{9}{2}$$

즉, $3a-\dfrac{9}{2}=9$이므로 $a=\dfrac{9}{2}$

따라서 점 B의 좌표는 $\left(\dfrac{9}{2}, \dfrac{3}{2}\right)$이다.

05 답 ③

방정식 $f(2-y, x+1)=0$이 나타내는 도형은 방정식 $f(x, y)=0$이 나타내는 도형을 직선 $y=x$에 대하여 대칭이동한 후 다시 x축에 대하여 대칭이동한 다음 x축의 방향으로 -1만큼, y축의 방향으로 2만큼 평행이동한 도형이므로 ③과 같다.

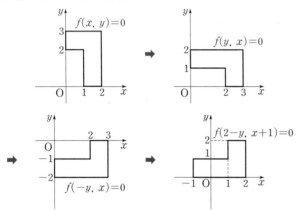

06 답 ㄴ, ㄷ

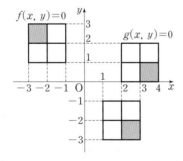

방정식 $g(x, y)=0$이 나타내는 도형은 방정식 $f(x, y)=0$이 나타내는 도형을 원점에 대하여 대칭이동한 후 x축의 방향으로 1만큼, y축의 방향으로 3만큼 평행이동한 것으로 볼 수 있으므로

$f(x, y)=0 \rightarrow f(-x, -y)=0 \rightarrow f(-(x-1), -(y-3))=0$

$\therefore g(x, y)=f(-x+1, -y+3)$

또 방정식 $f(x, y)=0$이 나타내는 도형을 직선 $y=x$에 대하여 대칭이동한 후 x축의 방향으로 1만큼, y축의 방향으로 3만큼 평행이동한 것으로도 볼 수 있으므로

$f(x, y)=0 \rightarrow f(y, x)=0 \rightarrow f(y-3, x-1)=0$

$\therefore g(x, y)=f(y-3, x-1)$

따라서 보기에서 방정식 $g(x, y)=0$과 같은 것은 ㄴ, ㄷ이다.

다른 풀이

ㄱ. 방정식 $f(-x+1, y-3)=0$이 나타내는 도형은 방정식 $f(x, y)=0$이 나타내는 도형을 y축에 대하여 대칭이동한 후 x축의 방향으로 1만큼, y축의 방향으로 3만큼 평행이동한 것이므로 그림과 같다.

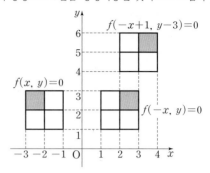

ㄴ. 방정식 $f(-x+1, -y+3)=0$이 나타내는 도형은 방정식 $f(x, y)=0$이 나타내는 도형을 원점에 대하여 대칭이동한 후 x축의 방향으로 1만큼, y축의 방향으로 3만큼 평행이동한 것이므로 그림과 같다.

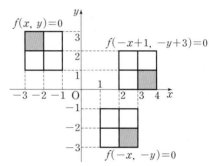

ㄷ. 방정식 $f(y-3, x-1)=0$이 나타내는 도형은 방정식 $f(x, y)=0$이 나타내는 도형을 직선 $y=x$에 대하여 대칭이동한 후 x축의 방향으로 1만큼, y축의 방향으로 3만큼 평행이동한 것이므로 그림과 같다.

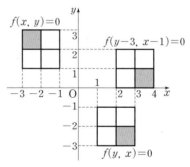

ㄹ. 방정식 $f(y-3, -x+1)=0$이 나타내는 도형은 방정식 $f(x, y)=0$이 나타내는 도형을 직선 $y=x$에 대하여 대칭이동한 후 다시 y축에 대하여 대칭이동한 다음 x축의 방향으로 1만큼, y축의 방향으로 3만큼 평행이동한 것이므로 그림과 같다.

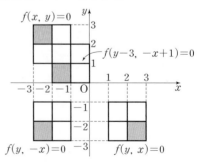

따라서 보기에서 방정식 $g(x, y)=0$과 같은 것은 ㄴ, ㄷ이다.

07 답 ②

제1사분면 위의 점 D의 좌표를 (a, b)라 하면 직사각형의 두 대각선의 교점이 원점이고, 각 변은 x축 또는 y축에 평행하므로
$A(-a, b)$, $B(-a, -b)$, $C(a, -b)$
이때 네 점 A, B, C, D를 y축의 방향으로 2만큼 평행이동한 네 점을 각각 A_1, B_1, C_1, D_1이라 하면 $\overline{AD} > \overline{AB} > 2$이므로 두 직사각형 ABCD와 $A_1B_1C_1D_1$은 그림과 같다.

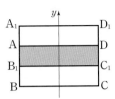

$\overline{AD} = 2a$, $\overline{AB_1} = \overline{AB} - \overline{B_1B} = 2b - 2$이고
(나)에서 공통부분, 즉 직사각형 AB_1C_1D의 넓이는 18이므로
$\overline{AD} \times \overline{AB_1} = 18$, $2a(2b-2) = 18$
$\therefore a(b-1) = \dfrac{9}{2}$ ...... ㉠

또 네 점 A, B, C, D를 직선 $y = x$에 대하여 대칭이동한 네 점을 각각 A_2, B_2, C_2, D_2라 하면 두 직사각형 ABCD와 $A_2B_2C_2D_2$는 그림과 같다.

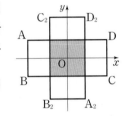

$\overline{A_2B_2} = \overline{AB} = 2b$이고 (다)에서 공통부분의 넓이는 16이므로
$2b \times 2b = 16$, $b^2 = 4$
$\therefore b = 2$ ($\because b > 0$)
이를 ㉠에 대입하면 $a = \dfrac{9}{2}$
따라서 직사각형 ABCD의 넓이는
$\overline{AD} \times \overline{AB} = 2a \times 2b = 2 \times \dfrac{9}{2} \times 2 \times 2 = 36$

08 답 $(1, 2)$

포물선 $P_1: y = x^2 + x$ 위의 점 $P(x, y)$를 점 $(1, a)$에 대하여 대칭이동한 점을 $Q(x', y')$이라 하면 점 $(1, a)$는 두 점 P, Q를 이은 선분의 중점이므로
$\dfrac{x + x'}{2} = 1$, $\dfrac{y + y'}{2} = a$
$\therefore x = 2 - x'$, $y = 2a - y'$
이를 $y = x^2 + x$에 대입하면
$2a - y' = (2 - x')^2 + (2 - x')$
$2a - y' = 4 - 4x' + (x')^2 + 2 - x'$
$\therefore y' = -(x')^2 + 5x' + 2a - 6$
따라서 포물선 P_2의 방정식은 $y = -x^2 + 5x + 2a - 6$
두 포물선 P_1, P_2가 한 점에서 만나므로 이차방정식
$x^2 + x = -x^2 + 5x + 2a - 6$, 즉 $x^2 - 2x - a + 3 = 0$의 판별식을 D라 하면
$\dfrac{D}{4} = (-1)^2 - (-a + 3) = 0$ $\therefore a = 2$
이를 $x^2 - 2x - a + 3 = 0$에 대입하면
$x^2 - 2x - 2 + 3 = 0$, $(x - 1)^2 = 0$ $\therefore x = 1$
이를 $y = x^2 + x$에 대입하면 $y = 2$
따라서 점 A의 좌표는 $(1, 2)$이다.

09 답 $\dfrac{2}{3}$

방정식 $f(x + 1, y - 2) = 0$이 나타내는 도형은 방정식 $f(x, y) = 0$이 나타내는 도형을 x축의 방향으로 -1만큼, y축의 방향으로 2만큼 평행이동한 것이다.

즉, 방정식 $f(x, y) = 0$이 나타내는 도형은 세 점 $(0, 0)$, $(2, 0)$, $(1, 2)$를 각각 x축의 방향으로 1만큼, y축의 방향으로 -2만큼 평행이동한 세 점 $(1, -2)$, $(3, -2)$, $(2, 0)$을 꼭짓점으로 하는 삼각형이다.

평행이동한 세 점을 각각 A, B, C라 하고 세 점 $A(1, -2)$, $B(3, -2)$, $C(2, 0)$을 점 $(-1, 2)$에 대하여 대칭이동한 점을 각각 A', B', C'이라 하자.

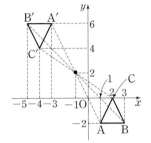

점 A'의 좌표를 (x_1, y_1)이라 하면 점 $(-1, 2)$는 두 점 A, A'을 이은 선분의 중점이므로
$\dfrac{x_1 + 1}{2} = -1$, $\dfrac{y_1 - 2}{2} = 2$
$\therefore x_1 = -3$, $y_1 = 6$ $\therefore A'(-3, 6)$
점 B'의 좌표를 (x_2, y_2)라 하면 점 $(-1, 2)$는 두 점 B, B'을 이은 선분의 중점이므로
$\dfrac{x_2 + 3}{2} = -1$, $\dfrac{y_2 - 2}{2} = 2$ $\therefore x_2 = -5$, $y_2 = 6$ $\therefore B'(-5, 6)$
점 C'의 좌표를 (x_3, y_3)이라 하면 점 $(-1, 2)$는 두 점 C, C'을 이은 선분의 중점이므로
$\dfrac{x_3 + 2}{2} = -1$, $\dfrac{y_3 + 0}{2} = 2$ $\therefore x_3 = -4$, $y_3 = 4$ $\therefore C'(-4, 4)$
즉, 도형 T는 삼각형 A'B'C'이다.
이때 직선 $ax - y + 3a + 6 = 0$, 즉 $y = a(x + 3) + 6$은 a의 값에 관계없이 항상 점 $A'(-3, 6)$을 지나므로 도형 T의 넓이를 이등분하려면 선분 B'C'의 중점 $\left(-\dfrac{9}{2}, 5\right)$를 지나야 한다.

따라서 $-\dfrac{9}{2}a - 5 + 3a + 6 = 0$이므로
$-\dfrac{3}{2}a = -1$ $\therefore a = \dfrac{2}{3}$

idea 10 답 ④

삼각형 A를 점 $(0, 0)$에 대하여 대칭이동한 도형을 T_1, 삼각형 A를 점 $(1, 2)$에 대하여 대칭이동한 도형을 T_2라 하면 $0 \le a \le 1$일 때, 도형 T는 도형 T_1을 도형 T_2로 옮기는 평행이동에 의하여 생기는 부분과 같다.

(i) $a = 0$일 때, 즉 점 $(0, 0)$에 대하여 대칭이동할 때,
삼각형 A의 세 꼭짓점 $(0, -2)$, $(2, 0)$, $(2, -2)$를 점 $(0, 0)$에 대하여 대칭이동한 점의 좌표는 각각 $(0, 2)$, $(-2, 0)$, $(-2, 2)$이므로 도형 T_1은 세 점 $(0, 2)$, $(-2, 0)$, $(-2, 2)$를 꼭짓점으로 하는 직각이등변삼각형이다.

(ii) $a = 1$일 때, 즉 점 $(1, 2)$에 대하여 대칭이동할 때,
삼각형 A의 세 꼭짓점 $(0, -2)$, $(2, 0)$, $(2, -2)$를 점 $(1, 2)$에 대하여 대칭이동한 점의 좌표를 각각 (x_1, y_1), (x_2, y_2), (x_3, y_3)이라 하면 점 $(1, 2)$는 두 점 $(0, -2)$, (x_1, y_1), 두 점 $(2, 0)$, (x_2, y_2), 두 점 $(2, -2)$, (x_3, y_3)을 각각 이은 선분의 중점이므로
$\dfrac{x_1 + 0}{2} = 1$, $\dfrac{y_1 - 2}{2} = 2$ $\therefore x_1 = 2$, $y_1 = 6$
$\dfrac{x_2 + 2}{2} = 1$, $\dfrac{y_2 + 0}{2} = 2$ $\therefore x_2 = 0$, $y_2 = 4$
$\dfrac{x_3 + 2}{2} = 1$, $\dfrac{y_3 - 2}{2} = 2$ $\therefore x_3 = 0$, $y_3 = 6$
따라서 세 점은 $(2, 6)$, $(0, 4)$, $(0, 6)$이므로 도형 T_2는 세 점 $(2, 6)$, $(0, 4)$, $(0, 6)$을 꼭짓점으로 하는 직각이등변삼각형이다.

(i), (ii)에서 도형 T_1을 도형 T_2로 옮기는 평행
이동에 의하여 생기는 부분의 내부와 정사각형
B의 내부의 공통부분은 세 점 $(-2, 2)$, $(0, 2)$,
$(0, 6)$을 꼭짓점으로 하는 직각삼각형의 내부
이다.

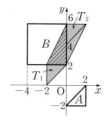

따라서 구하는 공통부분의 넓이는

$\dfrac{1}{2} \times 2 \times 4 = 4$

11 답 $\dfrac{1}{2} < a < \dfrac{4}{3}$

점 $P(0, a)$를 직선 $x - 2y + 1 = 0$에 대하여 대칭이동한 점 Q의 좌표를
(m, n) $(m > 0, n > 0)$이라 하자.

이때 두 점 P, Q를 이은 선분의 중점 $\left(\dfrac{m}{2}, \dfrac{n+a}{2} \right)$가 직선

$x - 2y + 1 = 0$ 위의 점이므로

$\dfrac{m}{2} - 2 \times \dfrac{n+a}{2} + 1 = 0$

$m - 2(n+a) + 2 = 0$

$\therefore m - 2n = 2a - 2$ ...... ㉠

또 두 점 P, Q를 지나는 직선이 직선 $x - 2y + 1 = 0$, 즉 $y = \dfrac{1}{2}x + \dfrac{1}{2}$에

수직이므로

$\dfrac{n-a}{m} \times \dfrac{1}{2} = -1$, $n - a = -2m$

$\therefore 2m + n = a$ ...... ㉡

㉠, ㉡을 연립하여 풀면 $m = \dfrac{4a-2}{5}$, $n = \dfrac{4-3a}{5}$

이때 $m > 0$, $n > 0$이므로

$\dfrac{4a-2}{5} > 0$ $\therefore a > \dfrac{1}{2}$

$\dfrac{4-3a}{5} > 0$ $\therefore a < \dfrac{4}{3}$

따라서 구하는 a의 값의 범위는 $\dfrac{1}{2} < a < \dfrac{4}{3}$

12 답 $\sqrt{34}$

포물선 $y = x^2 + 6x + 8$을 y축에 대하여 대칭이동한 포물선의 방정식은
$y = (-x)^2 + 6 \times (-x) + 8 = x^2 - 6x + 8$
이때 포물선 $y = x^2 - 6x + 8$ 위의 두 점 A, B의 좌표를
$(a, a^2 - 6a + 8)$, $(b, b^2 - 6b + 8)$ $(a < b)$라 하자. ············ 배점 20%
(i) 직선 AB는 직선 $y = x + 1$과 수직이므로

$\dfrac{b^2 - 6b + 8 - (a^2 - 6a + 8)}{b - a} \times 1 = -1$

$b^2 - 6b + 8 - a^2 + 6a - 8 = a - b$

$a^2 - b^2 - 5a + 5b = 0$

$(a+b)(a-b) - 5(a-b) = 0$

$(a-b)(a+b-5) = 0$

그런데 $a \neq b$이므로 $a + b - 5 = 0$

$\therefore a + b = 5$ ...... ㉠ ············ 배점 30%

(ii) 두 점 A, B를 이은 선분의 중점 $\left(\dfrac{a+b}{2}, \dfrac{a^2+b^2-6a-6b+16}{2} \right)$이

직선 $y = x + 1$ 위에 있으므로

$\dfrac{a^2+b^2-6a-6b+16}{2} = \dfrac{a+b}{2} + 1$

$a^2 + b^2 - 6a - 6b + 16 = a + b + 2$

$a^2 + b^2 - 7a - 7b + 14 = 0$

$(a+b)^2 - 2ab - 7(a+b) + 14 = 0$

㉠을 대입하면

$5^2 - 2ab - 7 \times 5 + 14 = 0$ $\therefore ab = 2$

$\therefore (b-a)^2 = (a+b)^2 - 4ab = 5^2 - 4 \times 2 = 17$

$\therefore b - a = \sqrt{17}$ $(\because a < b)$ ············ 배점 30%

$\therefore \overline{AB} = \sqrt{(b-a)^2 + \{b^2 - 6b + 8 - (a^2 - 6a + 8)\}^2}$

$= \sqrt{(b-a)^2 + \{b^2 - a^2 - 6(b-a)\}^2}$

$= \sqrt{(b-a)^2 + \{(b+a)(b-a) - 6(b-a)\}^2}$

$= \sqrt{17 + (5 \times \sqrt{17} - 6\sqrt{17})^2}$

$= \sqrt{17 + 17}$

$= \sqrt{34}$ ············ 배점 20%

13 답 ①

선분 OP의 길이가 최소가 되는 경우는 직
선 l과 직선 $3x + 4y + 12 = 0$이 서로 수직
일 때이므로 직선 l의 기울기는 $\dfrac{4}{3}$이다.

즉, 직선 l의 방정식은 $y = \dfrac{4}{3}x$

직선 l은 직선 $y = 0$을 직선 $y = ax$에 대하
여 대칭이동한 것이므로 직선 l 위의 점을
직선 $y = ax$에 대하여 대칭이동하면 직선 $y = 0$ 위의 점이 된다.
따라서 직선 l 위의 한 점 $A(3, 4)$에 대하여 $\overline{OA} = \sqrt{3^2 + 4^2} = 5$이므로
점 A를 직선 $y = ax$에 대하여 대칭이동한 점은 $B(5, 0)$이다.
이때 두 점 A, B를 지나는 직선은 직선 $y = ax$와 수직이므로

$\dfrac{0-4}{5-3} \times a = -1$

$-2a = -1$ $\therefore a = \dfrac{1}{2}$

14 답 3

원 C의 중심의 좌표가 (a, b)이고, 두 원 C, C'이 직선 $y = x$에 대하여
서로 대칭이므로 원 C'의 중심의 좌표는 (b, a)이다.
원 C'을 x축의 방향으로 -1만큼 평행이동한 원을 C''이라 하면 원 C''
의 중심의 좌표는 $(b-1, a)$이다.
이때 원 C를 직선 $y = 2x - 2$에 대하여 대칭이동한 원은 C''이므로 두 원
C, C''의 중심 (a, b), $(b-1, a)$는 직선 $y = 2x - 2$에 대하여 서로 대칭
이다.
즉, 두 원 C, C''의 중심을 이은 선분의 중점 $\left(\dfrac{a+b-1}{2}, \dfrac{a+b}{2} \right)$가 직
선 $y = 2x - 2$ 위의 점이므로

$\dfrac{a+b}{2} = 2 \times \dfrac{a+b-1}{2} - 2$

$a + b = 2(a+b-1) - 4$

$\therefore a + b = 6$ ...... ㉠

또 두 원 C, C''의 중심을 지나는 직선이 직선 $y = 2x - 2$에 수직이므로

$\dfrac{a-b}{b-1-a} \times 2 = -1$

$2(a-b) = -b + 1 + a$

$\therefore a - b = 1$ ...... ㉡

㉠, ㉡을 연립하여 풀면 $a = \dfrac{7}{2}$, $b = \dfrac{5}{2}$

$\therefore 4b - 2a = 4 \times \dfrac{5}{2} - 2 \times \dfrac{7}{2} = 3$

15 답 -66

㈎에서 직선 l은 두 점 $(-3, 2)$, $(1, 0)$을 이은 선분의 중점 $(-1, 1)$을 지난다.

㈏에서 직선 l은 원 $x^2+y^2-2x-4y+4=0$, 즉 $(x-1)^2+(y-2)^2=1$의 중심 $(1, 2)$를 지난다.

따라서 두 점 $(-1, 1)$, $(1, 2)$를 지나는 직선 l의 방정식은

$$y-2=\frac{2-1}{1-(-1)}(x-1)$$

$$\therefore y=\frac{1}{2}x+\frac{3}{2}$$

직선 $y=2x$를 직선 l에 대하여 대칭이동한 직선을 m이라 하자.

직선 $y=2x$와 직선 l의 교점이 $(1, 2)$이므로 직선 m도 점 $(1, 2)$를 지난다.

또 직선 $y=2x$ 위의 한 점 $A(0, 0)$을 직선 l에 대하여 대칭이동한 점을 $B(p, q)$라 하면

두 점 A, B를 이은 선분의 중점 $\left(\frac{p}{2}, \frac{q}{2}\right)$가 직선 l 위의 점이므로

$$\frac{q}{2}=\frac{1}{2}\times\frac{p}{2}+\frac{3}{2}$$

$$\therefore p-2q=-6 \quad\cdots\cdots\ \text{㉠}$$

또 두 점 A, B를 지나는 직선이 직선 l에 수직이므로

$$\frac{q}{p}\times\frac{1}{2}=-1$$

$$\therefore q=-2p \quad\cdots\cdots\ \text{㉡}$$

㉠, ㉡을 연립하여 풀면 $p=-\frac{6}{5}$, $q=\frac{12}{5}$

$$\therefore B\left(-\frac{6}{5}, \frac{12}{5}\right)$$

즉, 두 점 $(1, 2)$, $\left(-\frac{6}{5}, \frac{12}{5}\right)$를 지나는 직선 m의 방정식은

$$y-2=\frac{\frac{12}{5}-2}{-\frac{6}{5}-1}(x-1)$$

$$y=-\frac{2}{11}(x-1)+2$$

$$\therefore 2x+11y-24=0$$

따라서 $a=2$, $b=11$, $c=-24$이므로

$$\frac{bc}{a^2}=\frac{11\times(-24)}{4}=-66$$

다른 풀이

㈎에서 직선 l은 두 점 $(-3, 2)$, $(1, 0)$을 이은 선분의 중점 $(-1, 1)$을 지난다.

㈏에서 직선 l은 원 $x^2+y^2-2x-4y+4=0$, 즉 $(x-1)^2+(y-2)^2=1$의 중심 $(1, 2)$를 지난다.

따라서 두 점 $(-1, 1)$, $(1, 2)$를 지나는 직선 l의 방정식은

$$y-2=\frac{2-1}{1-(-1)}(x-1)$$

$$\therefore y=\frac{1}{2}x+\frac{3}{2}$$

직선 $y=2x$ 위의 점을 $P(x, y)$라 하고 직선 l에 대하여 대칭이동한 점을 $Q(x', y')$라 하자.

이때 두 점 P, Q를 이은 선분의 중점 $\left(\frac{x+x'}{2}, \frac{y+y'}{2}\right)$이 직선 l 위의 점이므로

$$\frac{y+y'}{2}=\frac{1}{2}\times\frac{x+x'}{2}+\frac{3}{2}$$

$$2(y+y')=x+x'+6$$

$$\therefore x-2y=-x'+2y'-6 \quad\cdots\cdots\ \text{㉠}$$

또 두 점 P, Q를 지나는 직선이 직선 l에 수직이므로

$$\frac{y-y'}{x-x'}\times\frac{1}{2}=-1$$

$$y-y'=-2(x-x')$$

$$\therefore 2x+y=2x'+y' \quad\cdots\cdots\ \text{㉡}$$

㉠$+2\times$㉡을 하면

$$5x=3x'+4y'-6$$

$$\therefore x=\frac{3}{5}x'+\frac{4}{5}y'-\frac{6}{5}$$

$2\times$㉠$-$㉡을 하면

$$-5y=-4x'+3y'-12$$

$$\therefore y=\frac{4}{5}x'-\frac{3}{5}y'+\frac{12}{5}$$

이때 점 $P(x, y)$는 직선 $y=2x$ 위의 점이므로

$$\frac{4}{5}x'-\frac{3}{5}y'+\frac{12}{5}=2\left(\frac{3}{5}x'+\frac{4}{5}y'-\frac{6}{5}\right)$$

$$\therefore 2x'+11y'-24=0$$

따라서 구하는 직선의 방정식은 $2x+11y-24=0$이므로

$a=2$, $b=11$, $c=-24$

$$\therefore \frac{bc}{a^2}=\frac{11\times(-24)}{4}$$

$$=-66$$

16 답 $4\sqrt{2}$

세 점 P, A, B를 $P(x, 0)$, $A(1, 1)$, $B(5, 3)$이라 하면 $\sqrt{(x-1)^2+1}$은 두 점 A, P 사이의 거리이고, $\sqrt{(x-5)^2+9}$는 두 점 B, P 사이의 거리이다.

즉, $\sqrt{(x-1)^2+1}+\sqrt{(x-5)^2+9}$의 최솟값은 $\overline{AP}+\overline{BP}$의 최솟값이다.

이때 점 $P(x, 0)$은 x축 위의 점이므로 점 $A(1, 1)$을 x축에 대하여 대칭이동한 점을 $A'(1, -1)$이라 하면

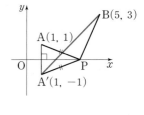

$$\overline{AP}+\overline{BP}=\overline{A'P}+\overline{BP}$$

$$\geq\overline{A'B}$$

$$=\sqrt{(5-1)^2+\{3-(-1)\}^2}$$

$$=4\sqrt{2}$$

따라서 구하는 최솟값은 $4\sqrt{2}$이다.

17 답 ④

점 R의 좌표를 $(a, 1)$이라 하자.

점 R를 x축에 대하여 대칭이동한 점을 R'이라 하면 $R'(a, -1)$이고

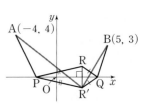

$$\overline{AP}+\overline{PR}=\overline{AP}+\overline{PR'}\geq\overline{AR'}$$

$$\overline{RQ}+\overline{QB}=\overline{R'Q}+\overline{QB}\geq\overline{R'B}$$

$$\therefore \overline{AP}+\overline{PR}+\overline{RQ}+\overline{QB}\geq\overline{AR'}+\overline{R'B}$$

세 점 $A(-4, 4)$, $B(5, 3)$, $R'(a, -1)$을 y축의 방향으로 1만큼 평행이동한 점을 각각 A', B', R''이라 하면 $A'(-4, 5)$, $B'(5, 4)$, $R''(a, 0)$이고

$$\overline{AR'}+\overline{R'B}=\overline{A'R''}+\overline{R''B'}$$

이때 점 B′(5, 4)를 x축에 대하여
대칭이동한 점을 B″이라 하면
B″(5, −4)이므로

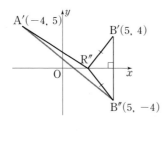

$\overline{A'R''}+\overline{R''B'}$
$=\overline{A'R''}+\overline{R''B''}$
$\geq\overline{A'B''}$
$=\sqrt{\{5-(-4)\}^2+(-4-5)^2}$
$=9\sqrt{2}$

따라서 $\overline{AP}+\overline{PR}+\overline{RQ}+\overline{QB}$의 최솟값은 $9\sqrt{2}$이다.

18 답 ⑤

$\overline{AB}=\sqrt{(9-5)^2+(1-4)^2}=5$이므로 사각
형 ABPQ의 둘레의 길이가 최소일 때는
나머지 세 변 BP, PQ, QA의 길이의 합
이 최소일 때이다.

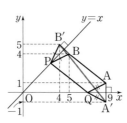

점 B(5, 4)를 직선 $y=x$에 대하여 대칭
이동한 점을 B′이라 하면 B′(4, 5)이고,
점 A(9, 1)을 x축에 대하여 대칭이동한
점을 A′이라 하면 A′(9, −1)이므로

$\overline{BP}+\overline{PQ}+\overline{QA}=\overline{B'P}+\overline{PQ}+\overline{QA'}$
$\qquad\qquad\qquad\geq\overline{A'B'}$
$\qquad\qquad\qquad=\sqrt{(9-4)^2+(-1-5)^2}$
$\qquad\qquad\qquad=\sqrt{61}$

$\therefore \overline{AB}+\overline{BP}+\overline{PQ}+\overline{QA}\geq\overline{AB}+\overline{A'B'}$
$\qquad\qquad\qquad\qquad\qquad\quad=5+\sqrt{61}$

따라서 사각형 ABPQ의 둘레의 길이의 최솟값은 $5+\sqrt{61}$이므로
$a=5$, $b=61$ $\quad\therefore a+b=66$

---

step ❸ 최고난도 문제
| 120~121쪽

01 ①	02 $a=1$, $b=\dfrac{10}{3}$	03 ①	04 5
05 (15, 9)	06 $\dfrac{21}{32}$	07 4	

01 답 ①

1단계 두 삼각형 T_1, T_2의 꼭짓점의 좌표 구하기

세 점 O(0, 0), A(0, 1), B(−1, 0)을 x
축의 방향으로 t만큼 평행이동한 세 점을
각각 O₁, A′, B′이라 하면
O₁$(t, 0)$, A′$(t, 1)$, B′$(-1+t, 0)$
세 점 O(0, 0), C(0, −1), D(1, 0)을 y
축의 방향으로 $2t$만큼 평행이동한 세 점을
각각 O₂, C′, D′이라 하면
O₂$(0, 2t)$, C′$(0, -1+2t)$, D′$(1, 2t)$

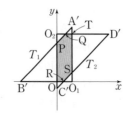

2단계 두 삼각형 T_1, T_2가 만나는 점의 좌표 구하기

두 삼각형 T_1, T_2의 내부의 공통부분이 육각형 모양이 되려면 선분
A′B′이 두 선분 O₂C′, O₂D′과 A′, B′이 아닌 두 점에서 만나야 한다.
또 선분 C′D′이 두 선분 O₁B′, O₁A′과 C′, D′이 아닌 두 점에서 만나야
한다.
선분 A′B′이 두 선분 O₂C′, O₂D′과 만나는 점을 각각 P, Q라 하고, 선
분 C′D′이 두 선분 O₁B′, O₁A′과 만나는 점을 각각 R, S라 하자.
두 점 A′$(t, 1)$, B′$(-1+t, 0)$을 지나는 직선의 방정식은

$$y-1=\frac{0-1}{-1+t-t}(x-t) \quad \therefore y=x-t+1$$

직선 $y=x-t+1$의 y절편은 $1-t$이므로 점 P의 좌표는 $(0, 1-t)$
두 점 O₂$(0, 2t)$, D′$(1, 2t)$를 지나는 직선의 방정식은 $y=2t$이므로 두
점 A′, B′을 지나는 직선과 두 점 O₂, D′을 지나는 직선의 교점 Q의 x
좌표를 구하면

$x-t+1=2t \quad \therefore x=3t-1$

따라서 점 Q의 좌표는 $(3t-1, 2t)$
두 점 C′$(0, -1+2t)$, D′$(1, 2t)$를 지나는 직선의 방정식은

$$y-2t=\frac{2t-(-1+2t)}{1-0}(x-1) \quad \therefore y=x+2t-1$$

직선 $y=x+2t-1$의 x절편은 $1-2t$이므로 점 R의 좌표는 $(1-2t, 0)$
두 점 O₁$(t, 0)$, A′$(t, 1)$을 지나는 직선의 방정식은 $x=t$이므로 두 점
C′, D′을 지나는 직선과 두 점 O₁, A′을 지나는 직선의 교점 S의 y좌표
를 구하면

$y=t+2t-1 \quad \therefore y=3t-1$

따라서 점 S의 좌표는 $(t, 3t-1)$

3단계 a의 값 구하기

이때 조건을 만족시키는 육각형이 만들어지려면
(점 P의 y좌표)<(점 O₂의 y좌표)<(점 A′의 y좌표)이어야 하므로
$1-t<2t<1$
$1-t<2t$에서 $t>\dfrac{1}{3}$, $2t<1$에서 $t<\dfrac{1}{2}$

$\therefore \dfrac{1}{3}<t<\dfrac{1}{2} \qquad \cdots\cdots \text{㉠}$

또 (점 C′의 y좌표)<(점 O₁의 y좌표)<(점 S의 y좌표)이어야 하므로
$-1+2t<0<3t-1$
$-1+2t<0$에서 $t<\dfrac{1}{2}$, $0<3t-1$에서 $t>\dfrac{1}{3}$

$\therefore \dfrac{1}{3}<t<\dfrac{1}{2} \qquad \cdots\cdots \text{㉡}$

㉠, ㉡에서 t의 값의 범위는 $\dfrac{1}{3}<t<\dfrac{1}{2}$이므로 $a=\dfrac{1}{2}$

4단계 M의 값 구하기

이때 두 선분 A′O₁, O₂D′의 교점을 T라 하고, 육각형의 넓이를 S라 하
면
S=(직사각형 OO₁TO₂의 넓이)−(삼각형 O₁SR의 넓이)
$\qquad\qquad\qquad\qquad\qquad\qquad\qquad$−(삼각형 O₂PQ의 넓이)

$\quad=t\times 2t-\dfrac{1}{2}(3t-1)^2-\dfrac{1}{2}(3t-1)^2$
$\quad=-7t^2+6t-1$
$\quad=-7\left(t-\dfrac{3}{7}\right)^2+\dfrac{2}{7}$

따라서 $\dfrac{1}{3}<t<\dfrac{1}{2}$에서 $t=\dfrac{3}{7}$일 때, S는 최댓값 $M=\dfrac{2}{7}$를 갖는다.

5단계 $a+M$의 값 구하기

$\therefore a+M=\dfrac{1}{2}+\dfrac{2}{7}=\dfrac{11}{14}$

02 답 $a=1$, $b=\dfrac{10}{3}$

1단계 두 도형 P_1, P_2의 방정식 구하기

함수 $y=|x-1|+2$의 그래프를 x축의 방향으로 $3a$만큼, y축의 방향으로 $-a$만큼 평행이동한 도형의 방정식은

P_1: $y+a=|x-1-3a|+2$

또 함수 $y=|x-1|+2$의 그래프를 x축의 방향으로 $-2b$만큼, y축의 방향으로 b만큼 평행이동한 도형의 방정식은

P_2: $y-b=|x-1+2b|+2$

2단계 두 점 A, B의 좌표 구하기

함수 $y=|x-1|+2$의 그래프는

$x\geq1$일 때, $y=x+1$,

$x<1$일 때, $y=-x+3$

P_1의 그래프는

$x\geq1+3a$일 때, $y=x+1-4a$

$x<1+3a$일 때, $y=-x+3+2a$

점 A는 두 직선 $y=x+1$,

$y=-x+3+2a$의 교점이므로

$x+1=-x+3+2a$, $2x=2a+2$

$\therefore x=a+1$

이를 $y=x+1$에 대입하면

$y=a+2$ $\therefore \text{A}(a+1, a+2)$

P_2의 그래프는

$x\geq1-2b$일 때, $y=x+1+3b$

$x<1-2b$일 때, $y=-x+3-b$

점 B는 두 직선 $y=-x+3$, $y=x+1+3b$의 교점이므로

$-x+3=x+1+3b$, $2x=-3b+2$

$\therefore x=-\dfrac{3}{2}b+1$

이를 $y=-x+3$에 대입하면

$y=\dfrac{3}{2}b+2$ $\therefore \text{B}\left(-\dfrac{3}{2}b+1, \dfrac{3}{2}b+2\right)$

3단계 선분 AB의 중점의 좌표를 이용하여 a, b의 값 구하기

한편 삼각형 ABC에서 $\angle\text{C}=90°$이므로 선분 AB는 삼각형 ABC의 외접원의 지름이다.

따라서 원 $x^2+y^2+2x-10y+13=0$, 즉 $(x+1)^2+(y-5)^2=13$의 중심 $(-1, 5)$가 선분 AB의 중점이므로

$$\dfrac{a+1+\left(-\dfrac{3}{2}b+1\right)}{2}=-1,\quad \dfrac{a+2+\left(\dfrac{3}{2}b+2\right)}{2}=5$$

$\therefore 2a-3b=-8$, $2a+3b=12$

따라서 두 식을 연립하여 풀면

$a=1$, $b=\dfrac{10}{3}$

03 답 ①

1단계 삼각형 ABQ의 넓이가 최대인 경우 파악하기

점 P가 원 $x^2+(y-1)^2=9$ 위의 점이므로 점 P를 y의 방향으로 -1만큼 평행이동한 후 y축에 대하여 대칭이동한 점 Q는 원 $x^2+(y-1)^2=9$를 y의 방향으로 -1만큼 평행이동한 후 y축에 대하여 대칭이동한 원 $x^2+y^2=9$ 위의 점이다.

이때 삼각형 ABQ의 넓이가 최대가 되려면 점 Q와 직선 AB 사이의 거리가 최대가 되어야 한다.

2단계 점 Q의 좌표 구하기

그림과 같이 점 Q는 직선 AB와 평행하고 원 $x^2+y^2=9$와 제2사분면에서 접하는 접선의 접점이다.

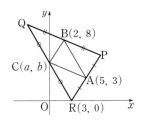

직선 AB의 기울기는

$\dfrac{\sqrt{3}-(-\sqrt{3})}{3-1}=\sqrt{3}$이므로 기울기가 $\sqrt{3}$이고

제2사분면에서 원 $x^2+y^2=9$와 접하는 직선의 방정식은

$y=\sqrt{3}x+3\sqrt{(\sqrt{3})^2+1}$

$\therefore y=\sqrt{3}x+6$ ······ ㉠

이를 $x^2+y^2=9$에 대입하면

$x^2+(\sqrt{3}x+6)^2=9$

$4x^2+12\sqrt{3}x+27=0$

$(2x+3\sqrt{3})^2=0$ $\therefore x=-\dfrac{3\sqrt{3}}{2}$

이를 ㉠에 대입하면 $y=\dfrac{3}{2}$

따라서 점 Q의 좌표가 $\left(-\dfrac{3\sqrt{3}}{2}, \dfrac{3}{2}\right)$일 때, 삼각형 ABQ의 넓이가 최대가 된다.

3단계 점 P의 y좌표 구하기

점 Q를 y축에 대하여 대칭이동한 후 y축의 방향으로 1만큼 평행이동하면 점 P가 되므로 점 P의 좌표는 $\left(\dfrac{3\sqrt{3}}{2}, \dfrac{5}{2}\right)$

따라서 점 P의 y좌표는 $\dfrac{5}{2}$이다.

04 답 5

1단계 조건을 만족시키는 경우 파악하기

포물선 $y=f(x)$의 꼭짓점 $(3, 0)$을 점 A에 대하여 대칭이동한 점을 P, 점 P를 점 B에 대하여 대칭이동한 점을 Q, 점 Q를 점 C에 대하여 대칭이동한 점을 R라 하면 점 R를 x축에 대하여 대칭이동한 점은 $(3, 0)$이므로 점 R는 $(3, 0)$이다.

따라서 세 점 A, B, C는 각각 세 선분 RP, PQ, QR의 중점이므로 삼각형의 중점연결정리에 의하여 사각형 ABCR는 평행사변형이다.

2단계 두 직선의 기울기가 같음을 이용하여 a, b의 값 구하기

즉, 직선 BA의 기울기와 직선 CR의 기울기가 같으므로

$$\dfrac{3-8}{5-2}=\dfrac{0-b}{3-a}$$

$-5(3-a)=3\times(-b)$

$\therefore 5a+3b=15$ ······ ㉠

또 직선 BC의 기울기와 직선 AR의 기울기가 같으므로

$$\dfrac{8-b}{2-a}=\dfrac{3-0}{5-3}$$

$2(8-b)=3(2-a)$

$\therefore 3a-2b=-10$ ······ ㉡

㉠, ㉡을 연립하여 풀면

$a=0$, $b=5$

3단계 $a+b$의 값 구하기

$\therefore a+b=5$

idea
05 답 $(15, 9)$

1단계 점 P를 x축, y축, 직선 $x=18$, 직선 $y=14$에 대하여 각각 대칭이동한 네 점이 한 원 위의 점임을 알기

점 P를 x축, y축에 대하여 대칭이동한 점을 각각 P_1, P_2라 하고, 두 직선 $x=18$, $y=14$에 대하여 대칭이동한 점을 각각 P_3, P_4라 하자.

이때 $\angle PR_1O = \angle QR_1A$이고 $\angle PR_1O = \angle P_1R_1O$이므로 $\angle QR_1A = \angle P_1R_1O$

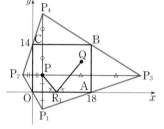

세 점 P_1, R_1, Q는 한 직선 위에 있고 두 선분 PR_i, R_iQ의 길이의 합이 항상 일정하므로 두 선분 P_iR_i, R_iQ의 길이의 합, 즉 선분 P_iQ의 길이가 항상 일정하다.

따라서 $\overline{P_1Q} = \overline{P_2Q} = \overline{P_3Q} = \overline{P_4Q}$이므로 네 점 P_1, P_2, P_3, P_4는 점 Q를 중심으로 하는 원 위의 점이다.

2단계 점 Q의 x좌표 구하기

선분 P_2P_3은 중심이 점 Q인 원의 현이므로 점 Q는 선분 P_2P_3의 수직이등분선 위에 있다.

즉, 점 Q의 x좌표는 두 점 $P_2(-3, 5)$, $P_3(33, 5)$를 이은 선분의 중점의 x좌표이므로 $x = \dfrac{-3+33}{2} = 15$

3단계 점 Q의 y좌표 구하기

또 선분 P_1P_4는 중심이 점 Q인 원의 현이므로 점 Q는 선분 P_1P_4의 수직이등분선 위에 있다.

즉, 점 Q의 y좌표는 두 점 $P_1(3, -5)$, $P_4(3, 23)$을 이은 선분의 중점의 y좌표이므로 $y = \dfrac{-5+23}{2} = 9$

4단계 점 Q의 좌표 구하기

따라서 점 Q의 좌표는 $(15, 9)$이다.

06 답 $\dfrac{21}{32}$

1단계 $\dfrac{b+d+2}{a+c+4}$의 값 파악하기

원 $x^2+y^2-8x-8y+28=0$, 즉 $(x-4)^2+(y-4)^2=4$를 C라 하고, 원 C를 원점에 대하여 대칭이동한 원을 C_1, 원 C_1을 x축의 방향으로 -4만큼, y축의 방향으로 -2만큼 평행이동한 원을 C_2라 하자.

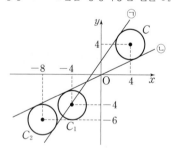

점 $B(c, d)$를 원점에 대하여 대칭이동한 점을 B_1이라 하면 $B_1(-c, -d)$이고, 점 B_1은 원 C_1 위의 점이다.

또 점 B_1을 x축의 방향으로 -4만큼, y축의 방향으로 -2만큼 평행이동한 점을 B_2라 하면 $B_2(-c-4, -d-2)$이고, 점 B_2는 원 C_2 위의 점이다. 따라서 $\dfrac{b+d+2}{a+c+4}$는 두 점 A, B_2를 지나는 직선의 기울기이다.

2단계 Mm의 값 구하기

원 C 위의 점 A와 원 C_2 위의 점 B_2를 지나는 직선 중 기울기의 최댓값은 ㉠과 같이 접할 때이고, 최솟값은 ㉡과 같이 접할 때이다.

두 원 C, C_2의 반지름의 길이가 같으므로 두 접선 ㉠, ㉡은 두 원의 중심 $(4, 4)$, $(-8, -6)$을 이은 선분의 중점 $(-2, -1)$을 지난다.

점 $(-2, -1)$을 지나고 두 원에 접하는 직선의 기울기를 a라 하면 접선의 방정식은

$y+1 = a(x+2)$ $\therefore ax-y+2a-1=0$

이때 원 C의 중심 $(4, 4)$와 직선 $ax-y+2a-1=0$ 사이의 거리는 반지름의 길이가 2와 같으므로

$\dfrac{|4a-4+2a-1|}{\sqrt{a^2+(-1)^2}} = 2$, $|6a-5| = 2\sqrt{a^2+1}$

양변을 제곱하면 $36a^2-60a+25 = 4(a^2+1)$

$\therefore 32a^2-60a+21 = 0$

따라서 이 이차방정식의 두 근이 M, m이므로 근과 계수의 관계에 의하여

$$Mm = \dfrac{21}{32}$$

07 답 4

1단계 점 Q_1의 좌표 구하기

세 점 P, Q, R가 한 직선 위에 있지 않을 때,

$\overline{QR}+\overline{PR} > \overline{PQ}$, $\overline{PQ}+\overline{PR} > \overline{QR}$ $\therefore \overline{PR} > |\overline{PQ}-\overline{QR}|$

세 점 P, Q, R가 한 직선 위에 있을 때, $\overline{PR} = |\overline{PQ}-\overline{QR}|$

따라서 $|\overline{PQ}-\overline{QR}|$의 값이 최대가 되려면 세 점 P, Q, R가 한 직선 위에 있어야 한다.

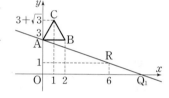

한편 $\overline{AR}^2 = 6^2+2^2 = 40$,

$\overline{CR}^2 = 5^2+(2+\sqrt{3})^2 = 32+4\sqrt{3}$에서 $\overline{AR}^2 > \overline{CR}^2$, 즉 $\overline{AR} > \overline{CR}$이므로 점 P가 점 A일 때 선분 PR의 길이가 최대이다.

이때 점 Q_1의 좌표를 $(a, 0)$이라 하면 a의 값은 점 P가 점 A일 때 직선 PR의 x절편이고, 두 점 $A(0, 3)$, $R(6, 1)$을 지나는 직선의 방정식은

$y-1 = \dfrac{1-3}{6-0}(x-6)$, 즉 $y = -\dfrac{1}{3}x+3$이므로

$0 = -\dfrac{1}{3}a+3$ $\therefore a=9$ $\therefore Q_1(9, 0)$

2단계 점 Q_2의 좌표 구하기

세 점 $A(0, 3)$, $B(2, 3)$, $C(1, 3+\sqrt{3})$을 x축에 대하여 대칭이동한 점을 각각 A', B', C'이라 하면 $A'(0, -3)$, $B'(2, -3)$, $C'(1, -3-\sqrt{3})$

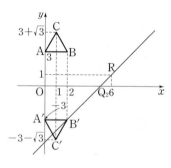

삼각형 A'B'C' 위의 한 점을 P'이라 할 때 $\overline{P'Q}+\overline{QR}$의 값이 최소가 되려면 세 점 P', Q, R가 한 직선 위에 있어야 한다.

한편 삼각형 A'B'C' 위의 점 P'에 대하여 점 P'이 점 B'일 때 선분 P'R의 길이가 최소이다.

이때 점 Q_2의 좌표를 $(b, 0)$이라 하면 b의 값은 점 P'이 점 B'일 때 직선 P'R의 x절편이고, 두 점 $B'(2, -3)$, $R(6, 1)$을 지나는 직선의 방정식은 $y-1 = \dfrac{1-(-3)}{6-2}(x-6)$, 즉 $y=x-5$이므로

$0 = b-5$ $\therefore b=5$ $\therefore Q_2(5, 0)$

3단계 선분 Q_1Q_2의 길이 구하기

따라서 선분 Q_1Q_2의 길이는 $9-5=4$

01 $-\dfrac{16}{3}$	02 $\dfrac{1}{2}$	03 ②	04 ③	05 $\dfrac{120}{119}$	06 60
07 34	08 ③	09 36	10 23	11 64	12 ③
13 ②					

01 답 $-\dfrac{16}{3}$

(가)에서 직선 l이 삼각형 OAB의 점 O를 지나고, (나), (다)에서 점 P는 선분 AB를 $2:1$ 또는 $1:2$로 내분하는 점이어야 한다.

(i) 점 P가 선분 AB를 $2:1$로 내분하는 점일 때,
점 P의 좌표는

$$\left(\dfrac{2\times0+1\times3}{2+1},\ \dfrac{2\times8+1\times0}{2+1}\right) \quad\therefore\left(1,\ \dfrac{16}{3}\right)$$

즉, 직선 l의 기울기는 $\dfrac{\frac{16}{3}-0}{1-0}=\dfrac{16}{3}$

(다)에서 직선 m은 삼각형 OAP의 넓이를 이등분하므로 선분 OA의 중점 $\left(\dfrac{3}{2},\ 0\right)$을 지난다.

즉, 직선 m의 기울기는 $\dfrac{\frac{16}{3}-0}{1-\frac{3}{2}}=-\dfrac{32}{3}$

따라서 두 직선 l, m의 기울기의 합은 $\dfrac{16}{3}+\left(-\dfrac{32}{3}\right)=-\dfrac{16}{3}$

(ii) 점 P가 선분 AB를 $1:2$로 내분하는 점일 때,
점 P의 좌표는

$$\left(\dfrac{1\times0+2\times3}{1+2},\ \dfrac{1\times8+2\times0}{1+2}\right) \quad\therefore\left(2,\ \dfrac{8}{3}\right)$$

즉, 직선 l의 기울기는 $\dfrac{\frac{8}{3}-0}{2-0}=\dfrac{4}{3}$

(다)에서 직선 m은 삼각형 OPB의 넓이를 이등분하므로 선분 OB의 중점 $(0,\ 4)$를 지난다.

즉, 직선 m의 기울기는 $\dfrac{\frac{8}{3}-4}{2-0}=-\dfrac{2}{3}$

따라서 두 직선 l, m의 기울기의 합은 $\dfrac{4}{3}+\left(-\dfrac{2}{3}\right)=\dfrac{2}{3}$

(i), (ii)에서 두 직선 l, m의 기울기의 합의 최솟값은 $-\dfrac{16}{3}$이다.

02 답 $\dfrac{1}{2}$

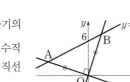

두 직선 $y=3x$, $y=-\dfrac{1}{3}x$의 기울기의 곱이 -1이므로 두 직선은 서로 수직이다. 즉, 직선 $y=mx+6$이 두 직선 $y=-\dfrac{1}{3}x$, $y=3x$와 만나는 점을 각각 A, B라 하면 삼각형 AOB는 $\angle\text{AOB}=90°$인 직각이등변삼각형이다.

$-\dfrac{1}{3}x=mx+6$에서 $x=-\dfrac{18}{3m+1}$

이를 $y=-\dfrac{1}{3}x$에 대입하면 $y=\dfrac{6}{3m+1}$

$\therefore \text{A}\left(-\dfrac{18}{3m+1},\ \dfrac{6}{3m+1}\right)$

$3x=mx+6$에서 $x=\dfrac{6}{3-m}$

이를 $y=3x$에 대입하면 $y=\dfrac{18}{3-m}$

$\therefore \text{B}\left(\dfrac{6}{3-m},\ \dfrac{18}{3-m}\right)$

이때 $\overline{\text{OA}}=\overline{\text{OB}}$에서 $\overline{\text{OA}}^2=\overline{\text{OB}}^2$이므로

$$\left(-\dfrac{18}{3m+1}\right)^2+\left(\dfrac{6}{3m+1}\right)^2=\left(\dfrac{6}{3-m}\right)^2+\left(\dfrac{18}{3-m}\right)^2$$

$$\dfrac{360}{9m^2+6m+1}=\dfrac{360}{m^2-6m+9}$$

$m^2-6m+9=9m^2+6m+1$

$8m^2+12m-8=0,\ 2m^2+3m-2=0$

$(m+2)(2m-1)=0 \quad\therefore m=\dfrac{1}{2}\ (\because m>0)$

다른 풀이

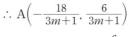

두 직선 $y=3x$, $y=-\dfrac{1}{3}x$의 기울기의 곱이 -1이므로 두 직선은 서로 수직이다. 즉, 직선 $y=mx+6$이 두 직선 $y=-\dfrac{1}{3}x$, $y=3x$와 만나는 점을 각각 A, B라 하면 삼각형 AOB는 $\angle\text{AOB}=90°$인 직각이등변삼각형이다.

원점을 지나고 $\angle\text{AOB}$를 이등분하는 직선을 l이라 하면 직선 l은 직선 $y=mx+6$과 수직이고, 직선 l 위의 점 $(x,\ y)$에서 두 직선 $y=3x$, $y=-\dfrac{1}{3}x$, 즉 $3x-y=0$, $x+3y=0$에 이르는 거리는 같다.

$\dfrac{|3x-y|}{\sqrt{3^2+(-1)^2}}=\dfrac{|x+3y|}{\sqrt{1^2+3^2}}$에서 $|3x-y|=|x+3y|$

$3x-y=\pm(x+3y) \quad\therefore y=\dfrac{1}{2}x$ 또는 $y=-2x$

이때 $m>0$에서 직선 l의 기울기가 음수이므로

$y=-2x \quad\therefore m=\dfrac{1}{2}$

03 답 ②

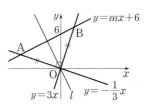

그림과 같이 직선 BC를 x축으로 하고 점 D를 원점으로 하는 좌표평면을 잡으면
$\text{B}(-\sqrt{2},\ 0)$, $\text{C}(\sqrt{2},\ 0)$
점 A의 좌표를 $(p,\ q)\ (p>0,\ q>0)$라 하면

$\overline{\text{AB}}=2\sqrt{6}$에서 $\overline{\text{AB}}^2=24$이므로

$(p+\sqrt{2})^2+q^2=24 \quad\therefore p^2+q^2+2\sqrt{2}p=22 \quad\cdots\cdots\ \bigcirc$

$\overline{\text{AD}}=\sqrt{14}$에서 $\overline{\text{AD}}^2=14$이므로 $p^2+q^2=14 \quad\cdots\cdots\ \bigcirc\!\!\!\!\bigcirc$

$\bigcirc-\bigcirc\!\!\!\!\bigcirc$을 하면 $2\sqrt{2}p=8 \quad\therefore p=2\sqrt{2}$

이를 $\bigcirc\!\!\!\!\bigcirc$에 대입하면 $8+q^2=14 \quad\therefore q=\sqrt{6}\ (\because q>0)$

$\therefore \text{A}(2\sqrt{2},\ \sqrt{6})$

$\overline{\text{AC}}=\sqrt{(2\sqrt{2}-\sqrt{2})^2+(\sqrt{6})^2}=2\sqrt{2}$이므로 삼각형 ABC는 이등변삼각형이고 선분 CE는 선분 AB의 수직이등분선이다.

따라서 직각삼각형 CEB에서

$\overline{\text{CE}}=\sqrt{\overline{\text{BC}}^2-\overline{\text{BE}}^2}=\sqrt{(2\sqrt{2})^2-(\sqrt{6})^2}=\sqrt{2}$

이때 점 P는 삼각형 ABC의 무게중심이므로

$\overline{AP} : \overline{PD} = 2 : 1$에서 $\overline{AP} = \dfrac{2}{3}\overline{AD} = \dfrac{2\sqrt{14}}{3}$, $\overline{PD} = \dfrac{1}{3}\overline{AD} = \dfrac{\sqrt{14}}{3}$

$\overline{CP} : \overline{PE} = 2 : 1$에서 $\overline{CP} = \dfrac{2}{3}\overline{CE} = \dfrac{2\sqrt{2}}{3}$, $\overline{PE} = \dfrac{1}{3}\overline{CE} = \dfrac{\sqrt{2}}{3}$

삼각형 EPA에서 선분 PR가 $\angle$APE의 이등분선이므로

$\overline{AR} : \overline{ER} = \overline{PA} : \overline{PE} = \dfrac{2\sqrt{14}}{3} : \dfrac{\sqrt{2}}{3} = 2\sqrt{7} : 1$

즉, $\overline{AR} : \overline{ER} = 2\sqrt{7} : 1$이므로 $\triangle ARP : \triangle REP = 2\sqrt{7} : 1$

이때 삼각형 ABC의 넓이를 S라 하면

$S = \dfrac{1}{2} \times \overline{AB} \times \overline{CE} = \dfrac{1}{2} \times 2\sqrt{6} \times \sqrt{2} = 2\sqrt{3}$

따라서 삼각형 AEP의 넓이는 삼각형 ABC의 넓이의 $\dfrac{1}{6}$이므로

$S_1 = S \times \dfrac{1}{6} \times \dfrac{1}{2\sqrt{7}+1} = 2\sqrt{3} \times \dfrac{1}{6} \times \dfrac{1}{2\sqrt{7}+1} = \dfrac{2\sqrt{21}-\sqrt{3}}{81}$

또 삼각형 CPD에서 선분 PQ가 $\angle$DPC의 이등분선이므로

$\overline{DQ} : \overline{CQ} = \overline{PD} : \overline{PC} = \dfrac{\sqrt{14}}{3} : \dfrac{2\sqrt{2}}{3} = \sqrt{7} : 2$

즉, $\overline{DQ} : \overline{CQ} = \sqrt{7} : 2$이므로 $\triangle PDQ : \triangle PQC = \sqrt{7} : 2$

따라서 삼각형 PDC의 넓이는 삼각형 ABC의 넓이의 $\dfrac{1}{6}$이므로

$S_2 = S \times \dfrac{1}{6} \times \dfrac{2}{\sqrt{7}+2} = 2\sqrt{3} \times \dfrac{1}{6} \times \dfrac{2}{\sqrt{7}+2} = \dfrac{2\sqrt{21}-4\sqrt{3}}{9}$

$\therefore S_2 - S_1 = \dfrac{2\sqrt{21}-4\sqrt{3}}{9} - \dfrac{2\sqrt{21}-\sqrt{3}}{81} = \dfrac{16\sqrt{21}-35\sqrt{3}}{81}$

따라서 $a = \dfrac{16}{81}$, $b = -\dfrac{35}{81}$이므로 $a - b = \dfrac{17}{27}$

04 답 ③

$\overline{AC} = \overline{BC}$이므로 점 C는 선분 AB의 수직이등분선 위에 있다.

직선 AB의 기울기는 $\dfrac{0-8}{32-0} = -\dfrac{1}{4}$이므로 직선 AB와 수직인 직선의 기울기는 4이고, 선분 AB의 중점을 M이라 하면 점 M의 좌표는 $\left(\dfrac{0+32}{2}, \dfrac{8+0}{2}\right)$, 즉 $(16, 4)$이므로 선분 AB의 수직이등분선의 방정식은

$y - 4 = 4(x-16)$ $\therefore y = 4x - 60$

이때 점 C(a, b)가 이 직선 위의 점이므로

$b = 4a - 60$ ...... ㉠

삼각형 CAB의 무게중심을 G'이라 하면 $\overline{CP} : \overline{CA} = 3 : 4$이므로

$\overline{CG} : \overline{CG'} = 3 : 4$ $\therefore \overline{CG'} = \dfrac{4}{3}\overline{CG} = \dfrac{4\sqrt{17}}{3}$

$\overline{CG'} : \overline{CM} = 2 : 3$이므로 $\overline{CM} = \dfrac{3}{2}\overline{CG'} = 2\sqrt{17}$

즉, $\overline{CM}^2 = 68$이므로 $(a-16)^2 + (b-4)^2 = 68$

$\therefore a^2 + b^2 - 32a - 8b + 204 = 0$ ...... ㉡

㉠을 ㉡에 대입하면

$a^2 + (4a-60)^2 - 32a - 8(4a-60) + 204 = 0$

$17a^2 - 544a + 4284 = 0$

$a^2 - 32a + 252 = 0$

$(a-14)(a-18) = 0$

$\therefore a = 14$ 또는 $a = 18$

이를 ㉠에 대입하여 풀면

$a = 14$일 때 $b = -4$, $a = 18$일 때 $b = 12$

이때 점 C는 제1사분면 위의 점이므로

$a = 18$, $b = 12$ $\therefore a + b = 30$

05 답 $\dfrac{120}{119}$

원점에서 직선 l에 내린 수선의 발을 H라 하자.

이때 $\overline{OP} = \sqrt{41}$,

$\overline{OA} = \sqrt{12^2 + 5^2} = 13$이고,

$\overline{OH} = a$, $\overline{HP} = b$라 하면 두 삼각형 OHP, OHA는 모두 직각삼각형이므로

$a^2 + b^2 = 41$ ...... ㉠

$a^2 + (b+8)^2 = 169$ $\therefore a^2 + b^2 + 16b = 105$ ...... ㉡

㉡ - ㉠을 하면 $16b = 64$ $\therefore b = 4$

이를 ㉠에 대입하여 풀면 $a = 5$ ($\because a > 0$)

직선 l의 기울기를 m $(m > 0)$이라 하면 직선 l의 방정식은

$y - 5 = m(x - 12)$

$\therefore mx - y - 12m + 5 = 0$

원의 중심 $(0, 0)$과 직선 $mx - y - 12m + 5 = 0$ 사이의 거리가 5이므로

$\dfrac{|-12m+5|}{\sqrt{m^2 + (-1)^2}} = 5$, $|-12m+5| = 5\sqrt{m^2+1}$

양변을 제곱하면

$144m^2 - 120m + 25 = 25(m^2 + 1)$

$119m^2 - 120m = 0$

$m(119m - 120) = 0$

$\therefore m = \dfrac{120}{119}$ ($\because m > 0$)

06 답 60

원의 중심의 좌표를 (a, b)라 하면 원의 중심과 두 직선 $x - 2y = 0$, $2x - y = 0$ 사이의 거리가 같으므로

$\dfrac{|a-2b|}{\sqrt{1^2 + (-2)^2}} = \dfrac{|2a-b|}{\sqrt{2^2 + (-1)^2}}$

$a - 2b = \pm(2a - b)$ $\therefore b = -a$ 또는 $b = a$

즉, 원의 중심은 직선 $y = x$ 또는 $y = -x$ 위에 있다.

(i) 원의 중심이 직선 $y = x$ 위에 있을 때,

원의 중심 (a, a)와 직선 $2x - y = 0$ 사이의 거리는 3이므로

$\dfrac{|2a-a|}{\sqrt{2^2 + (-1)^2}} = 3$, $\dfrac{|a|}{\sqrt{5}} = 3$

$|a| = 3\sqrt{5}$ $\therefore a = \pm 3\sqrt{5}$

$\therefore$ A$(3\sqrt{5}, 3\sqrt{5})$, C$(-3\sqrt{5}, -3\sqrt{5})$

(ii) 원의 중심이 직선 $y = -x$ 위에 있을 때,

원의 중심 $(a, -a)$와 직선 $2x - y = 0$ 사이의 거리는 3이므로

$\dfrac{|2a+a|}{\sqrt{2^2 + (-1)^2}} = 3$, $\dfrac{|3a|}{\sqrt{5}} = 3$

$|a| = \sqrt{5}$ $\therefore a = \pm\sqrt{5}$

$\therefore$ B$(-\sqrt{5}, \sqrt{5})$, D$(\sqrt{5}, -\sqrt{5})$

이때 네 점 A, B, C, D를 꼭짓점으로 하는 사각형은 두 선분 AC, BD를 대각선으로 하는 마름모이다.

$\overline{AC} = \sqrt{(-3\sqrt{5}-3\sqrt{5})^2 + (-3\sqrt{5}-3\sqrt{5})^2} = 6\sqrt{10}$

$\overline{BD} = \sqrt{\{\sqrt{5}-(-\sqrt{5})\}^2 + (-\sqrt{5}-\sqrt{5})^2} = 2\sqrt{10}$

따라서 사각형 ABCD의 넓이는

$\dfrac{1}{2} \times \overline{AC} \times \overline{BD} = \dfrac{1}{2} \times 6\sqrt{10} \times 2\sqrt{10} = 60$

07 답 34

(i) $a=0$일 때,

$\overline{AC}=\overline{BC}$이므로 점 C는 선분 AB의 수직이등분선 위에 있고, 삼각형 ABC는 $\angle ACB=90°$인 직각삼각형이므로 점 C는 선분 AB를 지름으로 하는 원 위에 있다.

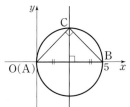

$\therefore \overline{OC}=\dfrac{5\sqrt{2}}{2}$

(ii) $a\neq0$일 때,

$\angle AOB=\angle ACB=90°$이므로 네 점 A, O, B, C가 한 원 위에 있고 선분 AB는 이 원의 지름이다.

이때 선분 AB의 중점의 좌표는 $\left(\dfrac{5}{2}, \dfrac{a}{2}\right)$ 이고 반지름의 길이는

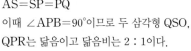

$\sqrt{\left(\dfrac{5}{2}\right)^2+\left(\dfrac{a}{2}\right)^2}=\sqrt{\dfrac{a^2+25}{4}}$이므로 원의 방정식은

$\left(x-\dfrac{5}{2}\right)^2+\left(y-\dfrac{a}{2}\right)^2=\dfrac{a^2+25}{4}$ ...... ㉠

선분 AB의 수직이등분선을 l이라 하면 $\overline{AC}=\overline{BC}$이므로 점 C는 직선 l과 원이 만나는 점이다.

이때 직선 AB의 기울기는 $-\dfrac{a}{5}$이므로 직선 l의 기울기는 $\dfrac{5}{a}$이다.

따라서 직선 l의 방정식은

$y-\dfrac{a}{2}=\dfrac{5}{a}\left(x-\dfrac{5}{2}\right)$ ...... ㉡

이를 ㉠에 대입하면

$\left(x-\dfrac{5}{2}\right)^2+\dfrac{25}{a^2}\left(x-\dfrac{5}{2}\right)^2=\dfrac{a^2+25}{4}$

$\left(x-\dfrac{5}{2}\right)^2=\dfrac{a^2}{4}$

$x-\dfrac{5}{2}=\pm\dfrac{a}{2}$

$\therefore x=\dfrac{a+5}{2}$ 또는 $x=\dfrac{5-a}{2}$

이를 ㉡에 대입하여 풀면

$x=\dfrac{a+5}{2}$일 때 $y=\dfrac{a+5}{2}$, $x=\dfrac{5-a}{2}$일 때 $y=\dfrac{a-5}{2}$

즉, 점 C의 좌표는

$\left(\dfrac{a+5}{2}, \dfrac{a+5}{2}\right)$ 또는 $\left(\dfrac{5-a}{2}, \dfrac{a-5}{2}\right)$

① C$\left(\dfrac{a+5}{2}, \dfrac{a+5}{2}\right)$일 때,

$\overline{OC}=\sqrt{\left(\dfrac{a+5}{2}\right)^2+\left(\dfrac{a+5}{2}\right)^2}=\sqrt{2}\left|\dfrac{a+5}{2}\right|$

이때 $-2\leq a<0$ 또는 $0<a\leq3$이므로

$\dfrac{3\sqrt{2}}{2}\leq\overline{OC}<\dfrac{5\sqrt{2}}{2}$ 또는 $\dfrac{5\sqrt{2}}{2}<\overline{OC}\leq4\sqrt{2}$

② C$\left(\dfrac{5-a}{2}, \dfrac{a-5}{2}\right)$일 때,

$\overline{OC}=\sqrt{\left(\dfrac{5-a}{2}\right)^2+\left(\dfrac{a-5}{2}\right)^2}=\sqrt{2}\left|\dfrac{a-5}{2}\right|$

이때 $-2\leq a<0$ 또는 $0<a\leq3$이므로

$\sqrt{2}\leq\overline{OC}<\dfrac{5\sqrt{2}}{2}$ 또는 $\dfrac{5\sqrt{2}}{2}<\overline{OC}\leq\dfrac{7\sqrt{2}}{2}$

(i), (ii)에서 $M=4\sqrt{2}$, $m=\sqrt{2}$이므로

$M^2+m^2=32+2=34$

08 답 ③

두 점 A$(-2, 0)$, B$(2, 0)$을 지름의 양 끝 점으로 하는 원 C의 방정식은 $x^2+y^2=4$

선분 AP의 중점을 S라 하면 $\angle PSO=90°$이고 점 Q는 선분 AP를 3 : 1로 외분하므로 $\overline{AS}=\overline{SP}=\overline{PQ}$

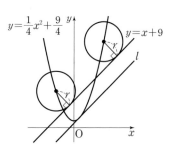

이때 $\angle APB=90°$이므로 두 삼각형 QSO, QPR는 닮음이고 닮음비는 2 : 1이다.

즉, 점 R는 선분 OQ의 중점이므로 점 R의 y좌표를 a라 하면 삼각형 OBR의 넓이는

$\dfrac{1}{2}\times2\times a=\dfrac{6}{5}$ $\therefore a=\dfrac{6}{5}$

점 R의 y좌표가 $\dfrac{6}{5}$이므로 점 Q의 y좌표는 $\dfrac{12}{5}$

이때 점 P는 선분 AQ를 2 : 1로 내분하는 점이므로 점 P의 y좌표는

$\dfrac{2\times\dfrac{12}{5}+1\times0}{2+1}=\dfrac{8}{5}$

점 P의 좌표를 $\left(b, \dfrac{8}{5}\right)(b>0)$이라 하면 점 P는 원 $x^2+y^2=4$ 위의 점 이므로
→ $0<m<1$이므로 점 P의 x좌표는 양수이다.

$b^2+\left(\dfrac{8}{5}\right)^2=4$, $b^2=\dfrac{36}{25}$

$\therefore b=\dfrac{6}{5}$ $(\because b>0)$

$\therefore$ P$\left(\dfrac{6}{5}, \dfrac{8}{5}\right)$

따라서 두 점 A$(-2, 0)$, P$\left(\dfrac{6}{5}, \dfrac{8}{5}\right)$을 지나는 직선의 기울기는

$\dfrac{\dfrac{8}{5}-0}{\dfrac{6}{5}-(-2)}=\dfrac{1}{2}$ $\therefore m=\dfrac{1}{2}$

09 답 36

직선 $y=x+9$에 평행하고 이차함수 $y=\dfrac{1}{4}x^2+\dfrac{9}{4}$의 그래프에 접하는 직선을 l, 직선 $y=x+9$와 직선 l 사이의 거리를 d라 하자.

(i) $r>d$일 때,

그림과 같이 직선 $y=x+9$의 위쪽에서 접하는 원이 2개이다.

$\therefore m=2$

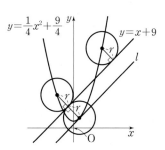

(ii) $r=d$일 때,

그림과 같이 직선 $y=x+9$의 위쪽에서 접하는 원이 2개, 아래쪽에서 접하는 원이 1개이다.

$\therefore m=3$

(iii) $r<d$일 때,

그림과 같이 직선 $y=x+9$의 위쪽에서 접하는 원이 2개, 아래쪽에서 접하는 원이 2개이다.

$\therefore m=4$

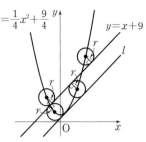

(i), (ii), (iii)에서 m이 홀수인 경우는 $m=3$

직선 $y=x+9$에 접하는 원 중 직선 $y=x+9$의 아래쪽에 위치한 원을 C_1이라 하면 원 C_1의 반지름의 길이 r는 이차함수 $y=\dfrac{1}{4}x^2+\dfrac{9}{4}$의 그래프에 접하고 기울기가 1인 직선과 직선 $y=x+9$ 사이의 거리와 같다.

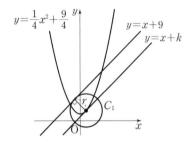

이차함수 $y=\dfrac{1}{4}x^2+\dfrac{9}{4}$의 그래프에 접하고 기울기가 1인 직선의 방정식을 $y=x+k$라 하면 $\dfrac{1}{4}x^2+\dfrac{9}{4}=x+k$에서

$x^2-4x+9-4k=0$

이 이차방정식의 판별식을 D라 하면

$\dfrac{D}{4}=(-2)^2-(9-4k)=0$

$\therefore k=\dfrac{5}{4}$

두 직선 $y=x+9$와 $y=x+\dfrac{5}{4}$ 사이의 거리는 직선 $y=x+9$ 위의 점 $(0, 9)$와 직선 $y=x+\dfrac{5}{4}$, 즉 $x-y+\dfrac{5}{4}=0$ 사이의 거리와 같으므로

$\dfrac{\left|-9+\dfrac{5}{4}\right|}{\sqrt{1^2+(-1)^2}}=\dfrac{31\sqrt{2}}{8}$

$\therefore r=\dfrac{31\sqrt{2}}{8}$

직선 $y=x$와 직선 $y=x+\dfrac{5}{4}$ 사이의 거리는 직선 $y=x$ 위의 점 $(0, 0)$과 직선 $y=x+\dfrac{5}{4}$, 즉 $x-y+\dfrac{5}{4}=0$ 사이의 거리와 같으므로

$\dfrac{\left|\dfrac{5}{4}\right|}{\sqrt{1^2+(-1)^2}}=\dfrac{5\sqrt{2}}{8}$

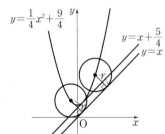

따라서 $\dfrac{31\sqrt{2}}{8}>\dfrac{5\sqrt{2}}{8}$이므로 $n=2$ → 원의 반지름의 길이가 두 직선 사이의 거리보다 크므로 직선 $y=x$에 접하는 원은 두 개이다.

$\therefore m+n+4\sqrt{2}r=3+2+31=36$

---

10 답 23

원 C의 중심의 좌표는 $(3, 4)$이므로 원 C_1의 중심의 좌표는 $(3+m, 4)$이고 반지름의 길이는 4이다.

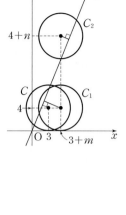

(가)에서 원 C_1이 직선 l과 적어도 한 점에서 만나려면 원 C_1의 중심 $(3+m, 4)$와 직선 $12x-5y=0$ 사이의 거리는 원의 반지름의 길이인 4보다 작거나 같아야 하므로

$\dfrac{|12(3+m)-20|}{\sqrt{12^2+(-5)^2}}\leq 4$

$|12m+16|\leq 52$

$-52\leq 12m+16\leq 52,\ -68\leq 12m\leq 36$

$\therefore -\dfrac{17}{3}\leq m\leq 3$

따라서 자연수 m의 값은 1, 2, 3이다.

원 C_2의 중심의 좌표는 $(3+m, 4+n)$이고 반지름의 길이는 4이다.

(나)에서 원 C_2가 직선 l과 적어도 한 점에서 만나려면 원 C_2의 중심 $(3+m, 4+n)$과 직선 $12x-5y=0$ 사이의 거리는 원의 반지름의 길이인 4보다 작거나 같아야 하므로

$\dfrac{|12(3+m)-5(4+n)|}{\sqrt{12^2+(-5)^2}}\leq 4$

$|12m-5n+16|\leq 52,\ -52\leq 12m-5n+16\leq 52$

$\therefore -68\leq 12m-5n\leq 36$

(i) $m=1$일 때,

$-68\leq 12m-5n\leq 36$에서 $-68\leq 12-5n\leq 36$

$-80\leq -5n\leq 24$ $\therefore -\dfrac{24}{5}\leq n\leq 16$

따라서 자연수 n의 값은 1, 2, 3, $\cdots$, 16이므로 $m+n$의 최댓값은 $1+16=17$

(ii) $m=2$일 때,

$-68\leq 12m-5n\leq 36$에서 $-68\leq 24-5n\leq 36$

$-92\leq -5n\leq 12$ $\therefore -\dfrac{12}{5}\leq n\leq \dfrac{92}{5}$

따라서 자연수 n의 값은 1, 2, 3, $\cdots$, 18이므로 $m+n$의 최댓값은 $2+18=20$

(iii) $m=3$일 때,

$-68\leq 12m-5n\leq 36$에서 $-68\leq 36-5n\leq 36$

$-104\leq -5n\leq 0$ $\therefore 0\leq n\leq \dfrac{104}{5}$

따라서 자연수 n의 값은 1, 2, 3, $\cdots$, 20이므로 $m+n$의 최댓값은 $3+20=23$

(i), (ii), (iii)에서 $m+n$의 최댓값은 23이다.

---

11 답 64

두 직선 AB, OD의 교점을 E, 직선 AB와 직선 $y=x$의 교점을 F라 하자.

직선 AB의 방정식은

$y=\dfrac{4-0}{2-4}(x-4)$

$\therefore y=-2x+8$ $\cdots\cdots$ ㉠

점 B$(2, 4)$를 직선 $y=x$에 대하여 대칭이동한 점 D의 좌표는 $(4, 2)$이므로 직선 OD의 방정식은

$y=\dfrac{1}{2}x$ $\cdots\cdots$ ㉡

㉠, ㉡에서

$$-2x+8=\frac{1}{2}x \qquad \therefore x=\frac{16}{5}$$

이를 ㉡에 대입하면

$$y=\frac{8}{5} \qquad \therefore E\left(\frac{16}{5}, \frac{8}{5}\right)$$

㉠에 $y=x$를 대입하면

$$x=-2x+8 \qquad \therefore x=\frac{8}{3}$$

이를 $y=x$에 대입하면

$$y=\frac{8}{3} \qquad \therefore F\left(\frac{8}{3}, \frac{8}{3}\right)$$

$$\therefore \triangle OEF=\triangle OAF-\triangle OAE$$
$$=\frac{1}{2}\times4\times\frac{8}{3}-\frac{1}{2}\times4\times\frac{8}{5}=\frac{32}{15}$$

따라서 $S=2\triangle OEF=2\times\frac{32}{15}=\frac{64}{15}$이므로

$$15S=15\times\frac{64}{15}=64$$

12 답 ③

제1사분면 위의 점 D의 좌표를 (a, b)라 하면 직사각형의 두 대각선의 교점이 원점이고, 각 변이 x축 또는 y축에 평행하므로
$A(-a, b)$, $B(-a, -b)$, $C(a, -b)$
이때 네 점 A, B, C, D를 y축의 방향으로 3 만큼 평행이동한 네 점을 각각 A_1, B_1, C_1, D_1이라 하면 $\overline{AD}>\overline{AB}>3$이므로 두 직사 각형 ABCD와 $A_1B_1C_1D_1$은 그림과 같다.

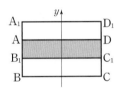

$\overline{AD}=2a$, $\overline{AB_1}=\overline{AB}-\overline{B_1B}=2b-3$
이고 ㈐에서 공통부분, 즉 직사각형 AB_1C_1D의 넓이는 22이므로
$$\overline{AD}\times\overline{AB_1}=22, \quad 2a(2b-3)=22$$
$$\therefore a(2b-3)=11 \quad \cdots\cdots ㉠$$

또 네 점 A, B, C, D를 직선 $y=x$에 대하여 대칭이동한 네 점을 각각 A_2, B_2, C_2, D_2라 하면 두 직사각형 ABCD와 $A_2B_2C_2D_2$는 그림과 같다.

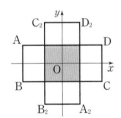

$\overline{A_2B_2}=\overline{AB}=2b$이고 ㈑에서 공통부분의 넓이는 25이므로
$$2b\times2b=25, \quad b^2=\frac{25}{4}$$
$$\therefore b=\frac{5}{2} \ (\because b>0)$$

이를 ㉠에 대입하여 풀면 $a=\frac{11}{2}$

따라서 직사각형 ABCD의 넓이는
$$\overline{AD}\times\overline{AB}=2a\times2b=2\times\frac{11}{2}\times2\times\frac{5}{2}=55$$

13 답 ②

세 점 $O(0, 0)$, $A(0, 2)$, $B(-2, 0)$을 x축의 방향으로 t만큼 평행이 동한 세 점을 각각 O_1, A', B'이라 하면
$$O_1(t, 0), A'(t, 2), B'(-2+t, 0)$$

세 점 $O(0, 0)$, $C(0, -2)$, $D(2, 0)$을 y 축의 방향으로 $3t$만큼 평행이동한 세 점을 각각 O_2, C', D'이라 하면
$$O_2(0, 3t), C'(0, -2+3t), D'(2, 3t)$$

두 삼각형 T_1, T_2의 내부의 공통부분이 육 각형 모양이 되려면 선분 $A'B'$이 두 선분 O_2C', O_2D'과 A', B'이 아닌 두 점에서 만나야 한다. 또 선분 $C'D'$이 두 선분 O_1B', O_1A'과 C', D'이 아닌 두 점에서 만나야 한다.

선분 $A'B'$이 두 선분 O_2C', O_2D'과 만나는 점을 각각 P, Q라 하고, 선 분 $C'D'$이 두 선분 O_1B', O_1A'과 만나는 점을 각각 R, S라 하자.

두 점 $A'(t, 2)$, $B'(-2+t, 0)$을 지나는 직선의 방정식은
$$y-2=\frac{0-2}{-2+t-t}(x-t) \qquad \therefore y=x-t+2$$

직선 $y=x-t+2$의 y절편은 $2-t$이므로 점 P의 좌표는 $(0, 2-t)$

두 점 $O_2(0, 3t)$, $D'(2, 3t)$를 지나는 직선의 방정식은 $y=3t$이므로 두 점 A', B'을 지나는 직선과 두 점 O_2, D'을 지나는 직선의 교점 Q의 x좌 표를 구하면
$$x-t+2=3t \qquad \therefore x=4t-2$$

따라서 점 Q의 좌표는 $(4t-2, 3t)$

두 점 $C'(0, -2+3t)$, $D'(2, 3t)$를 지나는 직선의 방정식은
$$y-3t=\frac{3t-(-2+3t)}{2-0}(x-2) \qquad \therefore y=x+3t-2$$

직선 $y=x+3t-2$의 x절편은 $2-3t$이므로 점 R의 좌표는 $(2-3t, 0)$

두 점 $O_1(t, 0)$, $A'(t, 2)$를 지나는 직선의 방정식은 $x=t$이므로 두 점 C', D'을 지나는 직선과 두 점 O_1, A'을 지나는 직선의 교점 S의 y좌표 를 구하면
$$y=t+3t-2 \qquad \therefore y=4t-2$$

따라서 점 S의 좌표는 $(t, 4t-2)$

이때 조건을 만족시키는 육각형이 만들어지려면
(점 P의 y좌표)<(점 O_2의 y좌표)<(점 A'의 y좌표)이어야 하므로
$$2-t<3t<2$$
$2-t<3t$에서 $t>\frac{1}{2}$, $3t<2$에서 $t<\frac{2}{3}$
$$\therefore \frac{1}{2}<t<\frac{2}{3} \quad \cdots\cdots ㉠$$

또 (점 C'의 y좌표)<(점 O_1의 y좌표)<(점 S의 y좌표)이어야 하므로
$$-2+3t<0<4t-2$$
$-2+3t<0$에서 $t<\frac{2}{3}$, $0<4t-2$에서 $t>\frac{1}{2}$
$$\therefore \frac{1}{2}<t<\frac{2}{3} \quad \cdots\cdots ㉡$$

㉠, ㉡에서 t의 값의 범위는 $\frac{1}{2}<t<\frac{2}{3}$이므로 $a=\frac{2}{3}$

이때 두 선분 $A'O_1$, O_2D'의 교점을 T라 하고, 육각형의 넓이를 S라 하면
$S=$(직사각형 OO_1TO_2의 넓이)$-$(삼각형 O_1SR의 넓이)
$$-(\text{삼각형 } O_2PQ \text{의 넓이})$$
$$=t\times3t-\frac{1}{2}(4t-2)^2-\frac{1}{2}(4t-2)^2$$
$$=-13t^2+16t-4$$
$$=-13\left(t-\frac{8}{13}\right)^2+\frac{12}{13}$$

따라서 $\frac{1}{2}<t<\frac{2}{3}$에서 $t=\frac{8}{13}$일 때, S는 최댓값 $M=\frac{12}{13}$를 갖는다.

$$\therefore M-a=\frac{12}{13}-\frac{2}{3}=\frac{10}{39}$$

따라서 $p=39$, $q=10$이므로 $p+q=49$

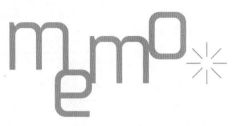

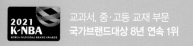

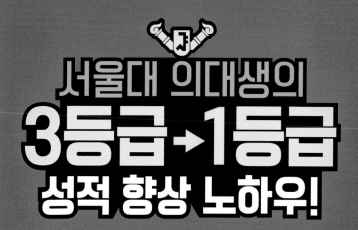

수학의 신 보다 더 강력해진, 1등급을 위한 필수 코스 〈수학의 신〉

대표전화 1544-0554
주소 서울특별시 구로구 디지털로33길 48 대륭포스트타워 7차 20층
협의 없는 무단 복제는 법으로 금지되어 있습니다.

수학의 신

보다 더 강력해진, 1등급을 위한 필수 코스 〈수학의 신〉

visang

http://book.visang.com/

발간 이후에 발견되는 오류 비상교재 누리집 〉 학습자료실 〉 고등교재 〉 정오표
본 교재의 정답 비상교재 누리집 〉 학습자료실 〉 고등교재 〉 정답·해설

QR 코드 스캔하기   의견 남기기   선물 받기

53410

ISBN 979-11-6609-497-2

정가 14,000원

품질혁신코드 VS01QI22_1